개정판

텐서플로 2
버전 반영

수학으로 풀어보는

강화학습 원리와 알고리즘

딥러닝과 강화학습을
이해하기 위한
필수 수학 이론부터
다양한 강화학습 알고리즘,
모델 기반 강화학습까지

이 책에서 사용한 예제 코드는 다음과 같은 환경에서 작성되었다.

- **운영체제:** 윈도우 10
- **패키지:** 파이썬 3.8.5, 텐서플로 2.4.1

이 책의 코드는 다음 주소에서 내려받을 수 있다.

- https://github.com/pasus/Reinforcement-Learning-Book-Revision

개정판
텐서플로 2
버전 반영

수학으로 풀어보는 강화학습 원리와 알고리즘

딥러닝과 강화학습을 이해하기 위한 필수 수학 이론부터
다양한 강화학습 알고리즘, 모델 기반 강화학습까지

지은이 박성수
펴낸이 박찬규 엮은이 최용 디자인 북누리 표지디자인 Arowa & Arowana

펴낸곳 위키북스 전화 031-955-3658, 3659 팩스 031-955-3660
주소 경기도 파주시 문발로 115, 311호 (파주출판도시, 세종출판벤처타운)

가격 30,000 페이지 436 책규격 188 x 240mm

1쇄 발행 2021년 09월 17일
2쇄 발행 2023년 11월 05일
ISBN 979-11-5839-273-4 (93000)

등록번호 제406-2006-000036호 등록일자 2006년 05월 19일
홈페이지 wikibook.co.kr 전자우편 wikibook@wikibook.co.kr

개정판

텐서플로 2 버전 반영

수학으로 풀어보는

강화학습 원리와 알고리즘

딥러닝과 강화학습을 이해하기 위한 필수 수학 이론부터
다양한 강화학습 알고리즘, 모델 기반 강화학습까지

박성수 지음

위키북스

강화학습, "답을 찾을 수 있을 것이다. 늘 그랬듯이"

강화학습(reinforcement learning)은 지도 학습, 비지도 학습과 함께 머신러닝(machine learning)의 한 분야다. 하지만 사람이 제공하는 데이터를 기반으로 입력과 출력과의 관계를 예측하는 함수를 찾아내는 지도 학습(supervised learning), 데이터 자체의 확률분포를 예측해주는 비지도 학습(unsupervised learning)과는 달리, 환경과의 상호작용을 통해 스스로 데이터를 만들고 이를 이용해 환경의 바람직한 변화를 일으키는 행동이 무엇인지를 스스로 학습하는 강화학습이야말로 진정한 머신러닝 또는 인공지능이 아니냐고 말하는 사람이 많다. 이런 능동적인 특징이 강화학습의 매력이 아닌가 생각한다.

한편 강화학습은 동적 시스템의 미래 거동을 향상시키기 위해 과거 데이터를 사용하는 방법을 연구하는 학문으로 정의되기도 한다. 이러한 정의에 의하면 강화학습은 자동제어의 한 분야이기도 하다. 물론 자동제어는 잘 정의된 수학 모델을 바탕으로 복잡한 행동을 설계하는 이론을 제공하지만, 강화학습은 데이터만을 가지고 모델을 예측하며 행동을 산출한다는 점에서 차이가 있다. 이런 차이점 때문인지 강화학습과 자동제어 커뮤니티는 실질적으로 서로 분리되어 각자의 길을 걸었다.

하지만 최근 딥러닝과 결합한 강화학습이 게임 분야에서 거둔 성공은 자동제어 연구자와 기술자들에게 강화학습에 대한 큰 관심을 불러일으켰다. 물론 저자도 그중 한 사람이다. 복잡한 환경과의 상호작용을 통해 스스로 제어 법칙과 운동 모델을 학습할 수 있는 강화학습이 앞으로 자율주행 차량이나 급격한 운동이 필요한 로봇, 드론 시스템을 포함해 더욱 난도 높은 항법/유도/제어 분야에서 중요한 역할을 할 수 있을 것이라는 기대를 모으고 있다. 물론 현재의 강화학습은 데이터의 효율적 사용 문제라든가 복잡하고 불확실한 환경과 안전하고 신뢰성 있는 상호작용을 어떻게 구현할 것인가 등 여러 가지 어려운 문제점이 있다. 효율성 및 안전성과 신뢰성 문제는 자동제어 공학의 핵심 주제이므로, 기존의 자동제어 이론과 강화학습 이론의 장점을 서로 결합한다면 자동제어와 강화학습의 문제를 동시에 해결할 수 있는 '답을 찾을 수 있을 것이다. 늘 그랬듯이'.

그냥 따라 하기로는 부족했다

저자는 2013년 스탠퍼드 대학교에서 연구년을 보낼 때 앤드루 응(Andrew Ng) 교수의 강의를 통해 머신러닝을 처음 접하고 흥미를 느꼈다. 그 후 관련 기사를 찾아 읽고, 텐서플로를 이용해 여러 가지 딥러닝 알고리즘을 구현해 보는 것이 일상의 재미가 되었다. 특히 강화학습에 관심이 많았는데, 국내외 개인 블로그나 깃허브(Github)에 여러 가지 강화학습 알고리즘을 설명하고 구현한 코드가 많아서 쉽게 코딩을 따라 해 볼 수 있었다. 하지만 어느 정도 시간이 지나자 그냥 따라 해보는 것만으로는 부족했다. 마치 설명서를 보면서 레고를 조립하는 느낌이랄까? 어떤 수학적 과정을 거쳐서 알고리즘이 유도됐는지가 궁금했다. 그래서 UC Berkeley, 스탠퍼드, 구글 등이 공개한 강의와 관련 서적 및 논문 등을 통해 머신러닝과 딥러닝의 여러 분야를 연구했다. 머신러닝과 딥러닝의 여러 분야 중에서도 강화학습이 특히 수학적인 난도가 높았다. 알고리즘의 수학적 유도 과정이 관련 논문에조차 자세히 나와 있지 않아서 쉽게 이해하기가 어려웠다. 그래서 저자 스스로 관련 서적과 논문 등을 참조해 가며 처음부터 끝까지 생략 없이 강화학습 알고리즘을 수식으로 유도해 보기 시작했고 그 내용을 해석해 봤다.

코딩하면서 알고리즘이 유도된 과정이 궁금하다면

이 책은 딥러닝이나 강화학습 예제를 코딩하면서 알고리즘이 유도된 과정이 궁금했던 사람을 위한 책이다. 술술 읽히는 책은 아니지만, 그렇다고 심하게 어려운 책도 아니다. 수학의 선수 지식으로 대학 2학년 때 배우는 공업수학을 이수한 정도면 충분하고, 딥러닝의 선수 지식으로는 텐서플로, 케라스, 파이토치를 사용해 MNIST와 같은 간단한 딥러닝 예제를 따라 해 본 정도면 충분하다.

이 책에서는 강화학습뿐만 아니라 다른 머신러닝과 딥러닝의 기초가 되는 확률이론과 추정론에 대한 기본적인 이해를 바탕으로 강화학습의 여러 알고리즘에 대한 체계적인 수식 유도와 설명을 시도했다. 강화학습이 추구하는 기본 목표로부터 A2C, A3C, PPO, DDPG 및 모델 기반 강화학습 등 강화학습의 알고리즘이 무엇이며 어떤 목적으로 개발됐는지, 수학적으로는 어떻게 유도됐는지, 그리고 어떻게 코드로 구현해 적용했는지를 구체적으로 설명했다. 기존에 출간된 강화학습 책들은 주로 게임 분야에 적용하기 적합한 이산공간 변수에 대해서 다루었다면, 이 책은 강화학습을 로봇이나 드론 등 물리 시스템에 적용하는 것을 전제로 연속공간 변수에 대해서 다루었다는 점이 특징이다. 또한 강화학습의 여러 알고리즘의 성능을 서로 비교해 볼 수 있도록 동일한 신경망 구조를 사용했고 GPU 없는 노트북에서도 쉽게 알고리즘을 구현하고 실행해 볼 수 있도록 OpenAI Gym에서 제공하는 간단한 학습 환경을 사용했다.

강화학습의 매력에 빠지다

강화학습은 다른 머신러닝 분야보다 매력이 있다. 강화학습으로 학습하는 시스템을 물끄러미 쳐다보고 있노라면 "에고 잘하네! 그렇지! 조금만 더!" 하는 말이 절로 나오는 신기한 경험을 하게 된다. 기존 자동 제어 이론을 적용해 설계한 제어 시스템이 그냥 사물이라면, 강화학습 대상에게는 감정이 이입된다고나 할까?

이 책을 통해 독자들이 강화학습의 매력을 알게 됐으면 한다. 또한 앞으로 강화학습의 심화 알고리즘을 익히고, 더 깊이 이해하고, 나아가 알고리즘을 스스로 개발하는 데 이 책이 조금이라도 도움이 된다면 더할 나위 없이 기쁘겠다.

감사의 말

이 책에 나오기까지 도와주신 박찬규 대표를 비롯한 위키북스의 스태프들에게 감사드린다. 가족들에게도 감사의 말을 전하고 싶다. 저자는 10년 전, 아들이 태어난 해에 《우주궤도역학》(청문각 2009)이라는 책을 펴냈다. 그 책이 아들의 탄생 기념이 되었다. 이 책이 아들의 10년 맞이 기념이 됐으면 좋겠다. 그리고 아내의 변함없는 응원과 사랑은 나의 전부다. 아내에게 깊이 감사드린다.

2020년 1월

박성수

《수학으로 풀어보는 강화학습 원리와 알고리즘》의 초판이 발간된 지 1년 7개월가량이 지났습니다. 그 사이 텐서플로가 버전 2로 업그레이드되면서 텐서플로2를 적용한 개정판 출간 계획을 문의하는 독자도 많았고, 텐서플로2로 코드를 짜서 Github에 직접 올려준 독자도 있었습니다. SAC 알고리즘과 멀티에이전트 강화학습을 개정판에 포함해 달라는 요청도 있었습니다. 이러한 독자들의 관심에 힘입어 텐서플로2를 적용한 개정판을 집필하게 되었습니다. 텐서플로2를 적용하여 코드를 새로 짰으며 SAC에 관한 내용을 새로운 장으로 추가했습니다.

멀티에이전트 강화학습은 최근 많은 관심을 받는 주제입니다. 다루어야 할 이론도 많고 응용 분야도 방대합니다. 기회가 된다면 이 주제로 별도의 책을 집필할 생각입니다. SAC 알고리즘은 이 책의 공통 주제인 정책 그래디언트 계열과 이 책에서는 본격적으로 다루지 않은 Q-러닝 계열 알고리즘의 접점에 있는 알고리즘으로서 이번 개정판에서 유도 과정을 수식으로 상세하게 넣었습니다. SAC 알고리즘을 처음 제안한 논문에서도 알고리즘의 수학적인 유도 과정을 자세하게 다루지 않고 있는데, 강화학습을 폭넓게 적용하기 위해서 수식의 유도 과정에 대한 이해가 필요하다고 생각했습니다. 다만 Q-러닝의 배경 지식과 정책 평가 및 정책 개선의 수렴성에 대한 증명은 이 책에 넣지 않고 저자의 개인 블로그(https://pasus.tistory.com)의 포스팅으로 대신했습니다.

강화학습은 알고리즘이나 응용범위에 있어서 눈부신 발전을 거듭하고 있습니다. 알고리즘 면에서는 멀티에이전트 강화학습, 오프라인 강화학습, 비지도 강화학습, 전이학습 및 멀티태스크 러닝, 메타러닝 등으로 발전하고 있으며, 응용범위에 있어서는 자율주행, 로봇제어뿐만 아니라 금융/주식거래, 미사일/드론/우주비행체 유도제어, 우주궤도 최적화, 풍력발전단지 제어, 최적화 알고리즘 가속화 등으로 확산되고 있습니다.

또한 최근 전통적인 기계/항공/우주/조선/에너지 분야의 자동제어 관련 연구자나 개발자의 참여가 늘면서, 해당 분야의 도메인 지식과 물리 법칙, 제어이론 등을 이용해 강화학습의 단점인 학습 안정성, 데이터 효율성, 일반화 문제를 완화하려는 연구도 진행되고 있습니다.

이와 같은 강화학습의 발전과 수많은 알고리즘의 홍수 속에서 더욱 중요해지고 있는 것은 역시 수학적인 기본 지식이 아닐까 생각합니다. 기본 지식이 탄탄하면 알고리즘을 이해하는 데 수월할 뿐만 아니라 자신의 문제에 적합하게 알고리즘을 개선, 변형해 문제를 해결할 수 있는 역량을 키울 수 있기 때문입니다.

이 책은 다른 관련 서적과는 다르게 강화학습의 수학적인 배경 지식과 알고리즘의 유도 과정을 자세하게 수식으로 유도했다는 데 차별성이 있습니다. 이 책이 강화학습을 깊이 이해하고 응용하는 데 도움이 되길 바랍니다.

2021년 9월

박성수

01장 강화학습 수학

05장 A3C

06장 PPO

07장 DDPG

08장 / SAC

09장 / 모델 기반 강화학습 기초

10장 로컬 모델 기반 강화학습

01장

강화학습 수학

강화학습의 다양한 알고리즘을 이해하기 위해서는 많은 수학 지식이 필요하지만, 그중에서 확률 이론과 최적화 이론, 선형대수학이 특히 중요하다. 모두 방대한 내용이 다뤄지고 있는 분야이므로 이 장에서는 이 책에서 꼭 필요한 확률 이론과 최적화 이론, 그리고 선형대수학의 일부 내용을 발췌해서 정리한다.

1.1 확률과 랜덤 변수

1.1.1 확률

같은 조건하에서 여러 번 반복할 수 있는 어떤 실험에서 실험의 결과(outcome)를 사전에 알 수는 없지만, 일어날 가능성이 있는 모든 결과를 사전에 알 수 있는 실험을 확률 실험(random experiment)이라고 한다. 예를 들어, 주사위 놀이는 매번 어떤 숫자가 나올지 알 수 없지만 {1, 2, 3, 4, 5, 6} 중 하나가 나올 것이라는 것은 알 수 있기 때문에 확률 실험이다.

확률 실험에서 일어날 가능성이 있는 모든 결과를 원소(element)로 하는 집합을 표본 공간(sample space)이라고 하며, 표본 공간의 부분집합을 사건(event)이라고 한다. 예를 들어, 주사위 놀이에서 표본 공간은 {1, 2, 3, 4, 5, 6}이며, 사건은 {1}이 나올 사건, 홀수가 나올 사건({1,3,5}) 등 여러 가지가 있을 수 있다. 표본 공간을 구성하는 원소가 유한개이면 이산(discrete) 표본 공간이라고 하며, 무한개이면 연속(continuous) 표본 공간이라고 한다.

사건 A를 구성하는 확률 실험의 결과 중에서 한 가지가 실제로 발생하면 '사건 A가 발생했다'라고 한다. 두 개의 사건 A와 B가 서로 공통인 원소를 갖지 않는 경우에는 '사건 A와 B가 서로 배타적(mutually exclusive)이다'라고 한다.

표본 공간 S에서 사건 A가 발생할 확률(probability) $P\{A\}$는 다음 3가지 공리(axiom)를 만족하는 어떤 수로 정의한다.

공리 1: 확률은 항상 0보다 크거나 같은 수다.

$$P\{A\} \geq 0 \tag{1.1}$$

공리 2: 표본 공간 전체의 확률은 1이다.

$$P\{S\} = 1 \tag{1.2}$$

공리 3: 서로 배타적인 사건 A와 B의 경우에는 다음 관계식이 성립한다.

$$P\{A \cup B\} = P\{A\} + P\{B\} \tag{1.3}$$

여기서 배타적 사건이라 함은 $A \cap B = \varnothing$을 뜻하며, $\cup$와 $\cap$는 각각 합집합(union)과 교집합(intersection), 그리고 $\varnothing$는 공집합(empty)을 의미한다.

확률을 정의하는 위 3가지 공리로부터 다음 두 가지 성질이 파생된다.

$$P\{\varnothing\} = 0 \tag{1.4}$$

$$P\{A\}=1-P\{\overline{A}\} \tag{1.5}$$

여기서 $\overline{A}$는 A의 여집합 사건(complementary event)이다.

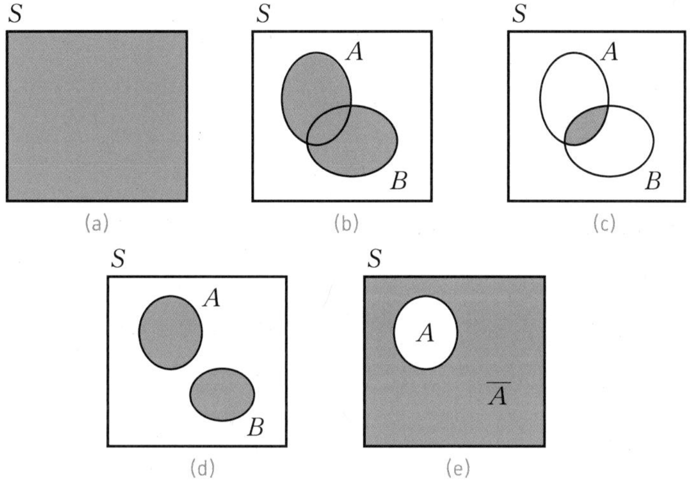

그림 1.1 (a) 전체 표본 공간, (b) $A \cup B$, (c) $A \cap B$, (d) $A \cap B = \varnothing$, (e) 여집합

노트

일반적으로 확률에는 4종류가 있다. 첫 번째는 경험적 확률이다. 일상적으로 이야기하는 확률이다. 예를 들면, '오늘 몸이 쑤시니 내일 비올 확률이 30%다'라는 식이다. 두 번째는 통계적 확률이다. 같은 시행을 n번 반복해 특정 사건 A가 n_A번 발생했다고 할 때 n이 충분히 커짐에 따라 $p=\frac{n_A}{n}$가 일정한 값에 도달한다면 이 값을 사건 A의 확률 $P\{A\}=p$로 정의하는 방식이다. 예를 들면 공장에서 어떤 물품을 1,000개 생산할 때 불량품이 10개 정도 발생했다면 불량품이 생산될 확률을 0.01로 보는 것이다. 세 번째는 고전적인 수학적 확률로서, 확률 실험에서 일어날 가능성이 있는 모든 사건의 경우의 수 $n(S)$와 특정 사건 A가 발생할 경우의 수 $n(A)$의 비율로 사건 A의 확률을 $P\{A\}=\frac{n(A)}{n(S)}$로 정의하는 방식이다. 예를 들면 주사위 놀이에서 임의의 숫자가 나올 전체 사건의 경우의 수는 $n(S)=6$개인데, 홀수가 나올 사건은 $n(A)=3$가지 경우가 있으므로 홀수가 나올 확률은 $P\{A\}=\frac{n(A)}{n(S)}=0.5$가 되는 것이다. 네 번째는 앞서 정의한 대로 공리에 바탕을 둔 수학적 확률이다. 3가지 공리는 기본적으로 증명 없이 참(true)

으로 인정되는 것이지만, 고전적 확률에 기반해 유추해낼 수는 있다. 이 책에서 언급되는 확률은 공리에 바탕을 둔 수학적 확률을 의미한다.

1.1.2 랜덤 변수

랜덤 변수(random variable) $X \equiv X(e)$는 표본 공간을 구성하는 각 원소(e)에 하나의 실숫값(real number)을 대응시키는 함수로 정의된다. 표본 공간을 구성하는 원소는 확률 실험에서 일어날 가능성이 있는 결과를 의미하므로 랜덤 변수를 이용하면 확률 실험의 결과가 숫자가 아닐지라도 실험 결과를 수치화할 수 있게 된다.

랜덤 변수의 정의역(domain)은 표본 공간이며 치역(range)은 전체 실수 영역이 된다. 랜덤 변수는 대문자로 표기하며 랜덤 변수가 실제 취할 수 있는 값은 소문자로 표기한다. 예를 들면, $X(e)=x$ 또는 $X=x$는 '확률 실험 결과인 e에 대응하는 랜덤 변수가 갖는 실숫값은 x다'라는 의미다.

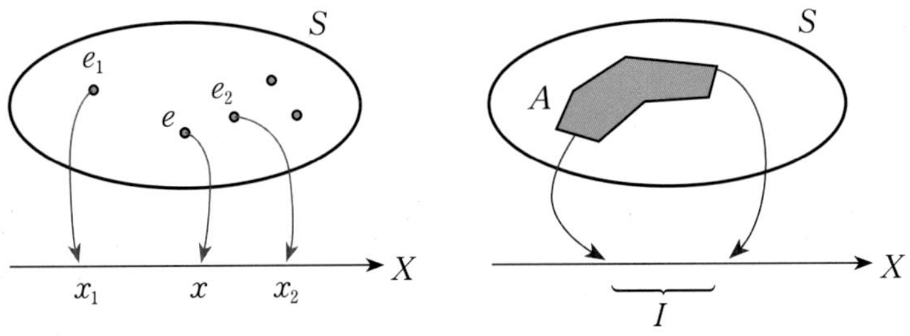

그림 1.2 랜덤 변수

표본 공간의 부분집합인 사건은 확률 실험의 결과인 e의 집합이므로 임의의 실수 구간(interval) I마다 해당하는 사건 A가 존재한다. 따라서 사건 A의 확률이 $P\{A\}$라면 랜덤 변수 X가 해당 실수 구간에 속할 확률 $P\{X \in I\}$는 $P\{A\}$와 같다. 즉, $P\{X \in I\}=P\{A\}$다.

랜덤 변수 X가 이산 값을 취하면 이산(또는 불연속) 랜덤 변수라고 하고, 연속 값을 취하면 연속 랜덤 변수라고 한다.

용어 설명 랜덤 변수(또는 확률변수)는 이름과 달리 '함수(function)'다. 랜덤 변수는 표본 공간의 각 원소에 대하여 실수 집합의 한 원소를 대응(mapping)시키는 함수다. 참고로 정의역은 함수가 정의된 집합이며, 치역은 함수가 취하는 값의 집합을 뜻한다.

1.1.3 누적분포함수와 확률밀도함수

랜덤 변수 X의 누적분포함수(cdf, cumulative distribution function) 또는 확률분포함수(probability distribution function) 또는 $F_X(x)$는 랜덤 변수 X가 x보다 작은 값을 가질 확률 $P\{X \leq x\}$로 정의한다. 즉,

$$F_X(x) = P\{X \leq x\} \tag{1.6}$$

누적분포함수는 $F_X(x)$는 다음과 같은 성질을 갖는다.

(a) $F_X(x)$는 단조증가함수(monotonically non-decreasing function)다.

(b) $\lim_{x \to \infty} F_X(x) = 1$

(c) $\lim_{x \to -\infty} F_X(x) = 0$

용어 설명 단조증가함수는 $a > b$일 때, $F_X(a) \geq F_X(b)$인 함수를 말한다.

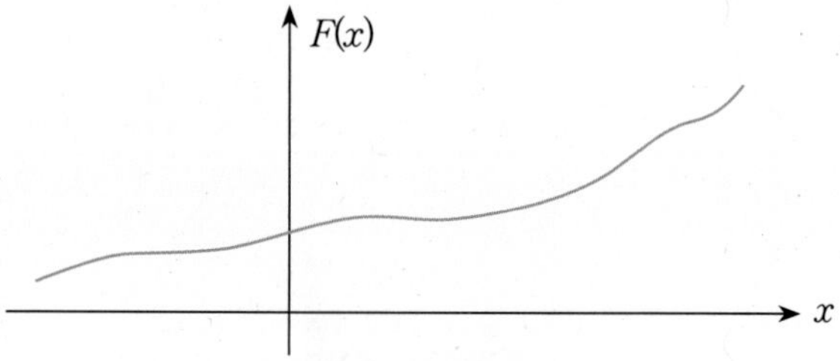

그림 1.3 단조증가함수의 예

연속 랜덤 변수 X의 확률밀도함수(pdf, probability density function) $p_X(x)$는 실수 구간 $I=(-\infty, x]$에 대해서 다음을 만족하는 실수 함수로 정의한다.

$$\int_{-\infty}^{x} p_X(x)dx = P\{X \le x\} = F_X(x) \tag{1.7}$$

위 정의로부터 누적분포함수가 미분 가능하다면 확률밀도함수를 다음과 같이 표현할 수 있다.

$$\begin{aligned} p_X(x) &= \frac{dF_X(x)}{dx} \\ &= \lim_{\triangle x \to 0} \frac{F_X(x+\triangle x) - F_X(x)}{\triangle x} \\ &= \lim_{\triangle x \to 0} \frac{P\{x < X \le x+\triangle x\}}{\triangle x} \end{aligned} \tag{1.8}$$

랜덤 변수 X가 임의의 실수 구간 $(a, b]$에 속할 확률은 확률밀도함수를 이용하면 다음과 같이 계산할 수 있다.

$$\begin{aligned} P\{a < X \le b\} &= F_X(X \le b) - F_X(X \le a) \\ &= \int_{a}^{b} p_X(x)dx \end{aligned} \tag{1.9}$$

즉, 랜덤 변수 X가 임의의 실수 구간 $(a, b]$에 속할 확률은 다음 그림과 같이 구간 $(a, b]$ 사이의 확률밀도함수의 면적이다.

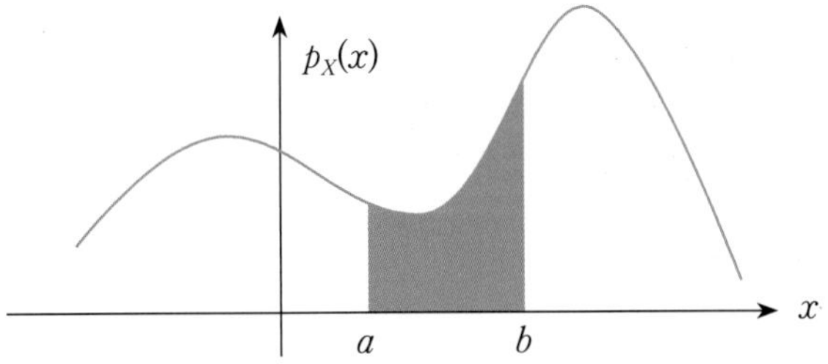

그림 1.4 확률 $P\{a < X \le b\}$

확률밀도함수는 정의에 의해서 다음과 같은 성질을 갖는다.

(a) $p_X(x) \geq 0$

(b) $\int_{-\infty}^{\infty} p_X(x)dx = 1$

이산 랜덤 변수 X에서는 확률밀도함수 대신에 확률질량함수(pmf, probability mass function) 또는 확률을 사용한다.

$$w_X(x_i) = P\{X = x_i\},\ i = 1,\ \ldots,\ n \tag{1.10}$$

디랙 델타(Dirac delta) 함수 $\delta(x)$를 이용하면 확률질량함수를 확률밀도함수의 형태로 표시할 수 있다.

$$p_X(x) = \sum_{i=1}^{n} w_X(x_i)\delta(x - x_i) \tag{1.11}$$

용어 설명 디랙 델타 함수 $\delta(x-a)$는 다음과 같은 두 가지 성질을 만족하는 함수로 정의된다.

$$\delta(x-a) = \begin{cases} \infty, & x = a \\ 0, & x \neq a \end{cases}$$

$$\int_{-\infty}^{\infty} \delta(x-a)dx = 1$$

디랙 델타 함수는 $x=a$에서만 무한대의 크기를 갖고 그 외에는 모두 0의 값을 갖는다. 하지만 함수의 면적은 1로 고정되어 있다.

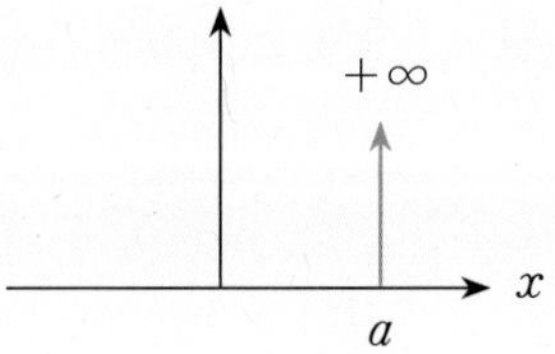

그림 1.5 $\delta(x-a)$

확률밀도함수의 형태로 표시된 확률질량함수를 그림으로 표시하면 다음과 같다. 그림에서 $w_X(x_i)$는 디랙 델타 함수의 면적을 의미한다.

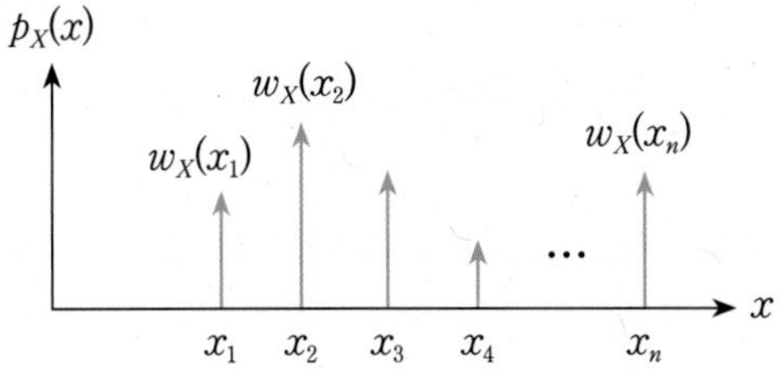

그림 1.6 확률밀도함수

디랙 델타 함수의 성질을 이용하면 다음과 같이 확률질량함수의 총합이 $\sum_{i=1}^{n} w_X(x_i)=1$임을 증명할 수 있다.

$$
\begin{aligned}
1=\int_{-\infty}^{\infty} p_X(x)dx &= \int_{-\infty}^{\infty} \sum_{i=1}^{n} w_X(x_i)\delta(x-x_i)dx \\
&= \sum_{i=1}^{n} w_X(x_i) \int_{-\infty}^{\infty} \delta(x-x_i)dx \\
&= \sum_{i=1}^{n} w_X(x_i)
\end{aligned}
$$

1.1.4 결합 확률함수

랜덤 변수 X와 Y의 결합 누적분포함수(joint cumulative distribution function) $F_{XY}(x, y)$는 다음과 같이 결합 사건(joint event)의 확률로 정의한다.

$$
\begin{aligned}
F_{XY}(x, y) = P\{(X \leq x) \cap (Y \leq y)\} &= P\{(X \leq x) and (Y \leq y)\} \\
&= P\{X \leq x, Y \leq y\}
\end{aligned}
\tag{1.12}
$$

결합 누적분포함수 $F_{XY}(x, y)$는 그림 1.7에서 음영 영역의 확률을 의미한다.

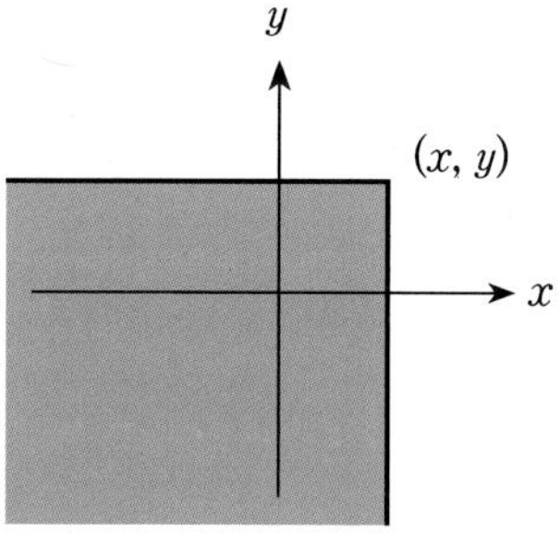

그림 1.7 결합 누적분포함수 $F_{XY}(x, y)$의 영역

정의에 의해서 결합 누적분포함수는 다음과 같은 성질을 갖는다.

$$
\begin{aligned}
&0 \le F_{XY}(x, y) \le 1 \qquad (1.13)\\
&F_{XY}(\infty, \infty) = 1\\
&F_{XY}(-\infty, y) = F_{XY}(x, -\infty) = 0\\
&F_{XY}(x, \infty) = F_X(x)\\
&F_{XY}(\infty, y) = F_Y(y)
\end{aligned}
$$

결합 확률밀도함수 $p_{XY}(x, y)$는 결합 누적분포함수로부터 다음과 같이 정의한다.

$$F_{XY}(x, y) = \int_{-\infty}^{y}\int_{-\infty}^{x} p_{XY}(u, v)\,du\,dv = \int_{-\infty}^{x}\int_{-\infty}^{y} p_{XY}(u, v)\,dv\,du \qquad (1.14)$$

$F_{XY}(x, y)$가 미분 가능하다면 다음과 같이 쓸 수 있다.

$$
\begin{aligned}
p_{XY}(x, y) &= \frac{\partial^2 F_{XY}(x, y)}{\partial x \partial y} \qquad (1.15)\\
&= \lim_{\triangle x, \triangle y \to 0} \frac{P\{x < X \le x + \triangle x,\ y < Y \le y + \triangle y\}}{\triangle x \triangle y}
\end{aligned}
$$

결합 확률밀도함수도 일반 확률밀도함수와 같이 다음과 같은 성질을 갖는다.

(a) $p_{XY}(x, y) \geq 0$

(b) $\int_{-\infty}^{\infty}\int_{-\infty}^{\infty} p_{XY}(x, y)dxdy = 1$

랜덤 변수 X와 Y의 결합 확률밀도함수로부터 X만의 확률밀도함수를 구할 수 있는데, 이를 X의 한계밀도함수(marginal density function)라고 한다.

$$p_X(x) = \int_{-\infty}^{\infty} p_{XY}(x, y)dy \tag{1.16}$$

여기서 $p_X(x)$를 X의 확률밀도함수라고 하지 않고 한계밀도함수로 부르는 이유는 X가 다른 랜덤 변수(여기서는 Y)와 결합 분포를 갖는 랜덤 변수라는 것을 강조하기 위해서다. 마찬가지 방법으로 Y의 한계밀도함수를 구하면 다음과 같다.

$$p_Y(y) = \int_{-\infty}^{\infty} p_{XY}(x, y)dx \tag{1.17}$$

노트

X가 x보다 작을 확률을 생각해 보자.

$$F_X(x) = P\{X \leq x\} = P\{X \leq x,\ Y \leq \infty\}$$

위 식이 성립하는 이유는 사건 $\{Y \leq \infty\}$는 표본 공간 전체를 의미하므로 발생할 확률이 1이기 때문이다.

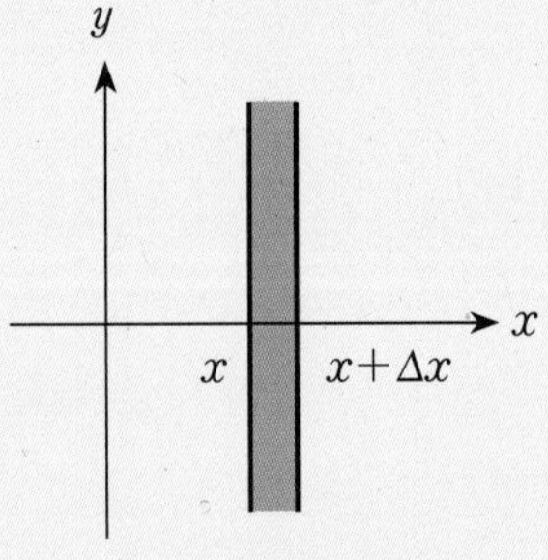

그림 1.8 한계밀도함수

위 식을 확률밀도함수로 표현해 보면,

$$\int_{-\infty}^{x} p_X(u)du = \int_{-\infty}^{x}\int_{-\infty}^{\infty} p_{XY}(u,\ v)dvdu$$
$$= \int_{-\infty}^{x}\left(\int_{-\infty}^{\infty} p_{XY}(u,\ v)dv\right)du$$

가 되므로 X의 한계밀도함수는 다음과 같이 된다.

$$p_X(x) = \int_{-\infty}^{\infty} p_{XY}(x,\ y)dy$$

1.1.5 조건부 확률함수

사건 B가 주어진 조건에서 사건 A가 발생할 확률을 사건 A의 조건부 확률(conditional probability)이라고 하고, 다음과 같이 정의한다.

$$P\{A|B\} = \frac{P\{A,\ B\}}{P\{B\}} \tag{1.18}$$

여기서 $P\{A,\ B\}$는 $P\{A \cap B\}$ 또는 $P\{A\ and\ B\}$를 의미한다.

그림 1.9 (a)에서 보듯이 조건부 확률은 사건 A이기도 하면서 동시에 사건 B이기도 한 사건(곱사건이라고 한다)이 발생할 확률과 사건 B만 발생할 확률의 비로 주어진다.

즉,

$$\frac{\text{노란색 영역 확률}}{(\text{노란색 + 녹색})}$$

이다.

노트

주사위 놀이에서 홀수가 나올 사건을 A, 4보다 작은 수가 나올 사건을 B라 할 때, 조건부 확률 $P\{A|B\}$를 구해보자. 상식적으로는 4보다 작은 수가 나올 사건, 즉 {1, 2, 3} 중에서 홀수가 나올 사건, 즉 {1, 3}이 나올 확률이므로 확률은 2/3다. 이번에는 위 공식을 적용해 조건부 확률을 구해보자. 먼저, 사건 B의 확률은 $P\{B\}=1/2$이다. 사건 A와 B의 교집합은 {1, 3}이므로 교집합의 확률은 $P\{A, B\}=1/3$이다. 따라서 사건 B가 주어진 조건에서 사건 A가 발생할 조건부 확률은 다음과 같이 계산되므로 계산 결과가 상식에 부합한다.

$$P\{A|B\}=\frac{P\{A, B\}}{P\{B\}}=\frac{1/3}{1/2}=\frac{2}{3}$$

공리에 의해 전체 표본공간 S의 확률은 1 이므로 사건 A의 확률도 다음과 같이 사건 S가 주어진 조건에서 사건 A가 발생할 확률인 조건부 확률로 쓸 수 있다.

$$P\{A|S\}=\frac{P\{A, S\}}{P\{S\}}=\frac{P\{A\}}{1}=P\{A\} \tag{1.19}$$

따라서 그림 1.9 (b)와 같이 사건 A가 발생할 확률은

$$\frac{\text{노란색 영역 확률}}{\text{(노란색 + 녹색) 영역 확률}}$$

가 된다.

따라서 조건부 확률 $P\{A|B\}$는 전체 표본공간이 사건 B로 축소되었다고 생각하면 된다.

다음으로 조건으로 삼을 만한 사건이 하나 더 있는 경우를 살펴보자. 이 사건을 C라고 하자. 그러면 사건 B이기도 하면서 동시에 사건 C이기도 한 사건이 주어진 조건에서 사건 A가 발생할 조건부 확률 $P\{A|B, C\}$는 그림 1.9 (c)와 같이

$$\frac{\text{노란색 영역 확률}}{\text{(노란색 + 녹색) 영역 확률}}$$

가 된다.

수식으로 쓰면 다음과 같다.

$$\begin{aligned} P\{A|B,\ C\} &= \frac{P\{A,\ B,\ C\}}{P\{B,\ C\}} \\ &= \frac{P\{A,\ B|C\}P\{C\}}{P\{B|C\}P\{C\}} \\ &= \frac{P\{A,\ B|C\}}{P\{B|C\}} \end{aligned} \tag{1.20}$$

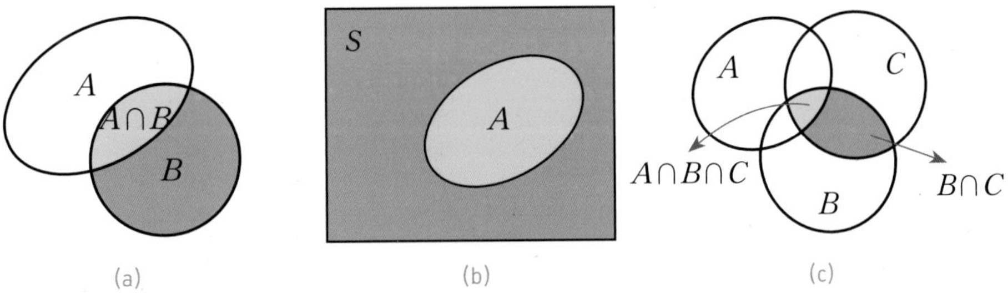

그림 1.9 조건부 확률

랜덤 변수 Y가 y로 주어진 X의 조건부 확률밀도함수(conditional probability density function) $p_{X|Y}(x|y)$는 다음과 같이 $Y=y$의 조건에서 $\{X \le x\}$가 발생할 조건부 확률과의 관계식으로 정의한다.

$$P\{X \le x | Y=y\} = \int_{-\infty}^{x} p_{X|Y}(u|y)du \tag{1.21}$$

여기서 $Y=y$를 Y가 미소구간 $I_y=(y,\ y+dy]$에 속한다고 해석하면 위 식의 오른쪽 항은 조건부 확률의 정의인 식 (1.18)에 의해서 다음과 같이 된다.

$$\int_{-\infty}^{x} p_{X|Y}(u|y)du = \frac{\int_{-\infty}^{x}\int_{y}^{y+dy} p_{XY}(u,\ v)dvdu}{\int_{y}^{y+dy} p_Y(v)dv} \tag{1.22}$$

$$= \frac{\int_{-\infty}^{x} [p_{XY}(u,\ y)dy]du}{p_Y(y)dy}$$

여기서 식 (1.18)의 사건 A는 $\{X \le x\}$이고 사건 B는 $\{y < Y \le y+dy\}$에 해당한다. 따라서 $p_{X|Y}(x|y)$는

$$p_{X|Y}(x|y) = \frac{p_{XY}(x,\ y)}{p_Y(y)},\ p_Y(y) \neq 0 \tag{1.23}$$

이 된다.

비슷한 방법으로 랜덤 변수 Y가 y로 주어지고 랜덤 변수 Z가 z로 주어진 X의 조건부 확률밀도함수 $p_{X|Y,Z}(x|y,\ z)$는 다음과 같이 된다.

$$p_{X|Y,Z}(x|y,\ z) = \frac{p_{XY|Z}(x,\ y|z)}{p_{Y|Z}(y|z)},\ p_{Y|Z}(y|z) \neq 0 \tag{1.24}$$

식 (1.23)와 (1.24)에 의하면 결합 확률밀도함수 $p_{XY}(x,\ y)$와 $p_{XY|Z}(x,\ y|z)$는 다음과 같이 풀어 쓸 수 있다.

$$p_{XY}(x,\ y) = p_{X|Y}(x|y)p_Y(y) \tag{1.25}$$
$$p_{XY|Z}(x,\ y|z) = p_{X|Y,Z}(x|y,\ z)p_{Y|Z}(y|z)$$

위 식을 확률의 연쇄법칙(chain rule)이라고 한다.

$Y=y$가 주어진 조건에서 랜덤 변수 X가 임의의 실수 구간 $(a,\ b]$에 속할 확률은 조건부 확률밀도함수를 이용해 다음과 같이 계산할 수 있다.

$$P\{a < X \le b | Y=y\} = \int_{a}^{b} p_{X|Y}(x|y)dx \tag{1.26}$$

1.1.6 독립 랜덤 변수

사건 A와 B에 대해

$$P\{A, B\}=P\{A\}P\{B\} \tag{1.27}$$

가 성립하면 두 사건 A와 B는 독립(independence)이라고 한다. 마찬가지로 두 랜덤 변수 X와 Y에 대해서

$$P\{X\leq x, Y\leq y\}=P\{X\leq x\}P\{Y\leq y\} \tag{1.28}$$

가 성립하면 두 랜덤 변수는 독립이라고 한다. 위 식을 누적분포함수와 확률밀도함수로 표현해서

$$\begin{aligned} F_{XY}(x, y)&=F_X(x)F_Y(y) \\ p_{XY}(x, y)&=p_X(x)p_Y(y) \end{aligned} \tag{1.29}$$

가 성립하면 두 랜덤 변수는 독립이다.

두 랜덤 변수 X와 Y가 독립이면 조건부 확률밀도함수는 다음과 같이 조건과 무관한 확률밀도함수가 된다.

$$\begin{aligned} p_{X|Y}(x|y)&=p_X(x) \\ p_{Y|X}(y|x)&=p_Y(y) \end{aligned} \tag{1.30}$$

노트

간단한 문제를 통해 한계밀도함수와 조건부 확률밀도함수를 계산하고, 랜덤 변수의 독립 여부를 판정해 보자. 랜덤 변수 X, Y의 결합 확률밀도함수가 다음과 같이 주어졌을 때,

$$p_{XY}(x, y)=\begin{cases} 8xy, & 0<x\leq 1,\ 0\leq y\leq x \\ 0, & \text{그 외} \end{cases}$$

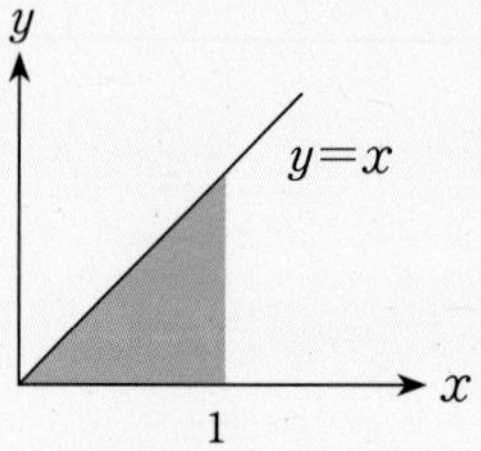

그림 1.10 결합 확률밀도함수의 영역

X의 한계밀도함수는 식 (1.16)을 적용해 다음과 같이 구할 수 있다.

$$p_X(x)=\int_{-\infty}^{\infty} p_{XY}(x,\ y)dy=\int_0^x 8xydy=4x^3,\ 0<x\le 1$$

Y의 한계밀도함수는 다음과 같다.

$$p_Y(y)=\int_{-\infty}^{\infty} p_{XY}(x,\ y)dx=\int_y^1 8xydx=4y(1-y^2),\ 0\le y\le 1$$

Y의 조건부 확률밀도함수 $p_{Y|X}(y|x)$는 식 (1.23)을 적용해 다음과 같이 구할 수 있다.

$$p_{Y|X}(y|x)=\frac{p_{XY}(x,\ y)}{p_X(x)}=\begin{cases}\dfrac{2y}{x^2}, & 0\le y\le x,\ 0<x\le 1\\ 0, & \text{그 외}\end{cases}$$

위 식에 의하면 $p_{Y|X}(y|x)\neq p_Y(y)$이므로 랜덤 변수 X와 Y는 독립이 아니다.

이번에는 다음과 같이 랜덤 변수 Z가 서로 독립인 두 랜덤 변수 X와 Y의 함수로 주어졌다고 하자.

$$Z=X+Y$$

Y의 확률밀도함수가 $p_Y(y)$로 주어졌다고 할 때, $X=x$로 주어진 조건에서 Z의 조건부 확률밀도함수를 구해보자. 먼저, $X=x$로 주어진 조건에서 $\{Z\le z\}$일 조건부 확률은 다음과 같다.

$$P\{Z \le z | X = x\} = P\{X + Y \le z | X = x\}$$

$X = x$로 주어졌으므로 위 식은 다음과 같이 된다.

$$P\{x + Y \le z | X = x\} = P\{Y \le z - x | X = x\}$$

한편, 두 랜덤 변수 X와 Y는 독립이므로 위 식의 조건부 확률은 다음과 같이 조건 없는 확률과 같다. 즉,

$$P\{Y \le z - x | X = x\} = P\{Y \le z - x\}$$

따라서 다음 식이 성립한다.

$$P\{Z \le z | X = x\} = P\{Y \le z - x\}$$

위 식을 확률밀도함수로 표현하면 다음과 같다.

$$p_{Z|X}(z|x) = p_Y(z - x)$$

1.1.7 랜덤 변수의 함수

Y가 랜덤 변수 X의 함수 $Y = g(X)$로 주어졌다면 Y도 랜덤 변수가 된다. X의 누적분포함수 $F_X(x)$와 확률밀도함수 $p_X(x)$로부터 Y의 $F_Y(y)$와 $p_Y(y)$를 구해보자. 사건 $\{Y \le y\}$의 확률은 랜덤 변수 X가 $g(X) \le y$를 만족하는 실수 구간 $\{X \in I_x\}$에 속할 확률과 같으므로 Y의 누적분포함수는

$$F_Y(y) = P\{Y \le y\} = P\{g(X) \le y\} = P\{X \in I_x\} \tag{1.31}$$

이다. $F_X(x)$로부터 Y가 y보다 작은 값을 가질 확률을 계산하기 위해서는 $g(X) \le y$를 만족하는 X의 구간 I_x를 먼저 계산해야 한다.

예를 들어 X의 확률밀도함수가 다음과 같다고 가정하자.

$$p_X(x)=\begin{cases} 1/2, & -1\le x\le 1 \\ 0, & \text{그 외} \end{cases} \tag{1.32}$$

그리고 다음과 같은 랜덤 변수 Y의 함수 관계를 가정하자.

$$Y=X^2 \tag{1.33}$$

그러면 $Y=X^2\le y$를 만족하는 X의 구간은 다음과 같이 구해지므로

$$\begin{aligned} F_Y(y) &= P\{Y=X^2\le y\} \\ &= P\{-\sqrt{y}<X\le\sqrt{y}\}=\begin{cases} 0, & y\le 0 \\ \sqrt{y}\,, & 0<y\le 1 \\ 1, & y>1 \end{cases} \end{aligned} \tag{1.34}$$

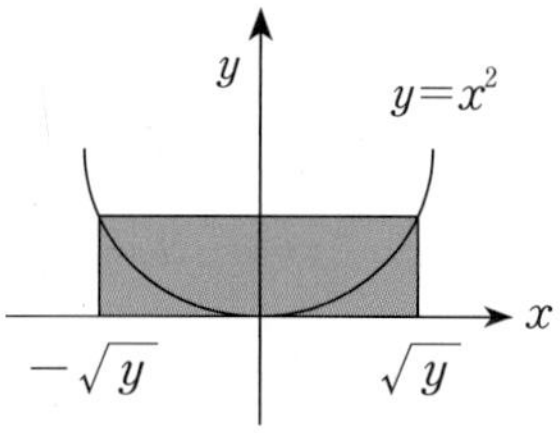

그림 1.11 확률 $P\{Y=X^2\le y\}$

Y의 확률밀도함수는 다음과 같이 계산된다.

$$p_Y(y)=\frac{dF_Y(y)}{dy}=\begin{cases} 1/(2\sqrt{y}), & 0<y\le 1 \\ 0, & \text{그 외} \end{cases} \tag{1.35}$$

1.1.8 베이즈 정리

그림 1.12와 같이 사건 B_i, $i=1, \ldots, n$가 서로 배타적이고 빠짐없이 표본 공간을 모두 망라하면, 즉 $P\{B_i, B_j\}=0$, $i \neq j$이고 $S=B_1 \cup B_2 \cup \ldots \cup B_n$이면 임의의 사건 A의 확률은 다음과 같이 표현할 수 있다.

$$P\{A\}=\sum_{i=1}^{n} P\{A, B_i\}=\sum_{i=1}^{n} P\{A|B_i\}P\{B_i\} \tag{1.36}$$

위 식을 전확률(total probability) 정리라고 한다. 전확률 정리를 확률밀도함수의 식으로 표현하면 다음과 같다.

$$p_X(x)=\int_{-\infty}^{\infty} p_{XY}(x, y)dy=\int_{-\infty}^{\infty} p_{X|Y}(x|y)p_Y(y)dy \tag{1.37}$$

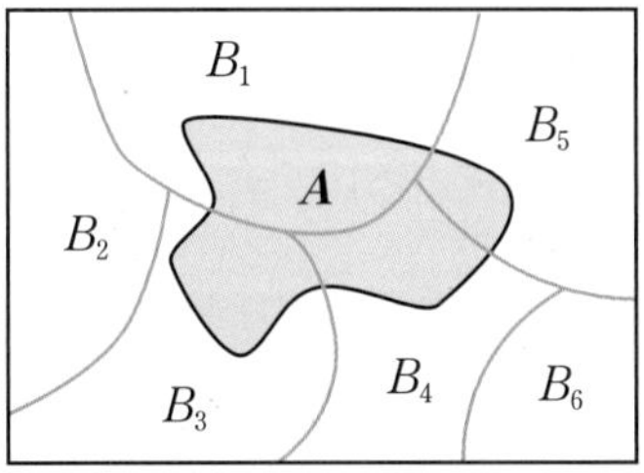

그림 1.12 전확률

한편, 사건 A를 조건으로 하는 임의의 사건 B_i의 조건부 확률은

$$P\{B_i|A\}=\frac{P\{A, B_i\}}{P\{A\}}=\frac{P\{A|B_i\}P\{B_i\}}{P\{A\}} \tag{1.38}$$

이므로 위 식에 전확률 정리를 대입하면

$$P\{B_i|A\}=\frac{P\{A|B_i\}P\{B_i\}}{\sum_{j=1}^{n} P\{A|B_j\}P\{B_j\}} \tag{1.39}$$

이 된다. 위 식을 베이즈 정리(Bayes' theorem)라고 한다. 베이즈 정리를 확률밀도함수의 식으로 표현하면 다음과 같다.

$$\begin{aligned} p_{Y|X}(y|x) &= \frac{p_{X|Y}(x|y)p_Y(y)}{p_X(x)} \\ &= \frac{p_{X|Y}(x|y)p_Y(y)}{\int_{-\infty}^{\infty} p_{X|Y}(x|y)p_Y(y)dy} \end{aligned} \tag{1.40}$$

베이즈 정리는 이 책의 전반에 걸쳐 폭넓게 적용되는 중요한 정리다.

1.1.9 샘플링

데이터의 전반적인 모습을 파악하기 위해서는 데이터의 분포를 묘사하는 것이 필요하다. 확률밀도함수는 랜덤 변수를 이용해 데이터의 분포를 수학적으로 묘사하는 함수다. 수집한 데이터를 이용해 확률밀도함수를 추정할 수 있다면 이미 수집한 데이터의 분포에 대한 정보를 수학적으로 완벽하게 묘사할 수 있을 뿐만 아니라 다음에 생성될 데이터의 특성을 예측할 수도 있다. 반대로 어떤 확률분포를 가진 랜덤 변수에서 데이터를 생성하는 과정을 샘플링이라고 한다. 그리고 샘플링을 통해 얻어진 데이터를 샘플 또는 파티클(particle)이라고 한다. 샘플링을 통해 만들어진 샘플은 확률밀도함수를 추정하기 위해 수집한 데이터와는 값이 일치하지는 않겠지만, 데이터의 분포 특성은 동일하다.

그렇다면 어떤 방식으로 샘플링해야 그 샘플이 원래의 확률밀도함수가 기술하는 데이터와 동일한 분포를 가질 수 있을까? 확률밀도함수가 $p_X(x)$인 랜덤 변수 X에서 추출된 샘플은 다음과 같이 표기한다.

$$x \sim p_X(x) \tag{1.41}$$

이제 확률밀도함수가 $p_X(x)$인 랜덤 변수 X에서 추출한 N개의 샘플을 $\{x^{(1)}, x^{(2)}, \dots, x^{(N)}\}$라고 하자.

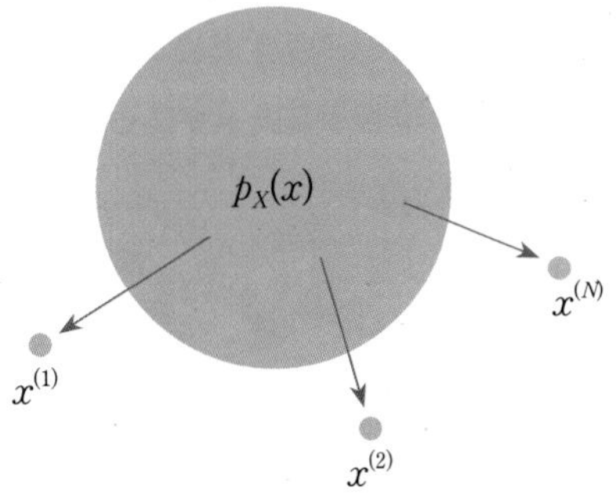

그림 1.13 샘플링

각 샘플이 독립적이고 공평하게 추출됐다면 각 샘플이 추출될 확률은 다음과 같이 동일하게 주어진다.

$$\begin{aligned} w_X(x^{(i)}) &= P\{X = x^{(i)}\} \\ &= \frac{1}{N},\ i=1,\ \dots,\ N \end{aligned} \tag{1.42}$$

이와 같이 각 샘플이 어떤 확률적 특성을 갖는 모집단에서 독립적이고 공평하게 추출된 경우 추출된 샘플을 독립동일분포(iid, independent and identically distributed, 독립적이고 동일한 분포를 갖는) 샘플이라고 말한다. 식 (1.11)로부터 디랙 델타 함수 $\delta(x)$를 이용하면 확률밀도함수 $p_X(x)$를 다음과 같이 근사화할 수 있다.

$$p_X(x) \approx \sum_{i=1}^{N} w_X(x^{(i)}) \delta(x - x^{(i)}) = \frac{1}{N} \sum_{i=1}^{N} \delta(x - x^{(i)}) \tag{1.43}$$

그러면 X가 미소구간 $(x,\ x+dx]$에 속할 확률을 다음과 같이 계산할 수 있다.

$$\begin{aligned} p_X(x)dx &= \int_x^{x+dx} p_X(x)dx \approx \int_x^{x+dx} \frac{1}{N} \sum_{i=1}^{N} \delta(x - x^{(i)}) dx \\ &= \frac{1}{N} \sum_{i=1}^{N} \int_x^{x+dx} \delta(x - x^{(i)}) dx \\ &= \frac{(\text{구간 } (x, x+dx]\text{에 속해 있는 샘플의 개수})}{N} \end{aligned} \tag{1.44}$$

히스토그램(histogram)은 임의의 구간(bin)에 속해있는 샘플의 개수를 그림으로 표시한 것이므로 확률밀도함수 $p_X(x)$의 근사식과 모양이 같다. 둘 사이의 차이점은 확률밀도함수의 면적은 1이 돼야 한다는 것이고 히스토그램은 그렇지 않다는 것이다. 따라서 히스토그램의 면적을 1로 정규화한다면 추출한 샘플의 히스토그램을 이용해 확률밀도함수 $p_X(x)$의 모양을 근사적으로 얻을 수 있다. 추출된 샘플의 개수 N이 클수록 좀 더 실제 값에 근접한 확률밀도함수를 얻을 수 있을 것이다. 예를 들어, 확률밀도함수 $p_X(x)$가 식 (1.32)로 주어졌을 때,

$$p_X(x)=\begin{cases} 1/2, & -1 \le x \le 1 \\ \\ 0, & \text{그 외} \end{cases}$$

100,000개의 샘플을 추출해 $p_X(x)$의 그림을 근사적으로 그리면 다음과 같다.

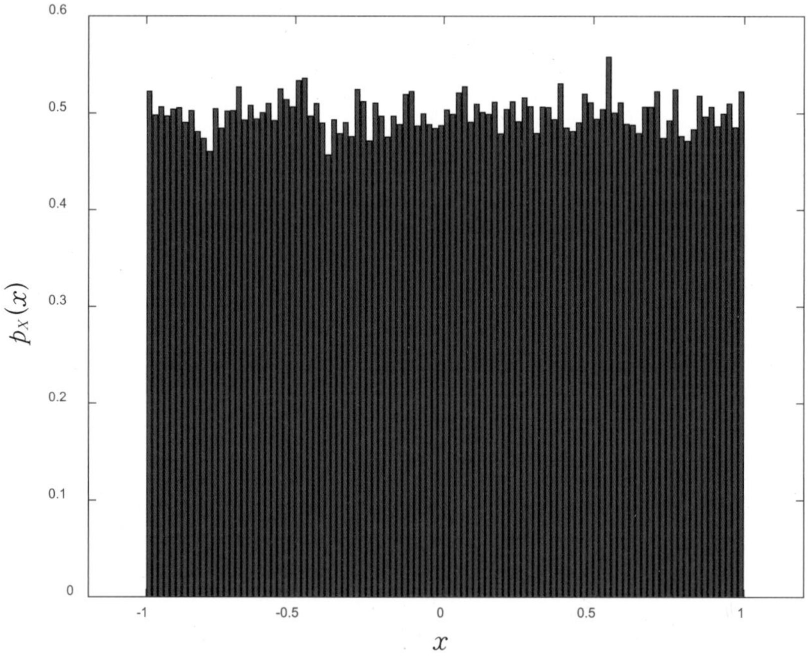

그림 1.14 히스토그램으로 추정한 확률밀도함수

노트

랜덤 변수 X의 확률밀도함수가 식 (1.32)와 같이 주어지고,

$$p_X(x)=\begin{cases} 1/2, & -1\leq x\leq 1 \\ 0, & \text{그 외} \end{cases}$$

랜덤 변수 Y가 식 (1.33)과 같이 $Y=X^2$로 주어졌을 때, Y의 확률밀도함수 $p_Y(y)$는 식 (1.35)로 계산된다.

$$p_Y(y)=\begin{cases} 1/(2\sqrt{y}), & 0<y\leq 1 \\ 0, & \text{그 외} \end{cases}$$

한편, 랜덤 변수 Y의 확률밀도함수는 X로부터 추출한 N개의 샘플 $\{x^{(i)}\}$로부터 다음과 같이 함수 $Y=X^2$를 통해 변환된 샘플 $y^{(i)}$를 이용해 근사적으로 구할 수 있다.

$$y^{(i)}=(x^{(i)})^2,\ i=1,\ \ldots,\ N$$

다음 그림은 100,000개의 샘플 $y^{(i)}$를 이용해 계산한 Y의 근사적인 확률밀도함수를 그린 것이다. 해석적으로 구한 확률밀도함수 식 (1.35)와 거의 일치함을 알 수 있다.

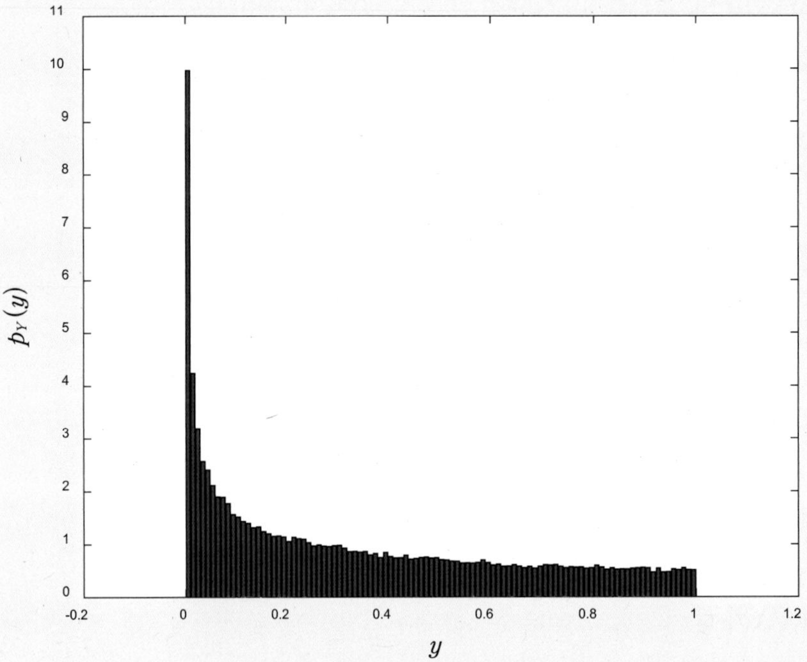

그림 1.15 $p_Y(y)$ 근사도

1.1.7절에서 설명한 바와 같이, 랜덤 변수 Y가 랜덤 변수 X의 함수 $Y=g(X)$로 주어진다면 X의 확률밀도함수 $p_X(x)$로부터 Y의 확률밀도함수 $p_X(x)$를 계산할 수 있다. 또한 Y로부터 샘플을 직접 추출하지 않더라도(또는 추출하기 어려운 경우에는) X로부터 추출한 샘플을 함수 관계식 $y^{(i)}=g(x^{(i)})$으로 변환해 Y로부터 추출한 샘플인 것처럼 사용할 수도 있다.

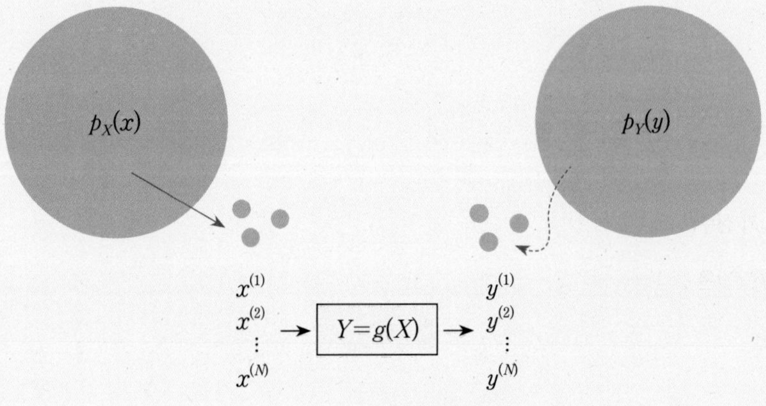

그림 1.16 두 랜덤 변수의 샘플 관계

1.2 기댓값과 분산

1.2.1 기댓값

랜덤 변수 X의 기댓값(expectation) 또는 평균(mean) $\mathbb{E}[X]$는 다음과 같이 정의한다.

$$\mathbb{E}[X]=\int_{-\infty}^{\infty} x p_X(x) dx \tag{1.45}$$

랜덤 변수 X의 함수 $g(X)$의 기댓값은 다음과 같이 정의한다.

$$\mathbb{E}[g(X)]=\int_{-\infty}^{\infty} g(x) p_X(x) dx \tag{1.46}$$

랜덤 변수 X가 다른 랜덤 변수 Y와 결합 분포를 갖는다면 랜덤 변수 X의 함수 $g(X)$의 기댓값 $\mathbb{E}[g(X)]$는 다음과 같이 정의한다.

$$\begin{aligned}\mathbb{E}[g(X)]&=\int_{-\infty}^{\infty}\int_{-\infty}^{\infty} g(x) p_{XY}(x,\ y) dxdy \\ &=\int_{-\infty}^{\infty} g(x) p_X(x) dx\end{aligned} \tag{1.47}$$

랜덤 변수 X와 Y의 함수 $g(X,\ Y)$의 기댓값은 다음과 같다.

$$\mathbb{E}[g(X,\ Y)]=\int_{-\infty}^{\infty}\int_{-\infty}^{\infty} g(x,\ y) p_{XY}(x,\ y) dxdy \tag{1.48}$$

정의로부터 기댓값은 다음과 같은 성질을 갖는다.

(a) c가 상수(constant)라면 $\mathbb{E}[c]=c$이다.

(b) 기댓값은 선형(linear) 연산자다. 즉, a, b가 상수라면 다음 식이 성립한다.

$$\mathbb{E}[ag_1(X)+bg_2(X)]=a\mathbb{E}[g_1(X)]+b\mathbb{E}[g_2(X)]$$

노트

이산 랜덤 변수 X가 가질 수 있는 값이 $\{x_1, x_2, \ldots, x_n\}$이고 확률질량함수(또는 확률)가 $w_X(x_i)$일 때, X의 기댓값 $\mathbb{E}[X]$는 식 (1.11)과 기댓값의 정의 (1.45)에 의해 다음과 같이 랜덤 변수 X가 가질 수 있는 값과 그 확률을 곱한 값의 총합으로 계산된다.

$$\begin{aligned}\mathbb{E}[X] &= \int_{-\infty}^{\infty} x p_X(x) dx = \int_{-\infty}^{\infty} x \sum_{i=1}^{n} w_X(x_i) \delta(x - x_i) dx \\ &= \sum_{i=1}^{n} w_X(x_i) \int_{-\infty}^{\infty} x \delta(x - x_i) dx \\ &= \sum_{i=1}^{n} x_i w_X(x_i)\end{aligned}$$

1.2.2 분산

랜덤 변수의 분산(variance)은 다음과 같이 정의한다.

$$\begin{aligned}Var(X) &= \mathbb{E}[(X - \mathbb{E}[X])^2] \\ &= \int_{-\infty}^{\infty} (x - \mathbb{E}[X])^2 p_X(x) dx \\ &= \mathbb{E}[X^2 - 2X\mathbb{E}[X] + (\mathbb{E}[X])^2] \\ &= \mathbb{E}[X^2] - (\mathbb{E}[X])^2\end{aligned} \tag{1.49}$$

X의 표준편차(standard deviation)는 $\sigma_X = \sqrt{Var(X)}$로 정의한다. 두 랜덤 변수 X와 Y의 공분산(covariance)은 다음과 같이 정의한다.

$$\begin{aligned}Cov(X, Y) &= \mathbb{E}[(X - \mathbb{E}[X])(Y - \mathbb{E}[Y])] \\ &= \int_{-\infty}^{\infty}\int_{-\infty}^{\infty} (x - \mathbb{E}[X])(y - \mathbb{E}[Y]) p_{XY}(x, y) dx dy \\ &= \mathbb{E}[XY - X\mathbb{E}[Y] - Y\mathbb{E}[X] + \mathbb{E}[X]\mathbb{E}[Y]) \\ &= \mathbb{E}[XY] - \mathbb{E}[X]\mathbb{E}[Y]\end{aligned} \tag{1.50}$$

$X = Y$라면 $Cov(X, Y) = Var(X)$임을 알 수 있다. 랜덤 변수 X와 Y의 공분산이 0이면 랜덤 변수 X와 Y는 서로 비상관 관계(uncorrelated)에 있다고 말한다.

랜덤 변수 X와 Y의 상관도(correlation)는 다음과 같이 정의한다.

$$\begin{aligned} Cor(X,\ Y) &= \mathbb{E}[XY] \\ &= \int_{-\infty}^{\infty}\int_{-\infty}^{\infty} xy p_{XY}(x,\ y)dxdy \end{aligned} \tag{1.51}$$

랜덤 변수 X와 Y가 서로 독립이면 상관도는 다음과 같다.

$$Cor(X,\ Y) = \mathbb{E}[XY] = \mathbb{E}[X]\mathbb{E}[Y] \tag{1.52}$$

두 랜덤 변수가 독립이면 $\mathbb{E}[XY]=\mathbb{E}[X]\mathbb{E}[Y]$이므로 식 (1.50)으로부터 $Cov(X,\ Y)=0$이 되어서 두 랜덤 변수는 비상관 관계가 된다. 그러나 두 랜덤 변수가 비상관 관계에 있다는 것이 독립을 의미하지는 않는다. 랜덤 변수 X와 Y의 상관계수(correlation coefficient)는 다음과 같이 정의한다.

$$\rho_{XY} = \frac{Cov(X,\ Y)}{\sqrt{Var(X)Var(Y)}} \tag{1.53}$$

상관계수는 $(X-\mathbb{E}[X])$가 $(Y-\mathbb{E}[Y])$와 얼마나 밀접한 관련이 있는지를 나타내는 척도다.

두 랜덤 변수 X와 Y의 상관도가 $\mathbb{E}[XY]=0$이면 X와 Y는 서로 직각이라고 한다.

노트

랜덤 변수 X와 Y가 서로 독립이면 식 (1.29)로부터 $p_{XY}(x,\ y)=p_X(x)p_Y(y)$다. 따라서 X와 Y가 서로 독립이면 상관도는 다음과 같이 된다.

$$\begin{aligned} \mathbb{E}[XY] &= \int_{-\infty}^{\infty}\int_{-\infty}^{\infty} xy p_{XY}(x,\ y)dydx \\ &= \int_{-\infty}^{\infty}\int_{-\infty}^{\infty} xy p_X(x)p_Y(y)dydx \\ &= \int_{-\infty}^{\infty} x p_X(x)\left(\int_{-\infty}^{\infty} y p_Y(y)dy\right)dx \\ &= \mathbb{E}[Y]\int_{-\infty}^{\infty} x p_X(x)dx = \mathbb{E}[X]\mathbb{E}[Y] \end{aligned}$$

노트

간단한 문제를 통해 기댓값, 분산, 상관도, 공분산 등이 어떻게 계산되는지 알아보자. 랜덤 변수 X, Y의 결합 확률밀도함수가 다음과 같이 주어졌을 때,

$$p_{XY}(x, y)=\begin{cases} 8xy, & 0<x\le 1,\ 0\le y\le x \\ 0, & \text{그 외} \end{cases}$$

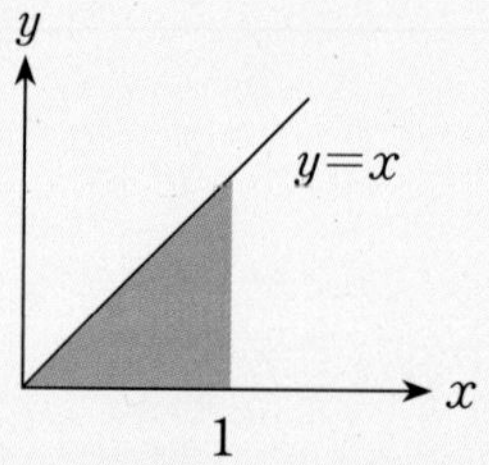

그림 1.17 결합 확률밀도함수의 영역

X의 기댓값은 식 (1.45)를 적용하면 다음과 같이 구할 수 있다.

$$\begin{aligned}\mathbb{E}[X] &= \int_{-\infty}^{\infty}\int_{-\infty}^{\infty} x p_{XY}(x, y)dydx \\ &= \int_0^1\int_0^x x(8xy)dydx \\ &= \int_0^1 4x^4 dx = \frac{4}{5}\end{aligned}$$

Y의 기댓값도 다음과 같이 구할 수 있다.

$$\begin{aligned}\mathbb{E}[Y] &= \int_{-\infty}^{\infty}\int_{-\infty}^{\infty} y p_{XY}(x, y)dydx \\ &= \int_0^1\int_0^x y(8xy)dydx \\ &= \int_0^1 \frac{8}{3}x^4 dx = \frac{8}{15}\end{aligned}$$

X의 분산을 구하기 위해 먼저 다음을 계산한다.

$$\begin{aligned}\mathbb{E}[X^2] &= \int_{-\infty}^{\infty}\int_{-\infty}^{\infty} x^2 p_{XY}(x, y)dydx \\ &= \int_0^1\int_0^x x^2(8xy)dydx \\ &= \int_0^1 4x^5 dx = \frac{2}{3}\end{aligned}$$

그다음, 식 (1.49)를 적용하면 X의 분산을 다음과 같이 구할 수 있다.

$$\begin{aligned}Var(X) &= \mathbb{E}[X^2] - (\mathbb{E}[X])^2 \\ &= \frac{2}{3} - \left(\frac{4}{5}\right)^2 = \frac{2}{75}\end{aligned}$$

X와 Y의 상관도는 식 (1.51)로 구할 수 있다.

$$\begin{aligned}\mathbb{E}[XY] &= \int_{-\infty}^{\infty}\int_{-\infty}^{\infty} xy p_{XY}(x, y)dydx \\ &= \int_0^1\int_0^x xy(8xy)dydx \\ &= \int_0^1 \frac{8}{3}x^5 dx = \frac{4}{9}\end{aligned}$$

마지막으로 X와 Y의 공분산은 식 (1.50)을 이용해 구할 수 있다.

$$\begin{aligned}Cov(X, Y) &= \mathbb{E}[XY] - \mathbb{E}[X]\mathbb{E}[Y] \\ &= \frac{4}{9} - \frac{4}{5}\left(\frac{8}{15}\right) = \frac{4}{225}\end{aligned}$$

1.2.3 조건부 기댓값과 분산

랜덤 변수 Y가 y로 주어진 X의 조건부 기댓값(conditional expectation)은 다음과 같이 정의한다.

$$\mathbb{E}[X|Y=y] = \int_{-\infty}^{\infty} x p_{X|Y}(x|y)dx \tag{1.54}$$

한편, 랜덤 변수 Y 자체를 조건으로 하는 X의 조건부 기댓값은 다음과 같이 정의한다.

$$\mathbb{E}[X|Y]=\int_{-\infty}^{\infty} x p_{X|Y}(x|Y)dx \tag{1.55}$$

$\mathbb{E}[X|Y=y]$는 실수 y의 함수로서 실수인 반면, $\mathbb{E}[X|Y]$는 랜덤 변수 Y의 함수로서 랜덤 변수가 된다는 사실에 주의해야 한다.

랜덤 변수 Y가 y로 주어진 X의 함수 $g(X)$의 조건부 기댓값은 다음과 같다.

$$\mathbb{E}[g(X)|Y=y]=\int_{-\infty}^{\infty} g(x) p_{X|Y}(x|y)dx \tag{1.56}$$

마찬가지로 랜덤 변수 Y를 조건으로 하는 X의 함수 $g(X)$의 조건부 기댓값은 다음과 같다.

$$\mathbb{E}[g(X)|Y]=\int_{-\infty}^{\infty} g(x) p_{X|Y}(x|Y)dx \tag{1.57}$$

랜덤 변수 Y가 y로 주어진 X의 조건부 분산(conditional variance)은 다음과 같이 정의한다.

$$\begin{aligned} Var(X|Y=y) &= \mathbb{E}[(X-\mathbb{E}[X|Y=y])^2|Y=y] \\ &= \mathbb{E}[X^2|Y=y]-(\mathbb{E}[X|Y=y])^2 \end{aligned} \tag{1.58}$$

한편, 랜덤 변수 Y 자체를 조건으로 하는 X의 조건부 분산은 다음과 같이 정의한다.

$$\begin{aligned} Var(X|Y) &= \mathbb{E}[(X-\mathbb{E}[X|Y])^2|Y] \\ &= \mathbb{E}[X^2|Y]-(\mathbb{E}[X|Y])^2 \end{aligned} \tag{1.59}$$

$Var(X|Y=y)$는 실수 y의 함수로서 실수인 반면, $Var(X|Y)$는 랜덤 변수 Y의 함수로서 랜덤 변수가 된다는 사실에 주의해야 한다. $Var(X|Y)$는 랜덤 변수이므로 다음과 같이 기댓값을 구할 수 있다.

$$\mathbb{E}[Var(X|Y)] = \mathbb{E}[\mathbb{E}[X^2|Y] - (\mathbb{E}[X|Y])^2] \tag{1.60}$$
$$= \mathbb{E}[X^2] - \mathbb{E}[(\mathbb{E}[X|Y])^2]$$

$\mathbb{E}[X|Y]$도 랜덤 변수이므로 다음과 같이 분산을 구할 수 있다.

$$Var(\mathbb{E}[X|Y]) = \mathbb{E}_Y[(\mathbb{E}[X|Y] - \mathbb{E}[\mathbb{E}[X|Y]])^2] \tag{1.61}$$
$$= \mathbb{E}[(\mathbb{E}[X|Y])^2] - (\mathbb{E}[X])^2$$

여기서 $\mathbb{E}_Y[\cdot]$는 랜덤 변수 Y에 관한 기댓값임을 강조하기 위한 기호다. 식 (1.60)과 (1.61)을 더하면 다음과 같은 조건부 분산 법칙을 얻을 수 있다.

$$Var(X) = \mathbb{E}[Var(X|Y)] + Var(\mathbb{E}[X|Y]) \tag{1.62}$$

노트

간단한 문제를 통해 조건부 기댓값이 어떻게 계산되는지 알아보자. 랜덤 변수 X, Y의 결합 확률밀도함수가 다음과 같이 주어졌을 때,

$$p_{XY}(x, y) = \begin{cases} 8xy, & 0 < x \le 1,\ 0 \le y \le x \\ 0, & \text{그 외} \end{cases}$$

Y의 조건부 확률밀도함수 $p_{Y|X}(y|x)$는 다음과 같이 계산된다.

$$p_{Y|X}(y|x) = \frac{p_{XY}(x, y)}{p_X(x)} = \begin{cases} \dfrac{2y}{x^2}, & 0 \le y \le x,\ 0 < x \le 1 \\ 0, & \text{그 외} \end{cases}$$

그렇다면 랜덤 변수 X가 x로 주어진 Y의 조건부 기댓값은 식 (1.54)로 계산할 수 있다.

$$\begin{aligned}\mathbb{E}[Y|X=x] &= \int_{-\infty}^{\infty} y p_{Y|X}(y|x) dy \\ &= \int_0^x y \frac{2y}{x^2} dy \\ &= \frac{2}{3}x,\ 0<x\le 1\end{aligned}$$

$\mathbb{E}[Y|X=x]$는 실수 x의 함수로서 실수 함수가 된다.

1.3 랜덤벡터

1.3.1 정의

랜덤벡터(random vector)는 벡터를 구성하는 요소가 랜덤 변수인 벡터를 말한다. 다음과 같이 랜덤벡터 X를 구성하는 요소가 랜덤 변수 $X_1, X_2, \dots, X_n$일 때 랜덤벡터 X의 누적분포함수는 구성 요소인 랜덤 변수들의 결합 누적분포함수로 다음과 같이 정의된다.

$$F_{X_1 \dots X_n}(x_1, x_2, \dots, x_n) = P\{X_1 \le x_1, X_2 \le x_2, \dots, X_n \le x_n\} \tag{1.63}$$

위 식을 랜덤 변수의 누적분포함수의 표기 형태와 동일하게 다음과 같이 간략히 표기하기로 한다.

$$F_{\mathrm{X}}(\mathrm{x}) = F_{X_1 \dots X_n}(x_1, x_2, \dots, x_n) \tag{1.64}$$

여기서,

$$\mathrm{X} = \begin{bmatrix} X_1 \\ X_2 \\ \vdots \\ X_n \end{bmatrix},\ \mathrm{x} = \begin{bmatrix} x_1 \\ x_2 \\ \vdots \\ x_n \end{bmatrix}$$

이다. 랜덤벡터 X의 확률밀도함수는 구성 요소인 랜덤 변수의 결합 확률밀도함수로 정의된다.

$$F_{\mathrm{X}}(\mathrm{x})=\int_{-\infty}^{x_1}\int_{-\infty}^{x_2}\cdots\int_{-\infty}^{x_n} p_{X_1\ldots X_n}(u_1,\ u_2,\ \ldots,\ u_n)du_n\ldots du_2du_1 \tag{1.65}$$

여기서 랜덤벡터의 확률밀도함수 $p_{\mathrm{X}}(\mathrm{x})$를 아래 식과 같이 간략히 표기하고

$$p_{X_1\ldots X_n}(x_1,\ x_2,\ \ldots,\ x_n)=p_{\mathrm{X}}(\mathrm{x}) \tag{1.66}$$

n차 다중적분도 다음과 같이 간략히 표기하면

$$\int_{-\infty}^{x_1}\int_{-\infty}^{x_2}\cdots\int_{-\infty}^{x_n}\ldots du_1du_2\ldots du_n=\int_{-\infty}^{\mathrm{x}}\ldots \mathrm{du} \tag{1.67}$$

식 (1.65)는 다음과 같이 랜덤 변수의 확률함수 표기 형태와 동일하게 표현할 수 있다.

$$F_{\mathrm{X}}(\mathrm{x})=\int_{-\infty}^{\mathrm{x}} p_{\mathrm{X}}(\mathrm{u})\mathrm{du} \tag{1.68}$$

여기서 $\mathrm{u}=[u_1u_2\ldots u_n]^T$이다.

랜덤 변수 집합 $\{X_1,\ X_2,\ \ldots,\ X_n\}$의 부분집합의 결합 확률밀도함수를 한계밀도함수(marginal density function)라고 한다. 예를 들어서 랜덤벡터가 $\mathrm{X}=[X_1X_2X_3]^T$일 경우 한계밀도함수로는

$$p_{X_1}(x_1),\ p_{X_2}(x_2),\ p_{X_3}(x_3)$$
$$p_{X_1,X_2}(x_1,\ x_2),\ p_{X_1X_3}(x_1,\ x_3),\ p_{X_2,X_3}(x_2,\ x_3)$$

등이 있다. 한계밀도함수는 식 (1.16)과 같은 방법으로 구할 수 있다. 예를 들면,

$$p_{X_1}(x_1)=\int_{-\infty}^{\infty}\int_{-\infty}^{\infty} p_{\mathrm{X}}(\mathrm{x})dx_2dx_3$$
$$p_{X_1,X_2}(x_1,\ x_2)=\int_{-\infty}^{\infty} p_{\mathrm{X}}(\mathrm{x})dx_3$$

등이다.

용어 설명 행렬(matrix)의 행과 열을 바꾸는 것을 전치(transpose)라고 하며, 위 첨자 T로 표시한다. 예를 들면, $A=\begin{bmatrix}1 & 2\\3 & 4\\5 & 6\end{bmatrix}$일 때, A의 전치행렬은 $A^T=\begin{bmatrix}1 & 3 & 5\\2 & 4 & 6\end{bmatrix}$이다.

랜덤벡터가 Y가 Y=y로 주어진 조건에서 랜덤벡터 X의 조건부 확률밀도함수는 다음과 같이 정의한다.

$$P\{\mathrm{X}\leq \mathrm{x}|\mathrm{Y}=\mathrm{y}\}=\int_{-\infty}^{\mathrm{x}} p_{\mathrm{X|Y}}(\mathrm{u}|\mathrm{y})d\mathrm{u} \tag{1.69}$$

여기서,

$$\begin{aligned}\{\mathrm{X}\leq \mathrm{x}\}&=\{X_1\leq x_1,\ X_2\leq x_2,\ \ldots,\ X_n\leq x_n\}\\\{\mathrm{Y}=\mathrm{y}\}&=\{Y_1=y_1,\ Y_2=y_2,\ \ldots,\ Y_m=y_m\}\\p_{\mathrm{X|Y}}(\mathrm{u}|\mathrm{y})&=p_{X_1\ldots X_n|Y_1,\ldots,Y_m}(u_1,\ u_2,\ \ldots,\ u_n|y_1,\ y_2,\ \ldots,\ y_m)\end{aligned} \tag{1.70}$$

을 의미하며 $p_{\mathrm{X|Y}}(\mathrm{x}|\mathrm{y})$는

$$p_{\mathrm{X|Y}}(\mathrm{x}|\mathrm{y})=\frac{p_{\mathrm{XY}}(\mathrm{x},\ \mathrm{y})}{p_{\mathrm{Y}}(\mathrm{y})}=\frac{p_{X_1,\ldots,X_n,Y_1,\ldots,Y_m}(x_1,\ \ldots,\ x_n,\ y_1,\ \ldots,\ y_m)}{p_{Y_1,\ldots,Y_m}(y_1,\ \ldots,\ y_m)} \tag{1.71}$$

인 다변수(multi-variable) 함수다.

랜덤벡터 X를 구성하는 요소인 랜덤 변수 $X_1,\ X_2,\ \ldots,\ X_n$가 독립이면 랜덤벡터의 확률밀도함수 $p_{\mathrm{X}}(\mathrm{x})$는 다음과 같이 개별 확률밀도함수의 곱으로 주어진다.

$$p_{\mathrm{X}}(\mathrm{x}) = p_{X_1 \ldots X_n}(x_1,\ x_2,\ \ldots,\ x_n) \\ = p_{X_1}(x_1) p_{X_2}(x_2) \cdots p_{X_n}(x_n) \\ = \prod_{i=1}^{n} p_{X_i}(x_i) \tag{1.72}$$

다음 식을 만족하면 랜덤 변수 X_1과 X_2는 랜덤 변수 X_3가 주어진 조건하에서의 조건부 독립이라고 한다.

$$p_{X_1, X_2 | X_3}(x_1,\ x_2 | x_3) = p_{X_1 | X_3}(x_1 | x_3) p_{X_2 | X_3}(x_2 | x_3) \tag{1.73}$$

1.3.2 기댓값과 공분산 행렬

랜덤벡터의 $\mathrm{X} = [X_1 X_2 \ldots X_n]^T$의 기댓값 또는 평균은 랜덤벡터 구성 요소 각각의 기댓값으로 정의한다. 즉,

$$\mathbb{E}[\mathrm{X}] = \begin{bmatrix} \mathbb{E}[X_1] \\ \vdots \\ \mathbb{E}[X_n] \end{bmatrix} = \int_{-\infty}^{\infty} \mathrm{x} p_{\mathrm{X}}(\mathrm{x}) d\mathrm{x} \\ = \int_{-\infty}^{\infty} \begin{bmatrix} x_1 \\ \vdots \\ x_n \end{bmatrix} p_{\mathrm{X}}(\mathrm{x}) d\mathrm{x} \tag{1.74}$$

여기서 $\mathrm{x} = [x_1 x_2 \ldots x_n]^T$이고, 요소별 기댓값은 다음과 같다.

$$\mathbb{E}[X_i] = \int_{-\infty}^{\infty} x_i p_{X_i}(x_i) dx_i = \int_{-\infty}^{\infty} x_i p_{\mathrm{X}}(\mathrm{x}) d\mathrm{x} \tag{1.75}$$

랜덤벡터 X의 함수 $g(\mathrm{X}) = g(X_1,\ X_2,\ \ldots,\ X_n)$의 기댓값은 다음과 같다.

$$\mathbb{E}[g(\mathrm{X})] = \int_{-\infty}^{\infty} g(\mathrm{x}) p_{\mathrm{X}}(\mathrm{x}) d\mathrm{x} \tag{1.76}$$

랜덤벡터 $\mathrm{X}=[X_1 X_2 \ldots X_n]^T$의 공분산 행렬 $Cov(\mathrm{X})$는 다음과 같은 대칭행렬(symmetric matrix)로 정의한다. 즉,

$$\begin{aligned} Cov(\mathrm{X}) &= \mathbb{E}[(\mathrm{X}-\mathbb{E}[\mathrm{X}])(\mathrm{X}-\mathbb{E}[\mathrm{X}])^T] \\ &= \int_{-\infty}^{\infty} (\mathrm{x}-\mathbb{E}[\mathrm{X}])(\mathrm{x}-\mathbb{E}[\mathrm{X}])^T p_{\mathrm{X}}(\mathrm{x})d\mathrm{x} \\ &= \begin{bmatrix} \sigma_{11} & \sigma_{12} & \cdots & \sigma_{1n} \\ \sigma_{21} & \sigma_{22} & \cdots & \sigma_{2n} \\ \vdots & \vdots & \ddots & \vdots \\ \sigma_{n1} & \sigma_{n2} & \cdots & \sigma_{nn} \end{bmatrix} \end{aligned} \tag{1.77}$$

여기서 $\sigma_{ij}=\sigma_{ji}=\mathbb{E}[(X_i-\mathbb{E}[X_i])(X_j-\mathbb{E}[X_j])]$이다.

랜덤벡터 X와 Y의 상관행렬과 상호 공분산행렬은 다음과 같이 정의한다.

$$\begin{aligned} \mathbb{E}[\mathrm{XY}^T] &= \int_{-\infty}^{\infty}\int_{-\infty}^{\infty} \mathrm{xy}^T p_{\mathrm{XY}}(\mathrm{x}, \mathrm{y})d\mathrm{x}d\mathrm{y} \\ \mathbb{E}[(\mathrm{X}-\mathbb{E}[\mathrm{X}])(\mathrm{Y}-\mathbb{E}[\mathrm{Y}])^T] &= \int_{-\infty}^{\infty}\int_{-\infty}^{\infty} (\mathrm{x}-\mathbb{E}[\mathrm{X}])(\mathrm{y}-\mathbb{E}[\mathrm{Y}])^T p_{\mathrm{XY}}(\mathrm{x}, \mathrm{y})d\mathrm{x}d\mathrm{y} \end{aligned} \tag{1.78}$$

랜덤벡터 X와 Y의 상호 공분산행렬이 0이면 랜덤벡터 X와 Y는 서로 비상관 관계에 있다고 말한다. $\mathbb{E}[\mathrm{X}^T\mathrm{Y}]=0$이면 랜덤벡터 X와 Y는 서로 직각이라고 한다. 또한,

$$p_{\mathrm{XY}}(\mathrm{x}, \mathrm{y})=p_{\mathrm{X}}(\mathrm{x})p_{\mathrm{Y}}(\mathrm{y}) \tag{1.79}$$

가 성립하면 두 랜덤벡터는 독립이라고 한다.

랜덤벡터 Y가 실수벡터 y로 주어진 경우, 랜덤벡터 X의 조건부 기댓값은 다음과 같이 정의한다.

$$\mathbb{E}[\mathrm{X}|\mathrm{Y}=\mathrm{y}]=\int_{-\infty}^{\infty} \mathrm{x}p_{\mathrm{X|Y}}(\mathrm{x}|\mathrm{y})d\mathrm{x} \tag{1.80}$$

또한, 랜덤벡터 Y를 조건으로 하는 X의 조건부 기댓값은 다음과 같이 정의한다.

$$\mathbb{E}[\mathrm{X}|\mathrm{Y}]=\int_{-\infty}^{\infty} \mathrm{x} p_{\mathrm{X}|\mathrm{Y}}(\mathrm{x}|\mathrm{Y})d\mathrm{x} \tag{1.81}$$

$\mathbb{E}[\mathrm{X}|\mathrm{Y}=\mathrm{y}]$는 실수벡터로서 y의 함수인 반면, $\mathbb{E}[\mathrm{X}|\mathrm{Y}]$는 랜덤벡터 Y의 함수인 랜덤벡터가 된다는 사실에 주의해야 한다.

랜덤벡터 Y를 조건으로 하는 X의 조건부 공분산 행렬은 다음과 같이 정의한다.

$$Cov(\mathrm{X}|\mathrm{Y}=\mathrm{y})=\mathbb{E}[(\mathrm{X}-\mathbb{E}[\mathrm{X}|\mathrm{Y}=\mathrm{y}])(\mathrm{X}-\mathbb{E}[\mathrm{X}|\mathrm{Y}=\mathrm{y}])^T|\mathrm{Y}=\mathrm{y}] \tag{1.82}$$

한편, 랜덤벡터 Y자체를 조건으로 하는 X의 조건부 공분산 행렬은 다음과 같이 정의한다.

$$Cov(\mathrm{X}|\mathrm{Y})=\mathbb{E}[(\mathrm{X}-\mathbb{E}[\mathrm{X}|\mathrm{Y}])(\mathrm{X}-\mathbb{E}[\mathrm{X}|\mathrm{Y}])^T|\mathrm{Y}] \tag{1.83}$$

1.3.3 샘플 평균

어떤 랜덤벡터 X에서 N개의 샘플 $\{\mathrm{x}^{(1)}, \mathrm{x}^{(2)}, \ldots, \mathrm{x}^{(N)}\}$을 독립적이고 공평하게 추출했다면, 즉 iid 샘플이라면 1.1.9절에서 논의한 대로 확률밀도함수 $p_{\mathrm{X}}(\mathrm{x})$를 다음과 같이 근사화할 수 있다.

$$p_{\mathrm{X}}(\mathrm{x}) \approx \sum_{i=1}^{N} w_X(\mathrm{x}^{(i)})\delta(\mathrm{x}-\mathrm{x}^{(i)})=\frac{1}{N}\sum_{i=1}^{N}\delta(\mathrm{x}-\mathrm{x}^{(i)}) \tag{1.84}$$

그러면 X의 기댓값을 다음과 같이 샘플의 평균으로 근사화할 수 있다.

$$\begin{aligned}\mathbb{E}[\mathrm{X}] &= \int_{-\infty}^{\infty} \mathrm{x} p_{\mathrm{X}}(\mathrm{x})d\mathrm{x} \\ &\approx \int_{-\infty}^{\infty} \mathrm{x}\frac{1}{N}\sum_{i=1}^{N} \delta(\mathrm{x}-\mathrm{x}^{(i)})d\mathrm{x} \\ &= \frac{1}{N}\sum_{i=1}^{N}\int_{-\infty}^{\infty} \mathrm{x}\delta(\mathrm{x}-\mathrm{x}^{(i)})d\mathrm{x} \\ &= \frac{1}{N}\sum_{i=1}^{N}\mathrm{x}^{(i)}\end{aligned} \tag{1.85}$$

랜덤벡터 X의 함수 $g(\mathrm{X})$의 기댓값도 마찬가지로 샘플 평균으로 근사화할 수 있다.

$$\begin{aligned}\mathbb{E}[g(\mathrm{X})] &= \int_{-\infty}^{\infty} g(\mathrm{x}) p_{\mathrm{X}}(\mathrm{x}) d\mathrm{x} \\ &\approx \frac{1}{N}\sum_{i=1}^{N}\int_{-\infty}^{\infty} g(\mathrm{x})\delta(\mathrm{x}-\mathrm{x}^{(i)}) d\mathrm{x} \\ &= \frac{1}{N}\sum_{i=1}^{N} g(\mathrm{x}^{(i)})\end{aligned} \tag{1.86}$$

샘플 평균으로 기댓값을 근사화할 때 중요한 점은 추출된 샘플이 독립동일분포(iid)여야 한다는 점이다.

노트

디랙 델타 함수의 면적이 1인 특성을 이용하면 함수에서 특정 값을 추출할 수 있다. 즉,

$$\int_{-\infty}^{\infty} f(x)\delta(x-a)dx = \int_{a-\epsilon}^{a+\epsilon} f(x)\delta(x-a)dx$$

위 식이 성립하는 이유는 디랙 델타 함수 $\delta(x-a)$는 $x \neq 0$에서 모두 0이기 때문이다.

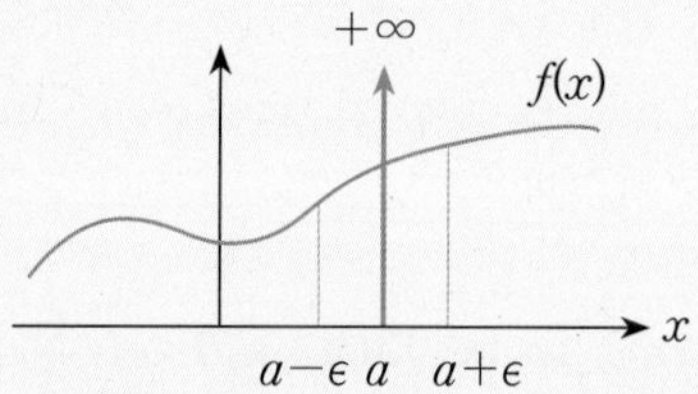

그림 1.18 디랙 델타 함수를 이용한 $f(a)$ 계산

한편, $\epsilon \to 0$이면 구간 $[a-\epsilon, a+\epsilon]$에서 $f(x)=f(a)$이고 디랙 델타 함수의 면적이 1이므로 위 식은

$$\begin{aligned}\int_{a-\epsilon}^{a+\epsilon} f(x)\delta(x-a)dx &= f(a)\int_{a-\epsilon}^{a+\epsilon}\delta(x-a)dx \\ &= f(a)\end{aligned}$$

가 된다. 결국,

$$\int_{-\infty}^{\infty} f(x)\delta(x-a)dx = f(a)$$

임을 알 수 있다.

1.4 가우시안 분포

정규(normal) 또는 가우시안(Gaussian) 확률밀도함수는 두 개의 확률 정보, 즉 기댓값과 분산만으로 확률밀도함수가 정의되기 때문에 수학적으로 다루기가 매우 간편한 함수다. 또한 실제 많은 신호가 가우시안 분포와 가깝기 때문에 다양한 사회적, 생물학적, 자연적 현상을 모델링하는 데 자주 사용되는 확률밀도함수이기도 하다. 가우시안 랜덤 변수 X의 확률밀도함수는 다음과 같이 정의한다.

$$p_X(x) = N(x|\mu,\ \sigma^2) \equiv \frac{1}{\sqrt{2\pi\sigma^2}} \exp\left\{-\frac{(x-\mu)^2}{2\sigma^2}\right\} \tag{1.87}$$

여기서 μ는 가우시안 랜덤 변수의 기댓값이고, σ^2는 분산이다.

다음 그림은 몇 가지 기댓값과 분산에 따른 가우시안 확률밀도함수의 모양을 그린 것이다. 종 모양을 하고 있으며, 기댓값을 중심으로 대칭형이다. 또한 분산값이 클수록 종 모양의 폭이 넓게 펴지는 것을 알 수 있다.

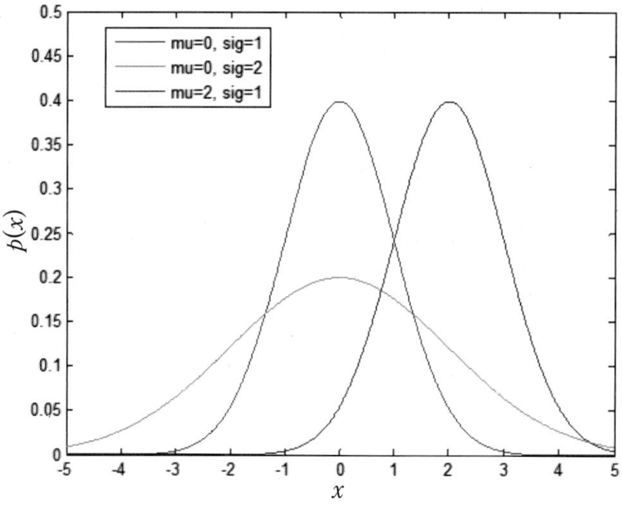

그림 1.19 가우시안 분포 ($\mu=0,\ \sigma=1;\ \mu=0,\ \sigma=2;\ \mu=2,\ \sigma=1$)

기댓값이 μ_X, 공분산이 P_{XX}인 정규 또는 가우시안 랜덤벡터 X의 확률밀도함수는 다음과 같이 정의한다.

$$\begin{aligned} p_X(x) &= N(x|\mu_X,\ P_{XX}) \\ &= \frac{1}{\sqrt{(2\pi)^n \det P_{XX}}} \exp\left\{-\frac{1}{2}(x-\mu_X)^T P_{XX}^{-1}(x-\mu_X)\right\} \end{aligned} \tag{1.88}$$

여기서 n은 X의 차원이고, $\det P_{XX}$는 P_{XX}의 행렬식(determinant)을 나타낸다.

가우시안 확률밀도함수도 일반 확률밀도함수와 마찬가지로 다음과 같은 성질을 갖는다.

$$\begin{gathered} \int_{-\infty}^{\infty} N(x|\mu_X,\ P_{XX})dx = 1 \\ \int_{-\infty}^{\infty} xN(x|\mu_X,\ P_{XX})dx = \mu_X \\ \int_{-\infty}^{\infty} (x-\mu_X)(x-\mu_X)^T N(x|\mu_X,\ P_{XX})dx = P_{XX} \end{gathered} \tag{1.89}$$

용어 설명 2×2행렬 $A=\begin{bmatrix} a_{11} & a_{12} \\ a_{21} & a_{22} \end{bmatrix}$의 행렬식은 다음과 같이 정의한다.

$$\det(A)=a_{11}a_{22}-a_{12}a_{21}$$

3×3행렬 $A=\begin{bmatrix} a_{11} & a_{12} & a_{13} \\ a_{21} & a_{22} & a_{23} \\ a_{31} & a_{32} & a_{33} \end{bmatrix}$의 행렬식은 2×2행렬의 행렬식을 이용해 다음과 같이 정의한다.

$$\det(A)=a_{11}\det\begin{bmatrix} a_{22} & a_{23} \\ a_{32} & a_{33} \end{bmatrix}-a_{12}\det\begin{bmatrix} a_{21} & a_{23} \\ a_{32} & a_{33} \end{bmatrix}+a_{13}\det\begin{bmatrix} a_{21} & a_{22} \\ a_{31} & a_{32} \end{bmatrix}$$

4×4이상의 행렬도 3×3행렬과 비슷한 방법으로 정의한다.

행렬식은 원래 선형 연립방정식의 해를 구하는 과정에서 도출됐다. 기하학적으로는 2×2행렬 $A=\begin{bmatrix} a_{11} & a_{12} \\ a_{21} & a_{22} \end{bmatrix}$의 행렬식은 두 개의 열벡터 $\begin{bmatrix} a_{11} \\ a_{21} \end{bmatrix}$, $\begin{bmatrix} a_{12} \\ a_{22} \end{bmatrix}$를 두 변으로 하는 평행사변형의 면적이다.

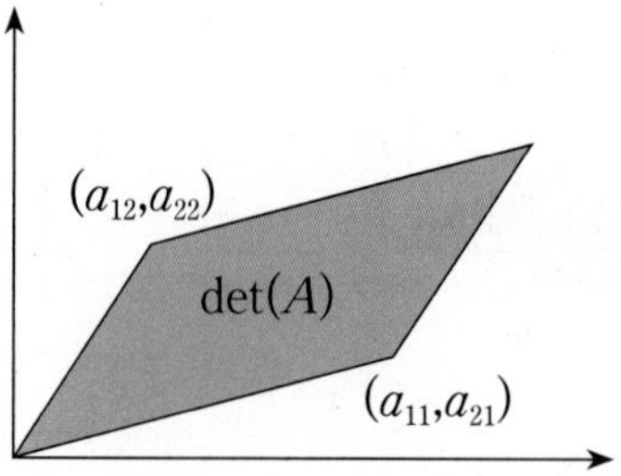

그림 1.20 2×2행렬의 행렬식

가우시안 랜덤 변수 X는 간단히 $X \sim N(\mu, \sigma^2)$로, 가우시안 랜덤벡터 X는 $\mathrm{X} \sim N(\mu_{\mathrm{X}}, P_{\mathrm{XX}})$로 표기하기도 한다. 다음 그림은 몇 가지 기댓값과 공분산에 따른 2차원 가우시안 확률밀도함수의 모양을 그린 것이다. 상호 공분산(공분산 행렬의 대각항 이외의 항, off-diagonal terms)이 0인 경우, 기댓값을 중심으로 윤곽선이 원이며, 상호 공분산이 0이 아닌 경우 윤곽선이 타원이 되는 것을 알 수 있다.

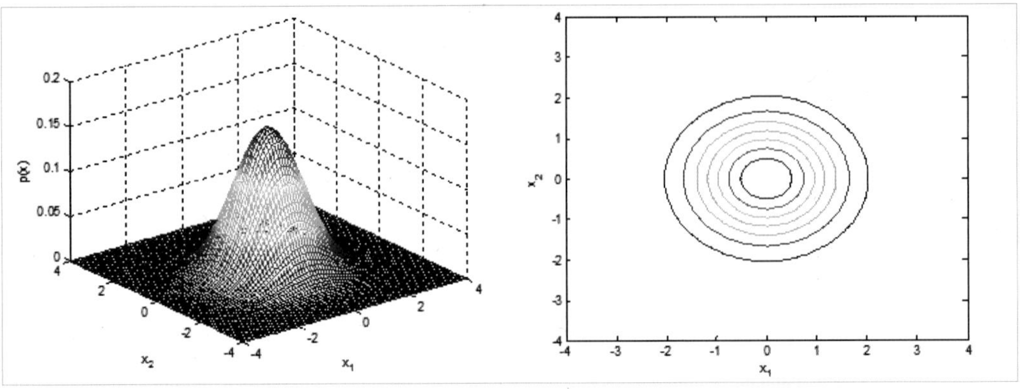

(a) $\mu_X = [0 \;\; 0]^T,\; P_X = \begin{bmatrix} 1 & 0 \\ 0 & 1 \end{bmatrix}$

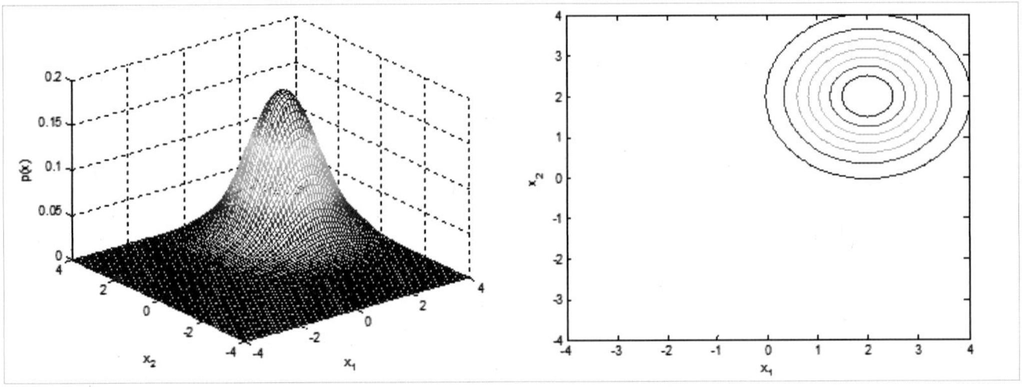

(b) $\mu_X = [2 \;\; 2]^T,\; P_X = \begin{bmatrix} 1 & 0 \\ 0 & 1 \end{bmatrix}$

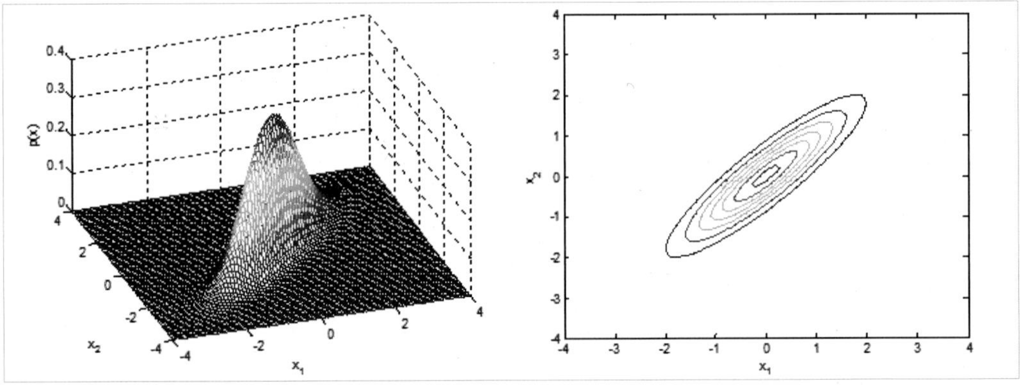

(c) $\mu_X = [0 \;\; 0]^T,\; P_X = \begin{bmatrix} 1 & 0.9 \\ 0.9 & 1 \end{bmatrix}$

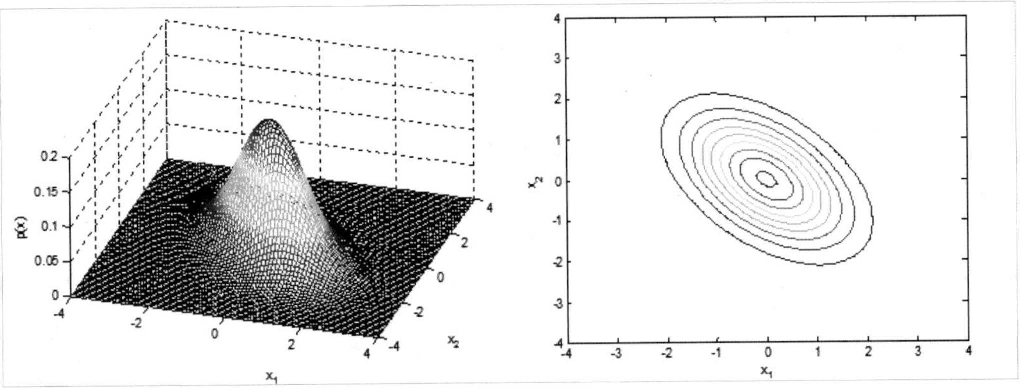

(d) $\mu_X = [0 \ \ 0]^T,\ P_X = \begin{bmatrix} 1 & -0.5 \\ -0.5 & 1 \end{bmatrix}$

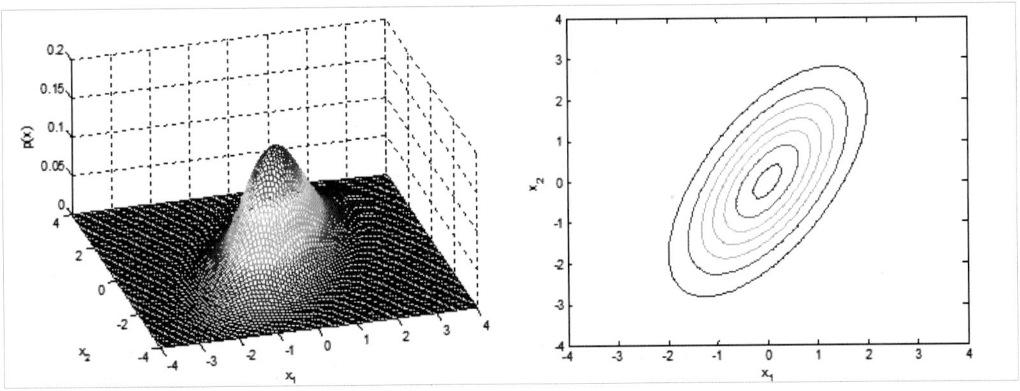

(e) $\mu_X = [0 \ \ 0]^T,\ P_X = \begin{bmatrix} 1 & 0.9 \\ 0.9 & 2 \end{bmatrix}$

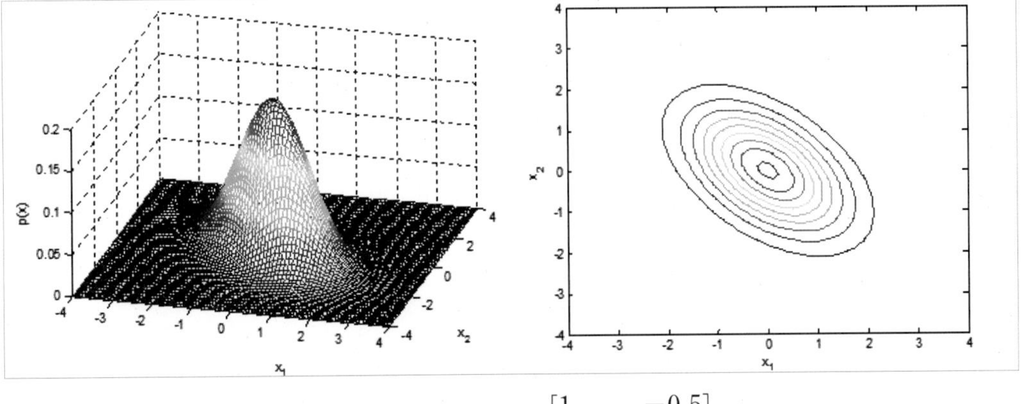

(f) $\mu_X = [0 \ \ 0]^T,\ P_X = \begin{bmatrix} 1 & -0.5 \\ -0.5 & 2 \end{bmatrix}$

그림 1.21 2차원 가우시안 분포

랜덤벡터 X와 Y로 이루어진 랜덤벡터 $Z=\begin{bmatrix} X \\ Y \end{bmatrix}$가 가우시안 분포를 가지면 X와 Y를 결합 가우시안(joint Gaussian) 랜덤벡터라고 한다. 이때, 결합 가우시안 확률밀도함수는 다음과 같다.

$$p_{XY}(x, y)=p_Z(z)=N(z|\mu_Z, P_{ZZ}) \tag{1.90}$$

Z의 기댓값과 공분산을 X와 Y의 기댓값과 공분산으로 표현하면 다음과 같다.

$$\mu_Z=\begin{bmatrix} \mu_X \\ \mu_Y \end{bmatrix}, P_{ZZ}=\begin{bmatrix} P_{XX} & P_{XY} \\ P_{YX} & P_{YY} \end{bmatrix} \tag{1.91}$$

여기서,

$$P_{XX}=\mathbb{E}[(X-\mu_X)(X-\mu_X)^T], P_{YY}=\mathbb{E}[(Y-\mu_Y)(Y-\mu_Y)^T]$$
$$P_{XY}=\mathbb{E}[(X-\mu_X)(Y-\mu_Y)^T]=P_{YX}^T$$

이다.

가우시안 랜덤벡터는 다음과 같은 중요한 특성을 가지고 있다.

첫째, 가우시안 랜덤벡터의 선형변환도 가우시안 랜덤벡터가 된다. 즉, $X \sim N(\mu_X, P_{XX})$이면

$$Z=AX \sim N(A\mu_X, AP_{XX}A^T) \tag{1.92}$$

이 된다. 여기서 A는 $m \times n$ 행렬$(m \leq n)$이다.

둘째, 랜덤벡터 X와 Y가 결합 가우시안 분포를 가지면 X와 Y도 각각 가우시안 랜덤벡터가 된다. 즉, $p_{XY}(x, y)=p_Z(z)=N(z|\mu_Z, P_{ZZ})$이면

$$X \sim N(\mu_X,\ P_{XX}),\ Y \sim N(\mu_Y,\ P_{YY}) \tag{1.93}$$

이다.

셋째, 랜덤벡터 X와 Y가 결합 가우시안 분포를 가질 때 두 랜덤벡터가 비상관 관계이면 서로 독립이다.

넷째, 랜덤벡터 X와 Y가 결합 가우시안 분포를 가지면 랜덤벡터 X의 조건부 확률밀도함수 또는 랜덤벡터 Y의 조건부 확률밀도함수도 가우시안이다.

$$p_{Y|X}(y|x) = \frac{1}{\sqrt{(2\pi)^n \det P_{Y|X}}} \exp\left(-\frac{1}{2}\{(y-\mu_{Y|X})^T P_{Y|X}^{-1}(y-\mu_{Y|X})\}\right) \tag{1.94}$$

여기서,

$$P_{Y|X} = P_{YY} - P_{YX}P_{XX}^{-1}P_{XY}$$
$$\mu_{Y|X} = \mu_Y + P_{YX}P_{XX}^{-1}(x-\mu_X)$$

이다.

1.5 랜덤 시퀀스

1.5.1 정의

랜덤 변수 $X \equiv X(e)$는 확률 실험의 결과(e)에 실숫값을 대응시키는 함수로 정의했다. 이산시간(discrete-time) 랜덤 프로세스 또는 랜덤 시퀀스(random sequence)는 확률 실험의 결과에 시간 함수를 대응시키는 함수로 정의된다.

$$X_t \equiv X_t(e) \tag{1.95}$$

랜덤벡터 시퀀스는 구성 요소가 (스칼라) 랜덤 시퀀스인 벡터다.

$$\mathrm{X}_t \equiv \mathrm{X}_t(e) = [X_{t,1}(e) X_{t,2}(e) \ldots X_{t,n}(e)]^T \tag{1.96}$$

여기서 아래 첨자 t는 시간스텝(time step)으로서 정숫값 ($t = \ldots, -1, 0, 1, 2, \ldots$)을 갖는다.

랜덤벡터 시퀀스도 특별히 벡터라는 것을 밝혀야 하는 경우를 제외하고는 간략히 랜덤 시퀀스라고 부른다. 랜덤 시퀀스는 일반적으로 대문자로 쓰며 랜덤 시퀀스가 실제 취할 수 있는 시간 함수에는 소문자를 쓴다. 예를 들면, $\mathrm{X}_t(e) = \mathrm{x}_t$ 또는 $\mathrm{X}_t = \mathrm{x}_t$는 '확률 실험 결과인 e에 대응하는 랜덤 시퀀스가 갖는 시간 함수는 x_t다'라는 의미다. x_t는 시간스텝 t에서 랜덤 시퀀스의 상태(state)를 표시하며 샘플 함수라고 한다.

랜덤 시퀀스는 시간에 따라 변화하는 확률 실험을 모델링하는 데 이용된다. 예를 들면, 시시각각으로 변하는 주식 가격, 특정 지점에서의 바람의 세기, 센서의 노이즈 등이 있다.

랜덤 시퀀스 $\mathrm{X}_t(e)$는 시간스텝(t)과 확률 실험 결과(e) 등 2개의 변수로 이루어진 함수다. 시간스텝 t를 특정 시점 $t = k$로 고정한다면 랜덤 시퀀스는 랜덤벡터(스칼라 랜덤 시퀀스의 경우는 랜덤 변수) $\mathrm{X}_k = \mathrm{X}_k(e)$가 된다. 또 다른 시점 $t = l$에서는 랜덤 시퀀스가 또 다른 랜덤벡터 $\mathrm{X}_l = \mathrm{X}_l(e)$가 된다. 확률 실험 결과($e$)를 특정 실험 결과 $e = e_1$으로 고정한다면 랜덤 시퀀스는 샘플 함수 $\mathrm{X}_t(e_1) = \mathrm{x}_{1t}$가 된다. 또 다른 실험 결과 $e = e_2$에서는 랜덤 시퀀스가 또 다른 샘플 함수 $\mathrm{X}_t(e_2) = \mathrm{x}_{2t}$가 된다. 샘플 함수는 확정적(deterministic) 함수이며 샘플 함수를 총칭해 앙상블(ensemble)이라고 한다.

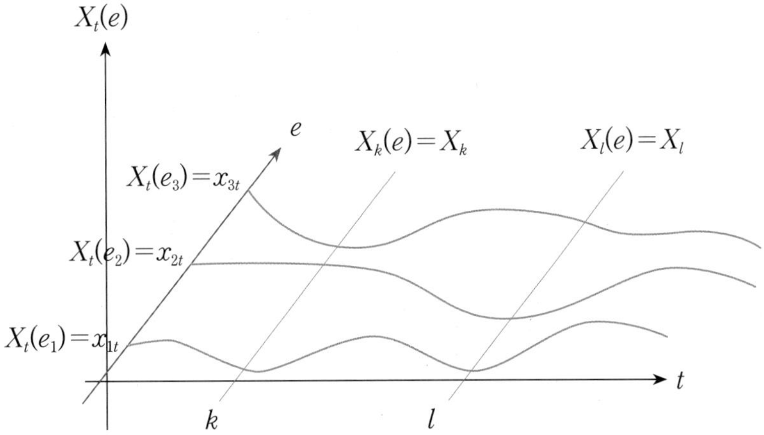

그림 1.22 샘플 함수와 랜덤 시퀀스

시간이 연속적인 경우에는 랜덤 프로세스(random process)라고 한다.

$$\mathrm{X}(t) \equiv \mathrm{X}(t,\ e) = [X_1(t,\ e) X_2(t,\ e) \ldots X_n(t,\ e)]^T \tag{1.97}$$

여기서 t는 시간 인덱스로서 실숫값을 갖는다.

1.5.2 평균함수와 자기 상관함수

랜덤 시퀀스의 확률밀도함수는 시점마다 달라질 수 있기 때문에 시간의 함수다. 랜덤 시퀀스의 확률밀도함수는 $p_{\mathrm{X}_t}(\mathrm{x}_t)$로 표시한다. 시간스텝 t에서 랜덤 시퀀스의 기댓값 또는 앙상블 평균함수(mean function)는 랜덤벡터의 구성 요소 각각의 기댓값으로 정의한다. 즉,

$$\begin{aligned} \mu_{\mathrm{X}_t} &= \mathbb{E}[\mathrm{X}_t] \\ &= \int_{-\infty}^{\infty} \mathrm{x}_t p_{\mathrm{X}_t}(\mathrm{x}_t) d\mathrm{x}_t \end{aligned} \tag{1.98}$$

시간스텝 $t=k$와 $t=l$에서 두 랜덤벡터는 결합 확률밀도함수 $p_{\mathrm{X}_t}(\mathrm{x}_k,\ \mathrm{x}_l)$를 갖는다. 랜덤 시퀀스의 어느 시점과 다른 시점에서의 자기 상관도를 나타내기 위해 자기 상관함수(auto-correlation function) $R_{\mathrm{X}_k\mathrm{X}_l}$을 다음과 같이 정의한다.

$$
\begin{aligned}
R_{X_kX_l} &= \mathbb{E}[X_kX_l^T] \\
&= \int_{-\infty}^{\infty} x_kx_l^T p_{X_t}(x_k,\ x_l)dx_kdx_l \\
&= \begin{bmatrix} \mathbb{E}[X_{k,1}X_{l,1}] & \cdots & \mathbb{E}[X_{k,1}X_{l,n}] \\ \vdots & \ddots & \vdots \\ \mathbb{E}[X_{k,n}X_{l,1}] & \cdots & \mathbb{E}[X_{k,n}X_{l,n}] \end{bmatrix}
\end{aligned}
\tag{1.99}
$$

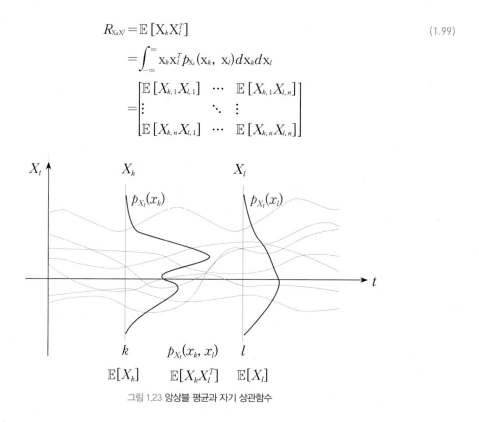

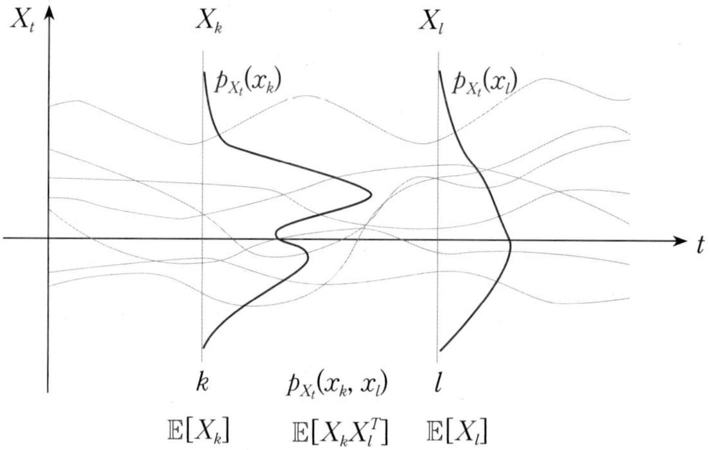

그림 1.23 앙상블 평균과 자기 상관함수

자기 공분산함수(auto-covariance function) $P_{X_kX_l}$는 다음과 같이 정의한다.

$$
P_{X_kX_l} = \mathbb{E}[(X_k - \mathbb{E}[X_k])(X_l - \mathbb{E}[X_l])^T] \tag{1.100}
$$

랜덤 프로세스의 평균, 공분산함수, 상관함수 등의 정의도 랜덤 시퀀스의 경우와 동일하다.

자기 상관함수와 자기 공분산함수는 동일한 시퀀스 내에서 서로 다른 두 시점에서의 랜덤벡터 사이의 상관도에 대한 정보를 준다. 자기 상관함수의 값이 두 비교 시점의 시간 간격이 커질수록 급격히 작아진다면 두 시점의 랜덤벡터 상관도가 급격히 떨어진다는 의미이고, 반대로 두 비교 시점의 시간 간격이 커도 서서히 감소한다면 두 시점의 랜덤벡터의 상관도가 높다는 뜻이다. 서로 다른 두 시점에서의 랜덤벡터가 비상관 관계에 있다면 이는 한 시점에서의 확률 정보가 다른 시점에서의 확률 정보를 추정하는 데 아무런 도움이 되지 않는다는 것을 의미한다.

모든 시점에서 비상관 관계에 있는, 즉 시간적으로 비상관 관계에 있는 랜덤 시퀀스를 이산시간 화이트 노이즈(white noise, 백색 잡음)라고 한다. 평균이 0이고 공분산이 S_t인 이산시간 화이트 노이즈 W_t를 다음과 같이 정의한다.

$$R_{W_tW_{t+m}} = \mathbb{E}\left[W_t W_{t+m}^T\right] = S_t \delta_m \tag{1.101}$$

여기서 S_t은 확정된 값을 갖는 행렬이고, δ_m은 크로넥커 델타(Kronecker delta) 함수로서 다음과 같이 정의된다.

$$\delta_m = \begin{cases} 1, & m=0 \\ 0, & m \neq 0 \end{cases} \tag{1.102}$$

다음 그림은 화이트 노이즈의 예다.

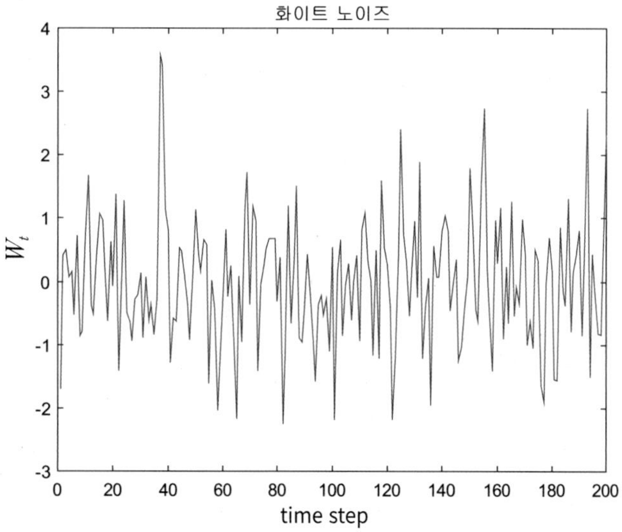

그림 1.24 화이트 노이즈

1.5.3 마르코프 시퀀스

마르코프(Markov) 시퀀스 또는 프로세스는 '현재의 확률 정보가 주어진 조건 하에서 미래와 과거는 무관한(또는 조건부 독립인)' 랜덤 시퀀스(또는 프로세스)를 의미한다. 즉, 특정 시점 t_1에서 랜덤 시퀀스(또는 프로세스) X_{t_1}의 확률분포가 알려져 있을 때 시점 $t>t_1$에서 X_t가 시점 $s<t_1$에서 X_s와 독립이라면 랜덤 시퀀스(또는 프로세스) X_t를 마르코프 시퀀스(또는 프로세스)라고 정의한다. 마르코프 시퀀스를 확률밀도함수로 표현하면 다음과 같다.

$$p_{X_t}(x_{t+1}|x_t,\ x_{t\ 1},\ \dots,\ x_0)=p_{X_t}(x_{t+1}|x_t) \tag{1.103}$$

마르코프 프로세스를 확률밀도함수로 표현하면 다음과 같다.

$$p_X(x(t)|x(s),\ s\le t_1)=p_X(x(t)|x(t_1)),\ \forall t>t_1 \tag{1.104}$$

마르코프 시퀀스(또는 프로세스)가 의미하는 바는 과거의 모든 확률 정보는 현재의 확률 정보에 모두 녹아 있다는 것이다. 마르코프 시퀀스(또는 프로세스)는 강화 학습뿐만 아니라 추정 이론, 신호처리 등 여러 공학 분야에서 폭넓게 쓰이는 개념이다.

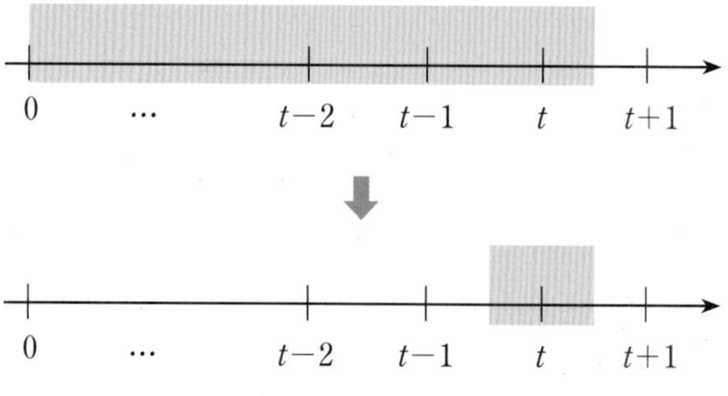

그림 1.25 마르코프 시퀀스

1.6 선형 확률 차분방정식

다음 식으로 표현되는 랜덤벡터의 시간 전파식(propagation)을 선형 확률 차분방정식(linear stochastic difference equation)이라고 한다.

$$\mathrm{X}_{t+1} = F_t \mathrm{X}_t + G_t \mathrm{W}_t \tag{1.105}$$

여기서 $\mathrm{X}_t \in R^n$는 랜덤벡터, $\mathrm{W}_t \in R^m$는 이산시간 프로세스 노이즈라고 한다. F_t, G_t는 각각 시스템 행렬과 노이즈 게인 행렬이라고 하는데, 모두 확정된 값을 갖는다. 랜덤벡터의 초깃값 X_0의 평균과 공분산은 다음과 같이 주어진다고 가정한다.

$$\begin{aligned} &\mathbb{E}[\mathrm{X}_0] = \bar{\mathrm{x}}_0 \\ &\mathbb{E}[(\mathrm{X}_0 - \bar{\mathrm{x}}_0)(\mathrm{X}_0 - \bar{\mathrm{x}}_0)^T] = P_0 \end{aligned} \tag{1.106}$$

프로세스 노이즈 W_t는 평균이 0이고 공분산이 Q_t인 화이트 노이즈라고 가정한다.

$$\begin{aligned} &\mathbb{E}[\mathrm{W}_t] = 0 \\ &\mathbb{E}[\mathrm{W}_t \mathrm{W}_{t+m}^T] = Q_t \delta_m \end{aligned} \tag{1.107}$$

그러면 랜덤벡터 X_t의 평균은 다음과 같이 전파된다.

$$\begin{aligned} \mathbb{E}[\mathrm{X}_{t+1}] &= \mathbb{E}[F_t \mathrm{X}_t + G_t \mathrm{W}_t] \\ &= F_t \mathbb{E}[\mathrm{X}_t] + G_t \mathbb{E}[\mathrm{W}_t] \\ &= F_t \mathbb{E}[\mathrm{X}_t] \end{aligned} \tag{1.108}$$

여기서 $\mathbb{E}[\mathrm{X}_0] = \bar{\mathrm{x}}_0$로 주어졌으므로 랜덤벡터의 평균 전파식은 확정적인 식임을 알 수 있다. 이번에는 랜덤벡터의 공분산 전파식을 구해보자. 먼저 공분산 계산에서 다음 식이 필요하다.

$$\begin{aligned}(\mathrm{X}_{t+1}-\mathbb{E}[\mathrm{X}_{t+1}])(\mathrm{X}_{t+1}-\mathbb{E}[\mathrm{X}_{t+1}])^T \\ =(F_t\mathrm{X}_t+G_t\mathrm{W}_t-F_t\mathbb{E}[\mathrm{X}_t])(F_t\mathrm{X}_t+G_t\mathrm{W}_t-F_t\mathbb{E}[\mathrm{X}_t])^T \\ =F_t(\mathrm{X}_t-\mathbb{E}[\mathrm{X}_t])(\mathrm{X}_t-\mathbb{E}[\mathrm{X}_t])^T F_t+G_t\mathrm{W}_t\mathrm{W}_t^T G_t^T \\ +G_t\mathrm{W}_t(\mathrm{X}_t-\mathbb{E}[\mathrm{X}_t])^T F_t+F_t(\mathrm{X}_t-\mathbb{E}[\mathrm{X}_t])\mathrm{W}_t^T\end{aligned} \quad (1.109)$$

위 식의 기댓값이 공분산이므로,

$$\begin{aligned}P_{t+1}&=\mathbb{E}[(\mathrm{X}_{t+1}-\mathbb{E}[\mathrm{X}_{t+1}])(\mathrm{X}_{t+1}-\mathbb{E}[\mathrm{X}_{t+1}])^T] \\ &=F_t\mathbb{E}[(\mathrm{X}_t-\mathbb{E}[\mathrm{X}_t])(\mathrm{X}_t-\mathbb{E}[\mathrm{X}_t])^T]F_t^T+G_t\mathbb{E}[\mathrm{W}_t\mathrm{W}_t^T]G_t^T \\ &\quad +G_t\mathbb{E}[\mathrm{W}_t(\mathrm{X}_t-\mathbb{E}[\mathrm{X}_t])^T]F_t+F_t\mathbb{E}[(\mathrm{X}_t-\mathbb{E}[\mathrm{X}_t])\mathrm{W}_t^T]G_t^T \\ &=F_tP_tF_t^T+G_tQ_tG_t^T+G_tM_t^TF_t+F_tM_tG_t^T\end{aligned} \quad (1.110)$$

이 된다. 랜덤벡터의 초깃값과 프로세스 노이즈가 비상관 관계에 있으면, 즉 $\mathbb{E}[(\mathrm{X}_0-\bar{\mathrm{x}}_0)\mathrm{W}_t^T]=0$ 이면 $M_t=\mathbb{E}[(\mathrm{X}_t-\mathbb{E}[\mathrm{X}_t])\mathrm{W}_t^T]=0$이므로 공분산 전파식은 다음과 같이 간단하게 정리된다.

$$P_{t+1}=F_tP_tF_t^T+G_tQ_tG_t^T \quad (1.111)$$

공분산 전파식은 모두 확정된 값을 갖는 행렬의 함수로 되어있기 때문에 확정적인 식이다.

노트

선형 확률 차분방정식과 랜덤벡터의 평균 및 공분산의 전파식은 9장의 모델 기반 강화학습에 필요한 것으로서 수학적 모델을 사용하지 않는 강화학습에서는 필요 없는 내용이다. 선형 확률 차분방정식은 외란 및 모델 오차가 있는 시스템의 수학적 동역학 모델을 만드는 데 이용된다. 또한 다양한 랜덤 시퀀스를 생성하는 데도 이용된다. 예를 들면, 랜덤워크(random walk)는 다음 식으로 모델링할 수 있다.

$$X_{t+1}=X_t+W_t,\ X_0=0,\ P_0=0$$
$$\mathbb{E}[W_t^2]=q$$

그러면 평균 전파식은 $\mathbb{E}[X_{t+1}]=\mathbb{E}[X_t+W_t]=\mathbb{E}[X_t]=0$이 되고, 공분산은 $P_{t+1}=P_t+q$ 이므로 $P_t=qt$가 되어 분산은 시간이 지남에 따라 비례적으로 커짐을 알 수 있다.

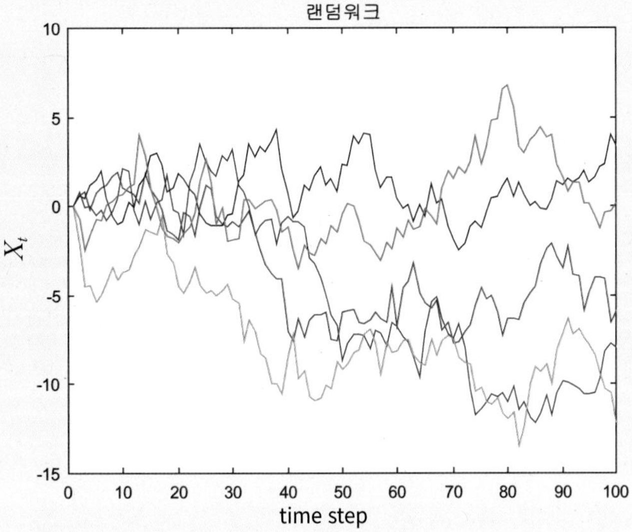

그림 1.26 랜덤워크의 예

1.7 표기법

랜덤벡터와 랜덤벡터가 실제 취한 값을 구별하기 위해 보통 랜덤벡터는 대문자로 표기하고 랜덤 변수가 실제 취할 수 있는 값은 소문자로 표기한다. 예를 들면, X는 랜덤벡터를, x는 랜덤벡터가 실제 취한 값을 의미한다. 또한 랜덤벡터 X의 확률밀도함수는 $p_X(\mathrm{x})$로 표기했다. 이러한 표기 방법은 무엇이 랜덤벡터인지, 무엇이 랜덤벡터가 실제 취한 값인지 명확하게 구별해주는 장점은 있으나, 특별히 이 두 값을 명시적으로 구별해야 하는 경우를 제외하고는 표기만 복잡하게 하는 단점이 있다. 따라서 앞으로는 특별한 경우를 제외하고는 랜덤벡터와 랜덤벡터가 실제 취할 수 있는 값을 모두 소문자로 표기하고자 한다. 그래서 문맥에 따라서 x는 랜덤벡터를 의미할 수도 있고 그 랜덤벡터가 실제 취한 값을 의미할 수도 있다. 또한 확률밀도함수는 랜덤벡터를 의미하는 아래 첨자를 빼고 단순히 $p(\mathrm{x})$로 표기하기로 한다. 이러한 표기법에 의하면 $p(\mathrm{x})$와 $p(\mathrm{y})$는 마치 같은 함수인 것처럼 보이지만, 각각 $p_{\mathrm{X}}(\mathrm{x})$와 $p_{\mathrm{Y}}(\mathrm{y})$를 나타내는 것이므로 서로 다른 함수임에 주의해야 한다. 또한 파라미터 θ의 함수로 된(또는 θ로 파라미터화된) 확률밀도함수 $p_{\theta,\mathrm{X}}(\mathrm{x})$와 $p_{\theta,\mathrm{Y}}(\mathrm{y})$는 각각 $p_\theta(\mathrm{x})$, $p_\theta(\mathrm{y})$로 표기한다.

1.8 중요 샘플링

중요 샘플링(importance sampling)은 기댓값을 계산하고자 하는 확률분포함수는 알고 있지만 샘플을 생성하기가 어려울 때 해당 확률분포함수 대신에 샘플을 생성하기가 쉬운 다른 확률분포함수를 이용해 기댓값을 추정하는 방법이다. 다음과 같이 확률밀도함수 $p(\mathrm{x})$에 기반한 함수 $f(\mathrm{x})$의 기댓값을 구한다.

$$\begin{aligned}\mathbb{E}_{\mathrm{x}\sim p(\mathrm{x})}[f(\mathrm{x})] &= \int_{\mathrm{x}} p(\mathrm{x})f(\mathrm{x})d\mathrm{x} \\ &= \int_{\mathrm{x}} \frac{q(\mathrm{x})}{q(\mathrm{x})}p(\mathrm{x})f(\mathrm{x})d\mathrm{x} \\ &= \int_{\mathrm{x}} q(\mathrm{x})\frac{p(\mathrm{x})}{q(\mathrm{x})}f(\mathrm{x})d\mathrm{x} \\ &= \mathbb{E}_{\mathrm{x}\sim q(\mathrm{x})}\left[\frac{p(\mathrm{x})}{q(\mathrm{x})}f(\mathrm{x})\right]\end{aligned} \tag{1.112}$$

여기서 $q(\mathrm{x})$는 $p(\mathrm{x})$와는 다른 확률밀도함수다. 기댓값의 아래 첨자 $\mathrm{x}\sim p(\mathrm{x})$는 기댓값을 계산할 때 확률밀도함수로 $p(\mathrm{x})$를 사용한다는 의미다. 위 식에서 보듯이 $p(\mathrm{x})$에 기반한 함수 $f(\mathrm{x})$의 기댓값을 $q(\mathrm{x})$에 기반해 계산할 수 있다는 것을 알 수 있다.

함수 $f(\mathrm{x})$의 분산은 정의에 의해 다음과 같다.

$$Var_{p(\mathrm{x})}[f(\mathrm{x})]=\mathbb{E}_{\mathrm{x}\sim p(\mathrm{x})}[(f(\mathrm{x}))^2]-(\mathbb{E}_{\mathrm{x}\sim p(\mathrm{x})}[f(\mathrm{x})])^2 \tag{1.113}$$

한편, 중요 샘플링의 분산도 정의에 의해 다음과 같이 된다.

$$\begin{aligned} Var_{q(\mathrm{x})}\left[\frac{p(\mathrm{x})}{q(\mathrm{x})}f(\mathrm{x})\right] &= \mathbb{E}_{\mathrm{x}\sim q(\mathrm{x})}\left[\left(\frac{p(\mathrm{x})}{q(\mathrm{x})}f(\mathrm{x})\right)^2\right]-\left(\mathbb{E}_{\mathrm{x}\sim q(\mathrm{x})}\left[\frac{p(\mathrm{x})}{q(\mathrm{x})}f(\mathrm{x})\right]\right)^2 \\ &= \int_{\mathrm{x}}\left(\frac{p(\mathrm{x})}{q(\mathrm{x})}f(\mathrm{x})\right)^2 q(\mathrm{x})d\mathrm{x}-(\mathbb{E}_{\mathrm{x}\sim p(\mathrm{x})}[f(\mathrm{x})])^2 \\ &= \int_{\mathrm{x}}\frac{p(\mathrm{x})}{q(\mathrm{x})}(f(\mathrm{x}))^2 p(\mathrm{x})d\mathrm{x}-(\mathbb{E}_{\mathrm{x}\sim p(\mathrm{x})}[f(\mathrm{x})])^2 \\ &= \mathbb{E}_{\mathrm{x}\sim p(\mathrm{x})}\left[\frac{p(\mathrm{x})}{q(\mathrm{x})}(f(\mathrm{x}))^2\right]-(\mathbb{E}_{\mathrm{x}\sim p(\mathrm{x})}[f(\mathrm{x})])^2 \end{aligned} \tag{1.114}$$

중요 샘플링의 분산 (1.110)을 원래 분산 (1.109)과 비교해 보면 중요 샘플링의 분산 값이 $\frac{p(\mathrm{x})}{q(\mathrm{x})}$ 값에 따라서 원래 분산보다 매우 커질 수도 있음을 알 수 있다.

1.9 엔트로피

항상 일어나는 사건은 새로울 것이 없으므로 여기에서 얻을 수 있는 정보의 양은 매우 적다고 봐도 된다. 또한 잘 일어날 것 같지 않는 사건에서는 빈번하게 일어나는 사건에서보다 얻을 수 있는 정보의 양이 더 많다고 봐도 될 것이다. 따라서 정보량은 사건의 발생 빈도에 영향을 받으므로 확률적인 속성을 가지고 있고 확률함수로 나타내는 것이 자연스럽다. 이를 반영해 랜덤벡터 x의 정보량 $h(\mathrm{x})$를 다음과 같이 정의한다.

$$h(\mathrm{x}) = -\log p(\mathrm{x}) \tag{1.115}$$

여기서 $p(\mathrm{x})$는 x의 확률밀도함수다. $p(\mathrm{x})$ 값이 0에 가까워질수록, 즉 사건의 빈도수가 작을수록 정보량은 많아지고 $p(\mathrm{x})$ 값이 커질수록, 즉 사건의 빈도수가 클수록 정보량은 적어진다.

엔트로피(entropy)는 정보량의 기댓값으로 정의하며 다음과 같다.

$$\mathcal{H}(p) = \mathbb{E}_{\mathrm{x} \sim p(\mathrm{x})}[-\log p(\mathrm{x})] = -\int_{\mathrm{x}} p(\mathrm{x}) \log p(\mathrm{x}) d\mathrm{x} \tag{1.116}$$

예를 들어 x를 스칼라 랜덤 변수라고 할 때 $p(x)$가 다음과 같이 평균이 μ이고 분산이 σ^2인 가우시안 분포함수라면

$$p(x) = \frac{1}{(2\pi\sigma^2)^{1/2}} \exp\left(-\frac{(x-\mu)^2}{2\sigma^2}\right) \tag{1.117}$$

엔트로피는 다음과 같이 된다.

$$\mathcal{H}(p) = \frac{1}{2}(1 + \log(2\pi\sigma^2)) \tag{1.118}$$

이 경우 엔트로피는 분산에만 영향을 받으며 분산이 커질수록 증가함을 알 수 있다. 분산이 클수록 사건의 무작위성이 커지고 특정 사건의 발생 빈도수가 작아지기 때문에 정보량이 증가한다고 볼 수 있다. 참고로 물리 시스템에서도 엔트로피가 증가할수록 무작위성 또는 무질서의 정도가 증가한다고 해석한다.

확률밀도함수 $q(\mathrm{x})$의 정보량을 확률밀도함수 $p(\mathrm{x})$의 관점에서 기댓값으로 표현한 것을 $p(\mathrm{x})$와 $q(\mathrm{x})$의 교차 엔트로피(cross entropy)라고 하며 다음과 같이 정의한다.

$$\begin{aligned} \mathcal{H}(p, q) &= \mathbb{E}_{\mathrm{x} \sim p(\mathrm{x})}[-\log q(\mathrm{x})] \\ &= -\int_{\mathrm{x}} p(\mathrm{x}) \log q(\mathrm{x}) d\mathrm{x} \end{aligned} \tag{1.119}$$

노트

정보량의 과학적 개념은 '내가 아는 어떤 것의 총량'이 아니라 '어떤 것의 가능한 대안의 수 또는 모든 경우의 수의 총량'을 의미한다. 예를 들어 주사위를 던지면 6가지 숫자 중에서 하나가 나오므로 정보량은 6이다. 어떤 사람의 생일을 모르면 365개의 가능성이 존재하기 때문에, 만약 그 사람의 생일을 안다면 나의 정보량은 365이다. 어떤 사건의 가능한 경우의 수가 많다는 것은 곧 특정한 사건이 일어날 가능성이 더 희박하다는 이야기이므로 정보량은 확률적인 속성을 가지고 있다고 볼 수 있다.

1.10 KL 발산

이제 어떤 데이터의 확률밀도함수 $p(\mathrm{x})$가 있다고 하자. 이 함수를 정확히 알 수 없어서 이 함수를 근사적으로 추정한 확률밀도함수 $q(\mathrm{x})$를 사용한다고 가정하자. 그러면 실제 분포인 $p(\mathrm{x})$로 얻을 수 있는 정보량과 근사적 분포인 $q(\mathrm{x})$로 얻을 수 있는 정보량은 다를 것이다. 이때 둘 사이의 평균 정보량이 얼마나 차이가 나는지 계산한 것을 상대 엔트로피(relative entropy) 또는 KL 발산(Kullback–Leibler divergence)이라고 하며 다음과 같이 정의한다.

$$
\begin{aligned}
D_{KL}(p(\mathrm{x})\|q(\mathrm{x})) &= -\int_{\mathrm{x}} p(\mathrm{x})\log q(\mathrm{x})d\mathrm{x} - \left(-\int_{\mathrm{x}} p(\mathrm{x})\log p(\mathrm{x})d\mathrm{x}\right) \\
&= \int_{\mathrm{x}} p(\mathrm{x})\log\frac{p(\mathrm{x})}{q(\mathrm{x})}d\mathrm{x}
\end{aligned} \tag{1.120}
$$

KL 발산의 첫 번째 항은 근사 분포인 $q(\mathrm{x})$의 정보량을 실제 분포를 사용해 기댓값을 계산한 것이고, 두 번째 항은 실제 분포 $p(\mathrm{x})$의 평균 정보량이다. KL 발산은 두 확률분포의 엔트로피 차이를 나타내지만 두 확률분포가 얼마나 유사한지 '거리'를 측정하는 도구로 쓰인다. 실제로 KL 발산은 거리의 척도(metric) 특성 4가지 중 3가지만을 만족하고 대칭성을 만족하지 못하기 때문에 준(semi) 거리 척도라고 한다.

KL 발산의 정의에 의하면 몇 가지 특징을 추출할 수 있다. 우선 KL 발산은 비대칭 함수다. 즉,

$$D_{KL}(p(\mathrm{x})||q(\mathrm{x})) \neq D_{KL}(q(\mathrm{x})||p(\mathrm{x})) \tag{1.121}$$

이다. 또한 항상 $D_{KL}(p(\mathrm{x})||q(\mathrm{x})) \geq 0$을 만족하며, $p(\mathrm{x})=q(\mathrm{x})$일 때만 $D_{KL}(p(\mathrm{x})||q(\mathrm{x}))=0$이다. $D_{KL}(p(\mathrm{x})||q(\mathrm{x})) \geq 0$은 $-\log$ 함수가 컨벡스(convex, 볼록) 함수임을 이용해 증명할 수 있다. 컨벡스 함수 $f(\mathrm{x})$에 대해서는 다음과 같이 젠센 부등식(Jensen's inequality)이 성립한다. 즉,

$$\mathbb{E}[f(g(\mathrm{x}))] \geq f(\mathbb{E}[g(\mathrm{x})]) \tag{1.122}$$

이다. 이제 KL 발산 식에서 $g(\mathrm{x})=\dfrac{q(\mathrm{x})}{p(\mathrm{x})}$를 사용해 $f(g(\mathrm{x}))=-\log g(\mathrm{x})$로 놓으면,

$$\begin{aligned} D_{KL}(p(\mathrm{x})||q(\mathrm{x})) &= \int_{\mathrm{x}} p(\mathrm{x}) \log \frac{p(\mathrm{x})}{q(\mathrm{x})} d\mathrm{x} = -\int_{\mathrm{x}} p(\mathrm{x}) \log \frac{q(\mathrm{x})}{p(\mathrm{x})} d\mathrm{x} \\ &\geq -\log \mathbb{E}\left[\frac{q(\mathrm{x})}{p(\mathrm{x})}\right] = -\log \int_{\mathrm{x}} p(\mathrm{x}) \frac{q(\mathrm{x})}{p(\mathrm{x})} d\mathrm{x} \\ &= -\log \int_{\mathrm{x}} q(\mathrm{x}) d\mathrm{x} = -\log 1 = 0 \end{aligned} \tag{1.123}$$

이 되는 것을 알 수 있다.

$p(\mathrm{x})$와 $q(\mathrm{x})$가 각각 평균이 μ_p, μ_q, 공분산이 P_p, P_q인 n차원 가우시안 분포라면 KL 발산은 다음과 같이 계산된다.

$$D_{KL}(p(\mathrm{x})||q(\mathrm{x})) = \frac{1}{2}\left(tr(P_q^{-1}P_p) + (\mu_q-\mu_p)^T P_q^{-1}(\mu_q-\mu_p) - n + \log \frac{\det P_q}{\det P_p}\right) \tag{1.124}$$

실제 데이터의 분포가 $p(\mathrm{x})$로 주어지고 이를 $q(\mathrm{x})$로 추정하고자 할 때 해당 데이터 집합에서 $p(\mathrm{x})$는 고정이므로(물론 알지는 못하지만) $p(\mathrm{x})$와 유사한 $q(\mathrm{x})$를 계산하는 것을 다음과 같이 생각할 수 있다.

$$
\begin{aligned}
\underset{q}{\operatorname{argmin}}\, D_{KL}(p||q) &= \underset{q}{\operatorname{argmin}} \left\{ -\int_{\mathrm{x}} p(\mathrm{x}) \log q(\mathrm{x}) d\mathrm{x} + \int_{\mathrm{x}} p(\mathrm{x}) \log p(\mathrm{x}) d\mathrm{x} \right\} \\
&= \underset{q}{\operatorname{argmin}} \left\{ -\int_{\mathrm{x}} p(\mathrm{x}) \log q(\mathrm{x}) d\mathrm{x} \right\} \\
&= \underset{q}{\operatorname{argmin}}\, \mathcal{H}(p,\ q)
\end{aligned} \tag{1.125}
$$

즉, 데이터 집합이 주어졌을 때 미지의 $p(\mathrm{x})$와 유사한 $q(\mathrm{x})$는 교차 엔트로피 $\mathcal{H}(p,\ q)$를 최소로 만드는 확률밀도함수다.

용어 설명 $\min_{x} f(x)$는 $f(x)$의 최솟값을 의미하고 $\underset{x}{\operatorname{argmin}}\, f(x)$는 $f(x)$를 최소로 만드는 x값을 의미한다. 예를 들어 $f(x)=(x-2)^2$, $-\infty<x<\infty$일 때, $\min_{x} f(x)=0$이고 $\underset{x}{\operatorname{argmin}}\, f(x)=2$이다.

1.11 추정기

정적(static) 추정 문제는 다음과 같이 측정 벡터의 집합 z를 함수로 하는 상수벡터 x의 추정기(estimator)를 설계하는 문제다.

$$
\hat{\mathrm{x}} = \mathrm{g}(\mathrm{z}) \tag{1.126}
$$

추정기는 미지의 상수벡터 x를 어떤 성격으로 규정하느냐에 따라 크게 베이즈 방법(Bayesian approach)과 비 베이즈 방법(non-Bayesian approach)으로 나뉜다.

베이즈 방법에서는 x를 랜덤벡터로 본다. 따라서 x에 관한 사전(a priori) 확률 정보를 알고 있다고 가정한다. 측정 벡터 z는 x에 관한 확률 정보를 좀 더 정확하게 보강해주는 역할을 한다. 베이즈 방법에는 최대사후(MAP, maximum a posteriori) 추정기와 최소평균제곱오차(MMSE, minimum mean-square error) 추정기가 있다.

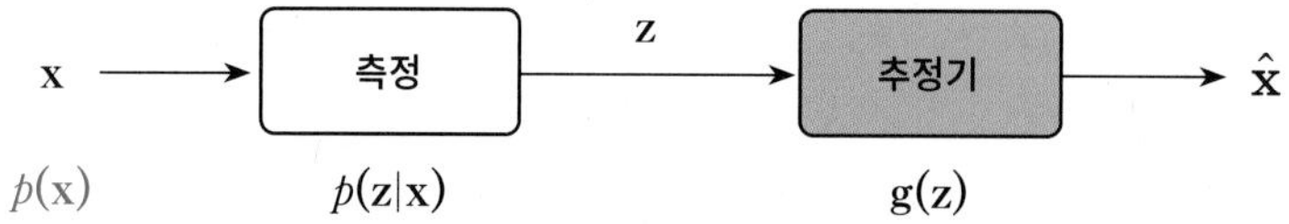

그림 1.27 베이즈 방법

반면, 비 베이즈 방법에서는 x를 미지의 확정된 값으로 본다. 따라서 x에 관한 사전 확률정보가 전혀 없으며 x에 관한 정보는 오로지 측정 벡터 z를 통해서만 얻을 수 있다고 가정한다. 비 베이즈 방법에는 최대빈도(ML, maximum likelihood) 추정기와 최소제곱오차(LSE, least-square error) 추정기가 있다.

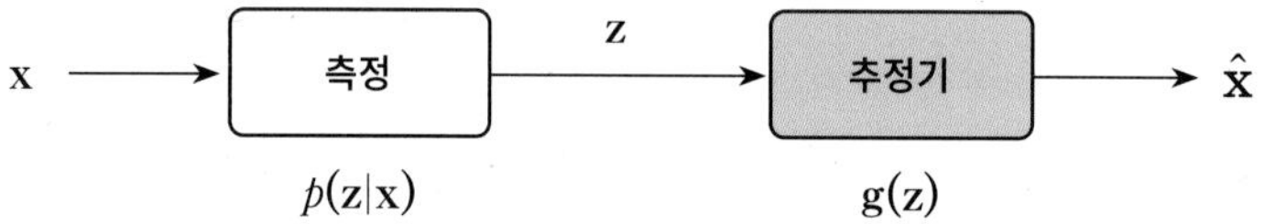

그림 1.28 비 베이즈 방법

강화학습에서 언급되는 추정기는 최대사후(MAP) 추정기와 최대빈도(ML) 추정기다.

1.11.1 최대사후 추정기

베이즈 정리에 의하면 측정 벡터 z를 조건으로 하는 미지의 랜덤벡터 x의 확률밀도함수는 다음과 같이 주어진다.

$$p(x|z) = \frac{p(z|x)p(x)}{p(z)} \tag{1.127}$$

여기서 $p(x)$는 벡터 z가 측정되기 전인 사전에 알고 있는 x의 확률밀도함수고, $p(z)$는 측정 벡터 z의 확률밀도함수로서 측정 과정의 확률 정보를 나타낸다. $p(z|x)$는 x를 조건으로 하는 z의 조건부 확률밀도함수로서 x에 따라 특정 측정 벡터 z가 얼마나 자주 나타나는가를 나타내는 빈도함수(likelihood function)다. 한편 $p(x|z)$는 z가 측정된 후(a posteriori)에 주어진 x의 조건부 확률밀도함수다.

최대사후 추정기는 z를 조건으로 하는 미지의 랜덤벡터 x의 조건부 확률밀도함수가 최댓값일 때의 x의 값(mode)을 x의 추정값으로 정의한다.

$$\begin{aligned}\hat{x}^{MAP} &= \arg\max p(x|z) \\ &= \arg\max [p(z|x)p(x)]\end{aligned} \tag{1.128}$$

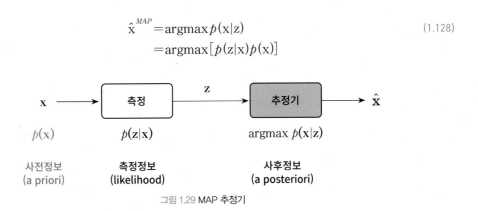

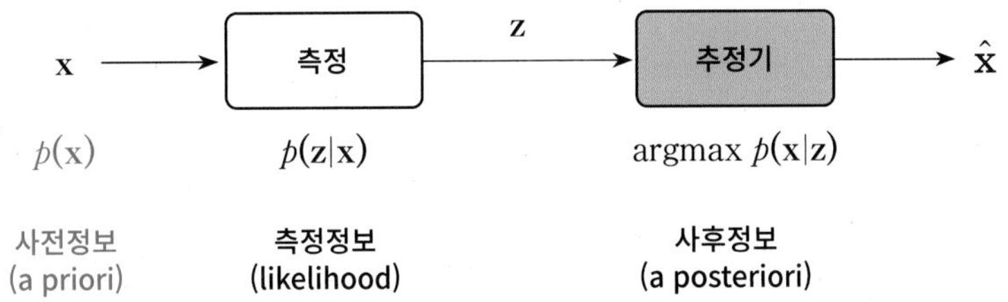

그림 1.29 MAP 추정기

1.11.2 최대빈도 추정기

비 베이즈 추정기는 추정하고자 하는 벡터 x를 미지의 확정된 값으로 본다. 측정 벡터 z는 벡터 x 값에 따라 달라질 것이므로 z의 확률밀도함수는 미지의 벡터 x의 함수가 된다. 즉, $p(z(x))$로 표기할 수 있다.

최대빈도 추정기는 측정 벡터 z의 확률밀도함수를 최대로 하는 x의 값을 추정값으로 정의한다. 즉,

$$\hat{x}^{ML} = \arg\max p(z(x)) \tag{1.129}$$

식 (1.129)와 (1.128)을 비교해 보면 확률밀도함수를 최대로 하는 값을 추정값으로 정의한다는 점에서 최대빈도(ML) 추정기는 최대사후(MAP) 추정기의 비 베이즈 버전임을 알 수 있다.

한편 최대빈도(ML) 추정기를 정의할 때 최대사후(MAP) 추정기와의 표기의 일관성을 유지하기 위해 확률밀도함수 $p(z(x))$를 다음과 같이 조건부 확률밀도함수의 형식으로 표현하기도 한다. 즉,

$$\hat{\mathrm{x}}^{ML} = \mathrm{argmax}\, p(\mathrm{z}|\mathrm{x}) \tag{1.130}$$

여기서 $p(\mathrm{z}|\mathrm{x})$는 x를 조건으로 하는 z의 조건부 확률밀도함수로서 x에 따라 특정 측정 벡터 z가 얼마나 자주 나타나는가를 나타내는 빈도함수다. 이 표기법은 최대빈도(ML) 추정기의 정의를 명확하게 이해하는 데 도움이 되고 표기의 일관성이 유지되는 장점이 있다.

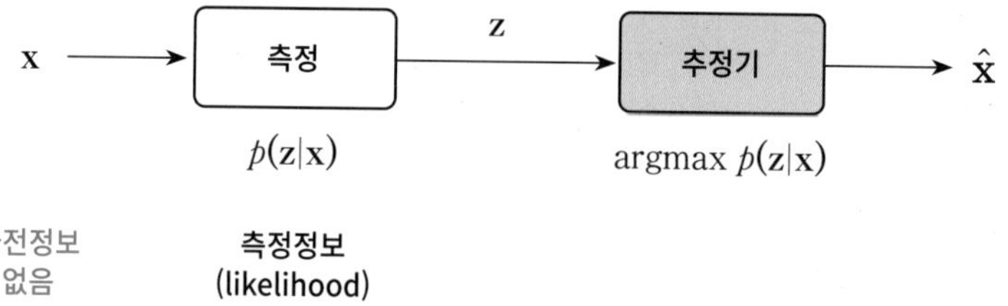

그림 1.30 ML 추정기

노트

최대사후(MAP) 추정기와 최대빈도(ML) 추정기는 확률밀도함수를 최대로 하는 값을 추정값으로 정의한다는 점에서 같다. 하지만 MAP 추정기는 미지의 값 x를 랜덤벡터로 보며 x에 관한 사전 확률정보를 알고 있다고 가정하지만, ML 추정기는 x를 미지의 확정된 값으로 보며 x에 관한 사전 확률정보가 전혀 없고 x에 관한 정보는 오로지 측정 벡터 x를 통해서만 얻을 수 있다고 가정한다는 차이점이 있다. 이러한 차이점이 무엇을 의미하는지 예제를 통해 살펴보도록 하자.

다음과 같이 스칼라 선형 측정 방정식이 주어졌다고 하자.

$$z = x + v$$

여기서 측정 노이즈 v는 평균이 0이고 분산이 σ_v^2인 가우시안 랜덤 변수라고 가정한다.

$$v \sim N(0,\ \sigma_v^2)$$

먼저, x를 미지의 확정된 값으로 보고 x의 빈도함수를 구해보자.

$$p(z|x) = N(z|x,\ \sigma_v^2) = \frac{1}{\sqrt{2\pi\sigma_v^2}} \exp\left(-\frac{(z-x)^2}{2\sigma_v^2}\right)$$

ML 추정값은 x의 빈도함수를 최대로 하는 값이므로 다음과 같이 측정값 z를 추정값으로 산출한다.

$$\hat{x}^{ML} = \operatorname{argmax} p(z|x) = z$$

이번에는 x의 사전 확률정보가 다음과 같이 가우시안 확률밀도함수로 주어졌다고 가정하자.

$$p(x) = N(x|\bar{x},\ \sigma_x^2)$$

여기서 x와 z는 서로 독립인 랜덤 변수로 가정한다. 그러면 측정변수 z를 조건으로 하는 랜덤 변수 x의 확률밀도함수는 다음과 같이 주어진다.

$$\begin{aligned} p(x|z) &= \frac{p(z|x)p(x)}{p(z)} \\ &= \frac{p(z|x)p(x)}{\int p(z|x)p(x)dx} \\ &= \frac{1}{c_0} \exp\left(-\frac{(z-x)^2}{2\sigma_v^2} - \frac{(x-\bar{x})^2}{2\sigma_x^2} \right) \end{aligned}$$

여기서 c_0는 정규화 상수다. 위 식을 좀 더 전개해 정리하면 다음과 같은 가우시안 확률밀도함수를 얻을 수 있다.

$$p(x|z) = \frac{1}{c_1} \exp\left(-\frac{(x-\hat{x}(z))^2}{2\sigma_1^2} \right)$$

여기서,

$$\hat{x}(z) = \bar{x} + \frac{\sigma_x^2}{\sigma_x^2 + \sigma_v^2}(z-\bar{x}),\ \sigma_1^2 = \frac{\sigma_x^2 \sigma_v^2}{\sigma_x^2 + \sigma_v^2},\ c_1 = \frac{1}{\sqrt{2\pi\sigma_1^2}}$$

이다. MAP 추정기는 조건부 확률밀도함수가 최댓값일 때의 x 값을 추정값으로 정의하므로 다음과 같이 추정값을 산출한다.

$$\begin{aligned}\hat{x}^{MAP} &= \text{argmax}\, p(x|z) = \hat{x}(z) \\ &= \bar{x} + \frac{\sigma_x^2}{\sigma_x^2 + \sigma_v^2}(z - \bar{x})\end{aligned}$$

즉, MAP 추정기는 ML 추정값 z에 x의 사전 확률정보로부터 얻어진 $\bar{x}$를 적절히 결합해 추정값을 산출함을 알 수 있다. 사전정보로 주어진 x의 분산값이 $\sigma_x^2 \to \infty$이면 MAP 추정값이 ML 추정값과 일치한다. x의 분산값이 $\sigma_x^2 \to \infty$라는 의미는 x에 관한 사전 확률정보가 전혀 없다는 뜻이기 때문에 이 경우 MAP 추정기는 ML 추정기와 동일해지는 것이다.

1.12 벡터와 행렬의 미분

1.12.1 벡터로 미분

$\mathrm{x} = [x_1 x_2 \cdots x_n]^T \in R^n$가 n차원 벡터이고 스칼라 함수 $f(\mathrm{x}) = f(x_1, x_2, ..., x_n)$가 주어졌을 때, $f(\mathrm{x})$에 대한 x의 미분을 다음과 같이 정의한다.

$$\frac{df(\mathrm{x})}{d\mathrm{x}} = \nabla_{\mathrm{x}} f(\mathrm{x}) = \begin{bmatrix} \frac{\partial f}{\partial x_1} \\ \frac{\partial f}{\partial x_2} \\ \vdots \\ \frac{\partial f}{\partial x_n} \end{bmatrix} \in R^n \tag{1.131}$$

여기서 $\nabla_{\mathrm{x}} f(\mathrm{x})$를 함수 $f(\mathrm{x})$의 기울기 벡터 또는 그래디언트(gradient)라고 한다.

$\mathrm{w} = [w_1 w_2 \cdots w_n]^T \in R^n$가 n차원 벡터이고 스칼라 함수가

$$f(\mathrm{x}) = \mathrm{w}^T \mathrm{x} = w_1 x_1 + w_2 x_2 + \cdots + w_n x_n \tag{1.132}$$

로 주어졌을 때 $f(\mathrm{x})$를 x로 미분하면 다음과 같다.

$$\nabla_{\mathrm{x}} f(\mathrm{x}) = \nabla_{\mathrm{x}} \mathrm{w}^T \mathrm{x} = \begin{bmatrix} \frac{\partial f}{\partial x_1} \\ \frac{\partial f}{\partial x_2} \\ \vdots \\ \frac{\partial f}{\partial x_n} \end{bmatrix} = \begin{bmatrix} w_1 \\ w_2 \\ \vdots \\ w_n \end{bmatrix} = \mathrm{w} \tag{1.133}$$

$\mathrm{A} = \begin{bmatrix} a_{11} & \cdots & a_{1n} \\ \vdots & \ddots & \vdots \\ a_{n1} & \cdots & a_{nn} \end{bmatrix} \in R^{n \times n}$가 행렬이고 스칼라 함수가 $f(\mathrm{x}) = \mathrm{x}^T \mathrm{A} \mathrm{x}$로 주어졌을 때, $f(\mathrm{x})$를 x로 미분하면 다음과 같다. 먼저 $f(\mathrm{x}) = \mathrm{x}^T \mathrm{A} \mathrm{x}$를 풀어 쓰면,

$$\begin{aligned} f(\mathrm{x}) = & a_{11} x_1^2 + a_{12} x_1 x_2 + \cdots + a_{1n} x_1 x_n \\ & + a_{21} x_2 x_1 + a_{22} x_2^2 + \cdots + a_{2n} x_2 x_n \\ & + \cdots \\ & + a_{n1} x_n x_1 + a_{n2} x_n x_2 + \cdots + a_{nn} x_n^2 \end{aligned} \tag{1.134}$$

이다. 따라서

$$\begin{aligned} \nabla_{\mathrm{x}} f(\mathrm{x}) &= \nabla_{\mathrm{x}} \mathrm{x}^T \mathrm{A} \mathrm{x} \\ &= \begin{bmatrix} 2a_{11} x_1 + a_{12} x_2 + \cdots + a_{1n} x_n + a_{21} x_2 + \cdots + a_{n1} x_n \\ a_{12} x_1 + a_{21} x_1 + 2a_{22} x_2 + \cdots + a_{2n} x_n + a_{32} x_2 + \cdots + a_{n2} x_n \\ \vdots \\ a_{1n} x_1 + a_{2n} x_2 + \cdots + a_{n1} x_1 + a_{n2} x_2 + \cdots + 2a_{nn} x_n \end{bmatrix} \\ &= (\mathrm{A} + \mathrm{A}^T) \mathrm{x} \end{aligned} \tag{1.135}$$

이다. 벡터 함수 $\mathrm{g}(\mathrm{x}) = [g_1(\mathrm{x}) g_2(\mathrm{x}) \cdots g_m(\mathrm{x})]^T \in R^m$가 다음과 같이 주어졌을 때 $\mathrm{g}(\mathrm{x})$에 대한 x의 미분을 다음과 같이 정의한다.

$$\frac{dg(\mathrm{x})}{d\mathrm{x}} = \nabla_{\mathrm{x}} g(\mathrm{x}) = \begin{bmatrix} \frac{\partial g_1}{\partial x_1} & \frac{\partial g_2}{\partial x_1} & \cdots & \frac{\partial g_m}{\partial x_1} \\ \frac{\partial g_1}{\partial x_2} & \frac{\partial g_2}{\partial x_2} & \cdots & \frac{\partial g_m}{\partial x_2} \\ \vdots & \vdots & \ddots & \vdots \\ \frac{\partial g_1}{\partial x_n} & \frac{\partial g_2}{\partial x_n} & \cdots & \frac{\partial g_m}{\partial x_n} \end{bmatrix} \in R^{n\times m} \tag{1.136}$$

$\mathrm{A} = \begin{bmatrix} a_{11} & \cdots & a_{1n} \\ \vdots & \ddots & \vdots \\ a_{n1} & \cdots & a_{nn} \end{bmatrix} \in R^{n\times n}$가 행렬이고 벡터 함수가 $g(\mathrm{x}) = \mathrm{Ax}$로 주어졌을 때, $g(\mathrm{x})$를 x로 미분하면 다음과 같다.

$$\begin{aligned} \nabla_{\mathrm{x}} g(\mathrm{x}) = \nabla_{\mathrm{x}} \mathrm{Ax} &= \nabla_{\mathrm{x}} \begin{bmatrix} a_{11}x_1 + a_{12}x_2 + \cdots + a_{1n}x_n \\ a_{21}x_1 + a_{22}x_2 + \cdots + a_{2n}x_n \\ \vdots \\ a_{n1}x_1 + a_{n2}x_2 + \cdots + a_{nn}x_n \end{bmatrix} \\ &= \begin{bmatrix} a_{11} & a_{21} & \cdots & a_{n1} \\ a_{12} & a_{22} & \cdots & a_{n2} \\ \vdots & \vdots & \ddots & \vdots \\ a_{1n} & a_{2n} & \cdots & a_{nn} \end{bmatrix} = \mathrm{A}^T \end{aligned} \tag{1.137}$$

그래디언트 $\nabla_{\mathrm{x}} f(\mathrm{x})$를 x로 미분하면 다음과 같다.

$$\begin{aligned} \frac{d\nabla_{\mathrm{x}} f(\mathrm{x})}{d\mathrm{x}} &= \nabla_{\mathrm{x}}(\nabla_{\mathrm{x}} f(\mathrm{x})) = \nabla_{\mathrm{x}}^2 f(\mathrm{x}) \\ &= \begin{bmatrix} \frac{\partial^2 f}{\partial x_1^2} & \frac{\partial^2 f}{\partial x_1 \partial x_2} & \cdots & \frac{\partial^2 f}{\partial x_1 \partial x_n} \\ \frac{\partial^2 f}{\partial x_2 \partial x_1} & \frac{\partial^2 f}{\partial x_2^2} & \cdots & \frac{\partial^2 f}{\partial x_2 \partial x_n} \\ \vdots & \vdots & \ddots & \vdots \\ \frac{\partial^2 f}{\partial x_n \partial x_1} & \frac{\partial^2 f}{\partial x_n \partial x_2} & \cdots & \frac{\partial^2 f}{\partial x_n^2} \end{bmatrix} \end{aligned} \tag{1.138}$$

여기서 $\nabla_{x}^{2} f(x)$을 헤시안(Hessian) 행렬이라고 한다. 헤시안 행렬은 대칭 행렬이다.

1.12.2 행렬로 미분

$Y=\begin{bmatrix} y_{11} & \cdots & y_{1n} \\ \vdots & \ddots & \vdots \\ y_{m1} & \cdots & y_{mn} \end{bmatrix} \in R^{m\times n}$가 행렬이고 스칼라 함수 $f(Y)$가 주어졌을 때 $f(Y)$에 대한 Y의 미분을 다음과 같이 정의한다.

$$\frac{df(Y)}{dY}=\nabla_{Y} f(Y)=\begin{bmatrix} \frac{\partial f}{\partial y_{11}} & \frac{\partial f}{\partial y_{12}} & \cdots & \frac{\partial f}{\partial y_{1n}} \\ \frac{\partial f}{\partial y_{21}} & \frac{\partial f}{\partial y_{22}} & \cdots & \frac{\partial f}{\partial y_{2n}} \\ \vdots & \vdots & \ddots & \vdots \\ \frac{\partial f}{\partial y_{m1}} & \frac{\partial f}{\partial y_{m2}} & \cdots & \frac{\partial f}{\partial y_{mn}} \end{bmatrix} \in R^{m\times n} \tag{1.139}$$

$X\in R^{n\times n}$와 $W\in R^{n\times n}$가 행렬이고 스칼라 함수 $f(X)$가 $f(X)=tr(WX)$로 주어졌을 때, $f(X)$를 X로 미분하면 다음과 같다. 여기서 $tr(\cdot)$은 대각합을 나타낸다.

$$\begin{aligned} \nabla_{X} f(X) &= \nabla_{X} tr(WX) \\ &= \nabla_{X}(w_{11}x_{11}+w_{12}x_{21}+\cdots+w_{1n}x_{n1}+w_{21}x_{12}+w_{22}x_{22}+\cdots+w_{2n}x_{n2} \\ &\qquad +\cdots+w_{n1}x_{1n}+w_{n2}x_{2n}+\cdots+w_{nn}x_{nn}) \\ &= \begin{bmatrix} w_{11} & w_{21} & \cdots & w_{n1} \\ w_{12} & w_{22} & \cdots & w_{n2} \\ \vdots & \vdots & \ddots & \vdots \\ w_{1n} & w_{2n} & \cdots & w_{nn} \end{bmatrix} = W^{T} \end{aligned} \tag{1.140}$$

$X\in R^{n\times n}$가 행렬이고 스칼라 함수 $f(X)$가 $f(X)=\det(X)$로 주어졌을 때 $f(X)$를 X로 미분하면 다음과 같다.

$$\nabla_{X} f(X)=\nabla_{X}\det(X)=adj^{T}(X) \tag{1.141}$$

여기서 수반행렬(adjoint matrix) $adj(\mathrm{X})$는 $\mathrm{X}^{-1}=\frac{adj(\mathrm{X})}{\det(\mathrm{X})}$로 주어진다.

$\mathrm{X}\in R^{n\times n}$가 행렬이고 스칼라 함수 $f(\mathrm{X})$가 $f(\mathrm{X})=\log(\det(\mathrm{X}))$로 주어졌을 때 $f(\mathrm{X})$를 X로 미분하면 다음과 같다.

$$\begin{aligned}\nabla_{\mathrm{X}} f(\mathrm{X}) = \nabla_{\mathrm{X}} \log(\det(\mathrm{X})) &= \frac{\nabla_{\mathrm{X}}\det(\mathrm{X})}{\det(\mathrm{X})} \\ &= \frac{adj^T(\mathrm{X})}{\det(\mathrm{X})} = \mathrm{X}^{-T}\end{aligned} \tag{1.142}$$

용어 설명 행렬 $\mathrm{X}\in R^{n\times n}$의 역행렬은 $\mathrm{X}^{-1}=\frac{adj(\mathrm{X})}{\det(\mathrm{X})}$로 계산할 수 있다. 여기서 $adj(\mathrm{X})$를 수반행렬이라고 한다.

예를 들어 2×2행렬 $\mathrm{X}=\begin{bmatrix} x_{11} & x_{12} \\ x_{21} & x_{22}\end{bmatrix}$가 주어졌을 때 역행렬은 다음과 같이 계산된다.

$$\mathrm{X}^{-1}=\frac{\begin{bmatrix} x_{22} & -x_{12} \\ -x_{21} & x_{11}\end{bmatrix}}{(x_{11}x_{22}-x_{12}x_{21})}=\frac{adj(\mathrm{X})}{\det(\mathrm{X})}$$

여기서 수반행렬은 $adj(\mathrm{X})=\begin{bmatrix} x_{22} & -x_{12} \\ -x_{21} & x_{11}\end{bmatrix}$이다. 한편 $\det(\mathrm{X})=x_{11}x_{22}-x_{12}x_{21}$이므로 X로 미분하면,

$$\nabla_{\mathrm{X}}\det(\mathrm{X})=\begin{bmatrix} x_{22} & -x_{21} \\ -x_{12} & x_{11}\end{bmatrix}=adj^T(\mathrm{X})$$

이 된다.

1.13 촐레스키 분해

정정 행렬 $A=A^T>0$은 다음과 같이 하삼각(lower triangular) 행렬 L과 그 전치 행렬로, 또는 상삼각(upper triangular) 행렬 U와 그 전치 행렬로 분해할 수 있다. 이를 촐레스키 분해(Cholesky decomposition)라고 한다.

$$A=LL^T=U^TU \tag{1.143}$$

촐레스키 분해를 이용하면 역행렬을 구하기가 쉽다.

$$A^{-1}=L^{-T}L^{-1}=U^{-1}U^{-T} \tag{1.144}$$

또한 행렬식도 쉽게 계산된다.

$$\det A=(\det L)^2=(\det U)^2 \tag{1.145}$$

용어 설명 대칭 행렬 $A=A^T\in R^{n\times n}$가 0이 아닌 모든 벡터 $x\neq 0$에 대해서 다음 부등식을 만족하면 정정 행렬이라고 하고, 기호로 $A>0$라고 표시한다.

$$x^TAx>0,\ \ \forall x\neq 0$$

또한 $A=A^T\in R^{n\times n}$가 모든 벡터 x에 대해서 다음 부등식을 만족하면 준정정 행렬(positive-semidefinite matrix)이라고 하고, 기호로 $A\geq 0$라고 표시한다.

$$x^TAx\geq 0,\ \ \forall x$$

예를 들어 $x=[x_1 x_2]^T$이라면 행렬 $A=\begin{bmatrix}1 & 0\\ 0 & 1\end{bmatrix}$은 $x^TAx=x_1^2+x_2^2>0$이므로 정정 행렬이다. 반면에 행렬 $A=\begin{bmatrix}1 & 1\\ 1 & 1\end{bmatrix}$은 $x^TAx=x_1^2+2x_1x_2+x_2^2=(x_1+x_2)^2\geq 0$이므로 준정정 행렬이다.

1.14 경사하강법

대부분 신경망 학습 알고리즘은 손실함수를 정하거나 최적화를 위한 목적함수를 만드는 것으로 시작한다. 경사하강법(gradient descent) 또는 경사상승법(gradient ascent)은 손실함수를 최소화하거나 목적함수를 최대화하기 위해 신경망 학습 알고리즘에서 일반적으로 사용되는 최적화 방법이다.

경사하강법은 다음과 같이 함수 $L(\theta)$를 최소화하는 θ를 구하는 문제다.

$$\theta^* = \underset{\theta}{\operatorname{argmin}} L(\theta), \ \ \theta \in R^n \tag{1.146}$$

경사상승법은 반대로 $L(\theta)$를 최대화하는 θ를 구하는 문제다. $L(\theta)$를 최대화하는 θ는 $-L(\theta)$를 최소화하는 θ와 같으므로, 경사하강법과 경사상승법은 같은 문제라고 볼 수 있다.

함수 $L(\theta)$를 1차 테일러 시리즈(Taylor series)로 전개하면 다음과 같다.

$$L(\theta + \eta \mathrm{d}) \approx L(\theta) + \nabla_\theta^T L(\theta) \eta \mathrm{d} \tag{1.147}$$

여기서 $\mathrm{d} \in R^n$는 크기가 1인 방향벡터고, $\eta > 0$은 스칼라 변수다. η이 작을수록 1차 테일러 시리즈로 근사화한 값은 더 정확해진다. $\nabla_\theta L(\theta)$는 $L(\theta)$의 그래디언트로서 모든 파라미터 θ에 대한 $L(\theta)$의 편미분을 나타낸다.

$$\nabla_\theta L(\theta) = \begin{bmatrix} \dfrac{\partial L(\theta)}{\partial \theta_1} \\ \dfrac{\partial L(\theta)}{\partial \theta_2} \\ \vdots \\ \dfrac{\partial L(\theta)}{\partial \theta_n} \end{bmatrix} \tag{1.148}$$

이제 $L(\theta+\eta \mathrm{d}) \leq L(\theta)$가 되도록 방향벡터 d를 계산해 보자. 그러면 방향벡터 d가 가리키는 방향으로 파라미터 θ를 조금 이동시키면 함수의 값을 줄일 수 있을 것이다. 위 식에서

$$\begin{aligned} L(\theta)-L(\theta+\eta \mathrm{d}) &\approx -\nabla_\theta^T L(\theta) \eta \mathrm{d} \\ &= -\cos(\phi) \| \nabla_\theta L(\theta) \| \eta \end{aligned} \tag{1.149}$$

이므로, $L(\theta)-L(\theta+\eta \mathrm{d}) \geq 0$를 최댓값으로 만드는 방향벡터 d를 구하면 된다. 여기서 ϕ는 벡터 $\nabla_\theta L(\theta)$와 d의 사잇각이므로 최대화되기 위해서는 $\phi=180^\circ$ 또는 $\cos(\phi)=-1$이 되어야 한다. 즉,

$$\mathrm{d}=-\frac{\nabla_\theta L(\theta)}{\| \nabla_\theta L(\theta) \|} \tag{1.150}$$

이다. 따라서

$$\begin{aligned} \theta+\eta \mathrm{d} &= \theta-\eta \frac{\nabla_\theta L(\theta)}{\| \nabla_\theta L(\theta) \|} \\ &= \theta-\alpha \nabla_\theta L(\theta), \ \alpha>0 \end{aligned} \tag{1.151}$$

이면, $L(\theta+\eta \mathrm{d}) \leq L(\theta)$가 된다. 여기서 $\alpha>0$를 학습률(learning rate), 또는 스텝 사이즈(step size)라고 한다. 결국, 함수 $L(\theta)$의 값을 줄이기 위한 θ의 이동 방향은 d의 방향 또는 기울기 $-\nabla_\theta L(\theta)$의 방향이다. 그 방향으로 θ를 조금씩 움직여 가며 함수 $L(\theta)$를 계산하면 그 값이 점점 작아질 것이다. 물론 $\nabla_\theta L(\theta)=0$이 되는 지점에서 그 움직임이 멈출 것이므로 최종적으로 도착한 θ점이 글로벌 최소점(global minimum)임을 보장하지는 못한다. 손실함수가 컨벡스 함수가 아닐 경우에는 안장점(saddle point) 또는 지역 최솟값(local minimum)에 도달할 가능성이 크다.

노트

다음 그림과 같은 함수 $L(\theta)$가 있다고 하자.

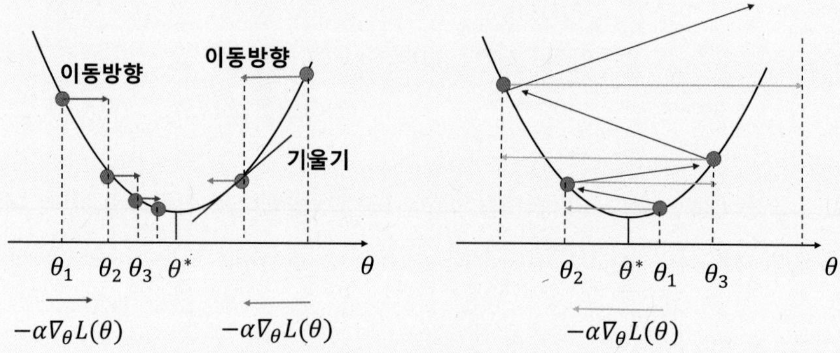

그림 1.31 경사하강법

왼쪽 그림은 적당한 크기의 학습률 α을 설정했기 때문에 $L(\theta)$를 최소로 만드는 θ^*에 점차 $\theta_1 \rightarrow \theta_2 \rightarrow \theta_3 \rightarrow \cdots$ 다가가고 있으나, 오른쪽 그림은 학습률 α을 크게 설정했기 때문에 $\theta_1 \rightarrow \theta_2 \rightarrow \theta_3 \rightarrow \cdots$가 θ^*에서 점점 멀어지고 있다. 그림에서 화살표 방향은 각 점에서 $-\nabla_\theta L(\theta)$의 방향을 나타낸다.

용어 설명 안장점은 마치 말의 안장처럼 한쪽으로는 기울기가 상승되고 다른 쪽 방향으로는 기울기가 하강하는 평평한 지점을 말한다.

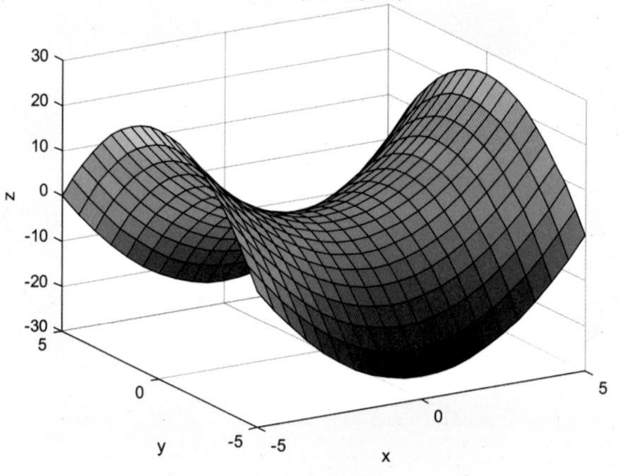

그림 1.32 안장점

경사하강법을 정리하면 다음과 같다.

```
Repeat {
    θ←θ−α∇θL(θ)
}
```

함수 $L(\theta)$를 1차 테일러 시리즈로 근사화했다는 점을 상기하면 학습률 α는 큰 값을 가지면 안 된다. 학습률 α가 큰 값이면 $f(\theta)$가 빠르게 최솟값으로 수렴할 수도 있지만 발산할 가능성이 크고 α가 작으면 수렴 속도가 매우 느릴 것이므로, 학습률 α는 너무 크지도 작지도 않아야 한다.

1.14.1 배치 경사하강법

이제 선형 회귀모델(linear regression model) 신경망을 학습한다고 가정해 보자. 선형 회귀모델에서 사용하는 손실함수는 다음과 같다.

$$L(\theta;\ \mathrm{x}^{(1,\ \dots,\ m)},\ y^{(1,\ \dots,\ m)})=\frac{1}{2m}\sum_{i=1}^{m}(y^{(i)}-h_\theta(\mathrm{x}^{(i)}))^2,\ \ \theta\in R^n \tag{1.152}$$

여기서 i는 데이터 포인트를 나타내며, m은 데이터의 총 개수, $\mathrm{x}^{(i)}$는 신경망 입력 데이터, $y^{(i)}$는 신경망이 내놓는 결과인 출력 데이터, h_θ는 파라미터 θ로 구성된 신경망 모델이다. 그러면 손실함수의 그래디언트는 다음과 같이 된다.

$$\nabla_{\theta_j}L(\theta;\ \mathrm{x}^{(1:m)},\ y^{(1:m)})=-\frac{1}{m}\sum_{i=1}^{m}(y^{(i)}-h_\theta(\mathrm{x}^{(i)}))\frac{\partial h_\theta}{\partial \theta_j},\ j=1,\ \dots,\ n \tag{1.153}$$

여기서 $\mathrm{x}^{(1:m)}=\{x^{(1)},\ x^{(2)},\ \dots,\ x^{(m)}\}$, $y^{(1:m)}=\{y^{(1)},\ y^{(2)},\ \dots,\ y^{(m)}\}$로서 전체 데이터세트를 뜻한다. 따라서 경사하강법을 이용하면 신경망 파라미터는 다음과 같이 업데이트된다.

```
Repeat {
```
$$\theta_j \leftarrow \theta_j - \alpha \frac{1}{m}\sum_{i=1}^{m}(h_\theta(\mathrm{x}^{(i)}) - y^{(i)})\frac{\partial h_\theta}{\partial \theta_j},\ j=1,\ \ldots,\ n,$$
```
}
```

경사하강법의 내부를 보면 그래디언트를 계산하기 위해 모든 학습 데이터 m개 대해서 손실 함수의 미분을 계산해 모두 더한 다음 반복적으로 파라미터 θ를 업데이트함을 알 수 있다. 이와 같이 학습 데이터를 한 번에 일괄적으로 처리해 경사하강법을 적용하는 하는 방법을 배치(batch) 경사하강법이라고 한다.

1.14.2 확률적 경사하강법

배치 경사하강법은 대용량의 학습 데이터를 이용할 때 계산상의 문제를 일으킬 수 있다. 예를 들어 학습 데이터가 1억 개가 있다고 가정해 보자. 여기서 한 스텝 경사하강을 수행하려면 1억 개에 이르는 미분항을 계산하고, 1억 개 이상의 항을 합산해야 한다. 그래디언트의 한 단계를 계산하기 위해 수억 개 이상의 항목을 계산해야 한다는 뜻이다. 따라서 배치 경사하강법이 수렴하기까지는 오랜 시간이 걸릴 수 있다. 이와 같은 문제점을 개선하고 효율적으로 파라미터를 업데이트하기 위한 방법으로 확률적 경사하강법(SGD, stochastic gradient descent)이 고안되었다. 확률적 경사하강법은 다음과 같다.

데이터세트를 무작위로 섞음 (random shuffling)

```
Repeat {
    for i = 1, ... , m {
```
$$\theta_j \leftarrow \theta_j - \alpha \nabla_\theta L(\theta;\ \mathrm{x}^{(i)},\ y^{(i)}),\ j=1,\ \ldots,\ n$$
```
    }
}
```

확률적 경사하강법은 배치 경사하강법과는 달리 모든 학습 데이터를 스캔하고 파라미터 θ를 동시에 업데이트하는 것이 아니라, 한 개의 데이터를 가지고 바로 파라미터 업데이트를 진행한다.

확률적 경사하강법의 첫 단계는 전체 학습 데이터를 무작위로 섞거나 무작위로 데이터를 재 정렬하는 것이다. 그다음, 학습 데이터를 한 개씩 차례로 추출해서 파라미터 θ를 업데이트한다. '확률적'이라는 말은 데이터세트 중에서 학습에 사용할 데이터를 무작위로 추출하는 데서 기인한 용어이다. 확률적 경사하강법(SGD)을 선형 회귀모델에서 사용하는 손실함수에 적용하면 다음과 같다.

데이터세트를 무작위로 섞음

Repeat {

for i = 1, ... , m {

$\theta_j \leftarrow \theta_j - \alpha (h_\theta(\mathrm{x}^{(i)}) - y^{(i)}) x_j^{(i)},\ j=1,\ ...,\ n$

}

}

확률적 경사하강법을 사용하면 1개의 데이터만으로 신경망 파라미터를 업데이트할 수 있으므로 업데이트 속도가 훨씬 빠르지만 대신에 노이즈가 심하다. 개개의 데이터가 그래디언트 값에 영향을 미치므로 그래디언트 값이 크게 출렁거리는 것이다.

배치 경사하강법과 확률적 경사하강법의 절충안으로 미니배치(mini−batch) 경사하강법이 있다. 배치 방법은 학습 데이터 전체를, 확률적 방법은 학습 데이터 1개를 이용해 파라미터를 업데이트 했다면, 미니배치 경사하강법은 학습 데이터 중에서 b개를 무작위로 추출해서 파라미터를 업데이트 한다. 미니배치 경사하강법은 다음과 같다.

데이터세트를 무작위로 섞음

미니배치의 크기 b를 설정

Repeat {

for i = 1, (b+1), (2b+1), ..., m {

$\theta_j \leftarrow \theta_j - \alpha \nabla_\theta L(\theta;\ \mathrm{x}^{(i:i+b-1)},\ y^{(i:i+b-1)}),\ j=1,\ ...,\ n$

}

}

여기서 $\mathrm{x}^{(i:i+b-1)}=\{\mathrm{x}^{(i)}, \mathrm{x}^{(i+1)}, ..., \mathrm{x}^{(i+b-1)}\}$, $y^{(i:i+b-1)}=\{y^{(i)}, y^{(i+1)}, ..., y^{(i+b-1)}\}$로서 b개의 데이터 세트를 뜻한다. 미니배치 경사하강법을 선형 회귀모델에서 사용하는 손실함수에 적용하면 다음과 같다.

데이터세트를 무작위로 섞음

미니배치의 크기 b를 설정

```
Repeat {
    for i = 1, (b+1), (2b+1), ...,  m {
```

$$\theta_j \leftarrow \theta_j + \alpha \frac{1}{b} \sum_{k=i}^{i+b-1} (y^{(k)} - h_\theta(\mathrm{x}^{(k)}))x_j^{(k)}, \ j=1, ..., n$$

```
    }
}
```

미니배치 경사하강법은 배치 경사하강법보다 더 효율적이고 노이즈도 줄일 수 있다. 미니배치 경사하강법에서도 전체 데이터세트 중에서 학습에 사용할 데이터 일부를 무작위로 추출하므로 미니배치 경사하강법을 미니배치 확률적 경사하강법 또는 간단히 확률적 경사하강법이라고도 한다. 미니배치의 크기 b는 하이퍼파라미터로서 문제에 따라 달리 설정되지만, 일반적으로 32~1,024개 사이에서 정해진다.

미니배치 데이터는 전체 학습 데이터세트의 근사치로서 이용하는 것이므로 미니배치 데이터가 전체 학습 데이터세트의 확률분포를 대표할 수 있어야 한다. 그래야 훨씬 적은 계산으로 전체 데이터세트로 계산한 그래디언트를 편향 없이 추정할 수 있기 때문이다. 미니배치 데이터가 전체 학습 데이터세트와 유사한 분포를 갖도록 하기 위해서는 미니배치 데이터가 독립적이고 동일한 분포(iid)를 가진 샘플이어야 한다. 즉, 확률적 경사하강법(SGD)을 이용한 최적화 방법의 기본 가정은 학습 데이터가 독립동일분포 샘플이어야 한다는 것이다. 이를 위해서는 미니배치 데이터를 전체 학습 데이터세트에서 무작위로 추출하는 것이 중요하다.

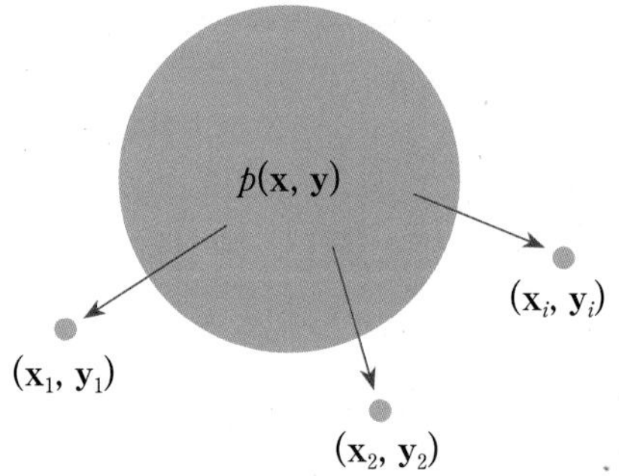

그림 1.33 무작위 추출

경사하강법은 단순하고 구현도 쉬운 대신에 단점도 있다. 단점은 주로 스텝 사이즈 α를 정하는 문제로 인해 발생한다. 스텝 사이즈 α가 큰 값이면 업데이트는 빠르지만 발산할 가능성이 크고, α가 작으면 수렴 속도가 매우 느릴 것이다. 너무 크지도 작지도 않아야 하는 스텝 사이즈 α는 최소화하고자 하는 함수의 기울기 방향에 따라, 또는 업데이트 진행 과정마다 달리 정해야 한다. 또 다른 문제는 안장점에 관한 것이다. 안장점에서는 모든 방향으로 기울기가 0이므로 경사하강법으로 안장점을 빠져 나오는 것이 매우 어렵다.

1.15 경사하강법의 개선

경사하강법을 개선한 알고리즘으로 모멘텀 경사하강법(gradient descent with momentum), RMSprop, 아담(Adam) 방법 등이 있다. 일반적으로 RMSprop, 아담 방법이 경사하강법보다 학습 속도가 빠르다고 알려져 있어 딥러닝이나 심층 강화학습에 많이 사용되고 있으나, 일반화(generalization) 능력에서는 오히려 경사하강법이 이 방법보다 뛰어나다는 연구 결과도 있다(참고문헌 [12], "The Marginal Value of Adaptive Gradient Methods in Machine Learning"). 일반화 능력이 뛰어나다는 것은 학습 데이터로 학습한 파라미터를 테스트 데이터에 적용했을 때도 우수한 결과를 나타낸다는 뜻이다.

1.15.1 모멘텀

모멘텀 방법의 기본 아이디어는 파라미터가 업데이트된 방향으로 관성 효과를 주는 것이다. 손실함수 그래디언트가 가리키는 방향의 반대 방향으로 파라미터를 바로 이동시키는 것이 아니라, 기존에 이동하던 방향으로의 움직임을 일정 부분 유지하면서(관성 효과) 그래디언트가 가리키는 방향의 반대 방향을 적당히 혼합해 새로운 방향으로 이동시키는 것이다. 모멘텀 방법은 다음과 같다.

Repeat {

$$\mathrm{v} \leftarrow \beta \mathrm{v} + \nabla_\theta L(\theta)$$

$$\theta \leftarrow \theta - \alpha \mathrm{v}$$

}

여기서 β를 모멘텀 계수라고 한다. $\beta=0$이면 모멘텀 방법은 경사하강법과 동일하다. 보통 모멘텀 계수는 $\beta=0.9$를 사용한다. 모멘텀 방법에서는 $\nabla_\theta L(\theta)=0$이어도 관성 효과에 의해서 θ가 업데이트된다. 모멘텀 방법에서 v는 그래디언트의 이동 구간 평균값(moving average) $\beta \mathrm{v}+(1-\beta)\nabla_\theta L(\theta)$와 유사하므로 관성 방향은 그래디언트를 일정 시간 동안 누적시킨 평균 방향으로 볼 수도 있다.

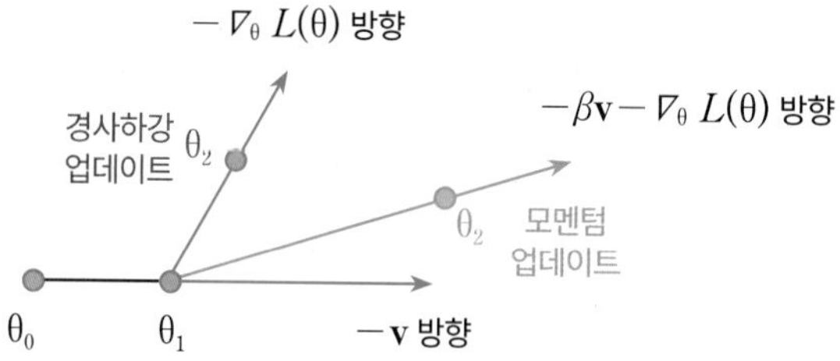

그림 1.34 모멘텀 방향

1.15.2 RMSprop

RMSprop 방법의 기본 아이디어는 파라미터를 업데이트할 때 각각의 파라미터 θ의 구성요소 (θ_j)마다 스텝 사이즈 α를 다르게 주는 것이다. 지금까지 많이 변화한 파라미터 구성요소는 최소점에 근접해 있을 가능성이 크므로 스텝 사이즈를 작게 하고, 그렇지 않고 많이 변화하지 않은 요소는 스텝 사이즈를 크게 하여 빨리 최소점으로 이동시키겠다는 것이다. 여기서 많이 변화했는지 안 했는지의 판단 기준은 그래디언트 제곱 크기의 이동 구간 평균값으로 판단한다. RMSprop 방법은 다음과 같다.

Repeat {

$$S_j \leftarrow \beta S_j+(1-\beta)(\nabla_{\theta_j} L(\theta))^2$$

$$\theta_j \leftarrow \theta_j-\frac{\alpha}{\sqrt{S_j+\epsilon}}\nabla_{\theta_j} L(\theta),\ j=1,\ \ldots,\ n$$

}

여기서 $\theta=[\theta_1\theta_2\cdots\theta_n]^T\in R^n$이고 ϵ은 분모가 0이 되는 것을 방지하기 위해 도입한 아주 작은 수 (10^{-8})다.

1.15.3 아담

아담(Adam, adaptive moment estimation)은 모멘텀과 RMSprop을 합친 방법이다. 모멘텀 방법과 유사하게 그래디언트의 이동 구간 평균을 구한다. 그리고 RMSprop과 유사하게 파라미터의 구성요소별 그래디언트 제곱 크기의 이동 구간 평균을 구한다.

$$\mathrm{v}_k = \beta_1 \mathrm{v}_{k-1} + (1-\beta_1)\nabla_\theta L(\theta)$$
$$S_k = \beta_2 S_{k-1} + (1-\beta_2)(\nabla_\theta L(\theta))^2$$

여기서 아래 첨자 k는 시간스텝을 나타낸다. $k=0$일 때 $v_0=0$, $S_0=0$으로 초기화되어 시간스텝 k가 작을 때 v_k, S_k가 0으로 편향되므로 이를 바로 잡기 위해 다음과 같이 보정한다.

$$\hat{\mathrm{v}}_k = \frac{\mathrm{v}_k}{1-\beta_1^k}, \quad \hat{S}_k = \frac{S_k}{1-\beta_2^k}$$

그리고 RMSprop과 같은 방법으로 파라미터를 업데이트한다.

$$\theta_{k+1} = \theta_k - \frac{\alpha}{\sqrt{\hat{S}_k + \epsilon}} \hat{\mathrm{v}}_k$$

일반적으로 하이퍼파라미터 β_1, β_2의 값으로 0.9, 0.999를 사용한다.

1.16 손실함수의 확률론적 해석

1.16.1 가우시안 오차 분포

y를 실제 값, x를 입력 데이터, $\hat{y}=h_\theta(\mathrm{x})$를 y의 추정값, $h_\theta(\mathrm{x})$는 파라미터 θ로 표현되는 함수라고 하자. 그리고 실제 값과 추정값은 다음과 같은 관계식이 성립한다고 가정하자.

$$y^{(i)} = h_\theta(\mathrm{x}^{(i)}) + \epsilon^{(i)}, \quad i=1, \ldots, m \tag{1.154}$$

여기서 i는 데이터 포인트를 나타내며, m은 데이터의 총 개수, $\epsilon^{(i)}$는 추정 오차로, 서로 독립이고 같은 분포(iid)를 갖는 가우시안이라고 가정한다.

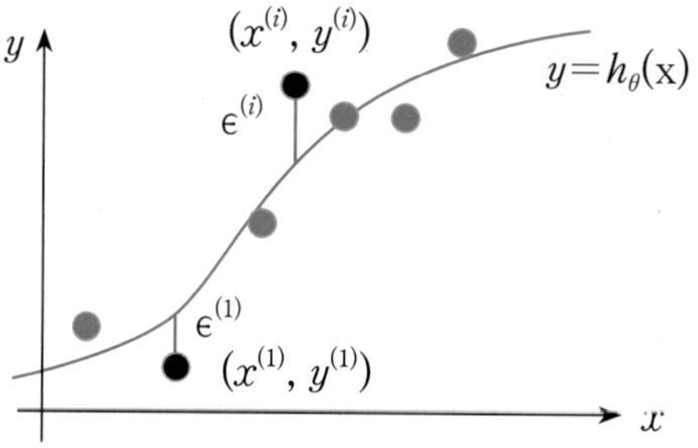

그림 1.35 선형 회귀 문제

그러면 $\epsilon^{(i)}$는 평균이 0이고 분산이 σ^2인 가우시안 확률밀도함수로 다음과 같이 표현할 수 있다.

$$p(\epsilon^{(i)})=\frac{1}{\sqrt{2\pi\sigma^2}}\exp\left\{-\frac{(\epsilon^{(i)})^2}{2\sigma^2}\right\} \tag{1.155}$$

위 식은 다음과 같이 x를 조건으로 하는 조건부 확률밀도함수 또는 빈도함수로 고쳐 쓸 수 있다.

$$p(y^{(i)}|\mathrm{x}^{(i)})=\frac{1}{\sqrt{2\pi\sigma^2}}\exp\left\{-\frac{(y^{(i)}-h_\theta(\mathrm{x}^{(i)}))^2}{2\sigma^2}\right\} \tag{1.156}$$

$\epsilon^{(i)}$는 독립동일분포(iid)이므로 모든 데이터 집합의 빈도함수는 다음과 같이 된다.

$$\begin{aligned} L(\theta) &= p(y^{(1)}, y^{(2)}, \dots, y^{(m)}|\mathrm{x}^{(1)}, \mathrm{x}^{(2)}, \dots, \mathrm{x}^{(m)}) \\ &= p(y^{(1)}|\mathrm{x}^{(1)})p(y^{(2)}|\mathrm{x}^{(2)})\cdots p(y^{(m)}|\mathrm{x}^{(m)}) \\ &= \prod_{i=1}^{m} p(y^{(i)}|\mathrm{x}^{(i)}) \end{aligned} \tag{1.157}$$

양변에 로그를 취해 로그-빈도함수(log-likelihood)로 표현하면 다음과 같다.

$$\begin{aligned}\log L(\theta) &= \log\prod_{i=1}^{m} p(y^{(i)}|\mathrm{x}^{(i)}) \\ &= \sum_{i=1}^{m}\log p(y^{(i)}|\mathrm{x}^{(i)}) \\ &= m\log\frac{1}{\sqrt{2\pi\sigma^2}} - \frac{1}{2\sigma^2}\sum_{i=1}^{m}(y^{(i)} - h_\theta(\mathrm{x}^{(i)}))^2\end{aligned} \tag{1.158}$$

이제 최대 로그-빈도함수를 구해보면,

$$\max_\theta \log L(\theta) = \min_\theta \frac{1}{2}\sum_{i=1}^{m}(y^{(i)} - h_\theta(\mathrm{x}^{(i)}))^2 \tag{1.159}$$

가 되어 선형 회귀에서의 손실함수 최소화 문제와 동일함을 알 수 있다.

1.16.2 베르누이 오차 분포

주어진 입력 데이터를 0 또는 1로 분류하는 이진 분류 문제를 생각해 보자. y를 0과 1의 값을 갖는 참값, x를 입력 데이터, $h_\theta(\mathrm{x})$는 파라미터 θ로 표현되며, 0과 1 사이의 값을 산출하는 함수 $\hat{y} = h_\theta(\mathrm{x})$를 y의 추정값이라고 하자. 또한 $h_\theta(\mathrm{x})$는 입력 데이터 x가 주어졌을 때 $y=1$인 확률을 나타내는 함수로 해석할 수 있다고 가정하자.

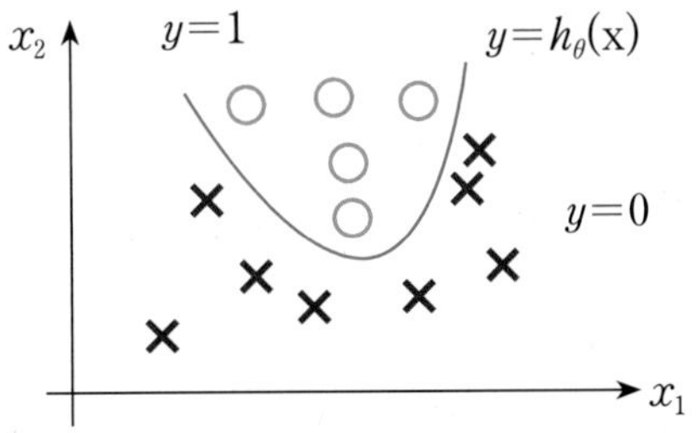

그림 1.36 이진 분류 문제

그러면 다음과 같은 관계식이 성립한다.

$$P\{y=1|\mathrm{x}\}=h_\theta(\mathrm{x}) \qquad (1.160)$$
$$P\{y=0|\mathrm{x}\}=1-h_\theta(\mathrm{x})$$

위 두 식을 한 식으로 표현하면 다음과 같이 베르누이(Bernoulli) 확률함수로 나타낼 수 있다.

$$P\{y|\mathrm{x}\}=(h_\theta(\mathrm{x}))^y(1-h_\theta(\mathrm{x}))^{1-y} \qquad (1.161)$$

데이터의 총 개수가 m개라고 하고, 각 데이터가 독립적으로 발생됐다고 가정한다면 모든 데이터 집합의 빈도함수는 다음과 같이 된다.

$$\begin{aligned} L(\theta)&=p(y^{(1)},\ y^{(2)},\ \ldots,\ y^{(m)}|\mathrm{x}^{(1)},\ \mathrm{x}^{(2)},\ \ldots,\ \mathrm{x}^{(m)}) \\ &=\prod_{i=1}^{m}p(y^{(i)}|\mathrm{x}^{(i)}) \\ &=\prod_{i=1}^{m}(h_\theta(\mathrm{x}^{(i)})^{y^{(i)}}(1-h_\theta(\mathrm{x}^{(i)})^{1-y^{(i)}} \end{aligned} \qquad (1.162)$$

양변에 로그를 취해 로그-빈도함수로 표현하면 다음과 같다.

$$\begin{aligned} \log L(\theta)&=\log\prod_{i=1}^{m}h_\theta(\mathrm{x}^{(i)})^{y^{(i)}}(1-h_\theta(\mathrm{x}^{(i)})^{1-y^{(i)}} \\ &=\sum_{i=1}^{m}y^{(i)}\log h_\theta(\mathrm{x}^{(i)})+(1-y^{(i)})\log(1-h_\theta(\mathrm{x}^{(i)})) \end{aligned} \qquad (1.163)$$

이제 최대 로그-빈도함수를 구해 보면,

$$\max_\theta \log L(\theta)=\min_\theta\left\{-\sum_{i=1}^{m}[y^{(i)}\log h_\theta(\mathrm{x}^{(i)})+(1-y^{(i)})\log(1-h_\theta(\mathrm{x}^{(i)}))]\right\} \qquad (1.164)$$

가 되어서 이진 분류문제의 교차 엔트로피와 동일함을 알 수 있다.

02장

강화학습 개념

2.1 강화학습 개요

강화학습(reinforcement learning)은 원하는 목표를 달성하기 위해 시간 순서대로 시스템에 가해지는 행동(action)을 선택하기 위한 방법으로서 머신러닝(machine learning)의 한 분야다. 강화학습에서 시간 변수는 일반적으로 불연속적(이산시간, discrete-time)이며 모든 시간스텝마다 행동이 가해지기 때문에 순차적인 의사 결정 문제(sequential decision-making problem)를 구성한다. 강화학습에서는 의사 결정자를 에이전트(agent)라고 하며, 시스템을 에이전트의 환경(environment)이라고 한다. 에이전트는 환경의 변화를 표현하는 상태(state)를 관측(observation)하여 일정한 정책(policy)하에 불연속적인 값이나 연속적인 값으로 된 행동을 선택(의사 결정)하며, 이를 환경에 인가해 환경을 변화시킨다. 그리고 그 결과로 시간스텝마다 또는 간헐적으로 의사 결정 성과를 평가하는 보상(reward)을 제공 받는다. 행동의 선택이 종료되는 시점까지 누적된 총 보상을 최대화하면 원하는 목표가 성취되는 것으로 본다.

용어 설명 불연속적인 값을 이산공간(discrete-space) 값, 연속적인 값을 연속공간(continuous-space) 값이라고 한다.

이와 같이 강화학습은 에이전트와 환경, 그리고 에이전트와 환경과의 상호작용인 행동, 보상, 상태의 관측(또는 측정) 등 5가지 요소로 구성된다.

강화학습의 한 예로서, 그림 2.1과 같은 그리드 월드(grid world, 참고문헌 [6] UC Berkeley CS 188: "Artificial Intelligence", Lecture Note)를 생각해 보자. 마우스 로봇은 셀 (1,1)에서 시작해 상하좌우 방향에 위치한 셀로 한 단계씩 이동할 수 있으며 셀 (4,3)이나 셀 (4,2)에 도달하면 동작을 종료한다. 셀 (4,3)에 도착하면 보상 +1을 받고, 셀 (4,2)에서는 보상 −1을 받게 된다. 이 문제의 목표는 마우스 로봇을 셀 (4,3)으로 스스로 찾아가게 해서 최대 보상을 받는 것이다.

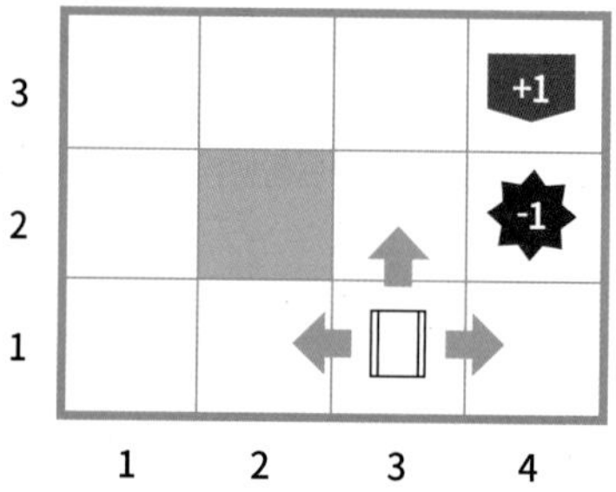

그림 2.1 그리드 월드(grid world)

여기에서 에이전트는 로봇의 이동방향을 결정하는 로봇의 컴퓨터다. 환경은 에이전트를 제외한 로봇과 그리드 월드 전체가 된다. 환경의 변화를 표현하는 상태는 그리드 월드 내에서 로봇의 위치다. 상태는 {(1,1), (1,2), (1,3), ... , (4,3)} 등 11개 값 중에서 한 가지 값을 가질 수 있으므로 이산공간 값이다. 행동은 로봇의 이동 명령인 {상(U), 하(D), 좌(L), 우(R)}다. 행동도 4가지 값 중에서 선택되므로 이산공간 값이다. 에이전트는 로봇의 위치(상태)를 관측해 스스로의 규칙이나 방법에 따라(또는 정책에 따라) 행동을 선택하고 로봇에 인가해 로봇의 위치를 바꾼다(즉 환경을 변화시킨다). 보상은 셀 (4,3)과 (4,2)에서 받게 되는 점수다. 이 경우는 동작이 종료돼야 비로소 보상을 받으므로 간헐적 보상에 해당한다. 처음에 에이전트는 어디에서 보상 +1을 받는지 모르므로 이런저런 시행착오를 거치다가 결국은 순차적인 행동인 R−R−U−U−R을 선택할 것이다. 또는 U−U−R−R−R을 선택할 수도 있다. 심지어 R−R−R−L−U−U−L−L−R−R−R을 선택할 수도 있다. 이 경우에는 최대 보상을 얻을 수 있는 선택 방법이 무수히 많이 있기 때문이다. 로봇이 각 셀로 이동할 때마다 보상 −0.01을 추가로 받는다고 가정하면 에이전트는 R−R−U−U−R이나 U−U−R−R−R 중 하나를 선택할 것이다. 보상이 달라지면 정책이 달라지며 이에 따른 행동도 달라진다.

강화학습의 다른 예로, 이 책에서 강화학습 알고리즘의 테스트 환경으로 사용할 진자(pendulum) 문제를 생각해 보자(참고문헌 [7] “OpenAI Gym”). 그림 2.2와 같이 이 문제의 목표는 진자를 위로 수직으로 세워서 오래 유지시키는 것이다. 진자의 조인트 토크(torque)의 크기가 크지 않기 때문에 토크만으로는 진자를 수직으로 세울 수가 없어서 진자를 흔들면서 중력의 도움을 받아야 한다. 여기에서 에이전트는 토크의 크기를 결정하는 컴퓨터다. 환경은 진자의 토크 액추에이터를 포함한 진자 전체가 된다. 상태는 진자의 각(ψ)과 각속도($\dot{\psi}$)다. 필요에 따라서는 진자의 좌표 위치인 (x, y)와 각속도 등 3가지 변수를 상태로 할 수도 있다. 상태는 각각 $-\pi \leq \psi \leq \pi$와 $-8 \leq \dot{\psi} \leq 8$의 범위를 가지므로 연속공간 값이다. 행동은 토크이며, $-2 \leq$토크≤ 2의 범위에서 선택되므로 연속공간 값이다. 에이전트는 진자의 상태(각과 각속도)를 관측하여 정책에 따라 행동을 선택하고 진자에 인가해 진자의 움직임을 변화시킨다. 보상은 시간스텝마다 진자의 수직 위치로부터의 이탈각 크기와 각속도 및 토크의 크기로 된 함수로 계산한 값이다. 보상 함수는 진자를 빠른 시간 안에 수직으로 세우면 최대의 누적 보상을 받도록 설계된다. 처음에 에이전트는 얼마의 토크를 어느 방향으로 인가해야 진자를 수직으로 세울 수 있는지 모르므로 진자의 각과 각속도를 관측해 이런저런 시행착오를 거치다가 결국 임의의 위치에서 진자를 빠른 시간 안에 수직으로 세울 수 있는 적절한 토크의 시퀀스를 발생시킬 것이다.

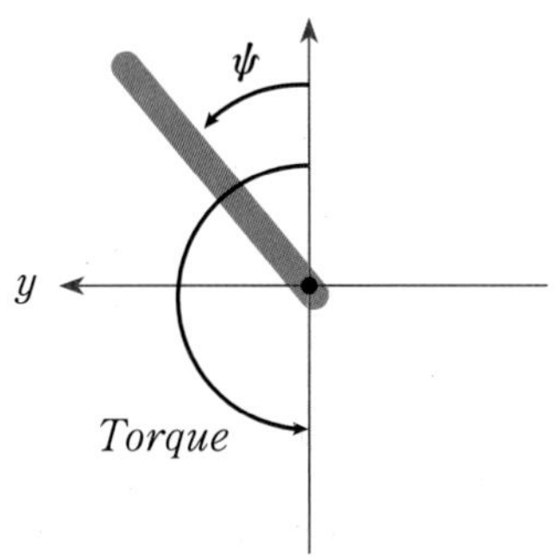

그림 2.2 진자

에이전트는 시간스텝마다 보상을 최대로 얻을 수 있는 행동을 선택하는 것이 아니라, 최종적으로 누적된 보상을 최대화할 수 있는 행동을 선택한다. 즉, 일정 시간스텝에서 일시적으로 보상이 작더라도 누적 보상을 최대로 할 수 있는 행동을 선택하는 것이다. 이것이 순차적인 의사 결정 방법의 특징이다.

노트

연속적인 값을 갖는 상태와 행동을 불연속적인 값으로 변환할 수 있다. 이를 양자화라고 한다. 예를 들어 진자의 예에서 토크가 가질 수 있는 값의 범위가 $-2 \leq$ 토크 ≤ 2였다면, 토크 $\in \{-2, -1, 0, 1, 2\}$와 같이 5개의 값으로 양자화할 수 있다. 그리고 토크의 범위가 $-0.5 \leq$ 토크 < 0.5이면 모두 토크 $=0$으로 할당한다. 양자화가 손쉬운 방법처럼 보이지만 상태나 행동의 차원이 커지면 문제가 발생한다. 예를 들어 행동이 2차원인 경우(즉 2개의 행동 변수가 있는 경우) 각각의 행동 변수를 100개로 양자화하다면 10,000가지의 행동이 생성되지만, 4차원인 경우에는 100,000,000가지의 행동이 생성되기 때문에 행동의 가짓수가 급격히 증가한다. 이런 문제를 차원의 저주(curse of dimensionality)라고 한다.

시스템에 대해 얻은 누적 보상을 최대화하기 위해 최선의 행동을 선택하는 일은 많은 응용 분야에서 중요한 문제다. 전통적인 자동 제어 분야의 하나인 최적 제어(optimal control)에서도 강화학습과 똑같은 문제를 푸는 것을 추구한다. 최적 제어는 제어 대상 시스템으로부터 출력값을 측정해 제어 설계자가 원하는 대로 시스템이 동작할 수 있도록 제어 입력(control input)을 결정한다. 여기서 강화학습의 보상과 유사한 역할을 하는 비용함수(cost function)를 사용해 시스템의 동작을 평가한다. 최적 제어에서는 의사 결정자를 제어기(controller)라고 하며, 행동을 시스템에 대한 제어 입력이라고 한다. 최적 제어와 강화학습의 큰 차이점은 제어 대상 시스템(또는 환경)의 수학적 동역학 모델의 유무다. 최적 제어를 비롯한 많은 제어 알고리즘의 중심에는 근본적인 물리적 현상을 포착하는 수학적 모델(mathematical model)이 있다. 수학적 동역학 모델은 시스템에 행동을 가하면 시스템이 어떻게 동작할지 예측할 수 있게 해준다. 반면에 강화학습은 수학적 모델을 요구하지 않고 시스템에서 얻은 데이터만 사용한다. 전통적인 자동 제어 분야에도 적응 제어(adaptive control) 방법이 있지만, 적응 제어에서는 동역학 모델의 구조를 미리 정해놓고 모델의 파라미터를 학습 또는 식별(identification)한다는 점에서 강화학습과는 차이가 있다.

현실 세계에서는 시스템의 모델을 얻는 데 어려움이 따를 수 있다. 또한 수학적 모델을 도출하는 동안의 각종 근사화(approximation), 작동 중 시스템 복잡성의 예기치 않은 증가, 시간 변화, 교란 및 작동 환경의 변화 등에 의해 수학적 모델에는 불확실성이 존재한다. 때에 따라서는 시스템의 모델을 전혀 얻을 수 없는 경우가 있다. 예를 들어 시스템이 사전에 완전히 알려지지 않았거나 이해가 부족하거나 모델을 얻는 데 비용이 너무 많이 들기 때문이다. 이 경우에 강화학습은 매우 강력한 방법이 될 수 있다.

최적 제어와 강화학습의 차이점을 명확하게 하기 위해 멀티콥터(multicopter)형 드론 예제를 살펴보자. 드론이 장애물을 피해가면서 최소의 에너지를 사용해 목표 지점에 도달하도록 드론에 가해지는 제어 입력 또는 행동을 순차적으로 결정하는 것이 목표다.

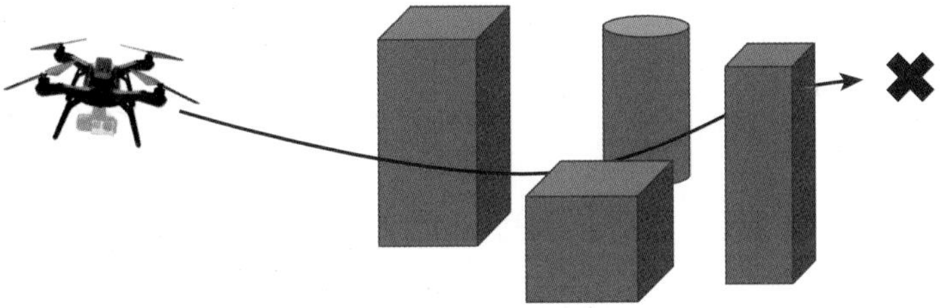

그림 2.3 드론 예제

이 경우, 최적 제어에서는 드론의 비행 제어 컴퓨터(flight control computer) 또는 비행 제어 소프트웨어를 제어기라고 하며, 강화학습에서는 이를 에이전트라고 한다. 제어기의 동작은 제어 법칙에 따라 결정된다. 제어 법칙은 상태에서 제어 입력으로의 매핑을 나타내거나 또는 특정 상태에서 수행해야 할 동작을 결정한다. 강화학습에서는 제어 법칙을 에이전트의 정책(policy)이라고 한다. 시스템은 제어기 또는 에이전트를 제외한 드론의 모든 구성품, 예를 들면 동체, 모터, 로터 등이며 드론의 비행 환경에 있는 대기, 장애물, 목표 지점 등이 포함된다. 강화학습에서는 이를 에이전트의 환경이라고 한다. 최적 제어를 포함한 거의 모든 제어 이론은 시스템의 수학적 모델에 의존한다. 모델이 없다면 제어 입력이 어떤 응답을 발생시킬지 모르기 때문이다. 제어 법칙은 수학적 모델을 이용해 설계된다. 따라서 최적 제어에서 우선적으로 필요한 것은 드론에 힘을 가하면 어떻게 움직이는지, 드론이 현재 어디에 위치하고 있는지, 속도와 자세는 어떠한지, 어떤 방향으로 날아가고 있는지 등을 기술하는 동역학 모델이다. 이것을 표현하는 개념으로 상태변수(state variable)라는 것이 필요하다. 수학적 동역학 모델은 제어 입력에 따른 상태변수의 변화를 시간의 함수로 표현한 것이다. 여기서 상태변수는 드론의 속도, 위치, 자세 등과 드론의 비행 영역에 있는 움직이는 장애물의 위치와 속도 등이 될 수 있다. 상태변수에 장애물을 회피하기 위해서 특정 영역의 값을 가질 수 없도록 제약조건이 가해질 수 있다. 강화학습에서는 앞서 언급한 대로 환경의 수학적 모델을 요구하지 않고 시스템에서 얻은 측정 또는 관측된 데이터만 사용한다. 시스템 또는 환경의 상태변수는 각종 센서를 이용해 측정하거나 관측한다. 제어 입력 또는 행동은 드론의 각 로터(rotor)의 모터에 가해지는 전압이다. 이를 통해 드론에 작용하는 힘의 크기와 방향을 바꿔 드론을 원하는 대로 움직일 수 있다. 최적 제어에서는 비용을 최소로 하는 것이 목적이기 때문에 비용함수를 제어 입력의 크기가 클수록, 그리고 장애물까지의 거리가 가깝고 목표 지점까지의 거리가 멀수록 비용이 커지는 함수로 설정할 수 있다. 최소의 에너지로 장애물과 충돌 없이 목표 지점에 도달하는 것이 드론 예제의 목표이기 때문이다. 강화학습에서는 행동의 크기가 작고 장애물까지의 거리가 멀고 목표 지점까지의 거리가 가까울수록 환경이 주는 보상을 크게 설정해야 할 것이다.

그림 2.4는 드론 예제를 바라보는 최적 제어와 강화학습의 관점을 보여준다. 최적 제어는 비행 제어 컴퓨터를 제외한 모든 환경에 대한 수학적 모델을 알고 있다고 보고, 강화학습은 이에 대해서 아무것도 모른다고 본다.

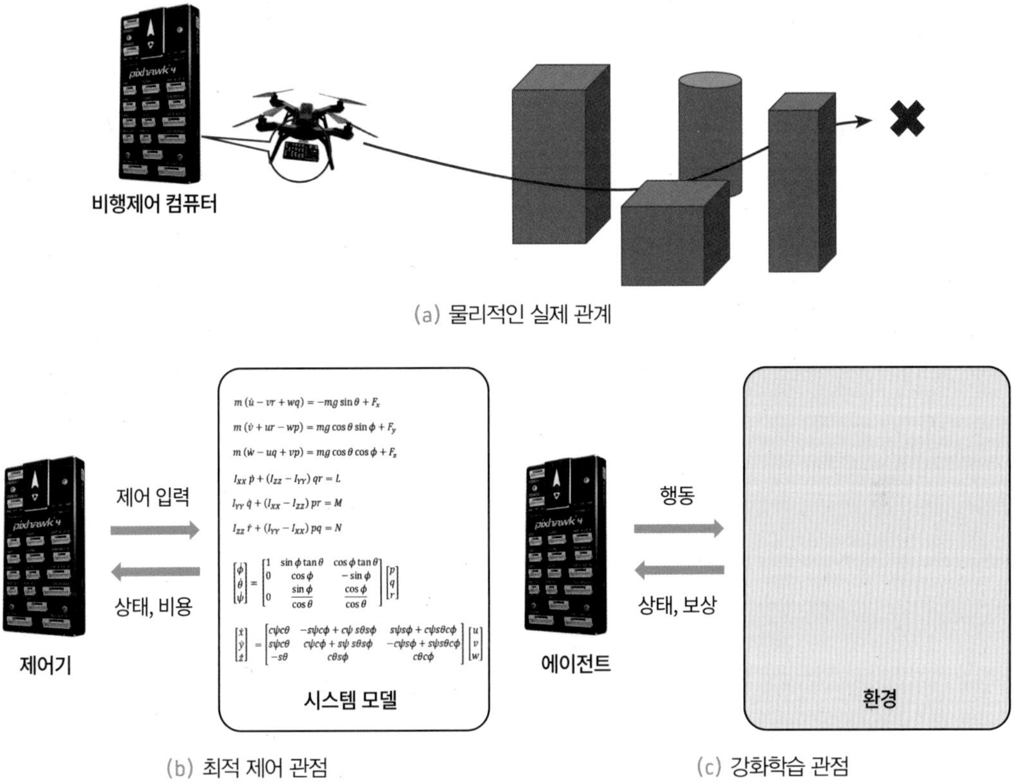

그림 2.4 드론 예제를 보는 최적 제어와 강화학습의 관점

2.2 강화학습 프로세스와 표기법

강화학습은 최근 인공신경망과 결합된 심층강화학습(deep reinforcement learning)으로 발전하고 있다. 보통 강화학습이라 하면 심층강화학습을 지칭하는 경우가 많으므로 이 책에서는 둘 사이를 따로 구별하지 않고 두 용어를 같은 의미로 간주하고 사용한다.

강화학습은 에이전트가 상태와 행동을 통해 환경과 상호작용을 하고 보상 기능에 따라 보상을 받는다. 그림 2.5는 에이전트와 환경과의 상호작용 흐름을 보여준다. 우선 (1) 에이전트는 환경의 상태(x_t)를 측정한다. (2) 그리고 측정한 상태에서 에이전트의 정책으로 선택한 행동(u_t)을 환경에 인가한다. 여기서 정책이란 측정한 상태를 바탕으로 최선의 행동을 선택하기 위한 에이전트의 규칙 또는 방법을 의미한다. (3) 행동에 의해서 환경의 상태는 다음 상태(x_{t+1})로 전환

(또는 상태천이, state transition)된다. (4) 전환된 환경의 상태를 바탕으로 다시 에이전트는 새로운 행동을 선택한다. (5) 그리고 환경으로부터 주어지는 즉각적인 보상(r_{t+1})을 사용해 장기적인 성과를 계산 또는 예측해서 에이전트의 정책을 즉시 또는 주기적으로 개선한다. 이와 같이 이산시간(discrete-time)에서의 시간스텝마다 에이전트가 환경의 상태를 측정하여 적절한 행동을 취하면 그다음 상태로 전환하고 보상을 받으며 다시 새로운 상태로 바뀐다. 그러면 에이전트는 다시 새로운 행동을 취하고 이에 맞는 새로운 보상을 받는다. 강화학습에서는 이러한 프로세스가 계속 반복된다. 이러한 프로세스를 수학적으로 모델링한 것이 마르코프 결정 프로세스(MDP, Markov decision process)다.

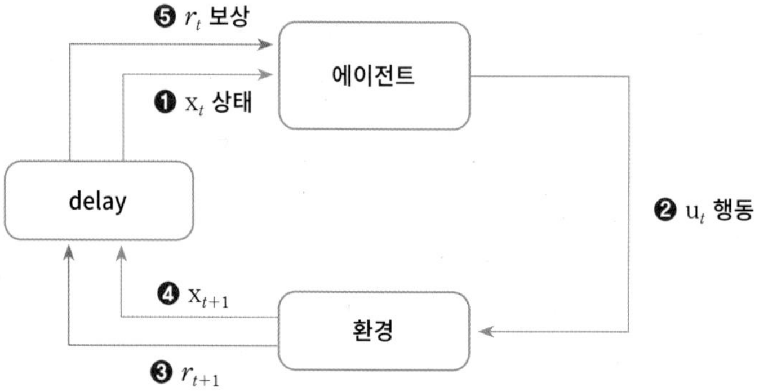

그림 2.5 강화학습에서 에이전트와 환경의 상호작용

이전의 강화학습은 이산공간인 작은 그리드 월드의 문제에만 적용됐지만, 인공신경망과 결합된 최근 심층강화학습은 대규모 그리드 월드와 전략 게임은 물론 연속공간 문제인 로봇 제어 분야에서도 중요한 성과를 냈고 이제 항공우주 제어 분야에까지 적용되기 시작했다. 전통적으로 이산공간의 상태와 행동을 다루는 강화학습에서는 상태를 s_t로 표시하고 행동을 a_t로 표기했지만, 강화학습이 최근 물리 시스템의 제어 문제를 다루면서 연속공간의 상태와 행동의 표기를 전통적인 제어 이론에서 쓰이는 상태와 제어 입력의 표기인 x_t와 u_t로 사용하는 예가 늘고 있다. 이 책에서도 강화학습을 주로 제어 이론적 관점에서 바라보므로 강화학습 이론을 전개함에 있어서 제어 이론의 표기법인 x_t(상태)와 u_t(행동)를 사용하고자 한다. 다만 제어 입력이라는 용어 대신에 강화학습에서 일반적으로 쓰이는 행동이라는 용어를 그대로 사용할 것이다.

2.3 마르코프 결정 프로세스

2.3.1 정의

마르코프 결정 프로세스(MDP)는 상태($\mathbf{x}_t$), 상태천이 확률밀도함수(p)와 행동($\mathbf{u}_t$), 보상함수($r(\mathbf{x}_t, \mathbf{u}_t)$)로 이루어진 이산시간 확률 프로세스(stochastic process)로서, 순차적으로 행동을 결정해야 하는 문제를 풀기 위한 수학 모델이다. 여기서 상태와 행동은 연속공간이거나 이산공간 랜덤 변수다. 이산공간 랜덤 변수일 경우 확률밀도함수는 확률로, 적분은 합으로 해석하면 된다. 이 책에서는 연속공간 상태와 행동을 기본으로 한다.

상태천이 확률밀도함수는 어떤 상태($\mathbf{x}_t$)에서 에이전트가 행동($\mathbf{u}_t$)을 선택했을 때 다음 상태($\mathbf{x}_{t+1}$)로 갈 확률밀도함수를 나타낸다.

$$p(\mathbf{x}_{t+1} | \mathbf{x}_t, \ \mathbf{u}_t) \tag{2.1}$$

여기서 아래 첨자 t는 시간스텝을 나타낸다. 이산공간 상태변수와 행동변수라면 상태천이 확률밀도함수는 상태천이 확률 $P\{\mathbf{x}_{t+1} | \mathbf{x}_t, \ \mathbf{u}_t\}$로 해석하면 된다. 상태천이 확률밀도함수를 미래의 상태가 과거의 상태와 행동에 관계없이 현재 상태와 행동에만 영향을 받도록 정의했기 때문에 결정 프로세스는 마르코프 시퀀스다. 상태천이 확률밀도함수는 에이전트가 어떤 행동을 선택했을 때 상태의 변화를 나타내는, 즉 환경의 변화를 기술하는 함수이기 때문에 환경의 수학적 모델이라고 한다.

용어 설명 어떤 시퀀스의 조건부 확률밀도함수가 다음과 같으면 마르코프 시퀀스라고 한다(1.5.3절 참고).

$$p(\mathbf{x}_{t+1} | \mathbf{x}_t, \ \mathbf{x}_{t-1}, \ \dots, \ \mathbf{x}_0, \ \mathbf{u}_t, \ \mathbf{u}_{t-1}, \ \dots, \ \mathbf{u}_0) = p(\mathbf{x}_{t+1} | \mathbf{x}_t, \ \mathbf{u}_t)$$

즉, 마르코프 시퀀스는 미래의 상태를 알기 위해 현재의 상태와 행동 정보만 필요하며 과거의 히스토리와는 관계없는 시퀀스라고 할 수 있다.

보상함수 $r(\mathrm{x}_t, \mathrm{u}_t)$는 어떤 상태($\mathrm{x}_t$)에서 에이전트가 행동($\mathrm{u}_t$)를 선택했을 때 즉시 받을 수 있는 보상으로 정의한다. 보상은 랜덤 변수로서 환경으로부터 주어진다.

마르코프 결정 프로세스(MDP) 문제는 누적된 보상을 가장 많이 획득하기 위해 각 상태에서 어떤 행동을 취할 것인가를 나타내는 조건부 확률밀도함수,

$$\pi(\mathrm{u}_t|\mathrm{x}_t)=p(\mathrm{u}_t|\mathrm{x}_t) \tag{2.2}$$

를 구하는 것이다. $\pi(\mathrm{u}_t|\mathrm{x}_t)$를 정책이라고 한다. 정책의 정의에 의하면 한 상태변수에서 여러 개의 행동을 선택할 수 있는 가능성이 있다는 것을 알 수 있다. 이와 같은 정책을 확률적 정책이라고 한다.

마르코프 결정 프로세스(MDP)의 운동은 다음 그림과 같이 진행된다.

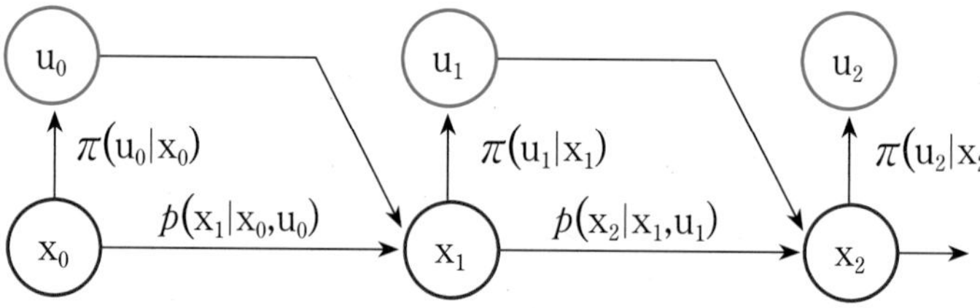

그림 2.6 MDP 전개

상태변수 x_0에서 어떤 정책 π에 의하여 u_0가 확률적으로 선택(샘플링)되면 상태천이 확률에 의해 상태변수 x_1으로 이동한다. 이때 환경에 의해 보상 $r(\mathrm{x}_0, \mathrm{u}_0)$이 주어진다. 다시 상태변수 x_1에서 행동 u_1이 샘플링되면 상태천이 확률에 의해 상태변수 x_2로 이동하고 환경에 의해 보상 $r(\mathrm{x}_1, \mathrm{u}_1)$이 주어진다. 이러한 과정이 반복되어 상태변수, 행동, 보상의 순서로 전개된다. 궤적(trajectory) τ는 상태변수와 행동의 연속적인 시퀀스로 구성된다.

$$\tau=(\mathrm{x}_0,\ \mathrm{u}_0,\ \mathrm{x}_1,\ \mathrm{u}_1,\ \mathrm{x}_2,\ \mathrm{u}_2,\ \dots,\ \mathrm{x}_T,\ \mathrm{u}_T) \tag{2.3}$$

위와 같이 환경 모델이 상태천이 확률밀도함수로 주어지는 경우를 확률적 MDP라고 한다. 환경 모델과 정책이 모두 확정적으로 주어졌다면 확정적 MDP라고 한다. 이 경우 보상함수는 자연스럽게 확정적인 함수가 된다. 확정적 MDP에서는 환경 모델이 다음과 같이 주어진다.

$$x_{t+1} = f(x_t, u_t) \tag{2.4}$$

즉, 시간스텝 t에서 상태와 행동이 주어지면 다음 상태 x_{t+1}을 확정적으로 알 수 있다. 이 경우 보상은 $r(x_t, u_t)$로 주어지고, 정책은 상태변수에서 행동을 직접 계산하는 함수,

$$u_t = \pi(x_t) \tag{2.5}$$

로 주어진다. 이와 같은 정책을 확정적 정책이라고 한다.

시간스텝 t이후 미래에 얻을 수 있는 보상의 총합을 반환값(discounted return)이라고 한다.

$$\begin{aligned} G_t &= r(x_t, u_t) + \gamma r(x_{t+1}, u_{t+1}) + \gamma^2 r(x_{t+2}, u_{t+2}) + \ldots + \gamma^{T-t} r(x_T, u_T) \\ &= \sum_{k=t}^{T} \gamma^{k-t} r(x_k, u_k) \end{aligned} \tag{2.6}$$

여기서 $r(x_t, u_t)$는 시간스텝 t일 때 상태변수가 x_t에서 행동 u_t를 사용했을 때 에이전트가 받는 보상을 나타내며, $\gamma \in [0, 1]$는 감가율(discount factor)이라고 한다. 보상이 랜덤 변수이기 때문에 반환값 역시 랜덤 변수다. 확정적 MDP라면 반환값은 확정된 값이다. 감가율의 값이 작을수록 에이전트가 먼 미래에 받을 보상보다는 가까운 미래에 받을 보상에 더 큰 가중치를 둔다. 감가율은 $T \to \infty$일 때 반환값이 무한대로 발산하는 것을 막는 수학적 장치 역할도 한다. 즉, $0 \le \gamma < 1$이면 다음 식이 성립하므로 $T \to \infty$이더라도 반환값은 유한한 값을 갖는다.

$$\begin{aligned} |G_t| &= \left| \sum_{k=t}^{\infty} \gamma^{k-t} r(x_k, u_k) \right| \le \sum_{k=t}^{\infty} \gamma^{k-t} |r(x_k, u_k)| \\ &\le r_{\max} \sum_{k=0}^{\infty} \gamma^k \\ &= \frac{r_{\max}}{1-\gamma} \end{aligned} \tag{2.7}$$

여기서 $|r(x_k, u_k)| \le r_{\max}, \ \forall k$이다.

어떤 정책 π를 실제로 실행해 상태변수, 행동, 보상이 $\mathrm{x}_0 \rightarrow \mathrm{u}_0 \rightarrow r(\mathrm{x}_0, \mathrm{u}_0) \rightarrow \mathrm{x}_1 \rightarrow \mathrm{u}_1 \rightarrow r(\mathrm{x}_1, \mathrm{u}_1) \rightarrow \ldots \rightarrow \mathrm{x}_T \rightarrow \mathrm{u}_T$의 순서로 전개됐다면 이런 상태변수, 행동, 보상의 시퀀스 집합을 에피소드라고 한다. 에피소드는 특정 상태변수에 도달하는 등 목적이 성취되면 종료되는 에피소드(유한 구간 에피소드)가 있는 반면, 무한히 이어지는 에피소드(무한 구간 에피소드)도 있다. $t=T$는 에피소드가 종료되는 시간을 나타내며, 무한 구간 에피소드라면 $T \rightarrow \infty$로 대체하면 된다.

2.3.2 가치함수

어떤 상태변수 x_t에서 시작해 그로부터 정책 π에 의해서 행동이 가해졌을 때 기대할 수 있는 반환값을 상태가치(state-value)라고 한다. 상태가치 함수는 다음과 같이 정의한다.

$$V^{\pi}(\mathrm{x}_t) = \mathbb{E}_{\tau_{\mathrm{u}_t:\mathrm{u}_T} \sim p(\tau_{\mathrm{u}_t:\mathrm{u}_T}|\mathrm{x}_t)}\left[\sum_{k=t}^{T} \gamma^{k-t} r(\mathrm{x}_k, \mathrm{u}_k) | \mathrm{x}_t\right] \tag{2.8}$$

$$= \int_{\tau_{\mathrm{u}_t:\mathrm{u}_T}} \left(\sum_{k=t}^{T} \gamma^{k-t} r(\mathrm{x}_k, \mathrm{u}_k)\right) p(\tau_{\mathrm{u}_t:\mathrm{u}_T} | \mathrm{x}_t) d\tau_{\mathrm{u}_t:\mathrm{u}_T}$$

여기서 기댓값의 아래 첨자 $p(\tau_{\mathrm{u}_t:\mathrm{u}_T}|\mathrm{x}_t)$는 기댓값을 계산할 때 확률밀도함수로 조건부 확률밀도함수 $p(\tau_{\mathrm{u}_t:\mathrm{u}_T}|\mathrm{x}_t)$를 사용한다는 의미다. $\tau_{\mathrm{u}_t:\mathrm{u}_T} = (\mathrm{u}_t, \mathrm{x}_{t+1}, \mathrm{u}_{t+1}, \ldots, \mathrm{x}_T, \mathrm{u}_T)$는 어떤 상태변수 x_t에서 시작해 그로부터 정책 π로 생성되는 궤적이다. 즉, 상태가치는 상태변수 x_t에서 정책 π로 기대할 수 있는 미래 보상의 총합이다.

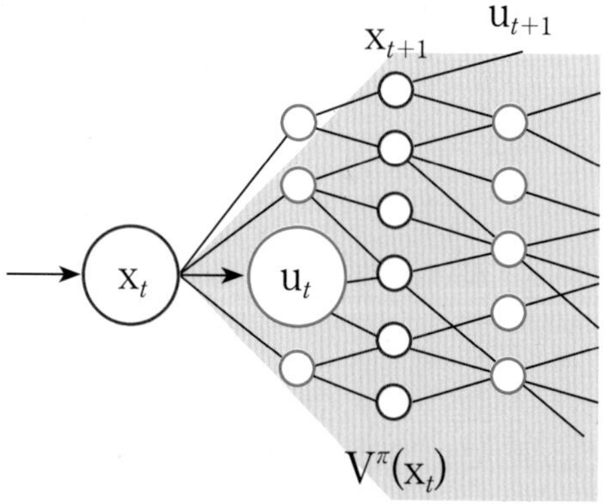

그림 2.7 상태가치 함수(상태변수 x_t에서 시작한 모든 가능한 궤적의 미래 보상 총합의 기댓값)

한편, 어떤 상태변수 x_t에서 행동 u_t를 선택하고 그로부터 정책 π에 의해서 행동이 가해졌을 때 기대할 수 있는 미래의 반환값의 기댓값을 행동가치(action-value)라고 한다. 행동가치 함수는 다음과 같이 정의한다.

$$\begin{aligned} Q^\pi(\mathrm{x}_t,\ \mathrm{u}_t) &= \mathbb{E}_{\tau_{\mathrm{x}_{t+1}:\mathrm{u}_T} \sim p(\tau_{\mathrm{x}_{t+1}:\mathrm{u}_T} | \mathrm{x}_t,\ \mathrm{u}_t)}\left[\sum_{k=t}^{T} \gamma^{k-t} r(\mathrm{x}_k,\ \mathrm{u}_k) | \mathrm{x}_t,\ \mathrm{u}_t\right] \\ &= \int_{\tau_{\mathrm{x}_{t+1}:\mathrm{u}_T}} \left(\sum_{k=t}^{T} \gamma^{k-t} r(\mathrm{x}_k,\ \mathrm{u}_k)\right) p(\tau_{\mathrm{x}_{t+1}:\mathrm{u}_T} | \mathrm{x}_t,\ \mathrm{u}_t) d\tau_{\mathrm{x}_{t+1}:\mathrm{u}_T} \end{aligned} \tag{2.9}$$

여기서 기댓값의 아래 첨자 $p(\tau_{\mathrm{x}_{t+1}:\mathrm{u}_T} | \mathrm{x}_t,\ \mathrm{u}_t)$는 기댓값을 계산할 때 확률밀도함수로 조건부 확률밀도함수 $p(\tau_{\mathrm{x}_{t+1}:\mathrm{u}_T} | \mathrm{x}_t,\ \mathrm{u}_t)$를 사용한다는 의미다. $\tau_{\mathrm{x}_{t+1}:\mathrm{u}_T} = (\mathrm{x}_{t+1},\ \mathrm{u}_{t+1},\ \ldots,\ \mathrm{x}_T,\ \mathrm{u}_T)$는 어떤 상태변수 x_t에서 행동 u_t를 선택하고 그로부터 정책 π로 생성되는 궤적이다.

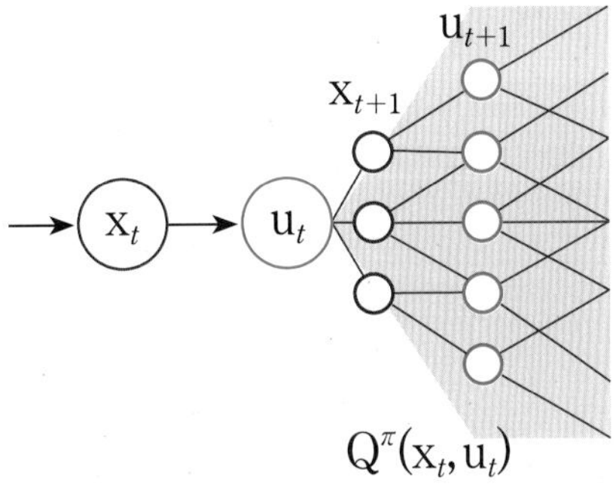

그림 2.8 행동가치 함수(상태변수 x_t와 행동 u_t에서 시작한 모든 가능한 궤적의 미래 보상 총합의 기댓값)

상태가치와 행동가치와의 관계에 대해서 알아보자. 우선 궤적 $\tau_{\mathrm{u}_t:\mathrm{u}_T}$를 다음과 같이 두 개의 영역으로 분할하면,

$$\begin{aligned} \tau_{\mathrm{u}_t:\mathrm{u}_T} &= (\mathrm{u}_t,\ \mathrm{x}_{t+1},\ \mathrm{u}_{t+1},\ \ldots,\ \mathrm{u}_T) \\ &= (\mathrm{u}_t) \cup (\mathrm{x}_{t+1},\ \mathrm{u}_{t+1},\ \ldots,\ \mathrm{u}_T) \\ &= (\mathrm{u}_t) \cup \tau_{\mathrm{x}_{t+1}:\mathrm{u}_T} \end{aligned} \tag{2.10}$$

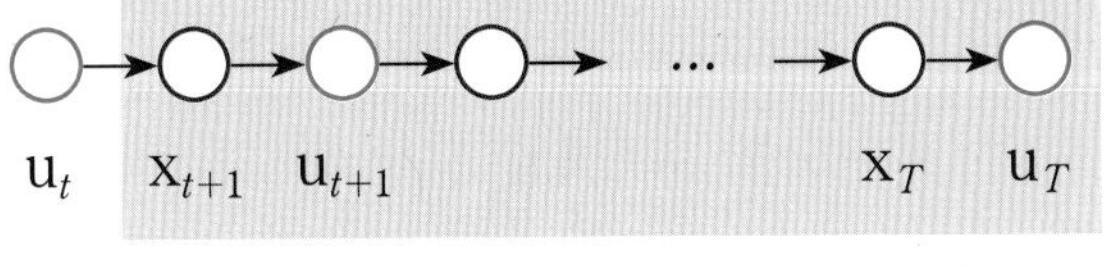

확률의 연쇄법칙에 의해서

$$\begin{aligned} p(\tau_{u_t:u_T}|x_t) &= p(u_t,\ \tau_{x_{t+1}:u_T}|x_t) \\ &= p(\tau_{x_{t+1}:u_T}|x_t,\ u_t)\pi(u_t|x_t) \end{aligned} \tag{2.11}$$

가 된다. 위 식을 상태가치 함수의 식 (2.8)에 대입하면,

$$\begin{aligned} V^\pi(x_t) &= \int_{\tau_{u_t:u_T}} \left(\sum_{k-t}^{T} \gamma^{k-t} r(x_k,\ u_k)\right) p(\tau_{u_t:u_T}|x_t) d\tau_{u_t:u_T} \\ &= \int_{u_t}\int_{\tau_{x_{t+1}:u_T}} \left(\sum_{k=t}^{T} \gamma^{k-t} r(x_k,\ u_k)\right) p(u_t,\ \tau_{x_{t+1}:u_T}|x_t) d\tau_{x_{t+1}:u_T} du_t \\ &= \int_{u_t}\int_{\tau_{x_{t+1}:u_T}} \left(\sum_{k=t}^{T} \gamma^{k-t} r(x_k,\ u_k)\right) p(\tau_{x_{t+1}:u_T}|x_t,\ u_t)\pi(u_t|x_t) d\tau_{x_{t+1}:u_T} du_t \\ &= \int_{u_t}\left[\int_{\tau_{x_{t+1}:u_T}} \left(\sum_{k=t}^{T} \gamma^{k-t} r(x_k,\ u_k)\right) p(\tau_{x_{t+1}:u_T}|x_t,\ u_t) d\tau_{x_{t+1}:u_T}\right] \pi(u_t|x_t) du_t \end{aligned} \tag{2.12}$$

이 된다. 위 식의 대괄호 항은 행동가치 함수이므로,

$$\begin{aligned} V^\pi(x_t) &= \int_{u_t} Q^\pi(x_t,\ u_t)\pi(u_t|x_t) du_t \\ &= \mathbb{E}_{u_t \sim \pi(u_t|x_t)}[Q^\pi(x_t,\ u_t)] \end{aligned} \tag{2.13}$$

가 된다. 즉, 상태가치는 상태변수 x_t에서 선택 가능한 모든 행동 u_t에 대한 행동가치의 평균값임을 알 수 있다.

2.3.3 벨만 방정식

행동가치 함수인 식 (2.9)를 시간구간 $[t,\ t+n-1]$에서 전개해 보자.

$$Q^{\pi}(\mathrm{x}_t,\ \mathrm{u}_t)=\int_{\tau_{\mathrm{x}_{t+1}:\mathrm{u}_T}}\left(\sum_{k=t}^{T}\gamma^{k-t}r(\mathrm{x}_k,\ \mathrm{u}_k)\right)p(\tau_{\mathrm{x}_{t+1}:\mathrm{u}_T}|\mathrm{x}_t,\ \mathrm{u}_t)d\tau_{\mathrm{x}_{t+1}:\mathrm{u}_T}$$
$$=\int_{\tau_{\mathrm{x}_{t+1}:\mathrm{u}_T}}\left(r_t+\gamma r_{t+1}+\cdots+\gamma^{n-1}r_{t+n-1}+\sum_{k=t+n}^{T}\gamma^{k-t}r(\mathrm{x}_k,\ \mathrm{u}_k)\right)p(\tau_{\mathrm{x}_{t+1}}|\mathrm{x}_t,\ \mathrm{u}_t)d\tau_{\mathrm{x}_{t+1}:\mathrm{u}_T} \quad (2.14)$$

여기서 $t+n\leq T$이고, $r_i=r(\mathrm{x}_i,\ \mathrm{u}_i)$이다. 위 식 오른쪽 항은 다음 두 개의 적분식으로 분리할 수 있다.

$$Q^{\pi}(\mathrm{x}_t,\ \mathrm{u}_t)=Q_1+Q_2$$
$$=\int_{\tau_{\mathrm{x}_{t+1}:\mathrm{u}_T}}(r_t+\gamma r_{t+1}+\cdots+\gamma^{n-1}r_{t+n-1})p(\tau_{\mathrm{x}_{t+1}:\mathrm{u}_T}|\mathrm{x}_t,\ \mathrm{u}_t)d\tau_{\mathrm{x}_{t+1}:\mathrm{u}_T}$$
$$+\int_{\tau_{\mathrm{x}_{t+1}:\mathrm{u}_T}}\left(\sum_{k=t+n}^{T}\gamma^{k-t}r(\mathrm{x}_k,\ \mathrm{u}_k)\right)p(\tau_{\mathrm{x}_{t+1}:\mathrm{u}_T}|\mathrm{x}_t,\ \mathrm{u}_t)d\tau_{\mathrm{x}_{t+1}:\mathrm{u}_T} \quad (2.15)$$

먼저 Q_1을 정리해 보자. 우선 궤적 $\tau_{\mathrm{x}_{t+1}:\mathrm{u}_T}$를 다음과 같이 두 개의 영역으로 분할하면,

$$\tau_{\mathrm{x}_{t+1}:\mathrm{u}_T}=(\mathrm{x}_{t+1},\ \mathrm{u}_{t+1},\ \mathrm{x}_{t+2},\ \ldots,\ \mathrm{u}_T)$$
$$=(\mathrm{x}_{t+1},\ \mathrm{u}_{t+1},\ \ldots,\ \mathrm{x}_{t+n})\cup(\mathrm{u}_{t+n},\ \mathrm{x}_{t+n+1},\ \ldots,\ \mathrm{u}_T)$$
$$=\tau_{\mathrm{x}_{t+1}:\mathrm{x}_{t+n}}\cup\tau_{\mathrm{u}_{t+n}:\mathrm{u}_T} \quad (2.16)$$

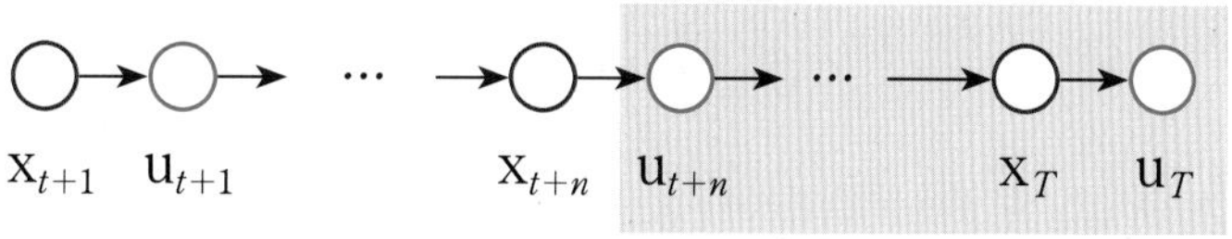

확률의 연쇄법칙에 의해서

$$p(\tau_{\mathrm{x}_{t+1}:\mathrm{u}_T}|\mathrm{x}_t,\ \mathrm{u}_t)=p(\tau_{\mathrm{x}_{t+1}:\mathrm{x}_{t+n}},\ \tau_{\mathrm{u}_{t+n}:\mathrm{u}_T}|\mathrm{x}_t,\ \mathrm{u}_t)$$
$$=p(\tau_{\mathrm{u}_{t+n}:\mathrm{u}_T}|\mathrm{x}_t,\ \mathrm{u}_t,\ \tau_{\mathrm{x}_{t+1}:\mathrm{x}_{t+n}})p(\tau_{\mathrm{x}_{t+1}:\mathrm{x}_{t+n}}|\mathrm{x}_t,\ \mathrm{u}_t) \quad (2.17)$$

가 된다. 위 식을 Q_1식에 대입하면,

$$\begin{aligned} Q_1 &= \int_{\tau_{x_{t+1}:u_T}} (r_t+\gamma r_{t+1}+\cdots+\gamma^{n-1}r_{t+n-1})p(\tau_{x_{t+1}:u_T}|x_t,\ u_t)d\tau_{x_{t+1}:u_T} \\ &= \int_{\tau_{x_{t+1}:x_{t+n}}}\int_{\tau_{u_{t+n}:u_T}} (r_t+\gamma r_{t+1}+\cdots+\gamma^{n-1}r_{t+n-1})p(\tau_{u_{t+n}:u_T}|x_t,\ u_t,\ \tau_{x_{t+1}:x_{t+n}})d\tau_{u_{t+n}:u_T} \\ &\qquad p(\tau_{x_{t+1}:x_{t+n}}|x_t,\ u_t)d\tau_{x_{t+1}:x_{t+n}} \\ &= \int_{\tau_{x_{t+1}:x_{t+n}}}\left[\int_{\tau_{u_{t+n}:u_T}} p(\tau_{u_{t+n}:u_T}|x_t,\ u_t,\ \tau_{x_{t+1}:x_{t+n}})d\tau_{u_{t+n}:u_T}\right] \\ &\qquad (r_t+\gamma r_{t+1}+\cdots+\gamma^{n-1}r_{t+n-1})p(\tau_{x_{t+1}:x_{t+n}}|x_t,\ u_t)d\tau_{x_{t+1}:x_{t+n}} \\ &= \int_{\tau_{x_{t+1}:x_{t+n}}} (r_t+\gamma r_{t+1}+\cdots+\gamma^{n-1}r_{t+n-1})p(\tau_{x_{t+1}:x_{t+n}}|x_t,\ u_t)d\tau_{x_{t+1}:x_{t+n}} \end{aligned} \tag{2.18}$$

이 된다. 다음으로 Q_2를 정리해 보면,

$$\begin{aligned} Q_2 &= \int_{\tau_{x_{t+1}:u_T}} \left(\sum_{k=t+n}^{T}\gamma^{k-t}r(x_k,\ u_k)\right)p(\tau_{x_{t+1}:u_T}|x_t,\ u_t)d\tau_{x_{t+1}:u_T} \\ &= \int_{\tau_{x_{t+1}:x_{t+n}}} \gamma^n\left[\int_{\tau_{u_{t+n}:u_T}}\left(\sum_{k=t+n}^{T}\gamma^{k-t-n}r(x_k,\ u_k)\right)p(\tau_{u_{t+n}:u_T}|x_t,\ u_t,\ \tau_{x_{t+1}:x_{t+n}})d\tau_{u_{t+n}:u_T}\right] \\ &\qquad p(\tau_{x_{t+1}:x_{t+n}}|x_t,\ u_t)d\tau_{x_{t+1}:x_{t+n}} \\ &= \int_{\tau_{x_{t+1}:x_{t+n}}} \gamma^n\left[\int_{\tau_{u_{t+n}:u_T}}\left(\sum_{k=t+n}^{T}\gamma^{k-t-n}r(x_k,\ u_k)\right)p(\tau_{u_{t+n}:u_T}|x_{t+n})d\tau_{u_{t+n}:u_T}\right] \\ &\qquad p(\tau_{x_{t+1}:x_{t+n}}|x_t,\ u_t)d\tau_{x_{t+1}:x_{t+n}} \end{aligned} \tag{2.19}$$

이 된다. 위 식의 마지막 단계는 마르코프 시퀀스 가정을 사용한 것이다. 상태가치 함수의 정의가 다음과 같으므로

$$V^{\pi}(x_t)=\int_{\tau_{u_t:u_T}}\left(\sum_{k=t}^{T}\gamma^{k-t}r(x_k,\ u_k)\right)p(\tau_{u_t:u_T}|x_t)d\tau_{u_t:u_T} \tag{2.20}$$

식 (2.19)의 대괄호 항은 상태가치 함수 $V^{\pi}(x_{t+n})$과 같다. 따라서

$$Q_2=\int_{\tau_{x_{t+1}:x_{t+n}}}\gamma^n V^{\pi}(x_{t+n})p(\tau_{x_{t+1}:x_{t+n}}|x_t,\ u_t)d\tau_{x_{t+1}:x_{t+n}} \tag{2.21}$$

이 된다. 이제 Q_1과 Q_2를 더하면 행동가치 함수 식 (2.14)는 다음과 같이 된다.

$$Q^{\pi}(\mathrm{x}_t,\ \mathrm{u}_t) = \int_{\tau_{\mathrm{x}_{t+1}:\mathrm{x}_{t+n}}} [(r_t + \gamma r_{t+1} + \cdots + \gamma^{n-1} r_{t+n-1}) + \gamma^n V^{\pi}(\mathrm{x}_{t+n})] \\ p(\tau_{\mathrm{x}_{t+1}:\mathrm{x}_{t+n}} | \mathrm{x}_t,\ \mathrm{u}_t) d\tau_{\mathrm{x}_{t+1}:\mathrm{x}_{t+n}} \\ = \mathbb{E}_{\tau_{\mathrm{x}_{t+1}:\mathrm{x}_{t+n}} \sim p(\tau_{\mathrm{x}_{t+1}:\mathrm{x}_{t+n}} | \mathrm{x}_t,\ \mathrm{u}_t)} [r_t + \gamma r_{t+1} + \cdots + \gamma^{n-1} r_{t+n-1} + \gamma^n V^{\pi}(\mathrm{x}_{t+n})] \tag{2.22}$$

한편, 식 (2.22)를 식 (2.13)에 대입하면 상태가치 함수 $V^{\pi}(\mathrm{x}_t)$는 다음과 같이 쓸 수 있다.

$$V^{\pi}(\mathrm{x}_t) = \int_{\mathrm{u}_t} \pi(\mathrm{u}_t | \mathrm{x}_t) \left[\int_{\tau_{\mathrm{x}_{t+1}:\mathrm{x}_{t+n}}} [r_t + \cdots + \gamma^n V^{\pi}(\mathrm{x}_{t+n})] p(\tau_{\mathrm{x}_{t+1}:\mathrm{x}_{t+n}} | \mathrm{x}_t,\ \mathrm{u}_t) d\tau_{\mathrm{x}_{t+1}:\mathrm{x}_{t+n}} \right] d\mathrm{u}_t \\ = \int_{\tau_{\mathrm{u}_t:\mathrm{x}_{t+n}}} [r_t + \gamma r_{t+1} + \cdots + \gamma^{n-1} r_{t+n-1} + \gamma^n V^{\pi}(\mathrm{x}_{t+n})] p(\tau_{\mathrm{u}_t:\mathrm{x}_{t+n}} | \mathrm{x}_t) d\tau_{\mathrm{u}_t:\mathrm{x}_{t+n}} \\ = \mathbb{E}_{\tau_{\mathrm{u}_t:\mathrm{x}_{t+n}} \sim p(\tau_{\mathrm{u}_t:\mathrm{x}_{t+n}} | \mathrm{x}_t)} [r_t + \gamma r_{t+1} + \cdots + \gamma^{n-1} r_{t+n-1} + \gamma^n V^{\pi}(\mathrm{x}_{t+n})] \tag{2.23}$$

여기서 $\tau_{\mathrm{u}_t:\mathrm{x}_{t+n}} = (\mathrm{u}_t,\ \mathrm{x}_{t+1},\ \mathrm{u}_{t+1},,\ \ldots,\ \mathrm{x}_{t+n})$는 어떤 상태변수 x_t에서 시작해 그로부터 정책 π로 생성되는 궤적이다.

특별한 경우로서 시간구간 $n=1$로 하면, 상태가치 함수는 다음과 같이 된다.

$$V^{\pi}(\mathrm{x}_t) = \int_{\mathrm{u}_t} \pi(\mathrm{u}_t | \mathrm{x}_t) \left[\int_{\mathrm{x}_{t+1}} [r(\mathrm{x}_t,\ \mathrm{u}_t) + \gamma V^{\pi}(\mathrm{x}_{t+1})] p(\mathrm{x}_{t+1} | \mathrm{x}_t,\ \mathrm{u}_t) d\mathrm{x}_{t+1} \right] d\mathrm{u}_t \\ = \mathbb{E}_{\mathrm{u}_t \sim \pi(\mathrm{u}_t | \mathrm{x}_t)} [\mathbb{E}_{\mathrm{x}_{t+1} \sim p(\mathrm{x}_{t+1} | \mathrm{x}_t,\ \mathrm{u}_t)} [r(\mathrm{x}_t,\ \mathrm{u}_t) + \gamma V^{\pi}(\mathrm{x}_{t+1})]] \tag{2.24}$$

위 식에서 $r(\mathrm{x}_t, \mathrm{u}_t)$는 x_{t+1}의 함수가 아니므로 식 (2.24)는 다음과 같이 된다.

$$V^{\pi}(\mathrm{x}_t) = \mathbb{E}_{\mathrm{u}_t \sim \pi(\mathrm{u}_t | \mathrm{x}_t)} [r(\mathrm{x}_t,\ \mathrm{u}_t) + \mathbb{E}_{\mathrm{x}_{t+1} \sim p(\mathrm{x}_{t+1} | \mathrm{x}_t,\ \mathrm{u}_t)} [\gamma V^{\pi}(\mathrm{x}_{t+1})]] \tag{2.25}$$

위 식은 강화학습에서 매우 중요한 식으로서 벨만 방정식(Bellman equation)이라고 부른다. 벨만 방정식은 현재 상태변수의 가치와 다음 시간스텝의 상태변수의 가치와의 관계를 나타내 주는 식이다. 위 식의 좌변과 우변에 똑같아 보이는 상태가치 함수 $V^{\pi}(\mathrm{x}_t)$와 $V^{\pi}(\mathrm{x}_{t+1})$이 있는

데, 사실은 상태가치 함수가 시변(time-varying) 함수이므로 두 개의 상태가치 함수는 다르다. 시변 함수인 경우에는 이를 명확히 하기 위해서 $V_t^\pi(\mathbf{x}_t)$나 $V_{t+1}^\pi(\mathbf{x}_{t+1})$ 등과 같이 시간스텝을 명시적으로 표기하는 것이 좋으나, 이 책에서는 편의상 시불변(time-invariant) 함수와 구분 없이 표기했다. $T\to\infty$(무한 구간)이라면 상태가치 함수 $V^\pi(\mathbf{x}_t)$는 시불변 함수가 되므로(즉, $V_{t\to\infty}^\pi(\mathbf{x}_t)=V^\pi(\mathbf{x}_t)$), 식 (2.25)의 좌변과 우변에 있는 상태가치 함수는 동일하다.

용어 설명 시변 함수는 서로 다른 시점에서 주어진 동일한 입력값에 대해 서로 다른 결괏값을 갖는 함수다. 예를 들면, 함수 $y=f_t(x)=x^2+t$는 시간스텝 $t=1$일 때 입력값 $x=2$에 대해서 결과가 $y=5$이지만, 시간스텝 $t=2$일 때는 동일한 입력값 $x=2$에 대해서 결과가 $y=6$으로 달라지므로 시변 함수다. 반면, 시불변 함수는 시간과 관계없이 동일한 입력값에 대해서 동일한 결괏값을 갖는 함수다.

이번에는 행동가치 함수로 이루어진 벨만 방정식을 유도해 보자. 식 (2.22)에 의하면 시간구간 $n=1$일 때, 행동가치 함수는 다음과 같다.

$$
\begin{aligned}
Q^\pi(\mathbf{x}_t, \mathbf{u}_t) &= \int_{\mathbf{x}_{t+1}} [r(\mathbf{x}_t, \mathbf{u}_t)+\gamma V^\pi(\mathbf{x}_{t+1})]p(\mathbf{x}_{t+1}|\mathbf{x}_t, \mathbf{u}_t)d\mathbf{x}_{t+1} \\
&= \mathbb{E}_{\mathbf{x}_{t+1}\sim p(\mathbf{x}_{t+1}|\mathbf{x}_t, \mathbf{u}_t)}[r(\mathbf{x}_t, \mathbf{u}_t)+\gamma V^\pi(\mathbf{x}_{t+1})] \\
&= r(\mathbf{x}_t, \mathbf{u}_t)+\mathbb{E}_{\mathbf{x}_{t+1}\sim p(\mathbf{x}_{t+1}|\mathbf{x}_t, \mathbf{u}_t)}[\gamma V^\pi(\mathbf{x}_{t+1})]
\end{aligned} \tag{2.26}
$$

위 식에 상태가치 함수 식 (2.13)을 대입하면, 행동가치 함수는 다음과 같이 된다.

$$
\begin{aligned}
Q^\pi(\mathbf{x}_t, \mathbf{u}_t) &= \int_{\mathbf{x}_{t+1}} \left[r(\mathbf{x}_t, \mathbf{u}_t)+\gamma\int_{\mathbf{u}_{t+1}} Q^\pi(\mathbf{x}_{t+1}, \mathbf{u}_{t+1})\pi(\mathbf{u}_{t+1}|\mathbf{x}_{t+1})d\mathbf{u}_{t+1}\right]p(\mathbf{x}_{t+1}|\mathbf{x}_t, \mathbf{u}_t)d\mathbf{x}_{t+1} \\
&= \mathbb{E}_{\mathbf{x}_{t+1}\sim p(\mathbf{x}_{t+1}|\mathbf{x}_t, \mathbf{u}_t)}[\mathbb{E}_{\mathbf{u}_{t+1}\sim\pi(\mathbf{u}_{t+1}|\mathbf{x}_{t+1})}[r(\mathbf{x}_t, \mathbf{u}_t)+\gamma Q^\pi(\mathbf{x}_{t+1}, \mathbf{u}_{t+1})]] \\
&= r(\mathbf{x}_t, \mathbf{u}_t)+\mathbb{E}_{\mathbf{x}_{t+1}\sim p(\mathbf{x}_{t+1}|\mathbf{x}_t, \mathbf{u}_t)}[\mathbb{E}_{\mathbf{u}_{t+1}\sim\pi(\mathbf{u}_{t+1}|\mathbf{x}_{t+1})}[\gamma Q^\pi(\mathbf{x}_{t+1}, \mathbf{u}_{t+1})]]
\end{aligned} \tag{2.27}
$$

위 식도 벨만 방정식이라고 부른다. 무한 구간이라면 행동가치 함수 $Q^\pi(\mathbf{x}_t, \mathbf{u}_t)$는 시불변 함수가 되므로(즉, $Q_{t\to\infty}^\pi(\mathbf{x}_t, \mathbf{u}_t)=Q^\pi(\mathbf{x}_t, \mathbf{u}_t)$) 식 (2.27)의 좌변과 우변에 있는 행동가치 함수는 동일하다.

2.3.4 벨만 최적 방정식

모든 정책 중에서 상태가치 값을 최대로 만드는 정책을 적용했을 때의 상태가치 함수와 행동가치 함수를 각각 최적 상태가치 함수와 최적 행동가치 함수라고 한다. 즉,

$$V^*(\mathrm{x}_t) = \max_\pi V^\pi(\mathrm{x}_t) \tag{2.28}$$
$$Q^*(\mathrm{x}_t,\ \mathrm{u}_t) = \max_\pi Q^\pi(\mathrm{x}_t,\ \mathrm{u}_t)$$

먼저 최적 상태가치 함수부터 구해보자. 식 (2.25)로부터 최적 상태가치는 다음과 같이 계산된다(벨만의 최적성 원리와 다이내믹 프로그래밍은 8장에서 설명한다).

$$\begin{aligned} V^*(\mathrm{x}_t) &= \max_\pi \mathbb{E}_{\mathrm{u}_t \sim \pi(\mathrm{u}_t|\mathrm{x}_t)}[r(\mathrm{x}_t,\ \mathrm{u}_t) + \mathbb{E}_{\mathrm{x}_{t+1} \sim p(\mathrm{x}_{t+1}|\mathrm{x}_t,\mathrm{u}_t)}[\gamma V^\pi(\mathrm{x}_{t+1})]] \\ &= \max_{\mathrm{u}_t, \mathrm{u}_{t+1}, \dots, \mathrm{u}_T} \{r(\mathrm{x}_t,\ \mathrm{u}_t) + \mathbb{E}_{\mathrm{x}_{t+1} \sim p(\mathrm{x}_{t+1}|\mathrm{x}_t,\mathrm{u}_t)}[\gamma V^\pi(\mathrm{x}_{t+1})]\} \\ &= \max_{\mathrm{u}_t} \left\{r(\mathrm{x}_t,\ \mathrm{u}_t) + \max_{\mathrm{u}_{t+1}, \dots, \mathrm{u}_T} \mathbb{E}_{\mathrm{x}_{t+1} \sim p(\mathrm{x}_{t+1}|\mathrm{x}_t,\mathrm{u}_t)}[\gamma V^\pi(\mathrm{x}_{t+1})]\right\} \\ &= \max_{\mathrm{u}_t} \{r(\mathrm{x}_t,\ \mathrm{u}_t) + \mathbb{E}_{\mathrm{x}_{t+1} \sim p(\mathrm{x}_{t+1}|\mathrm{x}_t,\mathrm{u}_t)}[\gamma V^*(\mathrm{x}_{t+1})]\} \end{aligned} \tag{2.29}$$

한편, 최적 행동가치 함수는 식 (2.26)으로부터 다음과 같이 된다.

$$\begin{aligned} Q^*(\mathrm{x}_t,\ \mathrm{u}_t) &= r(\mathrm{x}_t,\ \mathrm{u}_t) + \max \{\mathbb{E}_{\mathrm{x}_{t+1} \sim p(\mathrm{x}_{t+1}|\mathrm{x}_t,\mathrm{u}_t)}[\gamma V^\pi(\mathrm{x}_{t+1})]\} \\ &= r(\mathrm{x}_t,\ \mathrm{u}_t) + \max_{\mathrm{u}_{t+1}, \cdots, \mathrm{u}_T} \{\mathbb{E}_{\mathrm{x}_{t+1} \sim p(\mathrm{x}_{t+1}|\mathrm{x}_t,\mathrm{u}_t)}[\gamma V^\pi(\mathrm{x}_{t+1})]\} \\ &= r(\mathrm{x}_t,\ \mathrm{u}_t) + \mathbb{E}_{\mathrm{x}_{t+1} \sim p(\mathrm{x}_{t+1}|\mathrm{x}_t,\mathrm{u}_t)}[\gamma V^*(\mathrm{x}_{t+1})] \end{aligned} \tag{2.30}$$

식 (2.29)와 (2.30)을 비교하면 다음과 같은 관계식을 얻을 수 있다.

$$V^*(\mathrm{x}_t) = \max_{\mathrm{u}_t} Q^*(\mathrm{x}_t,\ \mathrm{u}_t) \tag{2.31}$$

식 (2.13)에 의하면 상태가치 함수는 행동가치 함수를 행동에 관해 평균값을 취한 것이었다. 식 (2.31)에 의하면 최적 상태가치 함수는 최적 행동가치 함수의 최댓값을 취하면 된다. 식 (2.31)을 식 (2.30)에 대입하면 다음과 같이 최적 행동가치 식을 얻을 수 있다.

$$Q^*(\mathrm{x}_t,\ \mathrm{u}_t)=r(\mathrm{x}_t,\ \mathrm{u}_t)+\mathbb{E}_{\mathrm{x}_{t+1}\sim p(\mathrm{x}_{t+1}|\mathrm{x}_t,\,\mathrm{u}_t)}\left[\gamma \max_{\mathrm{u}_{t+1}} Q^*(\mathrm{x}_{t+1},\ \mathrm{u}_{t+1})\right] \tag{2.32}$$

식 (2.29)와 식 (2.32)를 벨만 최적 방정식(Bellman optimality equation)이라고 부른다. 벨만 최적 방정식은 현재의 최적 가치와 다음 시간스텝의 최적 가치와의 관계를 나타내주는 식이다.

한편, 상태가치 값을 최대로 만드는 정책을 최적 정책(optimal policy)이라고 한다.

$$\pi^*(\mathrm{x}_t)=\underset{\mathrm{u}_t}{\mathrm{argmax}}\left[r_t+\mathbb{E}_{\mathrm{x}_{t+1}\sim p(\mathrm{x}_{t+1}|\mathrm{x}_t,\,\mathrm{u}_t)}\left[\gamma V^*(\mathrm{x}_{t+1})\right]\right] \tag{2.33}$$

위 식에 식 (2.32)를 대입하면, 최적 정책은 다음과 같이 최적 행동가치 함수로 표현할 수 있다.

$$\pi^*(\mathrm{x}_t)=\mathrm{argmax}_{\mathrm{u}_t} Q^*(\mathrm{x}_t,\ \mathrm{u}_t) \tag{2.34}$$

2.4 강화학습 방법

강화학습 문제를 해결하기 위한 방법에는 여러 가지가 있다. 모든 방법에는 공통점이 있는데, 다음 그림에서 설명하는 것처럼 강화학습은 정책 실행을 통한 샘플(데이터) 생성, 모델 또는 가치함수의 추정, 정책 개선 등 3단계로 구성되는 반복(이터레이션, iteration) 과정을 통해 최적의 정책을 산출한다는 점이다. 강화학습의 여러 가지 방법은 환경 모델을 추정하는가, 아니면 가치함수를 추정하는가, 그리고 정책을 어떤 방법을 통해 개선시킬 것인가에 따라 달라진다.

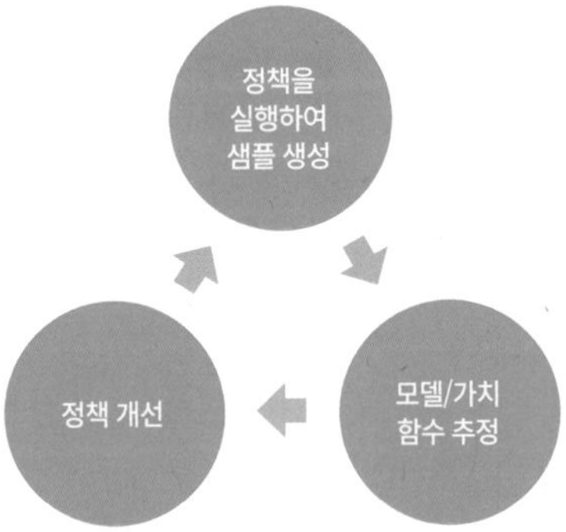

그림 2.9 강화학습의 공통적인 이터레이션 모습

최적의 정책을 얻는 한 가지 방법은 먼저 가치함수를 추정해 최대의 보상을 계산하는 것이다. 보통 행동가치 함수를 추정한 후에 각 상태에서 행동가치 함수를 최대화하는 행동을 선택해 최적 정책을 유도한다. 이러한 방법을 가치 기반 강화학습 방법이라고 하는데, 이산공간의 상태와 행동을 기반으로 하는 DQN(deep Q network) 등이 대표적이며, 게임 분야에서 큰 성과를 올렸다.

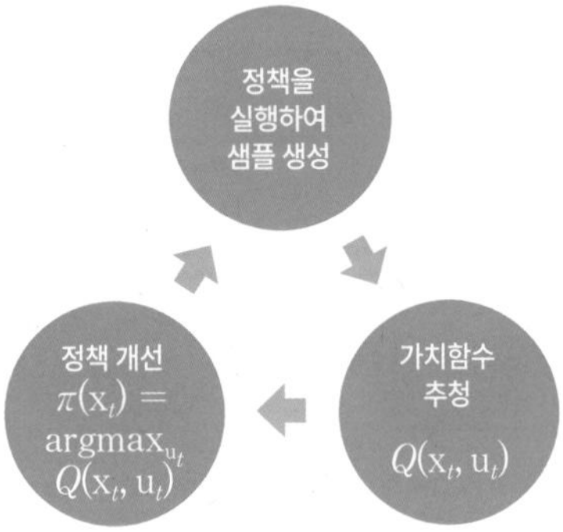

그림 2.10 가치 기반 강화학습

두 번째 방법은 직접 정책을 유도하는 방법이다. 이 방법은 정책 파라미터 공간을 직접 탐색하여 최적의 정책을 찾는 것을 목적으로 한다. 구체적으로는 보상의 기댓값을 최대로 하기 위해 정책 $\pi_\theta(u_t|x_t)$를 최적화하는 정책 파라미터 θ를 계산하는 것이 목적이다. 이 방법을 정책 그래디언트(policy gradient) 방법이라고 한다. 정책 그래디언트 방법에서는 보통 가치함수도 함께 추정하여 정책의 성과를 평가하는 액터-크리틱(actor-critic) 구조를 사용한다.

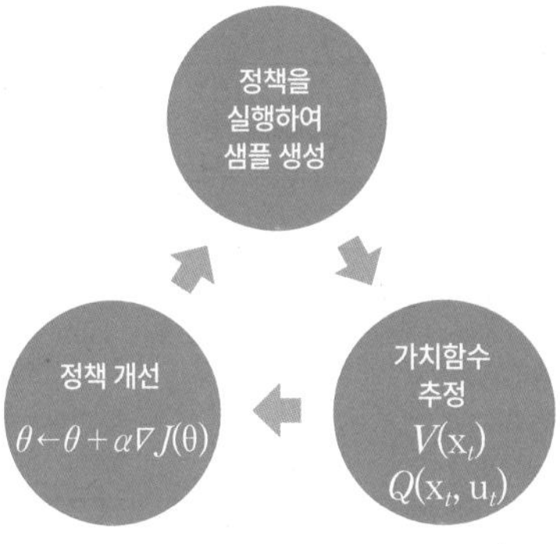

그림 2.11 정책 그래디언트

세 번째 방법은 환경 모델을 추정해 사용하는 방법이다. 이를 모델 기반 강화학습이라고 한다. 모델 기반 강화학습은 간단하고 효율적이어서 다른 강화학습 방법과 비교하여 매우 경쟁력을 가지고 있으며, 로봇 제어나 드론 제어 분야에서 인기가 있는 방법이다. 모델 기반 강화학습에서 사용되는 정책 개선은 환경 모델을 정의하는 방식에 따라 여러 가지 방법이 사용되고 있다.

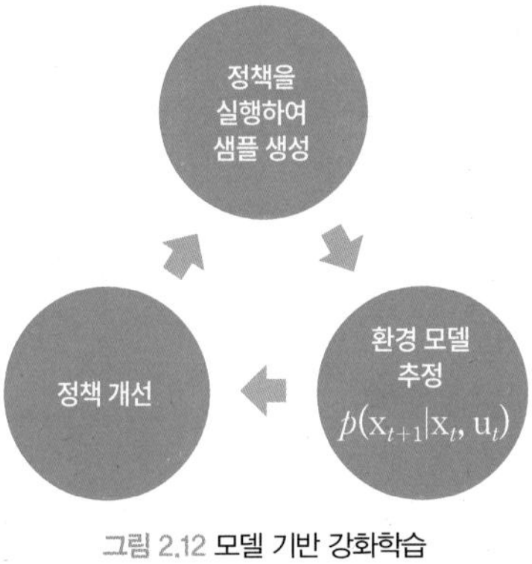

그림 2.12 모델 기반 강화학습

이 책에서 다룰 강화학습 방법은 정책 그래디언트(3장~8장)와 모델 기반 강화학습(9장~10장)이다.

03장

정책 그래디언트

3.1 배경

강화학습 문제를 해결하기 위한 방법에는 여러 가지가 있지만, 모든 방법의 최종 목표는 환경으로부터 받는 누적 보상을 최대화하는 최적 정책(optimal policy)을 구하는 것이다. 이 장에서는 정책을 파라미터화하고, 누적 보상을 파라미터화된 정책의 함수로 기술해 누적 보상과 정책 파라미터 간의 함수 관계를 구축한 후, 최적화 방법을 사용해 누적 보상을 최대화하는 정책 파라미터를 계산하는 강화학습의 한 방법론인 정책 그래디언트에 대해서 알아본다. 이 장의 내용은 많은 정책 그래디언트 기반 알고리즘의 기초가 된다.

3.2 목적함수

강화학습의 목표를 수학식으로 설명하면 다음과 같다. 즉, 강화학습의 목표는 다음과 같이 반환값의 기댓값으로 이루어진 목적함수 J를 최대로 만드는 정책 $\pi(\mathbf{u}_t|\mathbf{x}_t)$을 구하는 것이다. 정책이 θ로 파라미터화됐다면, 즉 $\pi_\theta(\mathbf{u}_t|\mathbf{x}_t)$이라면 목적함수를 최대로 만드는 정책 파라미터 θ를 계산하는 것이라고 할 수 있다.

$$\theta^* = \operatorname{argmax} J(\theta) \tag{3.1}$$

$$J(\theta) = \mathbb{E}_{\tau \sim p_\theta(\tau)}\left[\sum_{t=0}^{T} \gamma^t r(\mathrm{x}_t,\ \mathrm{u}_t)\right]$$

여기서 $r(\mathrm{x}_t,\ \mathrm{u}_t)$는 시간스텝 t일 때 상태변수가 x_t에서 행동 u_t를 사용했을 때 에이전트가 받는 보상을 나타내며, $\gamma \in [0,\ 1]$은 감가율(discount factor)이다. 기댓값의 아래 첨자 $p_\theta(\tau)$는 기댓값을 계산할 때 확률밀도함수로 $p_\theta(\tau)$를 사용한다는 의미다. 그림 3.1과 같이 τ는 정책 π_θ로 생성되는 궤적 $\tau = (\mathrm{x}_0,\ \mathrm{u}_0,\ \mathrm{x}_1,\ \mathrm{u}_1,\ \mathrm{x}_2,\ \mathrm{u}_2,\ \ldots,\ \mathrm{x}_T,\ \mathrm{u}_T)$이다. $p_\theta(\tau)$는 정책 π_θ로 생성되는 궤적의 확률밀도함수를 나타낸다.

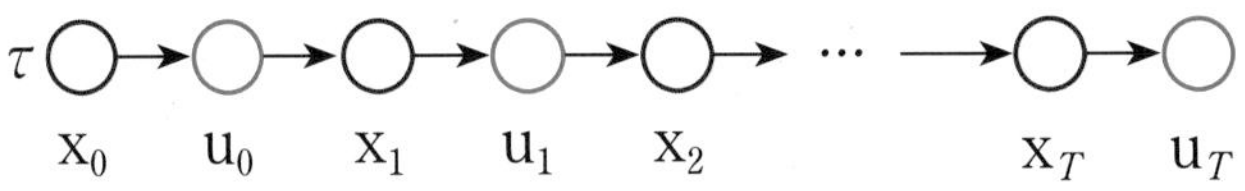

그림 3.1 궤적 τ

정책은 보통 신경망(neural network)으로 파라미터화된다. 이 신경망을 정책 신경망(policy neural network)이라고 하며, 파라미터 θ는 그림 3.2에 도시한 것과 같이 신경망의 모든 가중치다.

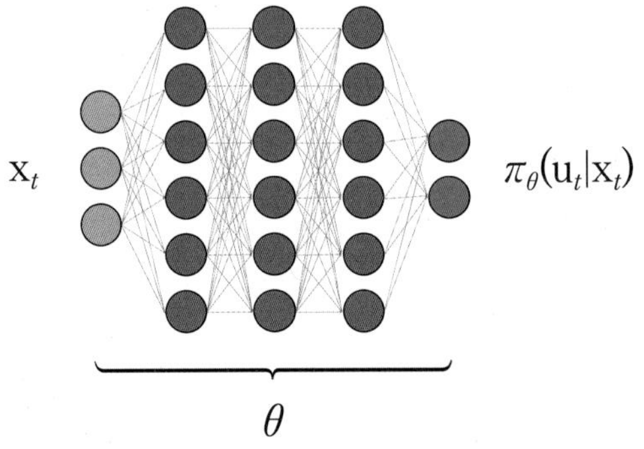

그림 3.2 신경망으로 파라미터화된 정책

그림 3.3은 에이전트의 정책 신경망과 환경과의 상호작용을 마르코프 결정 프로세스(MDP) 프레임워크로 표현한 것이다.

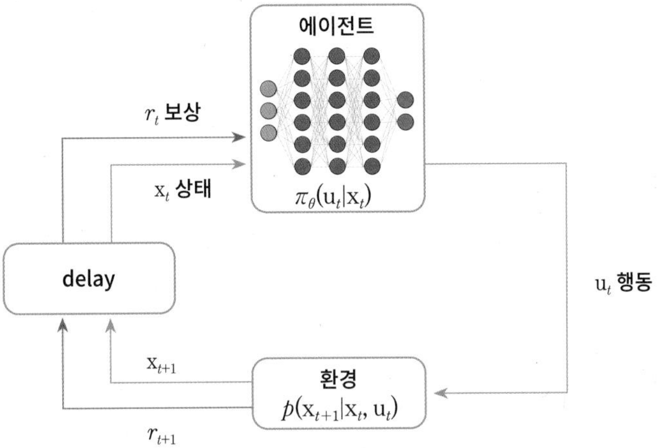

그림 3.3 정책 신경망과 환경과의 상호작용

$G_0=\sum_{t=0}^{T}\gamma^t r(x_t, u_t)$는 시간스텝 $t=0$부터 에피소드가 종료될 때까지 받을 수 있는 전체 궤적에 대한 감가 보상(discount reward)의 총합으로서, 전체 반환값 G_0라고 부른다. 임의의 시간 $k=t$부터 에피소드가 종료될 때까지 받을 수 있는 예정 보상(reward-to-go)의 총합은 $G_t=\sum_{k=t}^{T}\gamma^{k-t} r(x_k, u_k)$로 표시한다.

이제, 확률의 연쇄법칙을 이용해 $p_\theta(\tau)$를 전개해 보자.

$$p_\theta(\tau)=p_\theta(x_0, u_0, x_1, u_1, ..., x_T, u_T) \qquad (3.2)$$
$$=p(x_0)p_\theta(u_0, x_1, ..., x_T, u_T|x_0)$$

초기 상태변수 x_0의 확률밀도함수는 정책 π_θ와 무관하므로 아래 첨자 θ가 없는 $p(x_0)$로 표기했다. 다시 위 식의 두 번째 줄에도 확률의 연쇄법칙을 연달아 적용해 전개하면 다음과 같이 된다.

$$
\begin{aligned}
&= p(\mathrm{x}_0)p_\theta(\mathrm{u}_0|\mathrm{x}_0)p_\theta(\mathrm{x}_1, \mathrm{u}_1, \cdots, \mathrm{x}_T, \mathrm{u}_T|\mathrm{x}_0, \mathrm{u}_0) \\
&= p(\mathrm{x}_0)p_\theta(\mathrm{u}_0|\mathrm{x}_0)p(\mathrm{x}_1|\mathrm{x}_0, \mathrm{u}_0)p_\theta(\mathrm{u}_1, \mathrm{x}_2, \cdots, \mathrm{x}_T, \mathrm{u}_T|\mathrm{x}_0, \mathrm{u}_0, \mathrm{x}_1) \\
&= p(\mathrm{x}_0)p_\theta(\mathrm{u}_0|\mathrm{x}_0)p(\mathrm{x}_1|\mathrm{x}_0, \mathrm{u}_0)p_\theta(\mathrm{u}_1|\mathrm{x}_0, \mathrm{u}_0, \mathrm{x}_1)p_\theta(\mathrm{x}_2, \cdots, \mathrm{x}_T, \mathrm{u}_T|\mathrm{x}_0, \mathrm{u}_0, \mathrm{x}_1, \mathrm{u}_1) \\
&= p(\mathrm{x}_0)p_\theta(\mathrm{u}_0|\mathrm{x}_0)p(\mathrm{x}_1|\mathrm{x}_0, \mathrm{u}_0)p_\theta(\mathrm{u}_1|\mathrm{x}_0, \mathrm{u}_0, \mathrm{x}_1)p(\mathrm{x}_2|\mathrm{x}_0, \mathrm{u}_0, \mathrm{x}_1, \mathrm{u}_1) \\
&\quad p_\theta(\mathrm{u}_2, \cdots, \mathrm{x}_T, \mathrm{u}_T|\mathrm{x}_0, \mathrm{u}_0, \mathrm{x}_1, \mathrm{u}_1, \mathrm{x}_2)
\end{aligned} \tag{3.3}
$$

여기서 $p(\mathrm{x}_1|\mathrm{x}_0, \mathrm{u}_0)$는 환경의 모델로서 정책 π_θ와 무관하므로 아래 첨자 없이 표기했다. 마르코프 시퀀스 가정에 의해,

$$
\begin{aligned}
p_\theta(\mathrm{u}_1|\mathrm{x}_0, \mathrm{u}_0, \mathrm{x}_1) &= \pi_\theta(\mathrm{u}_1|\mathrm{x}_1) \\
p(\mathrm{x}_2|\mathrm{x}_0, \mathrm{u}_0, \mathrm{x}_1, \mathrm{u}_1) &= p(\mathrm{x}_2|\mathrm{x}_1, \mathrm{u}_1)
\end{aligned} \tag{3.4}
$$

이므로 식 (3.3)을 계속 전개해 나가면 최종적으로 다음과 같이 된다.

$$
p_\theta(\tau) = p(\mathrm{x}_0)\prod_{t=0}^{T}\pi_\theta(\mathrm{u}_t|\mathrm{x}_t)p(\mathrm{x}_{t+1}|\mathrm{x}_t, \mathrm{u}_t) \tag{3.5}
$$

목적함수는 상태가치 함수와도 관계가 있다. 목적함수 J를 전개하면 다음과 같다.

$$
\begin{aligned}
J(\theta) &= \mathbb{E}_{\tau\sim p_\theta(\tau)}\left[\sum_{t=0}^{T}\gamma^t r(\mathrm{x}_t, \mathrm{u}_t)\right] \\
&= \int_\tau p_\theta(\tau)\left(\sum_{t=0}^{T}\gamma^t r(\mathrm{x}_t, \mathrm{u}_t)\right)d\tau
\end{aligned} \tag{3.6}
$$

여기서 궤적 τ를 두 영역으로 분할하면,

$$
\begin{aligned}
\tau &= (\mathrm{x}_0, \mathrm{u}_0, \mathrm{x}_1, \mathrm{u}_1, \ldots, \mathrm{x}_T, \mathrm{u}_T) \\
&= (\mathrm{x}_0) \cup (\mathrm{u}_0, \mathrm{x}_1, \mathrm{u}_1, \ldots, \mathrm{x}_T, \mathrm{u}_T) \\
&= (\mathrm{x}_0) \cup \tau_{\mathrm{u}_0:\mathrm{u}_T}
\end{aligned} \tag{3.7}
$$

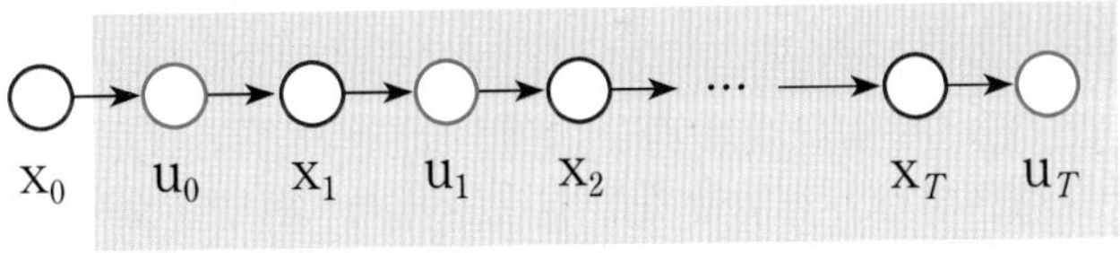

확률의 연쇄법칙에 의해서

$$p_\theta(\tau)=p_\theta(x_0,\ \tau_{u_0:u_T})$$
$$=p(x_0)p_\theta(\tau_{u_0:u_T}|x_0) \tag{3.8}$$

가 된다. 식 (3.8)을 식 (3.6)에 대입하면,

$$J(\theta)=\int_{x_0}\int_{\tau_{u_0:u_T}} p_\theta(x_0,\ \tau_{u_0:u_T})\left(\sum_{t=0}^{T}\gamma^t r(x_t,\ u_t)\right)d\tau_{u_0:u_T}dx_0$$
$$=\int_{x_0}\int_{\tau_{u_0:u_T}} p(x_0)p_\theta(\tau_{u_0:u_T}|x_0)\left(\sum_{t=0}^{T}\gamma^t r(x_t,\ u_t)\right)d\tau_{u_0:u_T}dx_0$$
$$=\int_{x_0}\left[\int_{\tau_{u_0:u_T}} p_\theta(\tau_{u_0:u_T}|x_0)\left(\sum_{t=0}^{T}\gamma^t r(x_t,\ u_t)\right)d\tau_{u_0:u_T}\right]p(x_0)dx_0 \tag{3.9}$$

가 된다. 위 식의 대괄호 항은 상태가치 함수 $V^{\pi_\theta}(x_0)$이므로 목적함수는

$$J(\theta)=\int_{x_0} V^{\pi_\theta}(x_0)p(x_0)dx_0$$
$$=\mathbb{E}_{x_0\sim p(x_0)}\left[V^{\pi_\theta}(x_0)\right] \tag{3.10}$$

가 된다. 즉, 목적함수는 초기 상태변수 x_0에 대한 상태가치의 평균값이 된다.

3.3 정책 그래디언트

이제 목적함수 $J(\theta)$를 최대로 만드는 θ를 계산하기 위해 목적함수를 θ로 미분해 보자.

$$\begin{aligned}\frac{\partial J(\theta)}{\partial \theta} &= \nabla_\theta J(\theta) = \nabla_\theta \int_\tau p_\theta(\tau) \sum_{t=0}^{T} \gamma^t r(\mathrm{x}_t,\ \mathrm{u}_t) d\tau \\ &= \int_\tau \nabla_\theta p_\theta(\tau) \sum_{t=0}^{T} \gamma^t r(\mathrm{x}_t,\ \mathrm{u}_t) d\tau\end{aligned} \tag{3.11}$$

식 (3.11)을 목적함수의 그래디언트 식이라고 한다. 여기서 $\nabla_\theta \log p_\theta(\tau) = \frac{\nabla_\theta p_\theta(\tau)}{p_\theta(\tau)}$의 관계식을 이용하기 위해 다음과 같이 트릭을 사용한다.

$$\begin{aligned} &= \int_\tau \frac{p_\theta(\tau)}{p_\theta(\tau)} \nabla_\theta p_\theta(\tau) \sum_{t=0}^{T} \gamma^t r(\mathrm{x}_t,\ \mathrm{u}_t) d\tau \\ &= \int_\tau p_\theta(\tau) \nabla_\theta \log p_\theta(\tau) \sum_{t=0}^{T} \gamma^t r(\mathrm{x}_t,\ \mathrm{u}_t) d\tau \end{aligned} \tag{3.12}$$

위 식에서 $\nabla_\theta \log p_\theta(\tau)$를 좀 더 전개해 보면 다음과 같다.

$$\begin{aligned}\nabla_\theta \log p_\theta(\tau) &= \nabla_\theta \log \left(p(\mathrm{x}_0) \prod_{t=0}^{T} \pi_\theta(\mathrm{u}_t|\mathrm{x}_t) p(\mathrm{x}_{t+1}|\mathrm{x}_t,\ \mathrm{u}_t) \right) \\ &= \nabla_\theta \left(\log p(\mathrm{x}_0) + \sum_{t=0}^{T} \log \pi_\theta(\mathrm{u}_t|\mathrm{x}_t) + \log p(\mathrm{x}_{t+1}|\mathrm{x}_t,\ \mathrm{u}_t) \right)\end{aligned} \tag{3.13}$$

여기서 두 번째 항 $\log \pi_\theta(\mathrm{u}_t|\mathrm{x}_t)$만 θ의 함수이므로 위 식은 다음과 같이 단순화된다.

$$\nabla_\theta \log p_\theta(\tau) = \sum_{t=0}^{T} \nabla_\theta \log \pi_\theta(\mathrm{u}_t|\mathrm{x}_t) \tag{3.14}$$

이제, 식 (3.14)를 식 (3.12)에 대입하면 목적함수의 그래디언트는 다음과 같이 된다.

$$\begin{aligned}\nabla_\theta J(\theta) &= \int_\tau p_\theta(\tau)\left(\sum_{t=0}^{T}\nabla_\theta \log \pi_\theta(\mathrm{u}_t|\mathrm{x}_t)\right)\left(\sum_{t=0}^{T}\gamma^t r(\mathrm{x}_t,\ \mathrm{u}_t)\right)d\tau \\ &= \mathbb{E}_{\tau\sim p_\theta(\tau)}\left[\left(\sum_{t=0}^{T}\nabla_\theta \log \pi_\theta(\mathrm{u}_t|\mathrm{x}_t)\right)\left(\sum_{t=0}^{T}\gamma^t r(\mathrm{x}_t,\ \mathrm{u}_t)\right)\right]\end{aligned} \tag{3.15}$$

여기서 중요한 점은 상태 천이 확률밀도함수 또는 환경의 동역학 모델인 $p(\mathrm{x}_{t+1}|\mathrm{x}_t,\ \mathrm{u}_t)$가 목적함수 그래디언트 식에서 사라졌다는 것이다. 따라서 모델이 필요 없으므로 목적함수의 그래디언트를 이용하는 방법은 환경 모델이 필요 없는 모델 프리(model-free) 강화학습 방법이 된다. 정리하면, 강화학습의 목적함수가 다음과 같을 때,

$$J(\theta)=\mathbb{E}_{\tau\sim p_\theta(\tau)}\left[\sum_{t=0}^{T}\gamma^t r(\mathrm{x}_t,\ \mathrm{u}_t)\right] \tag{3.16}$$

목적함수를 파라미터 θ로 미분한 식, 즉, 목적함수의 그래디언트 식은 다음과 같다.

$$\begin{aligned}\nabla_\theta J(\theta) &= \mathbb{E}_{\tau\sim p_\theta(\tau)}\left[\left(\sum_{t=0}^{T}\nabla_\theta \log \pi_\theta(\mathrm{u}_t|\mathrm{x}_t)\right)\left(\sum_{t=0}^{T}\gamma^t r(\mathrm{x}_t,\ \mathrm{u}_t)\right)\right] \\ &= \mathbb{E}_{\tau\sim p_\theta(\tau)}\left[\sum_{t=0}^{T}\left(\nabla_\theta \log \pi_\theta(\mathrm{u}_t|\mathrm{x}_t)\left(\sum_{k=0}^{T}\gamma^k r(\mathrm{x}_k,\ \mathrm{u}_k)\right)\right)\right]\end{aligned} \tag{3.17}$$

위 식 오른쪽 부분의 두 번째 항은 시간스텝 $t=0$부터 에피소드가 종료될 때까지 받을 수 있는 전체 궤적에 대한 전체 반환값 G_0다. 하지만 시간스텝 k에서 실행된 정책은 시간스텝 $t<k$에서의 보상값에 영향을 끼치지 못한다는 점(인과성, causality)을 고려한다면 위 식을 다음과 같이 수정해야 한다.

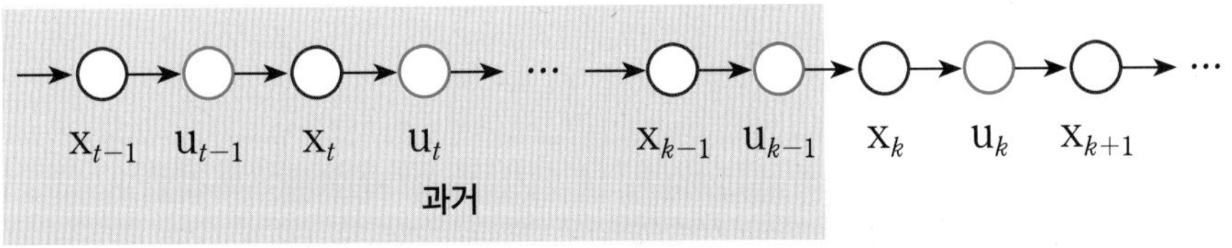

그림 3.4 인과성 (결과가 원인에 앞서 발생할 수는 없다는 뜻)

$$\nabla_\theta J(\theta) = \mathbb{E}_{\tau \sim p_\theta(\tau)}\left[\sum_{t=0}^{T}\left(\nabla_\theta \log \pi_\theta(\mathrm{u}_t|\mathrm{x}_t)\left(\sum_{k=t}^{T}\gamma^k r(\mathrm{x}_k,\ \mathrm{u}_k)\right)\right)\right] \tag{3.18}$$

위 식을 계속 전개하면 다음과 같이 된다.

$$\begin{aligned}\nabla_\theta J(\theta) &= \mathbb{E}_{\tau \sim p_\theta(\tau)}\left[\sum_{t=0}^{T}\left(\nabla_\theta \log \pi_\theta(\mathrm{u}_t|\mathrm{x}_t)\left(\sum_{k=t}^{T}\gamma^t \gamma^{k-t} r(\mathrm{x}_k,\ \mathrm{u}_k)\right)\right)\right] \\ &= \mathbb{E}_{\tau \sim p_\theta(\tau)}\left[\sum_{t=0}^{T}\left(\gamma^t \nabla_\theta \log \pi_\theta(\mathrm{u}_t|\mathrm{x}_t)\left(\sum_{k=t}^{T}\gamma^{k-t} r(\mathrm{x}_k,\ \mathrm{u}_k)\right)\right)\right]\end{aligned} \tag{3.19}$$

위 식 오른쪽 부분의 첫 번째 항에 있는 감가율 γ^t는 로그(log)−정책 그래디언트에 곱해지기 때문에 시간이 갈수록 변화율을 점점 작게 만든다. 감가율 γ가 작을수록 이런 현상은 심해져서 빠른 시간 안에 로그−정책 그래디언트를 0으로 만들 수 있다. 이렇게 되면 에피소드의 후반부 궤적에 있는 데이터의 이용도가 크게 떨어지는 단점이 있다. 감가율이 $\gamma=1$이라면 목적함수의 그래디언트는 다음 식이 된다.

$$\nabla_\theta J(\theta) = \mathbb{E}_{\tau \sim p_\theta(\tau)}\left[\sum_{t=0}^{T}\left(\nabla_\theta \log \pi_\theta(\mathrm{u}_t|\mathrm{x}_t)\left(\sum_{k=t}^{T} r(\mathrm{x}_k,\ \mathrm{u}_k)\right)\right)\right] \tag{3.20}$$

하지만 위 식은 목적함수 그래디언트의 분산을 크게 만들 수 있다는 단점이 있고, 무한 구간 에피소드에서는 사용하지 못할 수도 있다. 왜냐하면 무한 구간에서는 예정 보상의 총합이 무한대가 될 수 있기 때문이다. 그렇다면 실용적인 목적함수 그래디언트는 어떤 것일까? 다음과 같은 것이다.

$$\nabla_\theta J(\theta) = \mathbb{E}_{\tau \sim p_\theta(\tau)}\left[\sum_{t=0}^{T}\left(\nabla_\theta \log \pi_\theta(\mathrm{u}_t|\mathrm{x}_t)\left(\sum_{k=t}^{T}\gamma^{k-t} r(\mathrm{x}_k,\ \mathrm{u}_k)\right)\right)\right] \tag{3.21}$$

즉, 예정 보상에만 감가율을 적용하는 것이다. 위 식은 당초 제기했던 목적함수의 그래디언트는 아니다. 따라서 당초 목적함수의 편향된 그래디언트라고 볼 수 있다. 또는 당초 목적함수와는 다른 어떤 새로운 목적함수의 그래디언트에 해당한다고 해석할 수도 있다. 감가율 γ가

포함된 마르코프 결정 프로세스(MDP)는 생각보다 까다로운 문제이며, 이에 대해서는 토마스의 2014년도 논문 "Bias in Natural Actor-Critic Algorithms"(참고문헌 [13])에서 자세히 논의했다.

목적함수를 최대로 하는 파라미터 θ는 다음과 같이 경사상승법으로 구할 수 있다.

$$\theta \leftarrow \theta + \alpha \nabla_\theta J(\theta) \tag{3.22}$$

이와 같이 목적함수의 그래디언트를 이용해 정책을 업데이트하는 방법을 정책 그래디언트라고 한다.

정책 그래디언트에 사용되는 목적함수 그래디언트를 표 3.1에 정리했다.

표 3.1 정책 그래디언트에 사용되는 목적함수 그래디언트

목적함수	$J(\theta) = \mathbb{E}_{\tau \sim p_\theta(\tau)}\left[\sum_{t=0}^{T} \gamma^t r(\mathbf{x}_t, \mathbf{u}_t)\right]$, $\tau = (\mathbf{x}_0, \mathbf{u}_0, \mathbf{x}_1, \mathbf{u}_1, \ldots, \mathbf{x}_T, \mathbf{u}_T)$
가정	확률적 정책, $\mathbf{u}_t \sim \pi_\theta(\mathbf{u}_t \mid \mathbf{x}_t)$
그래디언트	$\nabla_\theta J(\theta) = \mathbb{E}_{\tau \sim p_\theta(\tau)}\left[\sum_{t=0}^{T}\left(\nabla_\theta \log \pi_\theta(\mathbf{u}_t \mid \mathbf{x}_t)\left(\sum_{k=t}^{T} \gamma^{k-t} r(\mathbf{x}_k, \mathbf{u}_k)\right)\right)\right]$
업데이트	$\theta \leftarrow \theta + \alpha \nabla_\theta J(\theta)$

3.4 REINFORCE 알고리즘

정책 그래디언트를 실제 적용하는 데 있어서 τ상의 기댓값 $\mathbb{E}_{\tau \sim p_\theta(\tau)}[\cdot]$는 수학적으로 직접 계산할 수 없으므로 샘플을 이용해 추정한다. 여기서 샘플이란 어떤 정책을 실제로 실행해서 나온 에피소드를 의미한다. 기댓값 $\mathbb{E}_{\tau \sim p_\theta(\tau)}[\cdot]$는 에피소드를 M개만큼 생성(샘플링)해 에피소드 평균을 이용해서 근사적으로 계산한다. 즉,

$$\mathbb{E}_{\tau \sim p_\theta(\tau)}[\cdot] \approx \frac{1}{M}\sum_{m=1}^{M}[\cdot] \tag{3.23}$$

위 방법을 이용하면 목적함수의 그래디언트는 다음과 같이 근사적으로 추정할 수 있다.

$$\nabla_\theta J(\theta) \approx \frac{1}{M}\sum_{m=1}^{M}\left[\sum_{t=0}^{T}\left\{\nabla_\theta \log \pi_\theta(\mathbf{u}_t^{(m)}|\mathbf{x}_t^{(m)})\left(\sum_{k=t}^{T}\gamma^{k-t} r(\mathbf{x}_k^{(m)},\ \mathbf{u}_k^{(m)})\right)\right\}\right] \tag{3.24}$$

위 식의 소괄호 항은 시간스텝 $k=t$부터 에피소드가 종료될 때까지 받을 수 있는 반환값 G_t이므로,

$$\begin{aligned}\nabla_\theta J(\theta) &\approx \frac{1}{M}\sum_{m=1}^{M}\left[\sum_{t=0}^{T}(\nabla_\theta \log \pi_\theta(\mathbf{u}_t^{(m)}|\mathbf{x}_t^{(m)})\, G_t^{(m)})\right] \\ &= \nabla_\theta \frac{1}{M}\sum_{m=1}^{M}\left[\sum_{t=0}^{T}(\log \pi_\theta(\mathbf{u}_t^{(m)}|\mathbf{x}_t^{(m)})\, G_t^{(m)})\right]\end{aligned} \tag{3.25}$$

가 된다. 여기서 $G_t^{(m)}$는 θ의 함수가 아니라는 점을 이용했다. 그림 3.5는 에피소드 M개를 이용해 목적함수의 그래디언트를 계산하는 식 (3.25)을 도시한 것이다.

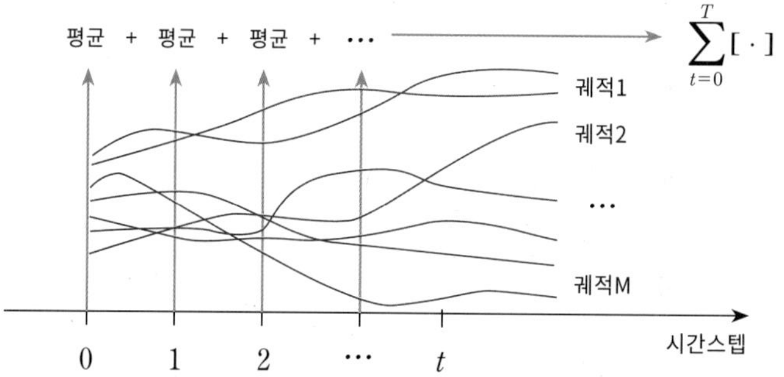

그림 3.5 에피소드를 M개를 이용한 목적함수 그래디언트 계산

매번 에피소드를 M개만큼 생성하고 정책을 업데이트할 수도 있지만, 한 개의 에피소드마다 정책을 업데이트할 수도 있다. 그림 3.6은 한 개의 에피소드를 이용해 목적함수의 그래디언트를 계산하는 방법을 도시한 것이다.

파라미터 θ로 표현된 정책 π_θ을 신경망으로 구성할 때 에피소드의 손실함수로

$$loss = -\sum_{t=0}^{T} \left(\log \pi_\theta (\mathrm{u}_t^{(m)} | \mathrm{x}_t^{(m)}) G_t^{(m)} \right) \tag{3.26}$$

를 사용한다. 왜냐하면,

$$\begin{aligned} \theta &\leftarrow \theta + \alpha \nabla_\theta J(\theta) \\ &\approx \theta - \alpha \nabla_\theta \sum_{t=0}^{T} \left(\log \pi_\theta (\mathrm{u}_t^{(m)} | \mathrm{x}_t^{(m)}) G_t^{(m)} \right) \end{aligned} \tag{3.27}$$

이기 때문이다. 손실함수는 신경망을 학습시키는 동안 최소화될 값이다. 앞에 마이너스 부호가 붙은 이유는 신경망은 손실함수를 최소화하도록 파라미터가 업데이트되는 반면, 정책 그래디언트는 목적함수를 최대로 해야 하기 때문이다.

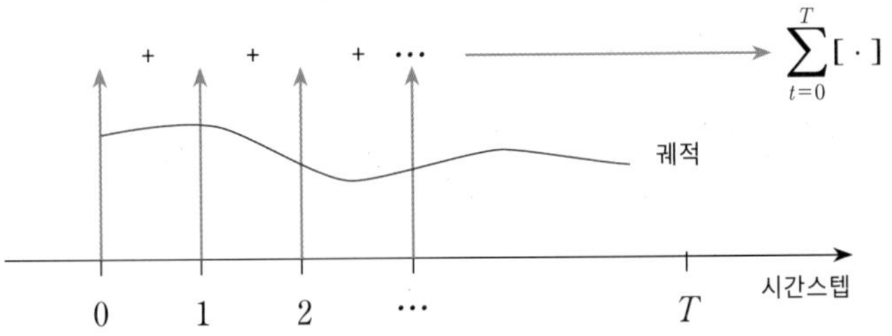

그림 3.6 한 개의 에피소드를 이용한 목적함수 그래디언트 계산

손실함수의 구조를 살펴보면, 손실함수는 이진분류 문제에서 참값이 항상 1인 교차 엔트로피(cross entropy)에 반환값을 곱한 형태임을 알 수 있다. 따라서 반환값을 크게 받은 정책의 에피소드는 목적함수의 그래디언트 계산 시 더 큰 영향을 끼치고 반환값이 작은 정책의 에피소드는 작은 영향을 끼쳐, 점진적으로 정책이 개선된다.

그림 3.7은 REINFORCE 알고리즘의 프로세스를 보여준다. 정책 π_{θ_1}을 에피소드가 종료할 때까지 실행시켜 (T_1+1)개의 샘플 $(\mathrm{x}_t, \mathrm{u}_t, r(\mathrm{x}_t, \mathrm{u}_t), \mathrm{x}_{t+1})_{t=0,\dots,T_1}$을 생성하고, 이를 바탕으로 정책을 π_{θ_1}에서 π_{θ_2}로 업데이트한다. 그후 (T_1+1)개의 샘플은 바로 폐기하고, 다시 업데이트

된 정책 π_{θ_2}를 또 다른 에피소드가 종료할 때까지 실행시켜 다시 (T_2+1)개의 새로운 샘플 $(\mathrm{x}_t,\ \mathrm{u}_t,\ r(\mathrm{x}_t,\ \mathrm{u}_t),\ \mathrm{x}_{t+1})_{t=0,\ldots,T_2}$를 생성한다. 그리고 정책 π_{θ_2}를 새로운 정책으로 업데이트한다. 이러한 과정을 일정 학습 성과에 도달할 때까지 반복하면서 학습을 진행한다.

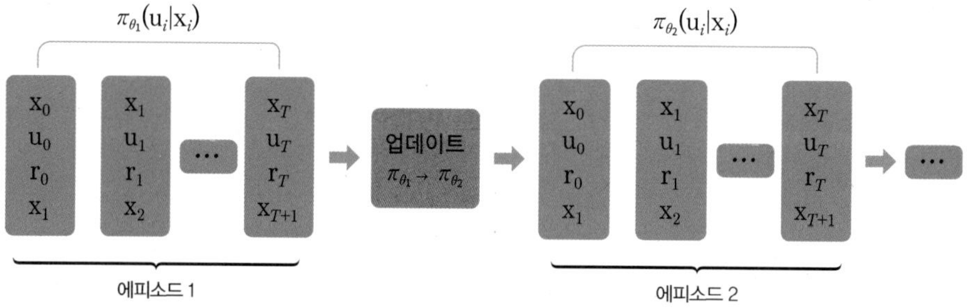

그림 3.7 REINFORCE 프로세스

REINFORCE 알고리즘을 정리하면 다음과 같다.

Repeat {

1. 정책 $\pi_\theta(\mathrm{u}|\mathrm{x})$로부터 샘플 궤적 $\tau^{(m)}=\{\mathrm{x}_0^{(i)},\ \mathrm{u}_0^{(m)},\ \mathrm{x}_1^{(m)},\ \mathrm{u}_1^{(m)},\ \ldots,\ \mathrm{x}_T^{(m)},\ \mathrm{u}_T^{(m)}\}$를 생성(즉, 에피소드 생성)한다.
2. 에피소드에서 반환값 $G_t^{(m)}$를 계산한다.
3. 에피소드에서 손실함수를 계산한다.

$$loss = -\sum_{t=0}^{T}(\log \pi_\theta(\mathrm{u}_t^{(m)}|\mathrm{x}_t^{(i)})\, G_t^{(m)})$$

4. 정책 파라미터를 업데이트한다(즉, 정책을 업데이트한다).

$$\theta \leftarrow \theta + \alpha \nabla_\theta J(\theta)$$

}

REINFORCE 알고리즘에는 몇 가지 문제가 있다. 첫째는 한 에피소드가 끝나야 정책을 업데이트할 수 있다는 점이다. 이런 이유로 REINFORCE 알고리즘을 몬테카를로(Monte Carlo) 정책 그래디언트라고 부르기도 한다. 따라서 에피소드가 긴 경우 신경망 학습 시간이 상당히 길어질 수 있다. 둘째는 그래디언트의 분산이 매우 크다는 점이다. 목적함수의 그래디언트 계산식을 보면 그래디언트 값은 반환값에 비례함을 알 수 있다. 반환값은 환경에 따라, 또는 에피소드의 길이에 따라 그 변화량이 상당히 크다. 예를 들어 짧은 에피소드는 긴 에피소드에 비해 반환값이 매우 작을 것이다. 반환값이 에피소드마다 크게 차이가 남에 따라 목적함수의 그래디언트도 이에 비례하여 값의 크기가 들쭉날쭉하므로 신경망 학습에 시간이 많이 걸리고 불안정하며 학습이 전혀 안 될 수도 있다. 셋째는 온-폴리시(on-policy) 방법이라는 점이다. 온-폴리시 방법은 정책을 업데이트하기 위해서 해당 정책을 실행시켜 발생한 샘플(에피소드)이 필요하므로 효율성이 매우 떨어진다.

이런 이유로, 현재 REINFORCE 알고리즘은 사용되지 않는다. 하지만 REINFORCE 알고리즘은 다른 정책 그래디언트 기반 알고리즘의 기초가 된다는 점에서 그 의의가 있다.

04장

A2C

4.1 배경

REINFORCE 알고리즘은 정책을 업데이트하기 위해서 에피소드가 끝날 때까지 기다려야 하고, 그래디언트의 분산이 매우 크다는 단점이 있었다. 이 두 가지 단점을 개선한 알고리즘이 어드밴티지 액터-크리틱(A2C, advantage actor-critic)이다. 개념적으로는 REINFORCE 알고리즘을 살짝 고친 것에 불과하지만, 성능은 REINFORCE를 훨씬 능가한다.

4.2 그래디언트의 재구성

목적함수의 그래디언트를 다시 써 보자.

$$\begin{aligned}\nabla_\theta J(\theta) &= \mathbb{E}_{\tau\sim p_\theta(\tau)}\left[\sum_{t=0}^{T}\left(\gamma^t \nabla_\theta \log \pi_\theta(\mathbf{u}_t|\mathbf{x}_t)\left(\sum_{k=t}^{T}\gamma^{k-t} r(\mathbf{x}_k,\ \mathbf{u}_k)\right)\right)\right] \\ &= \sum_{t=0}^{T}\left\{\mathbb{E}_{\tau\sim p_\theta(\tau)}\left[\gamma^t \nabla_\theta \log \pi_\theta(\mathbf{u}_t|\mathbf{x}_t)\left(\sum_{k=t}^{T}\gamma^{k-t} r(\mathbf{x}_k,\ \mathbf{u}_k)\right)\right]\right\}\end{aligned} \tag{4.1}$$

위 식에서 두 번째 줄의 소괄호 항은 시간스텝 $k=t$부터 에피소드가 종료될 때까지 받을 수 있는 감가된 예정 보상(reward-to-go)의 총합인 반환값 $G_t=\sum_{k=t}^{T}\gamma^{k-t}r(\mathbf{x}_k,\ \mathbf{u}_k)$다. 이 부분을 좀 더 명확히 규명해 보는 것이 이 절의 목적이다.

우선 궤적 τ를 시간스텝 t를 기준으로 다음과 같이 두 개의 영역으로 분할한다.

$$\begin{aligned}\tau &= (\mathrm{x}_0,\ \mathrm{u}_0,\ \mathrm{x}_1,\ \mathrm{u}_1,\ \dots,\ \mathrm{x}_T,\ \mathrm{u}_T) \\ &= (\mathrm{x}_0,\ \mathrm{u}_0,\ \dots,\ \mathrm{x}_t,\ \mathrm{u}_t) \cup (\mathrm{x}_{t+1},\ \mathrm{u}_{t+1},\ \dots,\ \mathrm{x}_T,\ \mathrm{u}_T) \\ &= \tau_{\mathrm{x}_0:\mathrm{u}_t} \cup \tau_{\mathrm{x}_{t+1}:\mathrm{u}_T}\end{aligned} \tag{4.2}$$

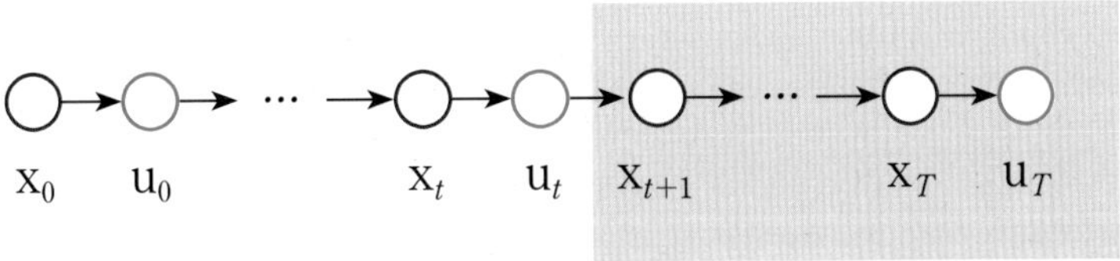

그러면 목적함수의 그래디언트는 다음과 같이 표현할 수 있다.

$$\begin{aligned}\nabla_\theta J(\theta) &= \sum_{t=0}^{T} \int_{\tau_{\mathrm{x}_0:\mathrm{u}_t}} \int_{\tau_{\mathrm{x}_{t+1}:\mathrm{u}_T}} \left(\gamma^t \nabla_\theta \log \pi_\theta(\mathrm{u}_t|\mathrm{x}_t) \left(\sum_{k=t}^{T} \gamma^{k-t} r(\mathrm{x}_k,\ \mathrm{u}_k) \right) \right) \\ &\quad p_\theta(\tau_{\mathrm{x}_0:\mathrm{u}_t},\ \tau_{\mathrm{x}_{t+1}:\mathrm{u}_T}) d\tau_{\mathrm{x}_{t+1}:\mathrm{u}_T} d\tau_{\mathrm{x}_0:\mathrm{u}_t} \\ &= \sum_{t=0}^{T} \int_{\tau_{\mathrm{x}_0:\mathrm{u}_t}} \int_{\tau_{\mathrm{x}_{t+1}:\mathrm{u}_T}} \left(\gamma^t \nabla_\theta \log \pi_\theta(\mathrm{u}_t|\mathrm{x}_t) \left(\sum_{k=t}^{T} \gamma^{k-t} r(\mathrm{x}_k,\ \mathrm{u}_k) \right) \right) \\ &\quad p_\theta(\tau_{\mathrm{x}_{t+1}:\mathrm{u}_T}|\tau_{\mathrm{x}_0:\mathrm{u}_t}) p_\theta(\tau_{\mathrm{x}_0:\mathrm{u}_t}) d\tau_{\mathrm{x}_{t+1}:\mathrm{u}_T} d\tau_{\mathrm{x}_0:\mathrm{u}_t} \\ &= \sum_{t=0}^{T} \int_{\tau_{\mathrm{x}_0:\mathrm{u}_t}} \gamma^t \nabla_\theta \log \pi_\theta(\mathrm{u}_t|\mathrm{x}_t) \\ &\quad \left[\int_{\tau_{\mathrm{x}_{t+1}:\mathrm{u}_T}} \left(\sum_{k=t}^{T} \gamma^{k-t} r(\mathrm{x}_k,\ \mathrm{u}_k) \right) p_\theta(\tau_{\mathrm{x}_{t+1}:\mathrm{u}_T}|\tau_{\mathrm{x}_0:\mathrm{u}_t})\, d\tau_{\mathrm{x}_{t+1}:\mathrm{u}_T} \right] p_\theta(\tau_{\mathrm{x}_0:\mathrm{u}_t}) d\tau_{\mathrm{x}_0:\mathrm{u}_t}\end{aligned} \tag{4.3}$$

위 식에서 대괄호 항은 마르코프 가정에 의해서 다음과 같이 행동가치 함수가 됨을 알 수 있다.

$$\begin{aligned}&\int_{\tau_{\mathrm{x}_{t+1}:\mathrm{u}_T}} \left(\sum_{k=t}^{T} \gamma^{k-t} r(\mathrm{x}_k,\ \mathrm{u}_k) \right) p_\theta(\tau_{\mathrm{x}_{t+1}:\mathrm{u}_T}|\tau_{\mathrm{x}_0:\mathrm{u}_t}) d\tau_{\mathrm{x}_{t+1}:\mathrm{u}_T} \\ &= \int_{\tau_{\mathrm{x}_{t+1}:\mathrm{u}_T}} \left(\sum_{k=t}^{T} \gamma^{k-t} r(\mathrm{x}_k,\ \mathrm{u}_k) \right) p_\theta(\tau_{\mathrm{x}_{t+1}:\mathrm{u}_T}|\mathrm{x}_t,\ \mathrm{u}_t) d\tau_{\mathrm{x}_{t+1}:\mathrm{u}_T} \\ &= Q^{\pi_\theta}(\mathrm{x}_t,\ \mathrm{u}_t)\end{aligned} \tag{4.4}$$

위 식을 식 (4.3)에 대입하면,

$$\begin{aligned}\nabla_\theta J(\theta) &= \sum_{t=0}^{T} \int_{\tau_{x_0:u_t}} \gamma^t \nabla_\theta \log \pi_\theta(u_t|x_t) Q^{\pi_\theta}(x_t,\ u_t) p_\theta(\tau_{x_0:u_t}) d\tau_{x_0:u_t} \\ &= \sum_{t=0}^{T} \left(\int_{(x_t,\ u_t)} \gamma^t \nabla_\theta \log \pi_\theta(u_t|x_t) Q^{\pi_\theta}(x_t,\ u_t) p_\theta(x_t,\ u_t) dx_t du_t \right)\end{aligned} \tag{4.5}$$

이 된다. 여기서 $p_\theta(x_t,\ u_t)$는 $(x_t,\ u_t)$의 한계확률밀도함수(marginal probability density function)다. 확률의 연쇄법칙을 적용하면 위 식은 다음과 같이 된다.

$$\begin{aligned}\nabla_\theta J(\theta) &= \sum_{t=0}^{T} \left(\int_{(x_t,\ u_t)} \gamma^t \nabla_\theta \log \pi_\theta(u_t|x_t) Q^{\pi_\theta}(x_t,\ u_t) \pi_\theta(u_t|x_t) p_\theta(x_t) dx_t du_t \right) \\ &= \sum_{t=0}^{T} \left(\mathbb{E}_{x_t \sim p_\theta(x_t),\ u_t \sim \pi_\theta(u_t|x_t)} \left[\gamma^t \nabla_\theta \log \pi_\theta(u_t|x_t) Q^{\pi_\theta}(x_t,\ u_t) \right] \right) \\ &= \sum_{t=0}^{T} \left(\mathbb{E}_{x_t \sim d_\theta(x_t),\ u_t \sim \pi_\theta(u_t|x_t)} \left[\nabla_\theta \log \pi_\theta(u_t|x_t) Q^{\pi_\theta}(x_t,\ u_t) \right] \right)\end{aligned} \tag{4.6}$$

여기서 $d_\theta(x_t) = \gamma^t p_\theta(x_t)$를 상태변수 x_t의 감가된 확률밀도함수라고 한다. 앞서 3.3절에서 논의한 것과 마찬가지로 감가율 γ^t는 에피소드의 후반부 궤적에 있는 데이터의 이용도를 크게 떨어뜨리는 단점이 있다. 따라서 일반적으로 확률밀도함수 $p_\theta(x_t)$에 곱해진 γ^t를 제거한다. 그러면 $d_\theta(x_t) = p_\theta(x_t)$가 된다.

식 (4.6)을 원래의 그래디언트 식 (4.1)과 비교해 보면 반환값 G_t 대신에 행동가치 함수가 자리한 것을 알 수 있다. 이제 목적함수의 그래디언트를 계산하기 위해서는 반환값 대신에 행동가치(action-value)를 계산하면 된다. 행동가치는 상태변수 x_t에서 행동 u_t를 선택하고 그로부터 정책 π에 의해서 행동이 가해졌을 때 기대할 수 있는 미래의 반환값으로서, 정책이 실현되는 시간스텝 t에서의 기댓값이기 때문에 목적함수의 그래디언트를 계산할 때 에피소드가 끝날 때까지 기다릴 필요가 없다. 그림 4.1은 반환값을 계산하기 위해 에피소드가 끝날 때까지 기다리는 대신, 시간스텝 t에서부터 에피소드가 끝날 때까지 얻을 것으로 기대되는 반환값의 기댓값인 행동가치를 계산할 수 있음을 보여준다.

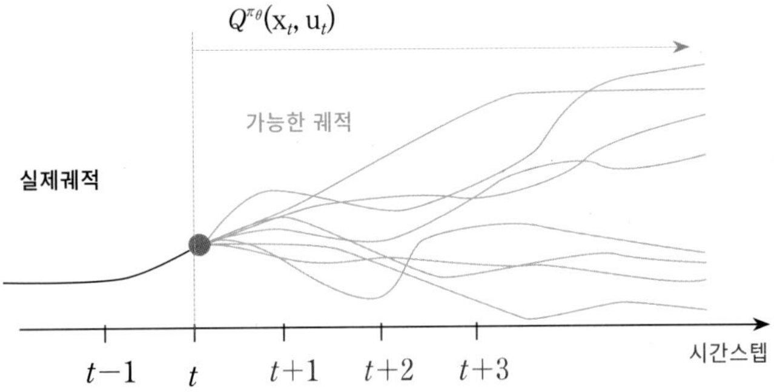

그림 4.1 행동가치 계산

4.3 분산을 감소시키기 위한 방법

분산은 데이터가 평균값으로부터 얼마나 폭넓게 산재해 있느냐를 나타내는 척도다. 분산이 크다면 랜덤 변수가 취하는 실제 값이 평균으로부터 멀리 그리고 넓게 산재해 있다는 뜻이고, 분산이 작다면 실제 값이 평균값 근처에 몰려 있다는 뜻이다. 따라서 목적함수 그래디언트의 분산이 크다면 업데이트될 정책 파라미터값이 들쭉날쭉하므로 신경망 학습이 불안정해지고 정책의 불확실성도 커진다. 이 절에서는 목적함수 그래디언트의 분산을 줄이기 위한 방법을 알아본다.

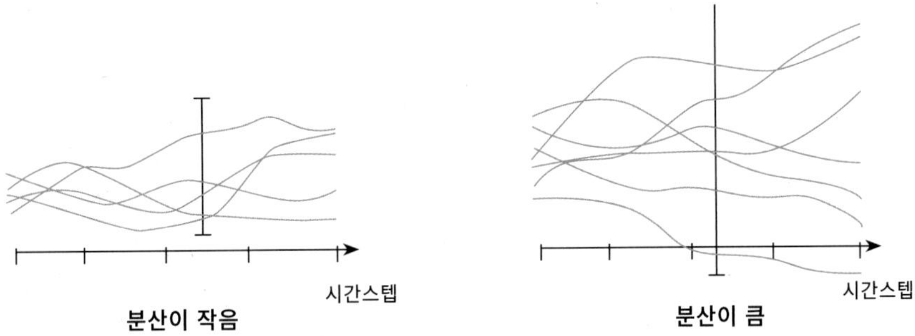

그림 4.2 분산이 큰 경우와 작은 경우

우선 목적함수의 그래디언트는 다음과 같다.

$$\begin{aligned}\nabla_\theta J(\theta) &= \sum_{t=0}^{T}\left(\int_{(\mathrm{x}_t,\,\mathrm{u}_t)} \nabla_\theta \log \pi_\theta(\mathrm{u}_t|\mathrm{x}_t) Q^{\pi_\theta}(\mathrm{x}_t,\ \mathrm{u}_t) \pi_\theta(\mathrm{u}_t|\mathrm{x}_t) p_\theta(\mathrm{x}_t) d\mathrm{x}_t d\mathrm{u}_t\right) \\ &= \sum_{t=0}^{T}\left(\mathbb{E}_{\mathrm{x}_t \sim p_\theta(\mathrm{x}_t),\, \mathrm{u}_t \sim \pi_\theta(\mathrm{u}_t|\mathrm{x}_t)}\left[\nabla_\theta \log \pi_\theta(\mathrm{u}_t|\mathrm{x}_t) Q^{\pi_\theta}(\mathrm{x}_t,\ \mathrm{u}_t)\right]\right)\end{aligned} \tag{4.7}$$

일단 위 식의 적분항에 주목하자. 적분항에서 $Q^{\pi_\theta}(\mathrm{x}_t,\ \mathrm{u}_t)$ 대신에 어떤 파라미터 b_t를 넣으면,

$$\begin{aligned}\nabla_\theta J(\theta) &= \sum_{t=0}^{T}\left(\int_{(\mathrm{x}_t,\,\mathrm{u}_t)} \nabla_\theta \log \pi_\theta(\mathrm{u}_t|\mathrm{x}_t) b_t \pi_\theta(\mathrm{u}_t|\mathrm{x}_t) p_\theta(\mathrm{x}_t) d\mathrm{x}_t d\mathrm{u}_t\right) \\ &= \sum_{t=0}^{T}\left(\int_{(\mathrm{x}_t,\,\mathrm{u}_t)} \nabla_\theta \pi_\theta(\mathrm{u}_t|\mathrm{x}_t) b_t p_\theta(\mathrm{x}_t) d\mathrm{x}_t d\mathrm{u}_t\right) \\ &= \sum_{t=0}^{T}\left(\int_{\mathrm{x}_t}\left[\int_{\mathrm{u}_t} \nabla_\theta \pi_\theta(\mathrm{u}_t|\mathrm{x}_t) b_t d\mathrm{u}_t\right] p_\theta(\mathrm{x}_t) d\mathrm{x}_t\right)\end{aligned} \tag{4.8}$$

가 된다. 여기서 $\nabla_\theta \log \pi_\theta(\mathrm{u}_t|\mathrm{x}_t) = \dfrac{\nabla_\theta \pi_\theta(\mathrm{u}_t|\mathrm{x}_t)}{\pi_\theta(\mathrm{u}_t|\mathrm{x}_t)}$의 관계식을 이용했다. 이제 b_t가 상수이거나 행동 u_t의 함수가 아니라고 가정한다. 그러면 식 (4.8)에서 대괄호 안의 식은 다음과 같이 된다.

$$\begin{aligned}\int_{\mathrm{u}_t} \nabla_\theta \pi_\theta(\mathrm{u}_t|\mathrm{x}_t) b_t d\mathrm{u}_t &= b_t \nabla_\theta \int_{\mathrm{u}_t} \pi_\theta(\mathrm{u}_t|\mathrm{x}_t) d\mathrm{u}_t \\ &= b_t \nabla_\theta (1) = 0\end{aligned} \tag{4.9}$$

결국, 식 (4.8)은

$$\begin{aligned}\nabla_\theta J(\theta) &= \sum_{t=0}^{T}\left(\int_{(\mathrm{x}_t,\,\mathrm{u}_t)} \nabla_\theta \log \pi_\theta(\mathrm{u}_t|\mathrm{x}_t) b_t \pi_\theta(\mathrm{u}_t|\mathrm{x}_t) p_\theta(\mathrm{x}_t) d\mathrm{x}_t d\mathrm{u}_t\right) \\ &= 0\end{aligned} \tag{4.10}$$

이 되어, 다음과 같이 목적함수 그래디언트 식의 $Q^{\pi_\theta}(\mathrm{x}_t,\ \mathrm{u}_t)$에서 b_t를 빼도 기댓값은 변하지 않는다.

$$\nabla_\theta J(\theta)=\sum_{t=0}^{T}\left(\mathbb{E}_{\mathrm{x}_t\sim p_\theta(\mathrm{x}_t),\,\mathrm{u}_t\sim\pi_\theta(\mathrm{u}_t|\mathrm{x}_t)}\left[\nabla_\theta\log\pi_\theta(\mathrm{u}_t|\mathrm{x}_t)(Q^{\pi_\theta}(\mathrm{x}_t,\ \mathrm{u}_t)-b_t)\right]\right) \tag{4.11}$$

여기서 b_t를 베이스라인(baseline)이라고 한다. 베이스라인을 도입하는 까닭은 목적함수 그래디언트의 분산을 줄이기 위해서다. 베이스라인 b_t의 최적값은 목적함수 그래디언트의 분산을 최소화하는 값으로 선정하면 된다. 하지만 일반적으로 상태가치 함수 $V^{\pi_\theta}(\mathrm{x}_t)$를 베이스라인으로 사용한다. 상태가치 함수는 다음과 같이 주어지므로 행동 u_t의 함수가 아니기 때문에 베이스라인으로 사용할 수 있다.

$$V^\pi(\mathrm{x}_t)=\int_{\mathrm{u}_t}Q^\pi(\mathrm{x}_t,\ \mathrm{u}_t)\pi(\mathrm{u}_t|\mathrm{x}_t)d\mathrm{u}_t \tag{4.12}$$

그러면 목적함수 그래디언트는 다음과 같이 된다.

$$\begin{aligned}\nabla_\theta J(\theta)&=\sum_{t=0}^{T}\left(\mathbb{E}_{\mathrm{x}_t\sim p_\theta(\mathrm{x}_t),\,\mathrm{u}_t\sim\pi_\theta(\mathrm{u}_t|\mathrm{x}_t)}\left[\nabla_\theta\log\pi_\theta(\mathrm{u}_t|\mathrm{x}_t)\{Q^{\pi_\theta}(\mathrm{x}_t,\ \mathrm{u}_t)-V^{\pi_\theta}(\mathrm{x}_t)\}\right]\right)\\&=\sum_{t=0}^{T}\left(\mathbb{E}_{\mathrm{x}_t\sim p_\theta(\mathrm{x}_t),\,\mathrm{u}_t\sim\pi_\theta(\mathrm{u}_t|\mathrm{x}_t)}\left[\nabla_\theta\log\pi_\theta(\mathrm{u}_t|\mathrm{x}_t)A^{\pi_\theta}(\mathrm{x}_t,\ \mathrm{u}_t)\right]\right)\end{aligned} \tag{4.13}$$

여기서 $A^{\pi_\theta}(\mathrm{x}_t,\ \mathrm{u}_t)=Q^{\pi_\theta}(\mathrm{x}_t,\ \mathrm{u}_t)-V^{\pi_\theta}(\mathrm{x}_t)$를 어드밴티지(advantage) 함수라고 한다. 상태가치는 상태변수 x_t에서 선택 가능한 모든 행동 u_t에 대한 행동가치의 평균값이므로, 즉 $V^\pi(\mathrm{x}_t)=\mathbb{E}_{\mathrm{u}_t\sim\pi(\mathrm{u}_t|\mathrm{x}_t)}[Q^\pi(\mathrm{x}_t,\ \mathrm{u}_t)]$이므로 어드밴티지 함수는 상태변수 x_t에서 선택된 행동 u_t가 평균에 비해 얼마나 좋은지를 평가하는 척도로 해석할 수 있다.

이제 목적함수 그래디언트는 행동가치가 아니라 어드밴티지에 비례한다. 어드밴티지의 정의상 그 값이 행동가치보다 작으므로 그래디언트의 분산이 작아질 것으로 기대할 수 있다. 그런데 여기서 문제는 어드밴티지 값을 모른다는 것이다. 결국 분산을 줄이는 문제는 어드밴티지 함수를 얼마나 정확하게 추정하느냐에 달려 있다.

어드밴티지 액터-크리틱(A2C)에 사용되는 목적함수 그래디언트를 표 4.1에 정리했다.

표 4.1 A2C에 사용되는 목적함수 그래디언트

목적함수	$J(\theta)=\mathbb{E}_{\tau\sim p_\theta(\tau)}\left[\sum_{t=0}^{T}\gamma^t r(\mathrm{x}_t,\ \mathrm{u}_t)\right],\ \tau=(\mathrm{x}_0,\ \mathrm{u}_0,\ \mathrm{x}_1,\ \mathrm{u}_1,\ \ldots,\ \mathrm{x}_T,\ \mathrm{u}_T)$
가정	확률적 정책, $\mathrm{u}_t\sim\pi_\theta(\mathrm{u}_t\mid\mathrm{x}_t)$
그래디언트	$\nabla_\theta J(\theta)=\sum_{t=0}^{T}(\mathbb{E}_{\mathrm{x}_t\sim p_\theta(\mathrm{x}_t),\ \mathrm{u}_t\sim\pi_\theta(\mathrm{u}_t\mid\mathrm{x}_t)}[\nabla_\theta\log\pi_\theta(\mathrm{u}_t\mid\mathrm{x}_t)A^{\pi_\theta}(\mathrm{x}_t,\ \mathrm{u}_t)])$
업데이트	$\theta\leftarrow\theta+\alpha\nabla_\theta J(\theta)$

4.4 A2C 알고리즘

목적함수 그래디언트는 샘플링 기법을 이용하면 다음과 같이 근사적으로 계산할 수 있다.

$$\nabla_\theta J(\theta)\approx\sum_{t=0}^{T}\left[\frac{1}{M}\sum_{m=1}^{M}(\nabla_\theta\log\pi_\theta(\mathrm{u}_t^{(m)}\mid\mathrm{x}_t^{(m)})A^{\pi_\theta}(\mathrm{x}_t^{(m)},\ \mathrm{u}_t^{(m)}))\right] \tag{4.14}$$

여기서 m은 에피소드 인덱스이며, M은 에피소드의 개수다. 한 개의 에피소드만 고려하면 목적함수 그래디언트는 근사적으로 다음과 같다.

$$\nabla_\theta J(\theta)\approx\sum_{t=0}^{T}(\nabla_\theta\log\pi_\theta(\mathrm{u}_t\mid\mathrm{x}_t)A^{\pi_\theta}(\mathrm{x}_t,\ \mathrm{u}_t)) \tag{4.15}$$

이제 어드밴티지를 계산하기 위해 행동가치 함수의 식(2.26)을 이용한다. 식 (2.26)을 다시 써 본다.

$$Q^\pi(\mathrm{x}_t,\ \mathrm{u}_t)=r(\mathrm{x}_t,\ \mathrm{u}_t)+\mathbb{E}_{\mathrm{x}_{t+1}\sim p(\mathrm{x}_{t+1}\mid\mathrm{x}_t,\ \mathrm{u}_t)}[\gamma V^\pi(\mathrm{x}_{t+1})] \tag{4.16}$$

그러면 어드밴티지는 다음과 같이 근사적으로 계산할 수 있다.

$$\begin{aligned} A^{\pi_\theta}(\mathrm{x}_t,\ \mathrm{u}_t) &= Q^{\pi_\theta}(\mathrm{x}_t,\ \mathrm{u}_t) - V^{\pi_\theta}(\mathrm{x}_t) \\ &\approx r(\mathrm{x}_t,\ \mathrm{u}_t) + \gamma V^{\pi_\theta}(\mathrm{x}_{t+1}) - V^{\pi_\theta}(\mathrm{x}_t) \end{aligned} \tag{4.17}$$

이제 어드밴티지를 계산하는 문제는 상태가치를 얼마나 정확히 계산하느냐의 문제로 바뀌었다. 이 문제를 해결하기 위해 정책 신경망을 이용해 정책을 근사했듯이 다른 신경망을 이용해 상태가치 함수를 근사해 본다. 정책 신경망은 $\pi_\theta(\mathrm{u}_t|\mathrm{x}_t)$를 추정하고 가치 신경망은 ϕ로 파라미터화된 가치함수 $V_\phi(\mathrm{x}_t) \approx V^{\pi_\theta}(\mathrm{x}_t)$을 추정한다. 그러면 다음과 같이 두 개의 신경망이 작동하게 된다.

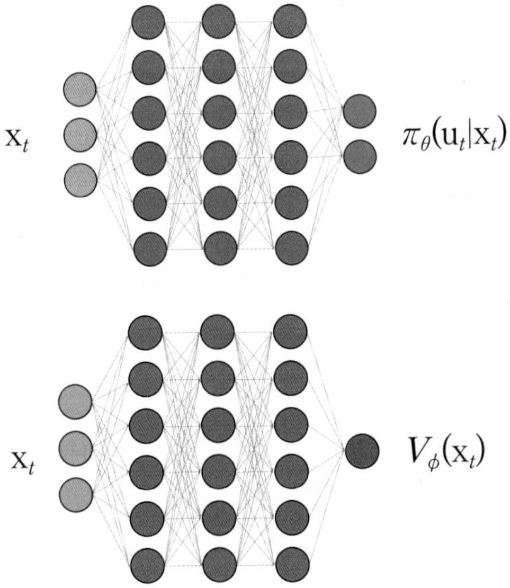

그림 4.3 분리된 정책 신경망(위)과 가치 신경망(아래)

정책 신경망은 에이전트가 어떻게 행동해야 하는지를 알려주므로 액터(actor) 신경망이라고 하고, 가치 신경망은 그 행동을 평가하기 때문에 크리틱(critic) 신경망이라고 한다. 실제로는 두 개의 신경망이 중첩되는 부분이 많기 때문에 그림 4.4와 같이 공통의 신경망을 쓰고 출력 부분만 다른 층(layer)을 쓰는 경우도 있다.

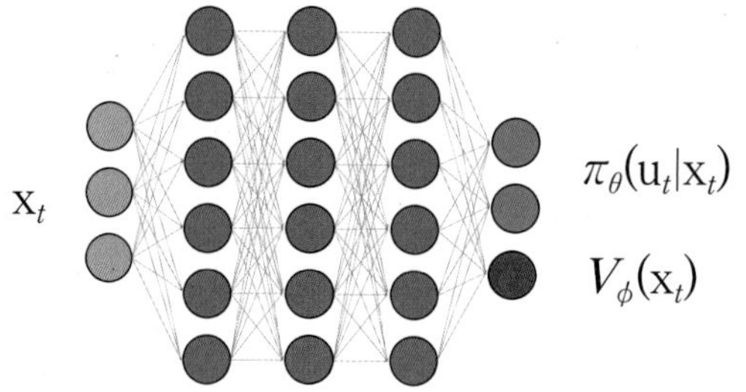

그림 4.4 합쳐진 정책 신경망과 가치 신경망

이제, 가치함수를 근사하는 함수 $V_\phi(\mathrm{x}_t) \approx V^{\pi_\theta}(\mathrm{x}_t)$를 구하는 알고리즘을 고안하기 위해 벨만 방정식을 이용하기로 한다. 벨만 방정식에 의하면, 현재 상태와 다음 상태의 가치함수가 다음과 같은 관계가 있다.

$$V^\pi(\mathrm{x}_t) = \mathbb{E}_{\mathrm{u}_t \sim \pi(\mathrm{u}_t|\mathrm{x}_t)}\left[r(\mathrm{x}_t,\ \mathrm{u}_t) + \mathbb{E}_{\mathrm{x}_{t+1} \sim p(\mathrm{x}_{t+1}|\mathrm{x}_t,\ \mathrm{u}_t)}\left[\gamma V^\pi(\mathrm{x}_{t+1})\right]\right] \tag{4.18}$$

따라서 가치함수를 근사하는 함수 $V_\phi(\mathrm{x}_t)$는 다음과 같이 근사적으로 추정할 수 있다.

$$V_\phi(\mathrm{x}_t) \approx r(\mathrm{x}_t,\ \mathrm{u}_t) + \gamma V_\phi(\mathrm{x}_{t+1}) \tag{4.19}$$

시간차 타깃(TD target)을 $y_i = r(\mathrm{x}_i,\ \mathrm{u}_i) + \gamma V_\phi(\mathrm{x}_{i+1})$로 설정하면 다음 손실함수가 최소가 되도록 근사 가치함수 $V_\phi(\mathrm{x}_t)$를 추정할 수 있을 것이다.

$$Loss_{critic}(\phi) = \frac{1}{2}\sum_i \| r(\mathrm{x}_i,\ \mathrm{u}_i) + \gamma V_\phi(\mathrm{x}_{i+1}) - V_\phi(\mathrm{x}_i) \|^2 \tag{4.20}$$

여기서 $(\mathrm{x}_i,\ \mathrm{u}_i,\ r(\mathrm{x}_i,\ \mathrm{u}_i),\ \mathrm{x}_{i+1})$은 상태 천이 데이터이며 일정 시간스텝 N동안 모으면 샘플의 개수는 N개가 된다. 한편, 어드밴티지도 다음과 같이 근사적으로 계산할 수 있다.

$$A_\phi(\mathrm{x}_i,\ \mathrm{u}_i) \approx r(\mathrm{x}_i,\ \mathrm{u}_i) + \gamma V_\phi(\mathrm{x}_{i+1}) - V_\phi(\mathrm{x}_i) \tag{4.21}$$

액터 신경망의 손실함수로는

$$Loss_{actor}(\theta) \approx -\sum_i (\log \pi_\theta(\mathrm{u}_i|\mathrm{x}_i) A_\phi(\mathrm{x}_i, \mathrm{u}_i)) \tag{4.22}$$

를 사용하면 된다. 왜냐하면,

$$\theta \leftarrow \theta - \alpha \nabla_\theta \sum_i -(\log \pi_\theta(\mathrm{u}_i|\mathrm{x}_i) A_\phi(\mathrm{x}_i, \mathrm{u}_i)) \tag{4.23}$$

이기 때문이다. 여기서 $A_\phi(\mathrm{x}_i, \mathrm{u}_i)$는 θ의 함수가 아니기 때문에 그래디언트 $\nabla_\theta[\cdot]$ 안에 포함될 수 있다. 앞에 마이너스 부호가 붙은 이유는 신경망은 손실함수를 최소화하도록 파라미터가 업데이트되는 반면, 액터-크리틱 알고리즘은 목적함수를 최대로 해야 하기 때문이다. 손실함수의 구조를 살펴보면 손실함수는 이진분류 문제에서 참값이 항상 1인 교차 엔트로피에 어드밴티지를 곱한 형태임을 알 수 있다. 따라서 어드밴티지가 큰 정책의 샘플은 성능 지수의 그래디언트 계산 시 더 큰 영향을 끼치고 어드밴티지가 작은 정책의 샘플은 덜 영향을 끼쳐 점진적으로 정책이 향상될 것으로 기대할 수 있다. 그림 4.5는 어드밴티지 액터-크리틱(A2C) 알고리즘의 구조를 보여준다.

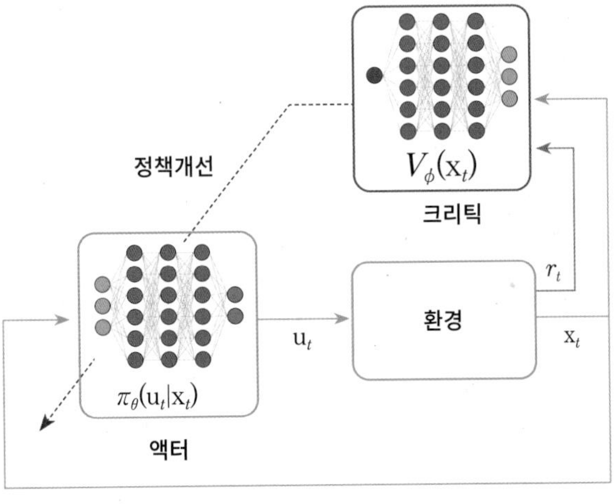

그림 4.5 A2C 구조

그림 4.6은 배치(batch) 형태의 어드밴티지 액터-크리틱(A2C) 알고리즘의 프로세스를 보여준다.

정책 π_{θ_1}을 N시간스텝 동안 실행시켜 N개의 샘플 $(\mathrm{x}_i, \mathrm{u}_i, r(\mathrm{x}_i, \mathrm{u}_i), \mathrm{x}_{i+1})_{i=1,\dots,N}$을 생성하고, 이를 바탕으로 정책을 π_{θ_1}에서 π_{θ_2}로 업데이트한다. N개의 샘플은 바로 폐기하고, 다시 업데이트된 정책 π_{θ_2}를 N시간스텝 동안 실행시켜 다시 N개의 새로운 샘플 $(\mathrm{x}_i, \mathrm{u}_i, r(\mathrm{x}_i, \mathrm{u}_i), \mathrm{x}_{i+1})_{i=1,\dots,N}$을 생성한다. 그리고 정책 π_{θ_2}를 새로운 정책으로 업데이트한다. 이러한 과정을 일정 성능에 도달할 때까지 반복하면서 학습을 진행한다.

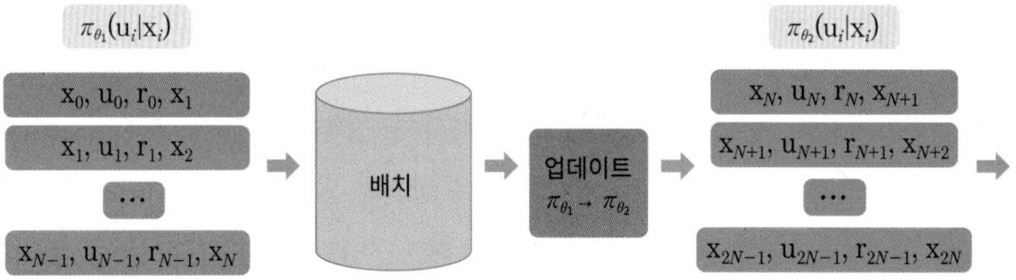

그림 4.6 배치 A2C 프로세스

액터-크리틱 알고리즘을 정리하면 다음과 같다.

1. 크리틱과 액터 신경망의 파라미터 ϕ와 θ를 초기화한다.
2. **Repeat** {

   [1] **Repeat** {

   (1) 정책 $\mathrm{u}_i \sim \pi_\theta(\mathrm{u}_i|\mathrm{x}_i)$으로 행동을 확률적으로 선택한다.

   (2) u_i를 실행해 보상 $r(\mathrm{x}_i, \mathrm{u}_i)$과 다음 상태변수 x_{i+1}을 측정한다.

   (3) 샘플 $(\mathrm{x}_i, \mathrm{u}_i, r(\mathrm{x}_i, \mathrm{u}_i), \mathrm{x}_{i+1})$을 저장한다.

   } N시간스텝 동안 반복 (총 N개의 샘플 $(\mathrm{x}_i, \mathrm{u}_i, r(\mathrm{x}_i, \mathrm{u}_i), \mathrm{x}_{i+1})_{i=1,\dots,N}$이 생성됨)

   [2] 시간차 타깃(TD target) $y_i = r(\mathrm{x}_i, \mathrm{u}_i) + \gamma V_\phi(\mathrm{x}_{i+1})$를 계산한다.

   [3] 크리틱 신경망의 손실함수를 계산한다.

$$L = \frac{1}{2}\sum_i (y_i - V_\phi(\mathrm{x}_i))^2$$

[4] 어드밴티지를 계산한다.

$$A_\phi(\mathrm{x}_i,\ \mathrm{u}_i)=r(\mathrm{x}_i,\ \mathrm{u}_i)+\gamma V_\phi(\mathrm{x}_{i+1})-V_\phi(\mathrm{x}_i),\ i=1,\ ...,\ N$$

[5] 다음 수식으로 크리틱 신경망을 업데이트한다.

$$\phi \leftarrow \phi + \alpha_{critic}\sum_{i=1}[(y_i - V_\phi(\mathrm{x}_i))\ \nabla_\phi V_\phi(\mathrm{x}_i)]$$

[6] 다음 그래디언트 식으로 액터 신경망을 업데이트한다.

$$\theta \leftarrow \theta + \alpha_{actor}\ \nabla_\theta \sum_i (\log \pi_\theta(\mathrm{u}_i|\mathrm{x}_i) A_\phi(\mathrm{x}_i,\ \mathrm{u}_i))$$

}

온라인 액터-크리틱 알고리즘은 한 개의 샘플 $(\mathrm{x}_i,\ \mathrm{u}_i,\ r(\mathrm{x}_i,\ \mathrm{u}_i),\ \mathrm{x}_{i+1})$이 생성되는 즉시 신경망을 업데이트한다. 알고리즘은 다음과 같다.

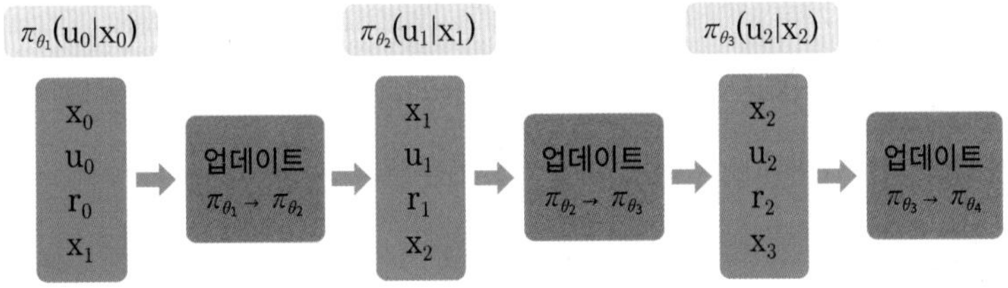

그림 4.7 온라인 A2C 프로세스

1. 크리틱과 액터 신경망의 파라미터 ϕ와 θ를 초기화한다.

2. **Repeat {**

[1] 정책 $\mathrm{u}_t \sim \pi_\theta(\mathrm{u}_t|\mathrm{x}_t)$로 행동을 확률적으로 선택한다.

[2] u_t를 실행해 보상 $r(\mathrm{x}_t,\ \mathrm{u}_t)$와 다음 상태변수 x_{t+1}을 측정한다.

[3] 시간차 오차(TD error) $e_t=r(\mathrm{x}_t,\ \mathrm{u}_t)+\gamma V_\phi(\mathrm{x}_{t+1})-V_\phi(\mathrm{x}_t)$를 계산한다.

[4] 다음 수식을 이용해 크리틱 신경망을 업데이트한다.

$$\phi \leftarrow \phi + \alpha_{critic} e_t\ \nabla_\phi V_\phi(\mathrm{x}_t)$$

[5] 다음 수식을 이용해 액터 신경망을 업데이트한다.

$$\theta \leftarrow \theta + \alpha_{actor} \nabla_{\theta} (e_t \log \pi_{\theta} (\mathrm{u}_t | \mathrm{x}_t))$$

}

이산공간(discrete-space)으로 표현되는 행동이라면 $\pi_{\theta}(\mathrm{u}_t|\mathrm{x}_t)$를 확률로 해석하기 때문에 액터 신경망의 출력층의 뉴런의 개수는 이산화된 행동변수가 가질 수 있는 값의 개수와 같으며, 액터 신경망의 출력은 행동변수가 가질 수 있는 값의 확률이다. 행동변수 $\mathrm{u}=[u_1 \dots u_j \dots u_n]^T$의 차원이 n이고 각 행동변수가 가질 수 있는 값 $u_j=\{u_{j1}, u_{j2}, \dots, u_{jm}\}$의 개수가 m개라면, 신경망의 출력의 뉴런 개수는 nm개가 될 것이다. 하지만 연속공간(continuous-space) 행동변수일 경우에는 각 행동변수 1개당 가질 수 있는 값이 무한개다. 또한 액터 신경망의 출력 $\pi_{\theta}(\mathrm{u}_t|\mathrm{x}_t)$는 확률밀도함수이므로 임의의 확률밀도함수를 표현하기 위해서는 무한 개의 뉴런 개수가 필요할 것이다. 따라서 구현 가능한 액터 신경망을 만들기 위해서는 신경망의 출력을 임의의 확률밀도함수로 두기보다는 특정한 구조를 갖는 확률밀도함수로 고정하는 것이 필요하다. 예를 들면 행동변수가 서로 독립인 가우시안이라고 가정하고, 액터 신경망이 각각의 행동변수가 갖는 가우시안 분포의 평균값과 분산을 출력하게 하는 것이다. 그러면 액터 신경망은 다음과 같을 것이다.

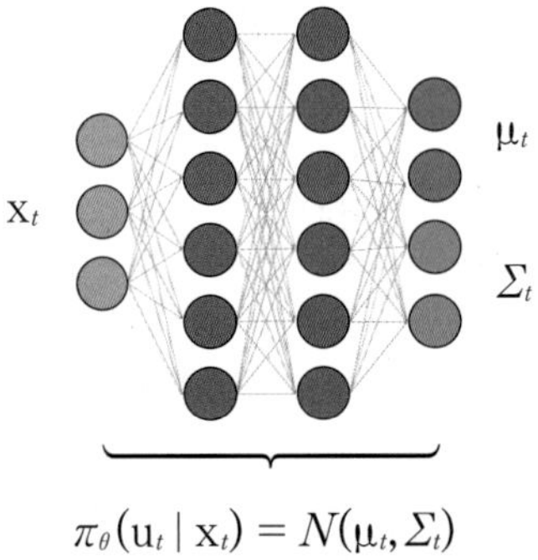

그림 4.8 액터 신경의 가우시안 분포 출력

이 경우 액터 신경망 출력층의 뉴런 개수는 행동변수의 차원당 2개면 된다. 행동변수 u의 차원이 m이라면 액터 신경망 출력층의 뉴런 개수는 $2m$이 된다.

기댓값이 $\mu=[\mu_1 \mu_2 ... \mu_m]^T$이고 공분산이 $P=diag\{\sigma_1^2, \sigma_2^2, ..., \sigma_m^2\}$인 가우시안 정책 확률밀도 함수는 다음과 같이 주어진다.

$$\begin{aligned}\pi_\theta(\mathrm{u}_t|\mathrm{x}_t) &= \frac{1}{\sqrt{(2\pi)^m \det P_\theta}} \exp\left\{-\frac{1}{2}(\mathrm{u}_t-\mu_\theta(\mathrm{x}_t))^T P_\theta^{-1}(\mathrm{u}_t-\mu_\theta(\mathrm{x}_t))\right\} \\ &= \prod_{j=1}^{m} \pi_\theta(u_{t,j}|\mathrm{x}_t)\end{aligned} \tag{4.24}$$

여기서 $\det P_\theta$는 P_θ의 행렬식을 나타내고, $u_{t,j}$는 행동변수 벡터 u_t의 j번째 요소를 의미하며,

$$\pi_\theta(u_{t,j}|\mathrm{x}_t) = \frac{1}{\sqrt{2\pi\sigma_{\theta,j}^2(\mathrm{x}_t)}} \exp\left\{-\frac{(u_{t,j}-\mu_{\theta,j}(\mathrm{x}_t))^2}{2\sigma_{\theta,j}^2(\mathrm{x}_t)}\right\} \tag{4.25}$$

이다. 따라서 가우시안 로그-정책(log-policy) 확률밀도함수는 다음과 같이 표현할 수 있다.

$$\begin{aligned}\log \pi_\theta(\mathrm{u}_t|\mathrm{x}_t) &= \sum_{j=1}^{m} \log \pi_\theta(u_{t,j}|\mathrm{x}_t) \\ &= -\sum_{j=1}^{m}\left[\frac{(u_{t,j}-\mu_{\theta,j}(\mathrm{x}_t))^2}{2\sigma_{\theta,j}^2(\mathrm{x}_t)} + \frac{1}{2}\log(2\pi\sigma_{\theta,j}^2(\mathrm{x}_t))\right]\end{aligned} \tag{4.26}$$

4.5 A2C 알고리즘 구현

4.5.1 테스트 환경

테스트 환경은 OpenAI Gym에서 제공하는 'Pendulum-v0'이다.

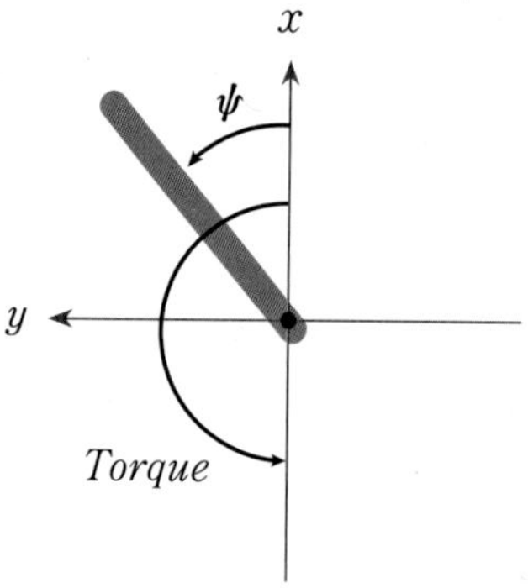

그림 4.9 Pendulum-v0

에이전트의 목표는 길이가 1인 진자를 위로 수직으로 세워서 오래 유지하는 것이다. 행동인 조인트 토크의 크기가 크지 않기 때문에 토크만으로는 진자를 수직으로 세울 수가 없어서 진자를 흔들면서 중력의 도움을 받아야만 한다. 에이전트가 측정할 수 있는 파라미터는 수직축 좌표인 $\cos(\psi)$, 수평축 좌표인 $\sin(\psi)$, 각속도인 $\dot{\psi}$ 등 3개다. ψ는 진자와 수직축이 이루는 각도이며 $-\pi \leq \psi \leq \pi$의 범위를 갖는다. 여기서 ψ는 진자가 위로 수직일 때 0이다. 각속도는 $-8 \leq \dot{\psi} \leq 8$의 범위를 갖는다. 행동은 $-2 \leq a \leq 2$의 범위를 갖는다. 보상은 다음 식으로 주어진다.

$$r = -\psi^2 - 0.1\dot{\psi}^2 - 0.001a^2 \tag{4.27}$$

한 시간스텝에서 받을 수 있는 보상의 최솟값은 -16.2736이고, 최댓값은 0이다. 일정 시간스텝이 경과하면 에피소드가 자동으로 종결된다.

4.5.2 코드 개요

A2C 코드는 액터-크리틱 신경망을 구현하고 학습시키기 위한 `a2c_learn.py`, 이를 실행시키기 위한 `a2c_main.py`, 그리고 학습을 마친 신경망 파라미터를 읽어와 에이전트를 구동하기 위한 `a2c_load_play.py`로 구성되어 있다. 전체 코드는 4.5.7절에 있으니 참고하기 바란다.

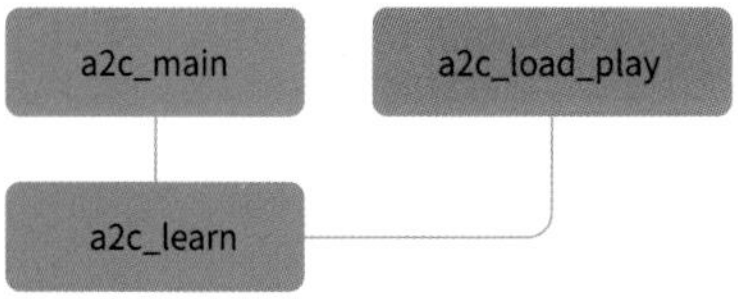

그림 4.10 A2C 코드 구조

전체적인 학습 프로세스는 a2c_learn.py 파일에 있는 A2Cagent 클래스의 멤버함수인 train에 있다. 구체적으로 살펴보면 다음과 같다.

1. 상태변수, 행동, 보상, 다음 상태변수, done을 저장할 배치(batch)를 초기화한다.

```
batch_state, batch_action, batch_reward, batch_next_state, batch_done = [], [], [], [], []
```

2. 환경을 초기화하고 환경으로부터 첫 번째 상태변수 x_0를 측정한다.

```
time, episode_reward, done = 0, 0, False
state = self.env.reset()
```

3. 액터 신경망을 이용해 행동 $\mathrm{u}_0 \sim \pi_\theta(\mathrm{u}_0|\mathrm{x}_0)$를 샘플링한다.

```
action = self.get_action(tf.convert_to_tensor([state], dtype=tf.float32))
```

4. 행동이 범위 [−2, 2]를 벗어나지 않도록 제한한다.

```
action = np.clip(action, -self.action_bound, self.action_bound)
```

5. 행동 u_0를 실행해 보상 $r(\mathrm{x}_0, \mathrm{u}_0)$와 다음 상태변수 x_1을 얻는다. 여기서 done=1이면 에피소드가 종료되는 조건에 도달했음을 의미한다.

```
next_state, reward, done, _ = self.env.step(action)
```

6. Gym 환경과 학습 환경에서 사용하는 변수의 배열 모양이 다름을 고려하여 상태변수, 행동, 보상, 다음 상태변수 등의 배열 모양을 바꿔준다

```
state = np.reshape(state, [1, self.state_dim])
action = np.reshape(action, [1, self.action_dim])
reward = np.reshape(reward, [1, 1])
next_state = np.reshape(next_state, [1, self.state_dim])
done = np.reshape(done, [1, 1])
```

7. 학습용으로 사용할 보상의 범위를 식 $r_{\text{train}} = \frac{r+8}{8}$을 이용해 [−16, 0]에서 [−1, 1]로 조정한다.

```
train_reward = (reward + 8) / 8
```

8. 상태변수, 행동, 보상, 다음 상태변수, done을 배치에 저장한다

```
batch_state.append(state)
batch_action.append(action)
batch_reward.append(train_reward)
batch_next_state.append(next_state)
batch_done.append(done)
```

9. 배치가 N개(BATCH_SIZE)만큼 쌓일 때까지는 학습하지 않고 저장만 한다.

```
if len(batch_state) < self.BATCH_SIZE:
    # 상태 업데이트
    state = next_state[0]
    episode_reward += reward[0]
    time += 1
    continue
```

10. 배치가 차면 각각 N개의 상태변수, 행동, 보상, 다음 상태변수, done을 추출한다. 그리고 배치를 비운다.

```
states = self.unpack_batch(batch_state)
actions = self.unpack_batch(batch_action)
train_rewards = self.unpack_batch(batch_reward)
```

```
next_states = self.unpack_batch(batch_next_state)
dones = self.unpack_batch(batch_done)
# 배치 비움
batch_state, batch_action, batch_reward, batch_next_state, batch_done = [], [], [], [], []
```

11. 시간차 타깃을 계산한다.

```
next_v_values = self.critic(tf.convert_to_tensor(next_states, dtype=tf.float32))
td_targets = self.td_target(train_rewards, next_v_values.numpy(), dones)
```

12. 크리틱 신경망을 학습한다.

```
self.critic_learn(tf.convert_to_tensor(states, dtype=tf.float32),
                  tf.convert_to_tensor(td_targets, dtype=tf.float32))
```

13. 어드밴티지를 계산한다.

```
v_values = self.critic(tf.convert_to_tensor(states, dtype=tf.float32))
next_v_values = self.critic(tf.convert_to_tensor(next_states, dtype=tf.float32))
advantages = train_rewards + self.GAMMA * next_v_values - v_values
```

14. 액터 신경망을 학습한다.

```
self.actor_learn(tf.convert_to_tensor(states, dtype=tf.float32),
tf.convert_to_tensor(actions, dtype=tf.float32),
                 tf.convert_to_tensor(advantages, dtype=tf.float32))
```

15. 다시 상태변수 x_i를 이용해 행동 u_i를 계산하는 과정을 되풀이한다.

```
state = next_state[0]
episode_reward += reward[0]
time += 1
```

4.5.3 액터 클래스

액터 신경망 구조는 테스트 환경이 비교적 단순하기 때문에 간단한 신경망으로 구현했다. 3개의 은닉층(hidden layer)으로 구성되어 있으며 입력은 상태변수, 출력은 가우시안 정책 확률밀도함수의 평균값과 표준편차다.

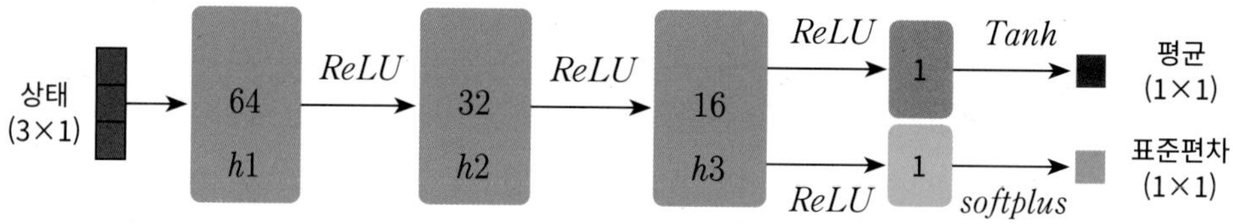

그림 4.11 액터 신경망 구조

학습 대상인 파라미터 θ의 개수는 입력층과 첫 번째 은닉층 사이에서 $64\times3+64=256$개, 첫 번째와 두 번째 은닉층 사이에서 $32\times64+32=2{,}080$개, 두 번째와 세 번째 은닉층 사이에서 $16\times32+16=528$개, 세 번째 은닉층과 출력층 사이에서 $2\times16+2=34$개로 총 2,898개다.

평균값 출력단에서 쓰인 활성함수(activation function) tanh는 $[-1, 1]$의 범위를 갖기 때문에 Lambda 함수를 사용해 신경망의 출력인 평균값이 $[-2, 2]$의 범위를 갖도록 조정했다. 표준편차는 항상 0보다 커야 하기 때문에 표준편차 출력단에서는 활성함수 'softplus'를 사용했다. softplus는 $y=\log(1+e^x)$로 그림과 같이 ReLU를 부드럽게 다듬은 함수다.

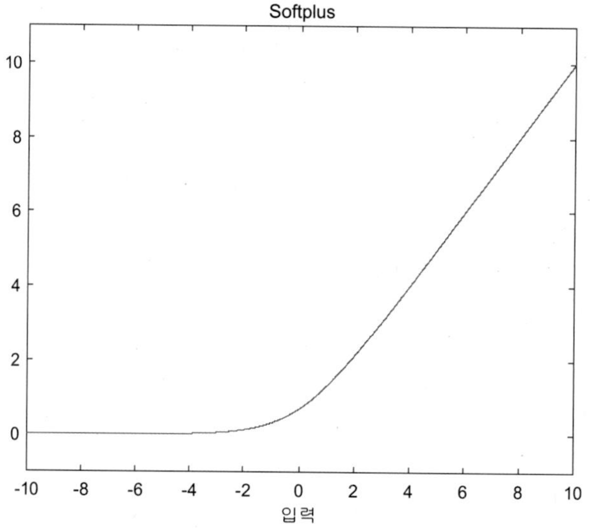

그림 4.12 softplus 함수

```
class Actor(Model):
    def __init__(self, action_dim, action_bound):
        super(Actor, self).__init__()
        self.action_bound = action_bound
        self.h1 = Dense(64, activation='relu')
        self.h2 = Dense(32, activation='relu')
        self.h3 = Dense(16, activation='relu')
        self.mu = Dense(action_dim, activation='tanh')
        self.std = Dense(action_dim, activation='softplus')

    def call(self, state):
        x = self.h1(state)
        x = self.h2(x)
        x = self.h3(x)
        mu = self.mu(x)
        std = self.std(x)
        # 평균값을 [-action_bound, action_bound] 범위로 조정
        mu = Lambda(lambda x: x*self.action_bound)(mu)
        return [mu, std]
```

액터 신경망을 학습하는 부분은 에이전트 클래스 멤버함수인 actor_learn에 구현되어 있다.

```
def actor_learn(self, states, actions, advantages):
    with tf.GradientTape() as tape:
        # 정책 확률밀도함수
        mu_a, std_a = self.actor(states, training=True)
        log_policy_pdf = self.log_pdf(mu_a, std_a, actions)
        # 손실함수
        loss_policy = log_policy_pdf * advantages
        loss = tf.reduce_sum(-loss_policy)
    # 그래디언트
    grads = tape.gradient(loss, self.actor.trainable_variables)
    self.actor_opt.apply_gradients(zip(grads, self.actor.trainable_variables))
```

먼저 액터 신경망으로부터 가우시안 정책 확률밀도함수의 평균과 표준편차를 계산한다.

```
mu_a, std_a = self.actor(states, training=True)
```

로그-가우시안 정책 $\log \pi_\theta(\mathrm{u}|\mathrm{x}) = -\sum_{j=1}^{m}\left[\frac{(u_j - \mu_{\theta,j}(\mathrm{x}))^2}{2\sigma_{\theta,j}^2(\mathrm{x})} + \frac{1}{2}\log(2\pi\sigma_{\theta,j}^2(\mathrm{x}))\right]$를 계산한다. 표준편차 σ는 너무 작거나 너무 크지 않도록 적당한 값 $\sigma_{\min} \le \sigma \le \sigma_{\max}$ 사이에 둔다.

```
log_policy_pdf = self.log_pdf(mu_a, std_a, actions)

def log_pdf(self, mu, std, action):
    std = tf.clip_by_value(std, self.std_bound[0], self.std_bound[1])
    var = std ** 2
    log_policy_pdf = -0.5 * (action - mu) ** 2 / var - 0.5 * tf.math.log(var * 2 * np.pi)
    return tf.reduce_sum(log_policy_pdf, 1, keepdims=True)
```

$\nabla_\theta \sum_i [\log(\pi_\theta(\mathrm{u}_i|\mathrm{x}_i)) A_\phi(\mathrm{x}_i, \mathrm{u}_i)]$를 계산하기 위해서 텐서플로의 그래디언트 함수를 이용한다.

```
        # 손실함수
        loss_policy = log_policy_pdf * advantages
        loss = tf.reduce_sum(-loss_policy)
    # 그래디언트
    grads = tape.gradient(loss, self.actor.trainable_variables)
```

그리고 텐서플로의 아담 옵티마이저(Adam optimizer)를 이용해 액터 신경망을 학습한다.

```
self.actor_opt.apply_gradients(zip(grads, self.actor.trainable_variables))
```

가우시안 정책 확률밀도함수 $\pi_\theta(\mathrm{u}|\mathrm{x})$로부터 행동을 확률적으로 추출하기 위해 다음 함수를 이용한다. 앞서와 마찬가지로 표준편차 σ가 너무 작거나 너무 크지 않도록 적당한 값 사이에 둔다.

```
def get_action(self, state):
    mu_a, std_a = self.actor(state)
    mu_a = mu_a.numpy()[0]
    std_a = std_a.numpy()[0]
    std_a = np.clip(std_a, self.std_bound[0], self.std_bound[1])
    action = np.random.normal(mu_a, std_a, size=self.action_dim)
    return action
```

4.5.4 크리틱 클래스

크리틱 신경망도 액터 신경망과 마찬가지로 간단한 신경망으로 구현했다. 3개의 은닉층으로 구성되어 있으며 입력은 상태변수, 출력은 상태가치다.

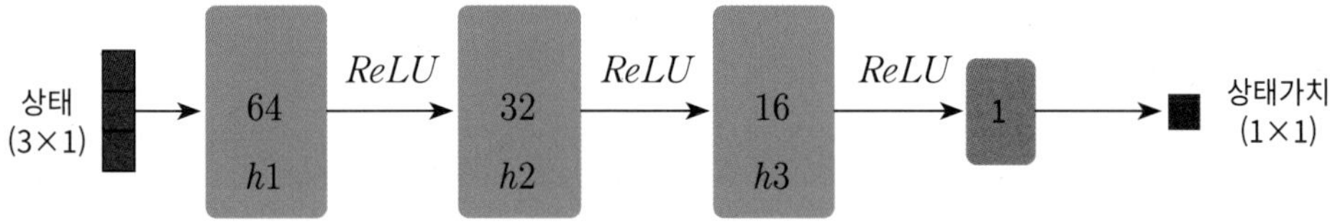

그림 4.13 크리틱 신경망 구조

학습 대상인 파라미터 ϕ의 개수는 입력층과 첫 번째 은닉층 사이에서 $64\times3+64=256$개, 첫 번째와 두 번째 은닉층 사이에서 $32\times64+32=2{,}080$개, 두 번째와 세 번째 은닉층 사이에서 $16\times32+16=528$개, 세 번째 은닉층과 출력층 사이에서 $1\times16+1=17$개로 총 2,881개다.

```
class Critic(Model):

    def __init__(self):
        super(Critic, self).__init__()
        self.h1 = Dense(64, activation='relu')
        self.h2 = Dense(32, activation='relu')
        self.h3 = Dense(16, activation='relu')
        self.v = Dense(1, activation='linear')

    def call(self, state):
        x = self.h1(state)
        x = self.h2(x)
        x = self.h3(x)
        v = self.v(x)
        return v
```

크리틱 신경망을 학습하는 부분은 에이전트 클래스 멤버함수인 critic_learn에 구현되어 있다. 크리틱 신경망은 손실함수 $L=\frac{1}{2}\sum_i(y_i-V_\phi(\mathrm{x}_i))^2$와 아담 옵티마이저를 이용해 학습한다.

```
def critic_learn(self, states, td_targets):
    with tf.GradientTape() as tape:
        td_hat = self.critic(states, training=True)
        loss = tf.reduce_mean(tf.square(td_targets-td_hat))
    grads = tape.gradient(loss, self.critic.trainable_variables)
    self.critic_opt.apply_gradients(zip(grads, self.critic.trainable_variables))
```

4.5.5 에이전트 클래스

에이전트 클래스에는 하이퍼파라미터를 설정하는 부분, 액터와 크리틱으로 구성된 에이전트를 생성하는 부분, 그리고 에이전트의 학습을 진행하는 부분이 포함되어 있다. 학습은 멤버함수 train에 구현되어 있으며 내용은 4.5.2절의 코드 개요에서 설명했다. 하이퍼파라미터는 다음과 같이 설정했다.

```
self.GAMMA = 0.95
self.BATCH_SIZE = 32
self.ACTOR_LEARNING_RATE = 0.0001
self.CRITIC_LEARNING_RATE = 0.001
```

멤버함수 td_target은 시간차 타깃 $y_i = r(\mathrm{x}_i, \mathrm{u}_i) + \gamma V_\phi(\mathrm{x}_{i+1})$을 구현한 것이다. 에피소드가 종료될 때 시간차 타깃은 $y_i = r(\mathrm{x}_i, \mathrm{u}_i)$임을 고려했다.

```
def td_target(self, rewards, next_v_values, dones):
    y_i = np.zeros(next_v_values.shape)
    for i in range(next_v_values.shape[0]):  # number of batch
        if dones[i]:
            y_i[i] = rewards[i]
        else:
            y_i[i] = rewards[i] + self.GAMMA * next_v_values[i]
    return y_i
```

멤버함수 unpack_batch는 넘파이 어레이(numpy array)를 요소로 하는 파이썬 리스트(list)로 구성된 배치 데이터를 넘파이 어레이로 바꿔준다.

```
def unpack_batch(self, batch):
    unpack = batch[0]
    for idx in range(len(batch)-1):
        unpack = np.append(unpack, batch[idx+1], axis=0)
    return unpack
```

4.5.6 학습 결과

a2c_main.py 파일을 실행시키면 학습이 진행된다. 학습은 1000번의 에피소드로 실행됐으며 학습 결과는 다음 그림과 같다. 그림에서 x축은 실행된 에피소드의 수, y축은 에피소드에서 얻은 총 보상의 합이다. 학습된 신경망의 파라미터는 save_weights 폴더에 각각 pendulum_actor.h5와 pendulum_critic.h5 파일로 저장된다. a2c_load_play.py를 실행하면 저장된 파라미터를 읽어와 에이전트가 실행된다. 그림 4.14는 학습 결과다. 약 700번의 에피소드만에 일정 수준의 학습 성과를 달성한 것을 볼 수 있다. 그림 4.15는 서로 다른 초기 조건에 대해서 진자의 각도의 시간 궤적을 도시한 실행 결과다. 서로 다른 초기 각도에 대해서 각도가 약 0도로 모두 수렴하므로 진자가 성공적으로 기립함을 알 수 있다. 그림 4.16은 이때의 토크 시간 궤적을 도시한 것이다.

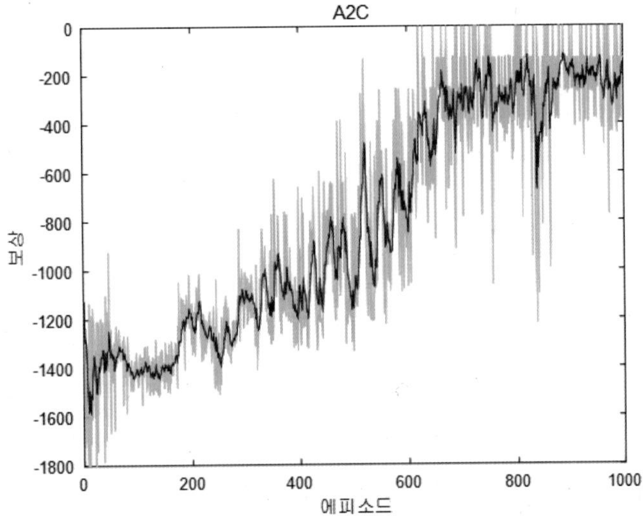

그림 4.14 학습 결과

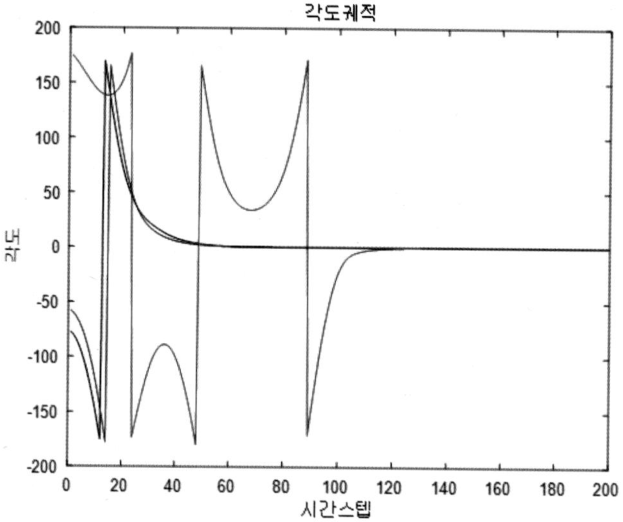

그림 4.15 실행 결과: 각도(ψ)의 시간 궤적

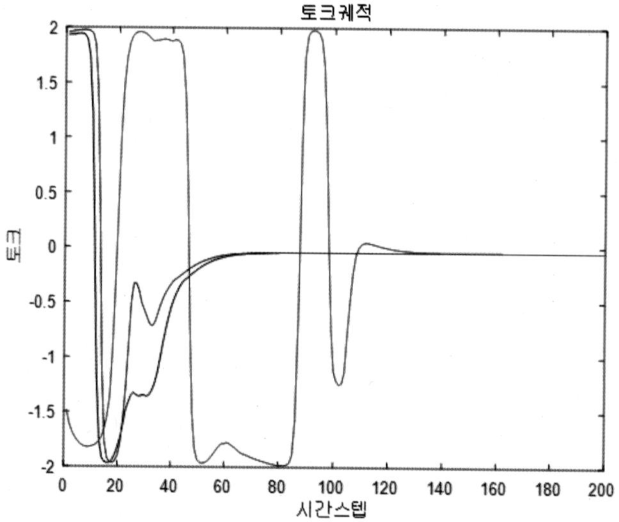

그림 4.16 실행 결과: 토크의 시간 궤적

4.5.7 전체 코드

a2c_learn.py

```
# A2C learn (tf2 subclassing API version)
# coded by St.Watermelon

# 필요한 패키지 임포트
import tensorflow as tf

from tensorflow.keras.models import Model
from tensorflow.keras.layers import Dense, Lambda
from tensorflow.keras.optimizers import Adam

import numpy as np
import matplotlib.pyplot as plt


## A2C 액터 신경망
class Actor(Model):

    def __init__(self, action_dim, action_bound):
        super(Actor, self).__init__()
        self.action_bound = action_bound

        self.h1 = Dense(64, activation='relu')
        self.h2 = Dense(32, activation='relu')
        self.h3 = Dense(16, activation='relu')
        self.mu = Dense(action_dim, activation='tanh')
        self.std = Dense(action_dim, activation='softplus')

    def call(self, state):
        x = self.h1(state)
        x = self.h2(x)
        x = self.h3(x)
        mu = self.mu(x)
        std = self.std(x)

        # 평균값을 [-action_bound, action_bound] 범위로 조정
        mu = Lambda(lambda x: x*self.action_bound)(mu)

        return [mu, std]
```

```
## A2C 크리틱 신경망
class Critic(Model):

    def __init__(self):
        super(Critic, self).__init__()

        self.h1 = Dense(64, activation='relu')
        self.h2 = Dense(32, activation='relu')
        self.h3 = Dense(16, activation='relu')
        self.v = Dense(1, activation='linear')

    def call(self, state):
        x = self.h1(state)
        x = self.h2(x)
        x = self.h3(x)
        v = self.v(x)
        return v


## A2C 에이전트 클래스
class A2Cagent(object):

    def __init__(self, env):

        # 하이퍼파라미터
        self.GAMMA = 0.95
        self.BATCH_SIZE = 32
        self.ACTOR_LEARNING_RATE = 0.0001
        self.CRITIC_LEARNING_RATE = 0.001

        # 환경
        self.env = env
        # 상태변수 차원
        self.state_dim = env.observation_space.shape[0]
        # 행동 차원
        self.action_dim = env.action_space.shape[0]
        # 행동의 최대 크기
        self.action_bound = env.action_space.high[0]
        # 표준편차의 최솟값과 최댓값 설정
        self.std_bound = [1e-2, 1.0]
```

```
        # 액터 신경망 및 크리틱 신경망 생성
        self.actor = Actor(self.action_dim, self.action_bound)
        self.critic = Critic()
        self.actor.build(input_shape=(None, self.state_dim))
        self.critic.build(input_shape=(None, self.state_dim))

        self.actor.summary()
        self.critic.summary()

        # 옵티마이저 설정
        self.actor_opt = Adam(self.ACTOR_LEARNING_RATE)
        self.critic_opt = Adam(self.CRITIC_LEARNING_RATE)

        # 에프소드에서 얻은 총 보상값을 저장하기 위한 변수
        self.save_epi_reward = []


    ## 로그-정책 확률밀도함수
    def log_pdf(self, mu, std, action):
        std = tf.clip_by_value(std, self.std_bound[0], self.std_bound[1])
        var = std ** 2
        log_policy_pdf = -0.5 * (action - mu) ** 2 / var - 0.5 * tf.math.log(var * 2 * np.pi)
        return tf.reduce_sum(log_policy_pdf, 1, keepdims=True)


    ## 액터 신경망에서 행동 샘플링
    def get_action(self, state):
        mu_a, std_a = self.actor(state)
        mu_a = mu_a.numpy()[0]
        std_a = std_a.numpy()[0]
        std_a = np.clip(std_a, self.std_bound[0], self.std_bound[1])
        action = np.random.normal(mu_a, std_a, size=self.action_dim)
        return action


    ## 액터 신경망 학습
    def actor_learn(self, states, actions, advantages):

        with tf.GradientTape() as tape:
```

```
            # 정책 확률밀도함수
            mu_a, std_a = self.actor(states, training=True)
            log_policy_pdf = self.log_pdf(mu_a, std_a, actions)

            # 손실함수
            loss_policy = log_policy_pdf * advantages
            loss = tf.reduce_sum(-loss_policy)

        # 그래디언트
        grads = tape.gradient(loss, self.actor.trainable_variables)
        self.actor_opt.apply_gradients(zip(grads, self.actor.trainable_variables))


    ## 크리틱 신경망 학습
    def critic_learn(self, states, td_targets):
        with tf.GradientTape() as tape:
            td_hat = self.critic(states, training=True)
            loss = tf.reduce_mean(tf.square(td_targets-td_hat))

        grads = tape.gradient(loss, self.critic.trainable_variables)
        self.critic_opt.apply_gradients(zip(grads, self.critic.trainable_variables))


    ## 시간차 타깃 계산
    def td_target(self, rewards, next_v_values, dones):
        y_i = np.zeros(next_v_values.shape)
        for i in range(next_v_values.shape[0]):
            if dones[i]:
                y_i[i] = rewards[i]
            else:
                y_i[i] = rewards[i] + self.GAMMA * next_v_values[i]
        return y_i


    ## 신경망 파라미터 로드
    def load_weights(self, path):
        self.actor.load_weights(path + 'pendulum_actor.h5')
        self.critic.load_weights(path + 'pendulum_critic.h5')


    ## 배치에 저장된 데이터 추출
    def unpack_batch(self, batch):
```

```
        unpack = batch[0]
        for idx in range(len(batch)-1):
            unpack = np.append(unpack, batch[idx+1], axis=0)

        return unpack


    ## 에이전트 학습
    def train(self, max_episode_num):

        # 에피소드마다 다음을 반복
        for ep in range(int(max_episode_num)):

            # 배치 초기화
            batch_state, batch_action, batch_reward, batch_next_state, batch_done = [], [], [], [], []
            # 에피소드 초기화
            time, episode_reward, done = 0, 0, False
            # 환경 초기화 및 초기 상태 관측
            state = self.env.reset()

            while not done:

                # 학습 가시화
                #self.env.render()

                # 행동 샘플링
                action = self.get_action(tf.convert_to_tensor([state], dtype=tf.float32))
                # 행동 범위 클리핑
                action = np.clip(action, -self.action_bound, self.action_bound)
                # 다음 상태, 보상 관측
                next_state, reward, done, _ = self.env.step(action)
                # shape 변환
                state = np.reshape(state, [1, self.state_dim])
                action = np.reshape(action, [1, self.action_dim])
                reward = np.reshape(reward, [1, 1])
                next_state = np.reshape(next_state, [1, self.state_dim])
                done = np.reshape(done, [1, 1])
                # 학습용 보상 계산
                train_reward = (reward + 8) / 8
```

```
# 배치에 저장
batch_state.append(state)
batch_action.append(action)
batch_reward.append(train_reward)
batch_next_state.append(next_state)
batch_done.append(done)

# 배치가 채워질 때까지 학습하지 않고 저장만 계속
if len(batch_state) < self.BATCH_SIZE:
    # 상태 업데이트
    state = next_state[0]
    episode_reward += reward[0]
    time += 1
    continue

# 배치가 채워지면 학습 진행
# 배치에서 데이터 추출
states = self.unpack_batch(batch_state)
actions = self.unpack_batch(batch_action)
train_rewards = self.unpack_batch(batch_reward)
next_states = self.unpack_batch(batch_next_state)
dones = self.unpack_batch(batch_done)

# 배치 비움
batch_state, batch_action, batch_reward, batch_next_state, batch_done = [], [], [], [], []

# 시간차 타깃 계산
next_v_values = self.critic(tf.convert_to_tensor(next_states, dtype=tf.float32))
td_targets = self.td_target(train_rewards, next_v_values.numpy(), dones)

# 크리틱 신경망 업데이트
self.critic_learn(tf.convert_to_tensor(states, dtype=tf.float32),
                  tf.convert_to_tensor(td_targets, dtype=tf.float32))

# 어드밴티지 계산
v_values = self.critic(tf.convert_to_tensor(states, dtype=tf.float32))
next_v_values = self.critic(tf.convert_to_tensor(next_states, dtype=tf.float32))
advantages = train_rewards + self.GAMMA * next_v_values - v_values
```

```
            # 액터 신경망 업데이트
            self.actor_learn(tf.convert_to_tensor(states, dtype=tf.float32),
                             tf.convert_to_tensor(actions, dtype=tf.float32),
                             tf.convert_to_tensor(advantages, dtype=tf.float32))

            # 상태 업데이트
            state = next_state[0]
            episode_reward += reward[0]
            time += 1

        # 에피소드마다 결과 출력
        print('Episode: ', ep+1, 'Time: ', time, 'Reward: ', episode_reward)

        self.save_epi_reward.append(episode_reward)

        # 에피소드 10번마다 신경망 파라미터를 파일에 저장
        if ep % 10 == 0:
            self.actor.save_weights("./save_weights/pendulum_actor.h5")
            self.critic.save_weights("./save_weights/pendulum_critic.h5")

    # 학습이 끝난 후, 누적 보상값 저장
    np.savetxt('./save_weights/pendulum_epi_reward.txt', self.save_epi_reward)
    print(self.save_epi_reward)

## 에피소드와 누적 보상값을 그려주는 함수
def plot_result(self):
    plt.plot(self.save_epi_reward)
    plt.show()
```

a2c_main.py

```
# A2C main
# coded by St.Watermelon

## 에이전트를 학습하고 결과를 도시하는 파일
# 필요한 패키지 임포트
from a2c_learn import A2Cagent
import gym
```

```
def main():

    max_episode_num = 1000   # 최대 에피소드 설정
    env_name = 'Pendulum-v0'
    env = gym.make(env_name)  # 환경으로 OpenAI Gym의 pendulum-v0 설정
    agent = A2Cagent(env)   # A2C 에이전트 객체

    # 학습 진행
    agent.train(max_episode_num)

    # 학습 결과 도시
    agent.plot_result()

if __name__=="__main__":
    main()
```

a2c_load_play.py

```
# A2C load and play (tf2 version)
# coded by St.Watermelon

## 학습된 신경망 파라미터를 가져와서 에이전트를 실행시키는 파일
# 필요한 패키지 임포트
import gym
import tensorflow as tf
from a2c_learn import A2Cagent

def main():

    env_name = 'Pendulum-v0'
    env = gym.make(env_name)

    agent = A2Cagent(env)

    agent.load_weights('./save_weights/')  # 신경망 파라미터를 가져옴

    time = 0
    state = env.reset() # 환경을 초기화하고 초기 상태 관측
```

```
    while True:
        env.render()

        action = agent.actor(tf.convert_to_tensor([state], dtype=tf.float32))[0][0] # 행동 계산
        state, reward, done, _ = env.step(action)  # 환경으로 부터 다음 상태, 보상 받음
        time += 1

        print('Time: ', time, 'Reward: ', reward)

        if done:
            break

    env.close()

if __name__=="__main__":
    main()
```

05장

A3C

5.1 배경

어드밴티지 액터-크리틱(A2C) 알고리즘은 에피소드가 끝날 때까지 기다릴 필요 없이 샘플이 모이는 대로 바로 정책을 업데이트할 수 있게 하고 그래디언트의 분산을 줄였지만, 여전히 문제점을 가지고 있다. 가장 큰 문제는 정책과 가치함수를 학습시킬 때 사용하는 샘플이 시간적으로 상관되어 있다는 것이다. 시간의 흐름에 따라 순차적으로 샘플을 수집하고, 시간적으로 매우 가까운 샘플만 모아서 정책을 업데이트하다 보니 상관관계가 커지는 것이다. 이러한 샘플 간의 높은 상관관계는 목적함수의 그래디언트를 편향시키고 학습을 불안정하게 만들 수 있다. 학습 배치(batch)에 있는 서로 유사한 데이터는 신경망을 비슷한 방향으로 업데이트할 것이기 때문이다. 따라서 목적함수의 향상에 도움이 되는 데이터인지 아닌지에 따라 전체적인 업데이트 방향이 잘못될 수가 있다. 이 장에서는 이 문제점을 개선하기 위한 방법을 알아보고 비동기 A2C(A3C, asynchronous advantage actor-critic) 알고리즘을 소개한다.

5.2 그래디언트 계산의 문제

5.2.1 샘플의 상관관계

어드밴티지 액터-크리틱에서 사용한 목적함수의 그래디언트 식을 다시 써 보자.

$$\nabla_\theta J(\theta)=\sum_{t=0}^{T}\left(\mathbb{E}_{\mathrm{x}_t\sim p_\theta(\mathrm{x}_t),\, \mathrm{u}_t\sim\pi_\theta(\mathrm{u}_t|\mathrm{x}_t)}\left[\nabla_\theta \log\pi_\theta(\mathrm{u}_t|\mathrm{x}_t)A^{\pi_\theta}(\mathrm{x}_t,\ \mathrm{u}_t)\right]\right) \tag{5.1}$$

샘플링 기법을 이용하면 목적함수 그래디언트를 다음과 같이 근사적으로 계산할 수 있다.

$$\nabla_\theta J(\theta)\approx\sum_{t=0}^{T}\left[\frac{1}{M}\sum_{m=1}^{M}\left(\nabla_\theta \log\pi_\theta(\mathrm{u}_t^{(m)}|\mathrm{x}_t^{(m)})A^{\pi_\theta}(\mathrm{x}_t^{(m)},\ \mathrm{u}_t^{(m)})\right)\right] \tag{5.2}$$

여기서 m은 에피소드 인덱스이며, M은 에피소드의 개수다. 한 개의 에피소드만 고려하면 목적함수 그래디언트는 근사적으로 다음과 같다.

$$\nabla_\theta J(\theta)\approx\sum_{t=0}^{T}\left(\nabla_\theta \log\pi_\theta(\mathrm{u}_t|\mathrm{x}_t)A^{\pi_\theta}(\mathrm{x}_t,\ \mathrm{u}_t)\right) \tag{5.3}$$

배치 경사상승법(batch gradient ascent)으로 액터 신경망을 업데이트하려면 다음과 같이 액터 신경망 파라미터 θ를 반복 계산해야 한다.

Repeat {

$$\theta\leftarrow\theta+\alpha\sum_{t=0}^{T}\left(\nabla_\theta \log\pi_\theta(\mathrm{u}_t|\mathrm{x}_t)A^{\pi_\theta}(\mathrm{x}_t,\ \mathrm{u}_t)\right)$$

}

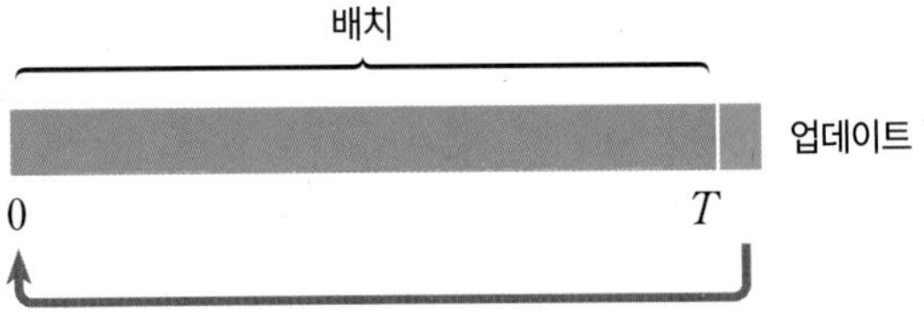

그림 5.1 배치(batch) 방식의 업데이트

일반적인 미니배치 데이터로 업데이트하려면 무작위로 배치의 데이터를 섞은 후 다음과 같이 액터 신경망 파라미터 θ를 반복 계산해야 한다.

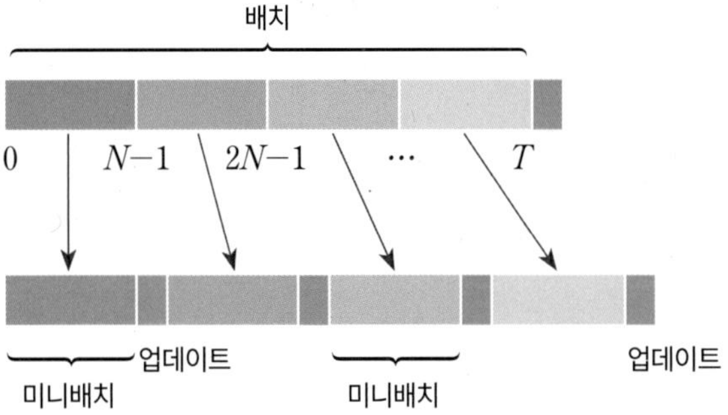

그림 5.2 일반적인 미니배치 방식의 업데이트

어드밴티지 액터-크리틱(A2C) 알고리즘에서도 미니배치 데이터로 업데이트하는 것과 유사하게, 한 개의 에피소드 내에서 일정 시간 N동안 목적함수 그래디언트를 이용해 다음과 같이 파라미터를 업데이트했다.

for $i=0:(N-1):T$ {

$$\theta \leftarrow \theta + \alpha \sum_{t=i}^{i+N-1} \left(\nabla_\theta \log \pi_\theta(\mathrm{u}_t|\mathrm{x}_t) A^{\pi_\theta}(\mathrm{x}_t, \mathrm{u}_t) \right)$$

} **end for**

하지만 어드밴티지 액터-크리틱(A2C) 알고리즘에서의 파라미터 업데이트 방식은 형식적으로는 일반적인 미니배치 데이터를 이용해 업데이트하는 것 같지만, 내용적으로는 일반적인 방법과는 다르다.

어드밴티지 액터-크리틱(A2C) 알고리즘에서는 에이전트가 정책 π_{θ_1}로 일정 시간스텝 N동안 수집한 N개의 샘플 $(\mathrm{x}_i, \mathrm{u}_i, r(\mathrm{x}_i, \mathrm{u}_i), \mathrm{x}_{i+1})$을 얻은 후 정책을 π_{θ_2}로 업데이트한다. 정책을 업데이트하면 이전 정책과는 다른 새로운 정책이 된다. 다시 새로운 정책 π_{θ_1}으로 일정 시간스텝 N 동안 수집한 N개의 샘플로 정책을 다시 업데이트하는 과정을 반복한다.

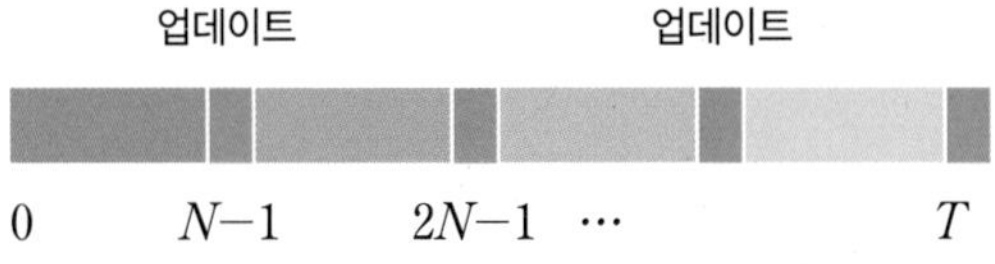

그림 5.3 A2C에서의 미니배치 방식의 업데이트

확률적 경사하강법(SGD)을 이용한 최적화 방법의 기본 가정은 학습 데이터가 독립적이고 동일한 분포(iid)를 가진 샘플이어야 한다는 것이다. 그럼 위와 같은 방식의 업데이트 방식이 이런 가정을 만족하는지 확인해 보자. 우선 데이터가 독립적이지 않다. 에이전트가 환경과 상호작용하면서 순차적으로 데이터를 얻기 때문이다. 위 식에서 일정 시간스텝 N동안 수집한 N개의 샘플 $(\mathrm{x}_i,\ \mathrm{u}_i,\ r(\mathrm{x}_i,\ \mathrm{u}_i),\ \mathrm{x}_{i+1})$도 시간상 순차적인 데이터이므로 강한 상관관계가 있다고 할 수 있다. 또한 데이터는 동일한 분포를 가진 샘플이라고 말할 수 없다. 왜냐하면, 액터 신경망의 파라미터를 업데이트하여 새로운 정책으로 얻은 데이터는 이전 데이터와는 다른 확률분포를 가질 것이기 때문이다. 기본적으로 강화학습의 학습 과정에서 얻는 데이터는 독립적이고 동일한 분포(iid)라는 가정을 충족시키기 어렵다.

데이터 간의 상관관계 문제를 해결하기 위해 심층 Q 네트워크(DQN)에서는 에이전트의 경험(데이터)을 바로 학습에 사용하지 않고 일단 리플레이 버퍼(replay buffer)라는 곳에 저장해두고, 버퍼에 어느 정도 이상의 데이터가 모이면 버퍼에서 데이터를 무작위로 꺼내서 학습에 이용한다. 무작위로 데이터를 추출하기 때문에 미니배치가 순차적인 데이터로 구성되지 않으므로 데이터 사이의 상관관계를 많이 줄일 수 있다. 또한 버퍼가 차면 오래된 데이터를 먼저 제거하는 방식으로 최근의 정책으로 발생시킨 데이터 위주로 학습이 진행되도록 했다.

이와 같이 리플레이 버퍼를 이용해 학습이 가능한 이유는 심층 Q 네트워크(DQN)가 오프-폴리시(off-policy) 방법이기 때문이다. 하지만 어드밴티지 액터-크리틱(A2C)은 온-폴리시(on-policy) 방법이기 때문에 이러한 리플레이 버퍼 방법을 사용할 수가 없다. 온-폴리시 방법은 다른 정책으로 만든 데이터를 이용해 현재의 정책을 업데이트할 수 없기 때문이다.

온-폴리시 방법인 어드밴티지 액터-크리틱 방법에서 데이터 간의 상관관계를 줄이기 위한 방법을 찾기 위해 다시 샘플링 기법을 이용한 목적함수 그래디언트의 근사식을 살펴보자.

$$\begin{aligned}\nabla_\theta J(\theta) &\approx \sum_{t=0}^{T}\left[\frac{1}{M}\sum_{m=1}^{M}\left(\nabla_\theta \log \pi_\theta(\mathrm{u}_t^{(m)}|\mathrm{x}_t^{(m)}) A^{\pi_\theta}(\mathrm{x}_t^{(m)},\ \mathrm{u}_t^{(m)})\right)\right] \\ &= \frac{1}{M}\sum_{m=1}^{M}\sum_{t=0}^{T}\left(\nabla_\theta \log \pi_\theta(\mathrm{u}_t^{(m)}|\mathrm{x}_t^{(m)}) A^{\pi_\theta}(\mathrm{x}_t^{(m)},\ \mathrm{u}_t^{(m)})\right) \\ &\approx \frac{1}{M}\sum_{m=1}^{M}\sum_{i=t}^{t+N-1}\left(\nabla_\theta \log \pi_\theta(\mathrm{u}_i^{(m)}|\mathrm{x}_i^{(m)}) A^{\pi_\theta}(\mathrm{x}_i^{(m)},\ \mathrm{u}_i^{(m)})\right)\end{aligned} \tag{5.4}$$

위 식에 의하면 그래디언트를 계산하기 위해서는 동일한 정책 π_θ로 여러 개의 독립적인 에피소드를 발생시킨 후 각각의 에피소드에서 일정 시간스텝 동안의 데이터로 로그-정책 그래디언트와 어드밴티지의 곱을 계산해 모두 더하고 에피소드 평균을 내면 된다. 동일한 정책 π_θ로 여러 개의 독립적인 에피소드를 발생시키는 방법을 실제 세계에서 구현한 것이 바로 다중 에이전트를 병렬적으로 운용하여 각 에이전트가 각자 독립적인 환경과 상호작용하면서 데이터를 수집하는 것이다. 이렇게 하면 각각의 에이전트가 서로 다른 상태와 보상, 상태천이(state transition) 등을 경험하면서 데이터를 모으기 때문에 학습 데이터의 연관성을 깰 수 있다.

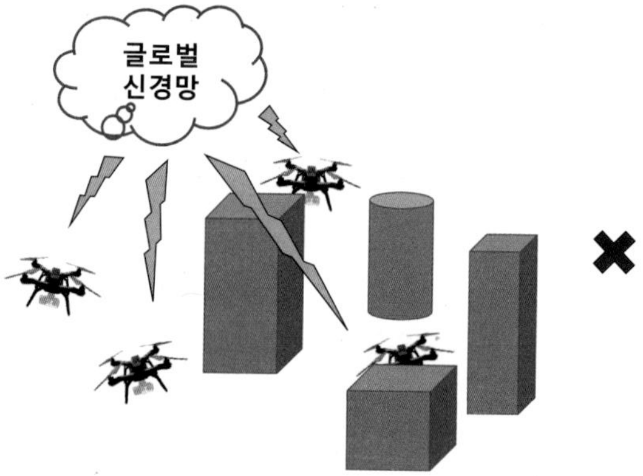

그림 5.4 다중 에이전트를 이용한 학습 방식

다중 에이전트를 병렬적으로 운용함에 있어서 두 가지 서로 다른 방식을 고려해 볼 수 있다.

그림 5.5는 여러 개의 에이전트가 수집한 데이터를 동일한 시간에 모두 모아서 한꺼번에 모든 에이전트의 정책과 가치함수를 업데이트하는 동기적인 액터-크리틱 방법을 보여준다.

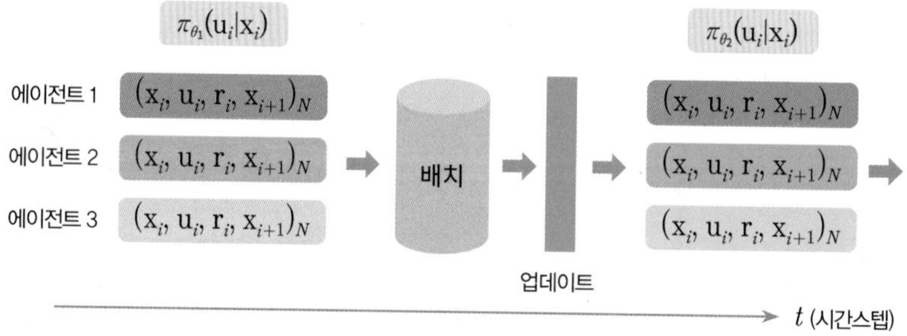

그림 5.5 동기적 A2C

동기적 방법은 모든 에이전트가 동일한 정책을 가지고 데이터를 만들고 이를 이용해 정책을 동시에 업데이트한다. 반면, 그림 5.6은 비동기적인 액터-크리틱 방법을 보여준다.

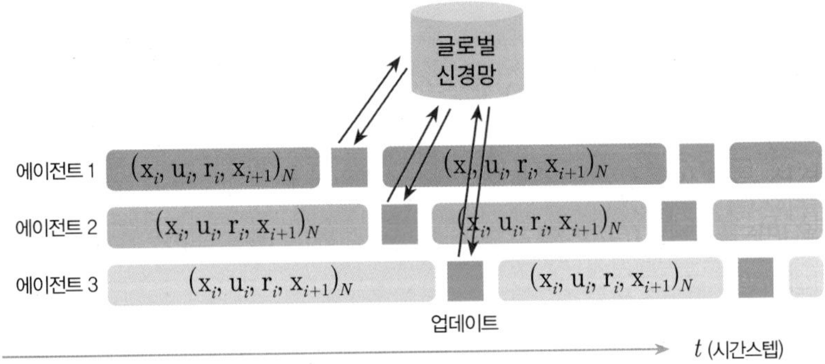

그림 5.6 비동기적 A2C

비동기 액터-크리틱에서는 글로벌 신경망과 워커(worker)라고 불리는 여러 개의 에이전트가 있다. 글로벌 신경망과 워커는 각자의 액터 신경망과 크리틱 신경망을 갖는다. 워커가 일정 시간 수집한 정보를 글로벌 신경망에 전달하면 글로벌 신경망은 자신의 액터와 크리틱 신경망을 업데이트하고 업데이트된 신경망 파라미터를 해당 워커에 복사한다. 이러한 프로세스를 정해진 시간에 모든 워커가 일제히 수행하는 것이 아니라, 워커마다 각자의 시간에 비동기적으로 수행한다.

비동기 방식에는 어떤 정보를 글로벌 신경망에 전달하고 목적함수 그래디언트를 어디서 계산하는지에 따라서 두 가지 접근 방법이 있다. 먼저 워커가 수집한 N개의 샘플 $(x_i, u_i, r(x_i, u_i), x_{i+1})$로 자신의 그래디언트를 계산하고 그 결과를 글로벌 신경망에 전달하는 것이다. 글로벌 신경망이 이를 이용해 자신의 신경망을 업데이트하고 업데이트된 신경망을 에이전트에 복사하는 방식이다. 이런 방식을 그래디언트 병렬화(gradient parallelism)라고 한다. 이 방법은 그래디언트의 계산을 워커에게 맡김으로써 글로벌 신경망의 계산량을 줄일 수 있기 때문에 워커의 수를 확장하기가 비교적 쉽다.

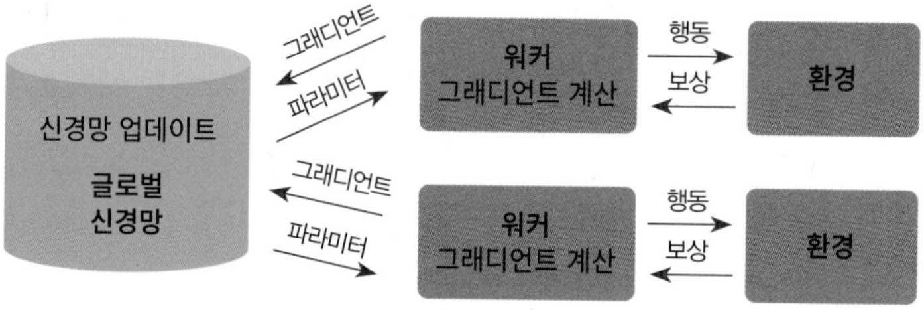

그림 5.7 그래디언트 병렬화

두 번째 방식은 워커가 N개의 샘플 $(\mathrm{x}_i, \mathrm{u}_i, r(\mathrm{x}_i, \mathrm{u}_i), \mathrm{x}_{i+1})$을 글로벌 신경망에 전달하면 글로벌 신경망이 이 데이터를 이용해 목적함수 그래디언트를 계산한 후 자신의 신경망을 업데이트하고, 업데이트된 신경망을 에이전트에 복사하는 방식이다. 이런 방식을 데이터 병렬화(data parallelism)라고 한다. 그래디언트 계산과 신경망 업데이트를 글로벌 신경망이 전담하고 워커는 데이터 수집만 수행한다.

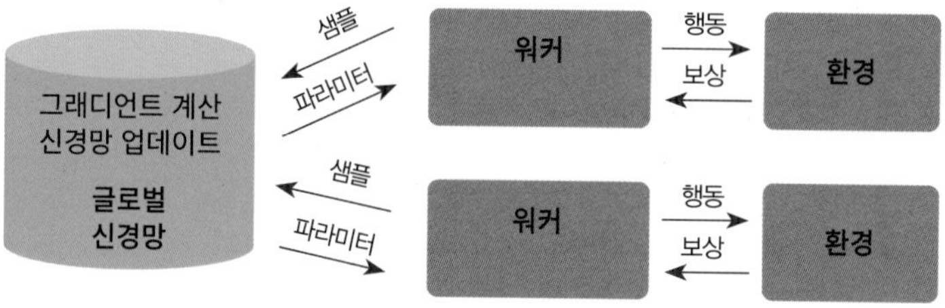

그림 5.8 데이터 병렬화

이와 같이 여러 개의 워커 에이전트를 병렬적으로 운용하며 비동기적으로 글로벌 액터 신경망과 글로벌 크리틱 신경망을 업데이트하는 방법을 비동기 어드밴티지 액터-크리틱(A3C, asynchronous advantage actor-critic)이라고 한다. A3C에서는 이 밖에 n-스텝 가치함수 추정 방법을 도입했는데, 이에 대해서는 다음 절에서 설명한다.

5.2.2 n-스텝 가치 추정

목적함수의 그래디언트를 계산할 때 어드밴티지를 편향 없이 작은 분산값을 갖도록 추정하는 것이 중요하다. 어드밴티지 액터-크리틱(A2C) 알고리즘에서는 가치함수를 근사하는 함수 $V_\phi(\mathrm{x}_t)$를 다음과 같이 1-스텝 관계식을 이용해 추정한다.

$$V_\phi(\mathrm{x}_t) \approx r(\mathrm{x}_t, \mathrm{u}_t) + \gamma V_\phi(\mathrm{x}_{t+1}) \tag{5.5}$$

또한 어드밴티지도 다음과 같이 1-스텝 관계식을 이용해 근사적으로 계산한다.

$$A_\phi(\mathrm{x}_t, \mathrm{u}_t) \approx r(\mathrm{x}_t, \mathrm{u}_t) + \gamma V_\phi(\mathrm{x}_{t+1}) - V_\phi(\mathrm{x}_t) \tag{5.6}$$

이와 같이 1-스텝 관계식을 이용하면 어드밴티지 추정값의 분산은 작은 반면, 상태가치의 추정 정확도에 따라 어드밴티지 추정값에 큰 편향이 있을 수 있다. 반면에, 무한 구간에서 행동가치 함수의 정의에 따라 몬테카를로 방식으로 한 개의 에피소드에서 다음 식과 같이 어드밴티지를 계산한다면,

$$A_\phi(\mathrm{x}_t, \mathrm{u}_t) \approx \sum_{k=t}^{\infty} \gamma^{k-t} r(\mathrm{x}_k, \mathrm{u}_k) - V_\phi(\mathrm{x}_t) \tag{5.7}$$

어드밴티지의 추정값에 편향은 없지만, 큰 분산을 갖게 된다. 수많은 단계의 상태와 행동에서의 보상이 계속 누적되기 때문이다.

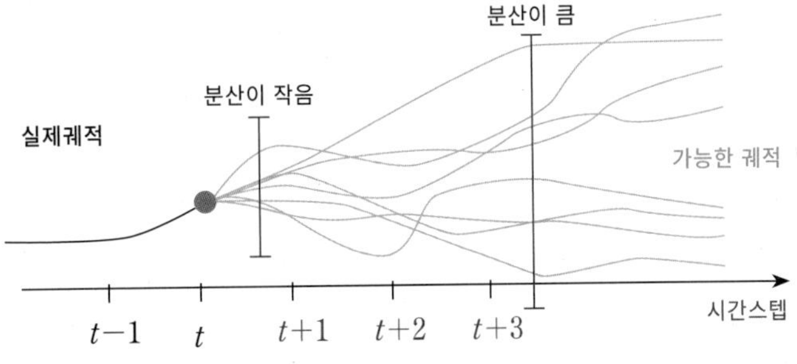

그림 5.9 어드밴티지 계산과 분산

이 양극단의 중간을 취하면서 편향과 분산을 적절히 조절할 수 있는 방식이 바로 다음과 같은 n-스텝 가치함수 추정과 어드밴티지 계산 방법이다.

$$V_\phi(\mathrm{x}_t) \approx r(\mathrm{x}_t,\ \mathrm{u}_t) + \gamma r(\mathrm{x}_{t+1},\ \mathrm{u}_{t+1}) + \cdots + \gamma^{n-1} r(\mathrm{x}_{t+n-1},\ \mathrm{u}_{t+n-1}) + \gamma^n V_\phi(\mathrm{x}_{t+n}) \tag{5.8}$$

$$\begin{aligned} A_\phi(\mathrm{x}_t,\ \mathrm{u}_t) &\approx r(\mathrm{x}_t,\ \mathrm{u}_t) + \gamma r(\mathrm{x}_{t+1},\ \mathrm{u}_{t+1}) + \cdots + \gamma^{n-1} r(\mathrm{x}_{t+n-1},\ \mathrm{u}_{t+n-1}) \\ &\quad + \gamma^n V_\phi(\mathrm{x}_{t+n}) - V_\phi(\mathrm{x}_t) \\ &= \sum_{k=t}^{t+n-1} \gamma^{k-t} r(\mathrm{x}_k,\ \mathrm{u}_k) + \gamma^n V_\phi(\mathrm{x}_{t+n}) - V_\phi(\mathrm{x}_t) \end{aligned}$$

n이 크면 어드밴티지 추정값의 분산은 커지고 편향이 작아지는 반면, n이 작으면 분산은 작아지고 편향은 커질 수 있다. 비동기 어드밴티지 액터-크리틱(A3C) 알고리즘에서는 n-스텝 가치함수 추정과 어드밴티지 계산 방법을 도입해 분산과 편향을 상대적으로 조절하도록 했다.

5.3 비동기 액터-크리틱(A3C) 알고리즘

그래디언트 병렬화 방식의 비동기 액터-크리틱 알고리즘을 정리하면 다음과 같다.

1. 글로벌 크리틱과 액터 신경망의 파라미터 ϕ와 θ를 초기화한다.
2. 다중 에이전트(워커)를 생성한다. 그리고 워커별로 크리틱과 액터 신경망의 파라미터 ϕ_w와 θ_w를 글로벌 신경망에 동기화한다.
3. **Repeat** { (워커별로 다음을 반복한다)

    [1] **Repeat** {

    (1) 각 워커의 정책 $\mathrm{u}_t \sim \pi_{\theta_w}(\mathrm{u}_t|\mathrm{x}_t)$로 행동을 확률적으로 선택한다.

    (2) u_t를 실행해 보상 $r(\mathrm{x}_t,\ \mathrm{u}_t)$와 다음 상태변수 x_{t+1}을 측정한다.

    (3) 샘플 $(\mathrm{x}_t,\ \mathrm{u}_t,\ r(\mathrm{x}_t,\ \mathrm{u}_t),\ \mathrm{x}_{t+1})$을 저장한다.

    } $t_{\max}$시간스텝 동안 반복 (워커별로 $t_{\max}$개의 샘플 $(\mathrm{x}_i,\ \mathrm{u}_i,\ r(\mathrm{x}_i,\ \mathrm{u}_i),\ \mathrm{x}_{i+1})$이 생성됨)

    [2] 워커의 n-스텝 시간차 타깃 $y_{w,i}$를 계산한다.

[3] 워커의 n-스텝 어드밴티지 $A_{\phi_w}(\mathrm{x}_i, \mathrm{u}_i)$를 계산한다.

[4] 워커 크리틱 신경망의 그래디언트를 계산한다.

$$\sum_{i=1}[(y_{w,i} - V_{\phi_w}(\mathrm{x}_i)) \nabla_{\phi_w} V_{\phi_w}(\mathrm{x}_i)]$$

[5] 워커 액터 신경망의 그래디언트를 계산한다.

$$\nabla_{\theta_w} \sum_i [\log(\pi_{\theta_w}(\mathrm{u}_i|\mathrm{x}_i)) A_{\phi_w}(\mathrm{x}_i, \mathrm{u}_i)]$$

[6] 글로벌 신경망으로 워커의 그래디언트를 송부한다.

[7] 워커의 그래디언트로 글로벌 신경망을 업데이트한다.

$$\phi \leftarrow \phi + \alpha_{critic} \sum_{i=1}[(y_{w,i} - V_{\phi_w}(\mathrm{x}_i)) \nabla_{\phi_w} V_{\phi_w}(\mathrm{x}_i)]$$

$$\theta \leftarrow \theta + \alpha_{actor} \nabla_{\theta w} \sum_i [\log(\pi_{\theta_w}(\mathrm{u}_i|\mathrm{x}_i)) A_{\phi_w}(\mathrm{x}_i, \mathrm{u}_i)]$$

[8] 업데이트된 글로벌 신경망 파라미터를 워커로 복사한다.

}

각각의 워커는 자신의 신경망 파라미터의 그래디언트를 계산해 글로벌 신경망에 송부한다. 글로벌 신경망은 워커의 그래디언트를 사용해 자신의 신경망 파라미터를 업데이트한다. 이런 방식으로 글로벌 신경망은 각각의 워커가 그들의 환경과 상호작용하여 수집한 데이터를 이용해 끊임없이 업데이트된다.

데이터 병렬화 방식의 비동기 액터-크리틱 알고리즘을 정리하면 다음과 같다.

1. 글로벌 크리틱과 액터 신경망의 파라미터 ϕ와 θ를 초기화한다.
2. 다중 에이전트(워커)를 생성한다. 그리고 워커별로 크리틱과 액터 신경망의 파라미터 ϕ_w와 θ_w를 글로벌 신경망에 동기화한다.
3. **Repeat {** (워커별로 다음을 반복한다)

[1] **Repeat** {

(1) 각 워커의 정책 $u_t \sim \pi_{\theta_w}(u_t|x_t)$로 행동을 확률적으로 선택한다.

(2) u_t를 실행해 보상 $r(x_t, u_t)$와 다음 상태변수 x_{t+1}을 측정한다.

(3) 샘플 $(x_t, u_t, r(x_t, u_t), x_{t+1})$을 저장한다.

} $t_{\max}$시간스텝 동안 반복 (워커별로 $t_{\max}$개의 샘플 $(x_i, u_i, r(x_i, u_i), x_{i+1})$이 생성됨)

[2] $t_{\max}$개의 샘플 $(x_i, u_i, r(x_i, u_i), x_{i+1})$을 글로벌 신경망으로 송부한다.

[3] 글로벌 신경망에서 n-스텝 시간차 타깃 y_i를 계산한다.

[4] 글로벌 신경망에서 n-스텝 어드밴티지 $A_\phi(x_i, u_i)$를 계산한다.

[5] 글로벌 크리틱 신경망을 업데이트한다.

$$\phi \leftarrow \phi + \alpha_{critic} \sum_{i=1} [(y_i - V_\phi(x_i)) \nabla_\phi V_\phi(x_i)]$$

[6] 글로벌 액터 신경망을 업데이트한다.

$$\theta \leftarrow \theta + \alpha_{actor} \nabla_\theta \sum_i [\log(\pi_\theta(u_i|x_i)) A_\phi(x_i, u_i)]$$

[7] 업데이트된 글로벌 신경망 파라미터를 워커로 복사한다.

}

5.4 그래디언트 병렬화 방식의 A3C 알고리즘 구현

5.4.1 테스트 환경

테스트 환경은 OpenAI Gym에서 제공하는 'Pendulum-v0'다.

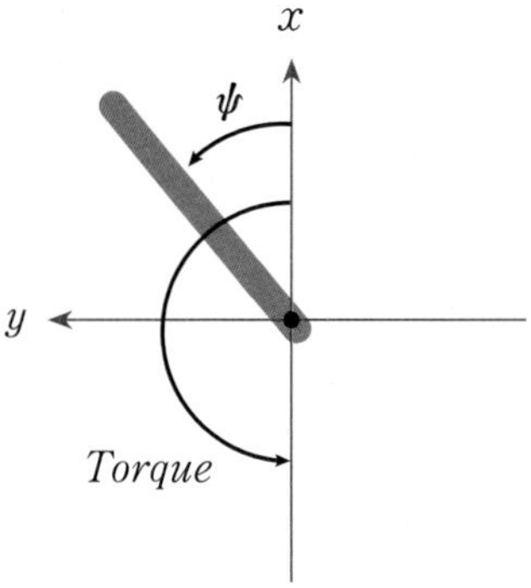

그림 5.10 Pendulum-v0

에이전트의 목표는 진자를 위로 수직으로 세워서 오래 유지시키는 것이다. 일정 시간스텝이 경과하면 에피소드가 자동으로 종결된다.

5.4.2 코드 개요

그래디언트 병렬화 방식의 A3C 코드는 액터-크리틱 신경망을 구현하고 학습시키기 위한 a3c_learn.py, 이를 실행시키기 위한 a3c_main.py, 그리고 학습을 마친 신경망 파라미터를 읽어와 에이전트를 구동하기 위한 a3c_load_play.py로 구성되어 있다. 전체 코드는 5.4.7절에 있으니 참고하기 바란다.

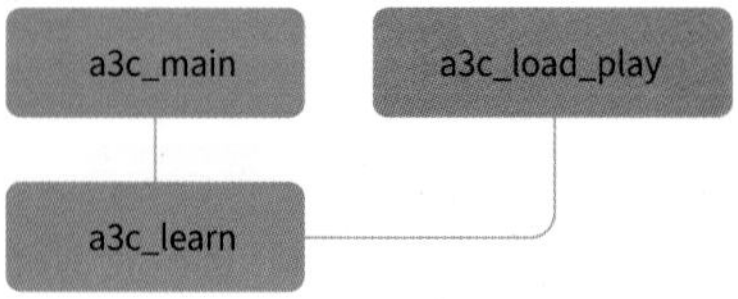

그림 5.11 A3C 코드 구조

전체적인 학습 프로세스는 a3c_learn.py 파일에 있는 클래스 A3Cagent의 멤버함수인 train에 있다. 구체적으로 살펴보면 다음과 같다.

1. 먼저 워커를 WORKERS_NUM으로 설정한 개수만큼 생성한다. A3Cworker 클래스는 워커를 실질적으로 생성하기 위한 스레드 클래스다. env_name을 인자로 받아서 워커 고유의 환경을 만들며, global_actor와 global_critic을 인자로 넘겨받아서 글로벌 액터와 크리틱 신경망을 공유하게 된다. 스레드를 먼저 만든 후에 이를 리스트에 추가해놓는다.

```
workers = []
    for i in range(self.WORKERS_NUM):
        worker_name = 'worker%i' % i
        workers.append(A3Cworker(worker_name, self.env_name, self.global_actor,
                                 self.global_critic, max_episode_num))
```

2. 워커는 파이썬 스레드를 병렬적으로 실행시켜서 작동시킨다. 리스트를 순회하면서 스레드를 시작(start)하고 다시 리스트를 순회하면서 조인(join)한다.

```
for worker in workers:
    worker.start()

for worker in workers:
    worker.join()
```

실질적인 학습 프로세스는 워커별로 진행되며 a3c_agent.py 파일에 있는 클래스 A3Cworker의 멤버함수인 run에 있다. 구체적으로 살펴보면 다음과 같다.

1. 상태변수, 행동, 보상을 저장할 배치(batch)를 초기화한다.

```
batch_state, batch_action, batch_reward = [], [], []
```

2. 환경을 초기화하고 환경으로부터 첫 번째 상태변수 x_0를 측정한다.

```
step, episode_reward, done = 0, 0, False
state = self.env.reset()
```

3. 워커의 액터 신경망을 이용해 행동 $u_0 \sim \pi_\theta(u_0|x_0)$를 샘플링한다.

```
action = self.get_action(tf.convert_to_tensor([state], dtype=tf.float32))
```

4. 행동이 범위 [−2, 2]를 벗어나지 않도록 제한한다.

```
action = np.clip(action, -self.action_bound, self.action_bound)
```

5. 행동 u_0를 실행해 보상 $r(x_0, u_0)$와 다음 상태변수 x_1을 얻는다. 여기서 done=1이면 에피소드가 종료되는 조건에 도달했음을 의미한다.

```
next_state, reward, done, _ = self.env.step(action)
```

6. Gym 환경과 학습 환경에서 사용하는 변수의 배열 모양이 다름을 고려하여 상태변수, 행동, 보상, 다음 상태변수 등의 배열 모양을 바꿔준다

```
state = np.reshape(state, [1, self.state_dim])
action = np.reshape(action, [1, self.action_dim])
reward = np.reshape(reward, [1, 1])
```

7. 학습용으로 사용할 보상의 범위를 식 $r_{\text{train}} = \frac{r+8}{8}$을 이용해 [−16, 0]에서 [−1, 1]로 조정한다.

```
train_reward = (reward + 8) / 8
```

8. 상태변수, 행동, 보상을 배치에 저장한다.

```
batch_state.append(state)
batch_action.append(action)
batch_reward.append(train_reward)
```

9. 다시 상태변수 x_i를 이용해 행동 u_i를 계산하는 과정을 되풀이한다.

```
state = next_state
episode_reward += reward[0]
step += 1
```

10. 배치가 $t_{\max}$개만큼 쌓이거나 에피소드가 종료되면 학습을 시작한다.

```
if len(batch_state) == self.t_MAX or done:
```

11. 학습이 시작되면 배치에서 각각 $t_{\max}$개의 상태변수, 행동, 보상을 추출한다. 그리고 배치를 비운다.

```
states = self.unpack_batch(batch_state)
actions = self.unpack_batch(batch_action)
rewards = self.unpack_batch(batch_reward)
# 배치 비움
batch_state, batch_action, batch_reward = [], [], []
```

12. 워커의 크리틱 신경망을 이용해 n-스텝 시간차 타깃과 어드밴티지를 계산한다.

```
next_state = np.reshape(next_state, [1, self.state_dim])
next_v_value = self.worker_critic(tf.convert_to_tensor(next_state, dtype=tf.float32))
n_step_td_targets = self.n_step_td_target(rewards, next_v_value.numpy(), done)
v_values = self.worker_critic(tf.convert_to_tensor(states, dtype=tf.float32))
advantages = n_step_td_targets - v_values
```

13. 워커의 그래디언트를 계산해 글로벌 신경망을 업데이트한다.

```
self.critic_learn(states, n_step_td_targets)
self.actor_learn(states, actions, advantages)
```

14. 글로벌 신경망 파라미터를 워커 신경망으로 복사한다.

```
self.worker_actor.set_weights(self.global_actor.get_weights())
self.worker_critic.set_weights(self.global_critic.get_weights())
```

5.4.3 액터 클래스

액터 신경망 구조는 A2C와 동일하게 설정했다. 또한 글로벌 신경망과 워커 신경망의 액터 구조도 동일하다. 액터 신경망은 3개의 은닉층으로 구성돼 있으며 입력은 상태변수, 출력은 가우시안 정책 확률밀도함수의 평균값과 표준편차다.

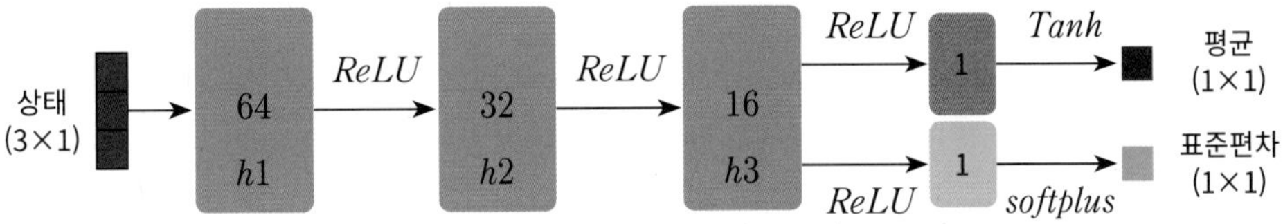

그림 5.12 액터 신경망 구조

```
class Actor(Model):
    def __init__(self, action_dim, action_bound):
        super(Actor, self).__init__()
        self.action_bound = action_bound
        self.h1 = Dense(64, activation='relu')
        self.h2 = Dense(32, activation='relu')
        self.h3 = Dense(16, activation='relu')
        self.mu = Dense(action_dim, activation='tanh')
        self.std = Dense(action_dim, activation='softplus')

    def call(self, state):
        x = self.h1(state)
        x = self.h2(x)
        x = self.h3(x)
        mu = self.mu(x)
        std = self.std(x)
        # 평균값을 [-action_bound, action_bound] 범위로 조정
        mu = Lambda(lambda x: x*self.action_bound)(mu)
        return [mu, std]
```

글로벌 액터 신경망은 `A3Cagent` 클래스에서 생성된다.

```
self.global_actor = Actor(self.action_dim, self.action_bound)
```

워커 액터 신경망은 A3Cworker 클래스에서 생성된다.

```
self.worker_actor = Actor(self.action_dim, self.action_bound)
```

액터 신경망을 학습하는 부분은 A3Cworker 클래스 멤버함수인 actor_learn에 구현되어 있다.

```
def actor_learn(self, states, actions, advantages):
    with tf.GradientTape() as tape:
        # 정책 확률밀도함수
        mu_a, std_a = self.worker_actor(states, training=True)
        log_policy_pdf = self.log_pdf(mu_a, std_a, actions)

        # 워커의 손실함수 계산
        loss_policy = log_policy_pdf * advantages
        loss = tf.reduce_sum(-loss_policy)
    # 워커의 그래디언트 계산
    grads = tape.gradient(loss, self.worker_actor.trainable_variables)
    # 그래디언트 클리핑
    grads, _ = tf.clip_by_global_norm(grads, 20)
    # 워커의 그래디언트를 이용해 글로벌 신경망 업데이트
    self.actor_opt.apply_gradients(zip(grads, self.global_actor.trainable_variables))
```

먼저 워커의 액터 신경망으로부터 가우시안 정책 확률밀도함수의 평균과 표준편차를 계산한다.

```
mu_a, std_a = self.worker_actor(states, training=True)
```

로그-가우시안 정책 $\log \pi_{\theta_w}(\mathrm{u}|\mathrm{x}) = -\sum_{j=1}^{m}\left[\frac{(u_j-\mu_{\theta,j}(\mathrm{x}))^2}{2\sigma_{\theta,j}^2(\mathrm{x})}+\frac{1}{2}\log\left(2\pi\sigma_{\theta,j}^2(\mathrm{x})\right)\right]$를 계산한다. 표준편차 σ는 너무 작거나 너무 크지 않도록 적당한 값 $\sigma_{\min} \le \sigma \le \sigma_{\max}$ 사이에 둔다.

```
log_policy_pdf = self.log_pdf(mu_a, std_a, actions)
```

```
def log_pdf(self, mu, std, action):
    std = tf.clip_by_value(std, self.std_bound[0], self.std_bound[1])
    var = std ** 2
    log_policy_pdf = -0.5 * (action - mu) ** 2 / var - 0.5 * tf.math.log(var * 2 * np.pi)
    return tf.reduce_sum(log_policy_pdf, 1, keepdims=True)
```

워커 의 그래디언트 $\nabla_{\theta_w} \sum_i [\log(\pi_\theta(\mathrm{u}_i|\mathrm{x}_i)) A_\phi(\mathrm{x}_i, \mathrm{u}_i)]$를 계산하기 위해서 텐서플로의 그래디언트 함수를 이용한다. 이 때 그래디언트가 일정 크기 범위를 넘어서지 않도록 클리핑한다.

```
        # 워커의 손실함수 계산
        loss_policy = log_policy_pdf * advantages
        loss = tf.reduce_sum(-loss_policy)
    # 워커의 그래디언트 계산
    grads = tape.gradient(loss, self.worker_actor.trainable_variables)
    # 그래디언트 클리핑
    grads, _ = tf.clip_by_global_norm(grads, 20)
```

그리고 워커의 그래디언트를 이용해 글로벌 액터 신경망을 학습한다.

```
self.actor_opt.apply_gradients(zip(grads, self.global_actor.trainable_variables))
```

워커의 가우시안 정책 확률밀도함수 $\pi_\theta(\mathrm{u}|\mathrm{x})$로부터 행동을 확률적으로 추출하기 위해 다음 함수를 이용한다. 앞서와 마찬가지로 표준편차 σ가 너무 작거나 너무 크지 않도록 적당한 값 사이에 둔다.

```
def get_action(self, state):
    mu_a, std_a = self.worker_actor(state)
    mu_a = mu_a.numpy()[0]
    std_a = std_a.numpy()[0]
    std_a = np.clip(std_a, self.std_bound[0], self.std_bound[1])
    action = np.random.normal(mu_a, std_a, size=self.action_dim)
    return action
```

5.4.4 크리틱 클래스

크리틱 신경망 구조도 A2C와 동일하게 설정했다. 또한 글로벌 신경망과 워커 신경망의 크리틱 구조도 동일하다. 크리틱 신경망은 3개의 은닉층으로 구성돼 있으며 입력은 상태변수, 출력은 상태가치다.

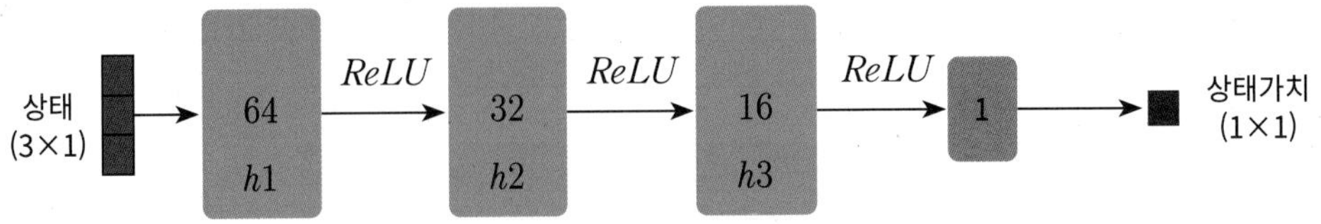

그림 5.13 크리티 신경망 구조

```
class Critic(Model):
    def __init__(self):
        super(Critic, self).__init__()
        self.h1 = Dense(64, activation='relu')
        self.h2 = Dense(32, activation='relu')
        self.h3 = Dense(16, activation='relu')
        self.v = Dense(1, activation='linear')

    def call(self, state):
        x = self.h1(state)
        x = self.h2(x)
        x = self.h3(x)
        v = self.v(x)
        return v
```

글로벌 크리틱 신경망은 A3Cagent 클래스에서 생성된다.

```
self.global_critic = Critic()
```

워커 크리틱 신경망은 A3Cworker 클래스에서 생성된다.

```
self.worker_critic = Critic()
```

크리틱 신경망을 학습하는 부분은 A3Cworker 클래스 멤버함수인 critic_learn에 구현되어 있다.

```
def critic_learn(self, states, n_step_td_targets):
    with tf.GradientTape() as tape:
        # 워커의 손실함수 계산
        td_hat = self.worker_critic(states, training=True)
```

```
        loss = tf.reduce_mean(tf.square(n_step_td_targets-td_hat))
    # 워커의 그래디언트 계산
    grads = tape.gradient(loss, self.worker_critic.trainable_variables)
    # 그래디언트 클리핑
    grads, _ = tf.clip_by_global_norm(grads, 20)
    # 워커의 그래디언트를 이용해 글로벌 신경망 업데이트
    self.critic_opt.apply_gradients(zip(grads, self.global_critic.trainable_variables))
```

워커의 그래디언트를 계산하기 위해서 텐서플로의 그래디언트 함수를 이용한다. 이 때 그래디언트가 일정 크기 범위를 넘어서지 않도록 클리핑한다.

```
        # 워커의 손실함수 계산
        td_hat = self.worker_critic(states, training=True)
        loss = tf.reduce_mean(tf.square(n_step_td_targets-td_hat))
    # 워커의 그래디언트 계산
    grads = tape.gradient(loss, self.worker_critic.trainable_variables)
    # 그래디언트 클리핑
    grads, _ = tf.clip_by_global_norm(grads, 20)
```

그리고 워커의 그래디언트를 이용해 글로벌 크리틱 신경망을 학습한다.

```
self.critic_opt.apply_gradients(zip(grads, self.global_critic.trainable_variables))
```

5.4.5 에이전트 클래스

a3c_learn.py에는 A3Cagent 클래스와 A3Cworker 클래스가 있다. A3Cagent 클래스에는 액터와 크리틱으로 구성된 글로벌 신경망을 생성하는 부분, 액터와 크리틱으로 구성된 다중 에이전트(워커)를 파이썬 스레드를 이용해 생성하는 부분, 다중 에이전트의 학습을 진행하는 부분으로 구성돼 있다. 학습은 멤버함수 train에 구현돼 있으며 실제적인 학습은 워커별로 진행되는데, 이는 A3Cworker 클래스의 멤버함수 run에 구현되어 있으며 내용은 5.4.2절의 코드 개요에서 설명했다.

A3Cworker 클래스에는 워커의 독자적인 환경을 설정하는 부분, 워커의 하이퍼파라미터(hyperparameter)를 설정하는 부분, 액터와 크리틱으로 구성된 워커를 생성하는 부분, 그리고 워커의 학습을 진행하는 부분이 포함돼 있다. A3Cworker 클래스는 threading.Thread로부터 파생된 파생 클래스로서 생성자는 글로벌 신경망과 워커가 구축할 환경의 이름(env_name)을 인자로 받는다.

```
def __init__(self, worker_name, env_name, global_actor, global_critic, max_episode_num):
    threading.Thread.__init__(self)
```

멤버함수 n_step_td_target은 워커의 시간차 타깃 $y_{w,i}$를 구현한 것이다. $N=i, \dots, i+n-1$의 시간 스텝에서의 시간차 타깃 $y_{w,i}$는 다음과 같이 역방향 시간의 궤환식(recursive equation)으로 표현할 수 있다.

$$
\begin{aligned}
y_{w,i+n-1} &= r(\mathrm{x}_{i+n-1},\ \mathrm{u}_{i+n-1}) + \gamma V_\phi(\mathrm{x}_{i+n}) \\
y_{w,i+n-2} &= r(\mathrm{x}_{i+n-2},\ \mathrm{u}_{i+n-2}) + \gamma r(\mathrm{x}_{i+n-1},\ \mathrm{u}_{i+n-1}) + \gamma^2 V_\phi(\mathrm{x}_{i+n}) \\
&= r(\mathrm{x}_{i+n-2},\ \mathrm{u}_{i+n-2}) + \gamma y_{w,i+n-1} \\
y_{w,i+n-3} &= r(\mathrm{x}_{i+n-3},\ \mathrm{u}_{i+n-3}) + \gamma y_{w,i+n-2} \\
&\cdots \\
y_{w,i} &= r(\mathrm{x}_i,\ \mathrm{u}_i) + \cdots + \gamma^{n-1} r(\mathrm{x}_{i+n-1},\ \mathrm{u}_{i+n-1}) + \gamma^n V_\phi(\mathrm{x}_{i+n}) \\
&= r(\mathrm{x}_i,\ \mathrm{u}_i) + \gamma y_{w,i+1}
\end{aligned}
$$

```
def n_step_td_target(self, rewards, next_v_value, done):
        y_i = np.zeros(rewards.shape)
        cumulative = 0
        if not done:
            cumulative = next_v_value
        for k in reversed(range(0, len(rewards))):
            cumulative = self.GAMMA * cumulative + rewards[k]
            y_i[k] = cumulative
        return y_i
```

멤버함수 unpack_batch는 넘파이 어레이(numpy array)를 요소로 하는 파이썬 리스트(list)로 구성된 배치 데이터를 넘파이 어레이로 바꿔준다.

```
def unpack_batch(self, batch):
    unpack = batch[0]
    for idx in range(len(batch)-1):
        unpack = np.append(unpack, batch[idx+1], axis=0)
    return unpack
```

5.4.6 학습 결과

a3c_main.py 파일을 실행시키면 학습이 진행된다. 학습은 1000번의 에피소드로 실행됐으며 학습 결과는 다음 그림과 같다. 그림에서 x축은 실행된 에피소드의 수, y축은 에피소드에서 얻은 총 보상의 합이다. 학습된 신경망의 파라미터는 save_weights 폴더에 각각 pendulum_actor.h5와 pendulum_critic.h5 파일로 저장된다. a2c_load_play.py를 실행하면 저장된 파라미터를 읽어와 에이전트가 실행된다. 그림 5.14는 학습 결과다. 약 400번의 에피소드만에 일정 수준의 학습 성과를 달성한 것을 볼 수 있다. 그림 5.15는 서로 다른 초기 조건에 대해서 진자의 각도의 시간 궤적을 도시한 실행 결과다. 서로 다른 초기 각도에 대해서 각도가 약 0도로 모두 수렴하므로 진자가 성공적으로 기립함을 알 수 있다. 그림 5.16은 이때의 토크 시간 궤적을 도시한 것이다.

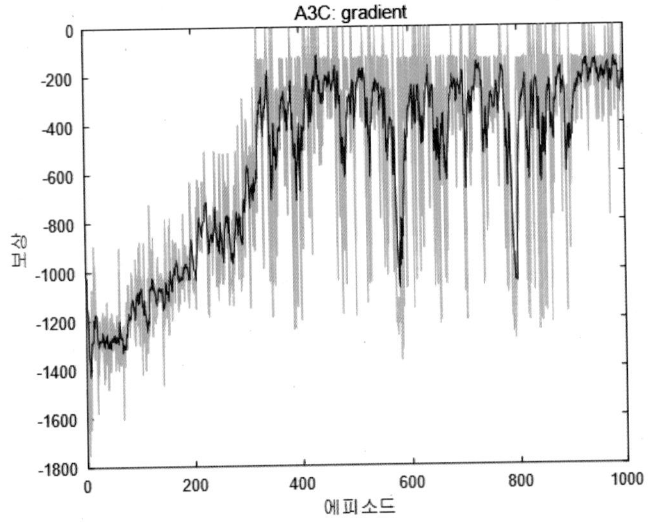

그림 5.14 학습 결과

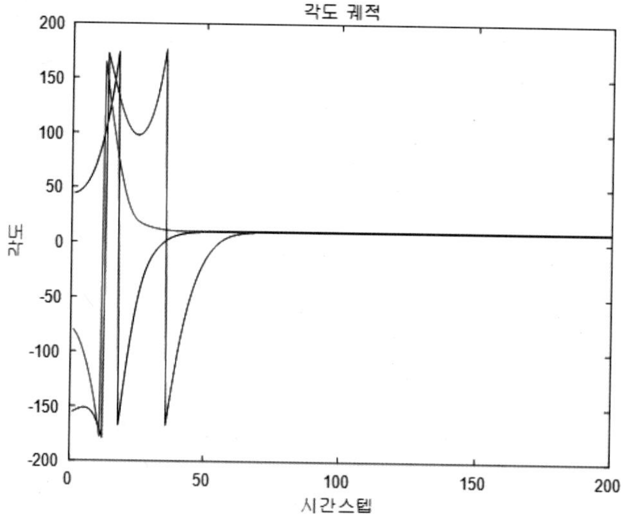

그림 5.15 실행 결과: 각도(ψ)의 시간 궤적

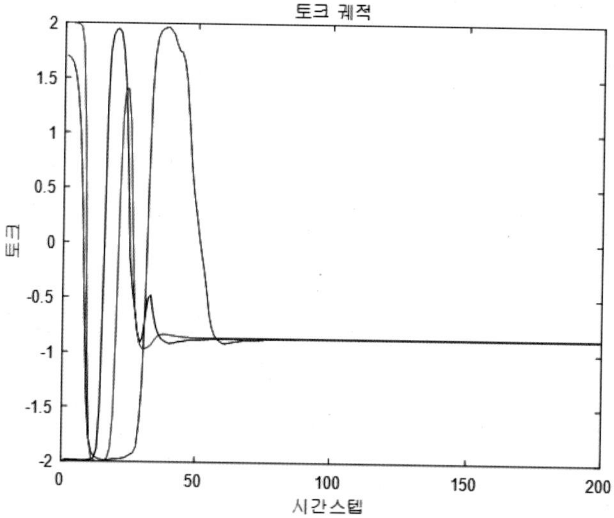

그림 5.16 실행 결과: 토크의 시간 궤적

5.4.7 전체 코드

a3c_learn.py

```
# A3C learn (tf2 subclassing API version: Gradient)
# coded by St.Watermelon

# 필요한 패키지 임포트
import gym
import tensorflow as tf

from tensorflow.keras.models import Model
from tensorflow.keras.layers import Dense, Lambda
from tensorflow.keras.optimizers import Adam

import numpy as np
import matplotlib.pyplot as plt

import threading
import multiprocessing



## 액터 신경망
class Actor(Model):

    def __init__(self, action_dim, action_bound):
        super(Actor, self).__init__()
        self.action_bound = action_bound

        self.h1 = Dense(64, activation='relu')
        self.h2 = Dense(32, activation='relu')
        self.h3 = Dense(16, activation='relu')
        self.mu = Dense(action_dim, activation='tanh')
        self.std = Dense(action_dim, activation='softplus')

    def call(self, state):
        x = self.h1(state)
        x = self.h2(x)
        x = self.h3(x)
        mu = self.mu(x)
        std = self.std(x)
```

```
        # 평균값을 [-action_bound, action_bound] 범위로 조정
        mu = Lambda(lambda x: x*self.action_bound)(mu)

        return [mu, std]

## 크리틱 신경망
class Critic(Model):

    def __init__(self):
        super(Critic, self).__init__()

        self.h1 = Dense(64, activation='relu')
        self.h2 = Dense(32, activation='relu')
        self.h3 = Dense(16, activation='relu')
        self.v = Dense(1, activation='linear')

    def call(self, state):
        x = self.h1(state)
        x = self.h2(x)
        x = self.h3(x)
        v = self.v(x)
        return v

# 모든 워커에서 공통으로 사용할 글로벌 변수 설정
global_episode_count = 0
global_step = 0
global_episode_reward = []  # save the results

## a3c 에이전트 클래스
class A3Cagent(object):

    def __init__(self, env_name):

        # 학습할 환경 설정
        self.env_name = env_name
        self.WORKERS_NUM = multiprocessing.cpu_count() # 워커의 개수
        env = gym.make(env_name)
        # 상태변수 차원
        self.state_dim = env.observation_space.shape[0]
```

```
        # 행동 차원
        self.action_dim = env.action_space.shape[0]
        # 행동의 최대 크기
        self.action_bound = env.action_space.high[0]
        # 글로벌 액터 및 크리틱 신경망 생성
        self.global_actor = Actor(self.action_dim, self.action_bound)
        self.global_critic = Critic()

        self.global_actor.build(input_shape=(None, self.state_dim))
        self.global_critic.build(input_shape=(None, self.state_dim))

        self.global_actor.summary()
        self.global_critic.summary()


    ## 신경망 파라미터 로드
    def load_weights(self, path):
        self.global_actor.load_weights(path + 'pendulum_actor.h5')
        self.global_critic.load_weights(path + 'pendulum_critic.h5')

    ## 학습
    def train(self, max_episode_num):
        workers = []
        # 워커 스레드를 생성하고 리스트에 추가
        for i in range(self.WORKERS_NUM):
            worker_name = 'worker%i' % i
            workers.append(A3Cworker(worker_name, self.env_name, self.global_actor,
                                     self.global_critic, max_episode_num))

        # 리스트를 순회하면서 각 워커 스레드를 시작하고 다시 리스트를 순회하면서 조인함
        for worker in workers:
            worker.start()

        for worker in workers:
            worker.join()

        # 학습이 끝난 후, 글로벌 누적 보상값 저장
        np.savetxt('./save_weights/pendulum_epi_reward.txt', global_episode_reward)
        print(global_episode_reward)
```

```
    ## 에피소드와 글로벌 누적 보상값을 그려주는 함수
    def plot_result(self):
        plt.plot(global_episode_reward)
        plt.show()


## a3c 워커 클래스
class A3Cworker(threading.Thread):

    def __init__(self, worker_name, env_name, global_actor, global_critic, max_episode_num):
        threading.Thread.__init__(self)

        # 하이퍼파라미터
        self.GAMMA = 0.95
        self.ACTOR_LEARNING_RATE = 0.0001
        self.CRITIC_LEARNING_RATE = 0.001
        self.t_MAX = 4 # n-스텝 시간차

        self.max_episode_num = max_episode_num

        # 워커의 환경 생성
        self.env = gym.make(env_name)
        self.worker_name = worker_name

        # 글로벌 신경망 공유
        self.global_actor = global_actor
        self.global_critic = global_critic

        # 상태변수 차원
        self.state_dim = self.env.observation_space.shape[0]
        # 행동 차원
        self.action_dim = self.env.action_space.shape[0]
        # 행동의 최대 크기
        self.action_bound = self.env.action_space.high[0]
        # 표준편차의 최솟값과 최댓값 설정
        self.std_bound = [1e-2, 1.0]

        # 워커 액터 및 크리틱 신경망 생성
        self.worker_actor = Actor(self.action_dim, self.action_bound)
        self.worker_critic = Critic()
        self.worker_actor.build(input_shape=(None, self.state_dim))
        self.worker_critic.build(input_shape=(None, self.state_dim))
```

```
    # 옵티마이저
    self.actor_opt = Adam(self.ACTOR_LEARNING_RATE)
    self.critic_opt = Adam(self.CRITIC_LEARNING_RATE)

    # 글로벌 신경망의 파라미터를 워커 신경망으로 복사
    self.worker_actor.set_weights(self.global_actor.get_weights())
    self.worker_critic.set_weights(self.global_critic.get_weights())


## 로그-정책 확률밀도함수 계산
def log_pdf(self, mu, std, action):
    std = tf.clip_by_value(std, self.std_bound[0], self.std_bound[1])
    var = std ** 2
    log_policy_pdf = -0.5 * (action - mu) ** 2 / var - 0.5 * tf.math.log(var * 2 * np.pi)
    return tf.reduce_sum(log_policy_pdf, 1, keepdims=True)


## 액터 신경망에서 행동을 샘플링
def get_action(self, state):
    mu_a, std_a = self.worker_actor(state)
    mu_a = mu_a.numpy()[0]
    std_a = std_a.numpy()[0]
    std_a = np.clip(std_a, self.std_bound[0], self.std_bound[1])
    action = np.random.normal(mu_a, std_a, size=self.action_dim)
    return action


## 액터 신경망 학습
def actor_learn(self, states, actions, advantages):

    with tf.GradientTape() as tape:
        # 정책 확률밀도함수
        mu_a, std_a = self.worker_actor(states, training=True)
        log_policy_pdf = self.log_pdf(mu_a, std_a, actions)

        # 워커의 손실함수 계산
        loss_policy = log_policy_pdf * advantages
        loss = tf.reduce_sum(-loss_policy)
    # 워커의 그래디언트 계산
    grads = tape.gradient(loss, self.worker_actor.trainable_variables)
    # 그래디언트 클리핑
    grads, _ = tf.clip_by_global_norm(grads, 20)
```

```
        # 워커의 그래디언트를 이용해 글로벌 신경망 업데이트
        self.actor_opt.apply_gradients(zip(grads, self.global_actor.trainable_variables))


    ## 크리틱 신경망 학습
    def critic_learn(self, states, n_step_td_targets):
        with tf.GradientTape() as tape:
            # 워커의 손실함수 계산
            td_hat = self.worker_critic(states, training=True)
            loss = tf.reduce_mean(tf.square(n_step_td_targets-td_hat))
        # 워커의 그래디언트 계산
        grads = tape.gradient(loss, self.worker_critic.trainable_variables)
        # 그래디언트 클리핑
        grads, _ = tf.clip_by_global_norm(grads, 20)
        # 워커의 그래디언트를 이용해 글로벌 신경망 업데이트
        self.critic_opt.apply_gradients(zip(grads, self.global_critic.trainable_variables))


    ## n-스텝 시간차 타깃 계산
    def n_step_td_target(self, rewards, next_v_value, done):
        y_i = np.zeros(rewards.shape)
        cumulative = 0
        if not done:
            cumulative = next_v_value

        for k in reversed(range(0, len(rewards))):
            cumulative = self.GAMMA * cumulative + rewards[k]
            y_i[k] = cumulative
        return y_i


    ## 배치에 저장된 데이터 추출
    def unpack_batch(self, batch):
        unpack = batch[0]
        for idx in range(len(batch)-1):
            unpack = np.append(unpack, batch[idx+1], axis=0)

        return unpack
```

```
## 파이썬에서 스레드를 구동하기 위해서는 함수명을 run으로 해줘야 함. 워커의 학습을 구현
def run(self):
    # 모든 워커에서 공통으로 사용할 글로벌 변수 선언
    global global_episode_count, global_step
    global global_episode_reward
    # 워커 실행 시 프린트
    print(self.worker_name, "starts ---")
    # 에피소드마다 다음을 반복
    while global_episode_count <= int(self.max_episode_num):

        # 배치 초기화
        batch_state, batch_action, batch_reward = [], [], []
        # 에피소드 초기화
        step, episode_reward, done = 0, 0, False
        # 환경 초기화 및 초기 상태 관측
        state = self.env.reset()
        # 에피소드 종료 시까지 다음을 반복
        while not done:

            # 환경 가시화
            #self.env.render()
            # 행동 추출
            action = self.get_action(tf.convert_to_tensor([state], dtype=tf.float32))
            # 행동 범위 클리핑
            action = np.clip(action, -self.action_bound, self.action_bound)
            # 다음 상태, 보상 관측
            next_state, reward, done, _ = self.env.step(action)
            # shape 변환
            state = np.reshape(state, [1, self.state_dim])
            action = np.reshape(action, [1, self.action_dim])
            reward = np.reshape(reward, [1, 1])
            # 학습용 보상 범위 조정
            train_reward = (reward + 8) / 8
            # 배치에 저장
            batch_state.append(state)
            batch_action.append(action)
            batch_reward.append(train_reward)
            # 상태 업데이트
            state = next_state
```

```
                episode_reward += reward[0]
                step += 1

                # 배치가 채워지면 워커 학습 시작
                if len(batch_state) == self.t_MAX or done:

                    # 배치에서 데이터 추출
                    states = self.unpack_batch(batch_state)
                    actions = self.unpack_batch(batch_action)
                    rewards = self.unpack_batch(batch_reward)
                    # 배치 비움
                    batch_state, batch_action, batch_reward = [], [], []
                    # n-스텝 시간차 타깃과 어드밴티지 계산
                    next_state = np.reshape(next_state, [1, self.state_dim])
                    next_v_value = self.worker_critic(tf.convert_to_tensor(next_state, dtype=tf.float32))
                    n_step_td_targets = self.n_step_td_target(rewards, next_v_value.numpy(), done)
                    v_values = self.worker_critic(tf.convert_to_tensor(states, dtype=tf.float32))
                    advantages = n_step_td_targets - v_values
                    # 글로벌 크리틱 신경망 업데이트
                    self.critic_learn(states, n_step_td_targets)
                    # 글로벌 액터 신경망 업데이트
                    self.actor_learn(states, actions, advantages)
                    # 글로벌 신경망 파라미터를 워커 신경망으로 복사
                    self.worker_actor.set_weights(self.global_actor.get_weights())
                    self.worker_critic.set_weights(self.global_critic.get_weights())
                    # 글로벌 스텝 업데이트
                    global_step += 1
                # 에피소드가 종료되면,
                if done:
                    # 글로벌 에피소드 카운트 업데이트
                    global_episode_count += 1
                    # 에피소드마다 결과 보상값 출력
                    print('Worker name:', self.worker_name, ', Episode: ', global_episode_count,
                          ', Step: ', step, ', Reward: ', episode_reward)
                    global_episode_reward.append(episode_reward)
                    # 에피소드 10번마다 신경망 파라미터를 파일에 저장
                    if global_episode_count % 10 == 0:
                        self.global_actor.save_weights("./save_weights/pendulum_actor.h5")
                        self.global_critic.save_weights("./save_weights/pendulum_critic.h5")
```

a3c_main.py

```
# A3C main
# coded by St.Watermelon
## A3C 에이전트를 학습하고 결과를 도시하는 파일

# 필요한 패키지 임포트
from a3c_learn import A3Cagent

def main():

    max_episode_num = 1000  # 최대 에피소드 설정
    env_name = 'Pendulum-v0'  # 환경으로 OpenAI Gym의 pendulum-v0 설정
    agent = A3Cagent(env_name)  # A3C 에이전트 객체
    # 학습 진행
    agent.train(max_episode_num)
    # 학습 결과 도시
    agent.plot_result()

if __name__=="__main__":
    main()
```

a3c_load_play.py

```
# A3C load and play (tf2 version)
# coded by St.Watermelon
## 학습된 신경망 파라미터를 가져와서 에이전트를 실행시키는 파일

# 필요한 패키지 임포트
import gym
import tensorflow as tf
from a3c_learn import A3Cagent

def main():

    env_name = 'Pendulum-v0'
    env = gym.make(env_name)

    agent = A3Cagent(env_name) # A3C 에이전트 객체
    # 글로벌 신경망 파라미터 가져옴
    agent.load_weights('./save_weights/')
```

```
        time = 0
        state = env.reset() # 환경을 초기화하고, 초기 상태 관측

        while True:
            env.render()
            # 행동 계산
            action = agent.global_actor(tf.convert_to_tensor([state], dtype=tf.float32))[0][0]
            # 환경으로부터 다음 상태, 보상 받음
            state, reward, done, _ = env.step(action)
            time += 1

            print('Time: ', time, 'Reward: ', reward)

            if done:
                break

        env.close()

if __name__=="__main__":
    main()
```

5.5 데이터 병렬화 방식의 A3C 알고리즘 구현

5.5.1 코드 개요

테스트 환경은 앞에서와 동일하다. 그래디언트 병렬화 방식과 동일하게 데이터 병렬화 방식의 A3C 코드도 액터-크리틱 신경망을 구현하고 학습시키기 위한 a3c_learn.py, 이를 실행시키기 위한 a3c_main.py, 그리고 학습을 마친 신경망 파라미터를 읽어와 에이전트를 구동하기 위한 a3c_load_play.py로 구성돼 있다. 차이점은 워커는 각자의 환경과 상호작용하면서 데이터를 수집하기만 하고, 학습은 글로벌 신경망에서 진행된다는 점이다. 학습의 위치만 다를 뿐 모든 알고리즘은 동일하므로 학습 결과와 전체 코드만 표시한다. 전체 코드는 5.5.2절에 있으니 참고하기 바란다.

a3c_main.py 파일을 실행시키면 학습이 진행된다. 학습은 1000번의 에피소드로 실행됐으며 학습 결과는 다음 그림과 같다. 그림에서 x축은 실행된 에피소드의 수, y축은 에피소드에서 얻은 총 보상의 합이다. 학습된 신경망의 파라미터는 save_weights 폴더에 각각 pendulum_actor.h5와 pendulum_critic.h5 파일로 저장된다. a3c_load_play.py를 실행하면 저장된 파라미터를 읽어와 에이전트가 실행된다. 그림 5.17은 학습 결과다. 약 400번의 에피소드만에 일정 수준의 학습 성과를 달성한 것을 볼 수 있다. 그림 5.18은 서로 다른 초기 조건에 대해서 진자의 각도의 시간 궤적을 도시한 실행 결과다. 서로 다른 초기 각도에 대해서 각도가 모두 약 0도로 수렴하므로 진자가 성공적으로 기립함을 알 수 있다. 그림 5.19는 이때의 토크 시간 궤적을 도시한 것이다.

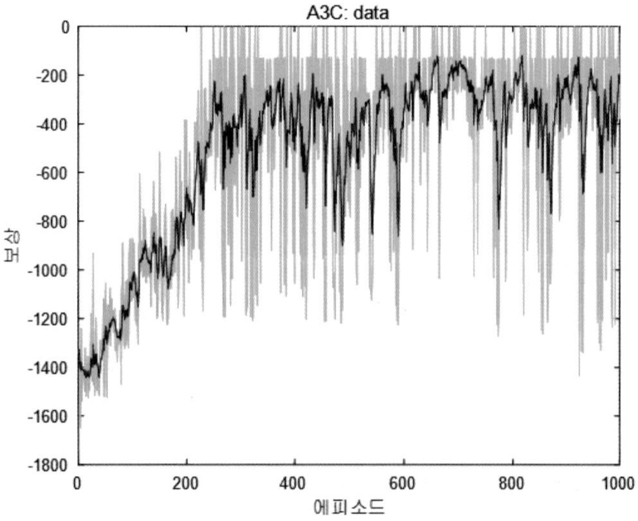

그림 5.17 학습 결과

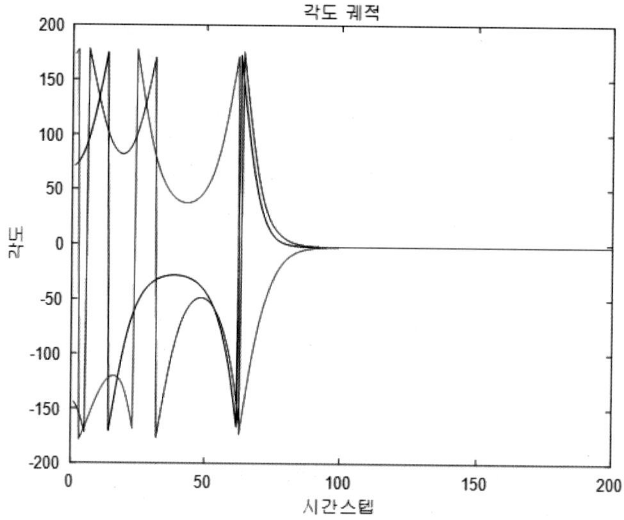

그림 5.18 실행 결과: 각도(ψ)의 시간 궤적

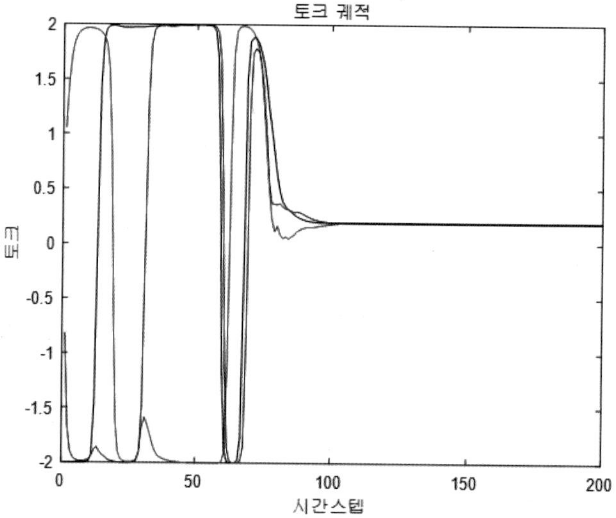

그림 5.19 실행 결과: 토크의 시간 궤적

5.5.2 전체 코드

a3c_learn.py

```
# A3C learn (tf2 subclassing API version: Data)
# coded by St.Watermelon

# 필요한 패키지 임포트
import gym
import tensorflow as tf

from tensorflow.keras.models import Model
from tensorflow.keras.layers import Dense, Lambda
from tensorflow.keras.optimizers import Adam

import numpy as np
import matplotlib.pyplot as plt

import threading
import multiprocessing


## 액터 신경망
class Actor(Model):

    def __init__(self, action_dim, action_bound):
        super(Actor, self).__init__()
        self.action_bound = action_bound

        self.h1 = Dense(64, activation='relu')
        self.h2 = Dense(32, activation='relu')
        self.h3 = Dense(16, activation='relu')
        self.mu = Dense(action_dim, activation='tanh')
        self.std = Dense(action_dim, activation='softplus')

    def call(self, state):
        x = self.h1(state)
        x = self.h2(x)
        x = self.h3(x)
        mu = self.mu(x)
        std = self.std(x)
```

```
        # 평균값을 [-action_bound, action_bound] 범위로 조정
        mu = Lambda(lambda x: x*self.action_bound)(mu)

        return [mu, std]


## 크리티 신경망
class Critic(Model):

    def __init__(self):
        super(Critic, self).__init__()

        self.h1 = Dense(64, activation='relu')
        self.h2 = Dense(32, activation='relu')
        self.h3 = Dense(16, activation='relu')
        self.v = Dense(1, activation='linear')

    def call(self, state):
        x = self.h1(state)
        x = self.h2(x)
        x = self.h3(x)
        v = self.v(x)
        return v


# 모든 워커에서 공통으로 사용할 글로벌 변수 설정
global_episode_count = 0
global_step = 0
global_episode_reward = []  # save the results

## a3c 에이전트 클래스
class A3Cagent(object):

    def __init__(self, env_name):

        # 학습할 환경 설정
        self.env_name = env_name
        self.WORKERS_NUM = multiprocessing.cpu_count() # 워커의 개수
        env = gym.make(env_name)
        # 상태변수 차원
        self.state_dim = env.observation_space.shape[0]
```

```
        # 행동 차원
        self.action_dim = env.action_space.shape[0]
        # 행동의 최대 크기
        self.action_bound = env.action_space.high[0]
        # 글로벌 액터 및 크리틱 신경망 생성
        self.global_actor = Actor(self.action_dim, self.action_bound)
        self.global_critic = Critic()

        self.global_actor.build(input_shape=(None, self.state_dim))
        self.global_critic.build(input_shape=(None, self.state_dim))

        self.global_actor.summary()
        self.global_critic.summary()


    ## 신경망 파라미터 로드
    def load_weights(self, path):
        self.global_actor.load_weights(path + 'pendulum_actor.h5')
        self.global_critic.load_weights(path + 'pendulum_critic.h5')


    ## 학습
    def train(self, max_episode_num):
        workers = []
        # 워커 스레드를 생성하고 리스트에 추가
        for i in range(self.WORKERS_NUM):
            worker_name = 'worker%i' % i
            workers.append(A3Cworker(worker_name, self.env_name, self.global_actor,
                                     self.global_critic, max_episode_num))

        # 리스트를 순회하면서 각 워커 스레드를 시작하고 다시 리스트를 순회하면서 조인함
        for worker in workers:
            worker.start()

        for worker in workers:
            worker.join()

        # 학습이 끝난 후, 글로벌 누적 보상값 저장
        np.savetxt('./save_weights/pendulum_epi_reward.txt', global_episode_reward)
        print(global_episode_reward)
```

```
    ## 에피소드와 글로벌 누적 보상값을 그려주는 함수
    def plot_result(self):
        plt.plot(global_episode_reward)
        plt.show()


## a3c 워커 클래스
class A3Cworker(threading.Thread):

    def __init__(self, worker_name, env_name, global_actor, global_critic, max_episode_num):
        threading.Thread.__init__(self)

        # 하이퍼파라미터
        self.GAMMA = 0.95
        self.ACTOR_LEARNING_RATE = 0.0001
        self.CRITIC_LEARNING_RATE = 0.001
        self.t_MAX = 4 # n-스텝 시간차

        self.max_episode_num = max_episode_num

        # 워커의 환경 생성
        self.env = gym.make(env_name)
        self.worker_name = worker_name

        # 글로벌 신경망 공유
        self.global_actor = global_actor
        self.global_critic = global_critic

        # 상태변수 차원
        self.state_dim = self.env.observation_space.shape[0]
        # 행동 차원
        self.action_dim = self.env.action_space.shape[0]
        # 행동의 최대 크기
        self.action_bound = self.env.action_space.high[0]
        # 표준편차의 최솟값과 최댓값 설정
        self.std_bound = [1e-2, 1.0]

        # 워커 액터 및 크리틱 신경망 생성
        self.worker_actor = Actor(self.action_dim, self.action_bound)
        self.worker_critic = Critic()
        self.worker_actor.build(input_shape=(None, self.state_dim))
        self.worker_critic.build(input_shape=(None, self.state_dim))
```

```
        # 옵티마이저
        self.actor_opt = Adam(self.ACTOR_LEARNING_RATE)
        self.critic_opt = Adam(self.CRITIC_LEARNING_RATE)

        # 글로벌 신경망의 파라미터를 워커 신경망으로 복사
        self.worker_actor.set_weights(self.global_actor.get_weights())
        self.worker_critic.set_weights(self.global_critic.get_weights())

    ## 로그-정책 확률밀도함수 계산
    def log_pdf(self, mu, std, action):
        std = tf.clip_by_value(std, self.std_bound[0], self.std_bound[1])
        var = std ** 2
        log_policy_pdf = -0.5 * (action - mu) ** 2 / var - 0.5 * tf.math.log(var * 2 * np.pi)
        return tf.reduce_sum(log_policy_pdf, 1, keepdims=True)


    ## 액터 신경망에서 행동을 샘플링
    def get_action(self, state):
        mu_a, std_a = self.worker_actor(state)
        mu_a = mu_a.numpy()[0]
        std_a = std_a.numpy()[0]
        std_a = np.clip(std_a, self.std_bound[0], self.std_bound[1])
        action = np.random.normal(mu_a, std_a, size=self.action_dim)
        return action


    ## 액터 신경망 학습
    def actor_learn(self, states, actions, advantages):

        with tf.GradientTape() as tape:
            # 정책 확률밀도함수
            mu_a, std_a = self.global_actor(states, training=True)
            log_policy_pdf = self.log_pdf(mu_a, std_a, actions)

            # 글로벌 손실함수 계산
            loss_policy = log_policy_pdf * advantages
            loss = tf.reduce_sum(-loss_policy)

        # 글로벌 그래디언트 계산
        grads = tape.gradient(loss, self.global_actor.trainable_variables)
```

```
        # 그래디언트 클리핑
        grads, _ = tf.clip_by_global_norm(grads, 20)
        # 글로벌 그래디언트를 이용해 글로벌 신경망 업데이트
        self.actor_opt.apply_gradients(zip(grads, self.global_actor.trainable_variables))


    ## 크리틱 신경망 학습
    def critic_learn(self, states, n_step_td_targets):
        with tf.GradientTape() as tape:
            # 글로벌 손실함수 계산
            td_hat = self.global_critic(states, training=True)
            loss = tf.reduce_mean(tf.square(n_step_td_targets-td_hat))
        # 글로벌 그래디언트 계산
        grads = tape.gradient(loss, self.global_critic.trainable_variables)
        # 그래디언트 클리핑
        grads, _ = tf.clip_by_global_norm(grads, 20)
        # 글로벌 그래디언트를 이용해 글로벌 신경망 업데이트
        self.critic_opt.apply_gradients(zip(grads, self.global_critic.trainable_variables))


    ## n-스텝 시간차 타깃 계산
    def n_step_td_target(self, rewards, next_v_value, done):
        y_i = np.zeros(rewards.shape)
        cumulative = 0
        if not done:
            cumulative = next_v_value

        for k in reversed(range(0, len(rewards))):
            cumulative = self.GAMMA * cumulative + rewards[k]
            y_i[k] = cumulative
        return y_i


    ## 배치에 저장된 데이터 추출
    def unpack_batch(self, batch):
        unpack = batch[0]
        for idx in range(len(batch)-1):
            unpack = np.append(unpack, batch[idx+1], axis=0)

        return unpack
```

```
## 파이썬에서 스레드를 구동하기 위해서는 함수명을 run으로 해줘야 함. 워커의 학습을 구현
def run(self):
    # 모든 워커에서 공통으로 사용할 글로벌 변수 선언
    global global_episode_count, global_step
    global global_episode_reward
    # 워커 실행 시 프린트
    print(self.worker_name, "starts ---")
    # 에피소드마다 다음을 반복
    while global_episode_count <= int(self.max_episode_num):

        # 배치 초기화
        batch_state, batch_action, batch_reward = [], [], []
        # 에피소드 초기화
        step, episode_reward, done = 0, 0, False
        # 환경 초기화 및 초기 상태 관측
        state = self.env.reset()
        # 에피소드 종료 시까지 다음을 반복
        while not done:

            # 환경 가시화
            #self.env.render()
            # 행동 추출
            action = self.get_action(tf.convert_to_tensor([state], dtype=tf.float32))
            # 행동 범위 클리핑
            action = np.clip(action, -self.action_bound, self.action_bound)
            # 다음 상태, 보상 관측
            next_state, reward, done, _ = self.env.step(action)
            # shape 변환
            state = np.reshape(state, [1, self.state_dim])
            action = np.reshape(action, [1, self.action_dim])
            reward = np.reshape(reward, [1, 1])
            # 학습용 보상 범위 조정
            train_reward = (reward + 8) / 8
            # 배치에 저장
            batch_state.append(state)
            batch_action.append(action)
            batch_reward.append(train_reward)
            # 상태 업데이트
            state = next_state
```

```
episode_reward += reward[0]
step += 1

# 배치가 채워지면 워커 학습 시작
if len(batch_state) == self.t_MAX or done:

    # 배치에서 데이터 추출
    states = self.unpack_batch(batch_state)
    actions = self.unpack_batch(batch_action)
    rewards = self.unpack_batch(batch_reward)
    # 배치 비움
    batch_state, batch_action, batch_reward = [], [], []
    # n-스텝 시간차 타깃과 어드밴티지 계산
    next_state = np.reshape(next_state, [1, self.state_dim])
    next_v_value = self.worker_critic(tf.convert_to_tensor(next_state, dtype=tf.float32))
    n_step_td_targets = self.n_step_td_target(rewards, next_v_value.numpy(), done)
    v_values = self.worker_critic(tf.convert_to_tensor(states, dtype=tf.float32))
    advantages = n_step_td_targets - v_values
    # 글로벌 크리틱 신경망 업데이트
    self.critic_learn(states, n_step_td_targets)
    # 글로벌 액터 신경망 업데이트
    self.actor_learn(states, actions, advantages)
    # 글로벌 신경망 파라미터를 워커 신경망으로 복사
    self.worker_actor.set_weights(self.global_actor.get_weights())
    self.worker_critic.set_weights(self.global_critic.get_weights())
    # 글로벌 스텝 업데이트
    global_step += 1
# 에피소드가 종료되면,
if done:
    # 글로벌 에피소드 카운트 업데이트
    global_episode_count += 1
    # 에피소드마다 결과 보상값 출력
    print('Worker name:', self.worker_name, ', Episode: ', global_episode_count,
          ', Step: ', step, ', Reward: ', episode_reward)
    global_episode_reward.append(episode_reward)
    # 에피소드 10번마다 신경망 파라미터를 파일에 저장
    if global_episode_count % 10 == 0:
        self.global_actor.save_weights("./save_weights/pendulum_actor.h5")
        self.global_critic.save_weights("./save_weights/pendulum_critic.h5")
```

a3c_main.py

```
# A3C main
# coded by St.Watermelon

## A3C 에이전트를 학습하고 결과를 도시하는 파일

# 필요한 패키지 임포트
from a3c_learn import A3Cagent

def main():

    max_episode_num = 1000  # 최대 에피소드 설정
    env_name = 'Pendulum-v0'  # 환경으로 OpenAI Gym의 pendulum-v0 설정
    agent = A3Cagent(env_name) # A3C 에이전트 객체
    # 학습 진행
    agent.train(max_episode_num)
    # 학습 결과 도시
    agent.plot_result()

if __name__=="__main__":
    main()
```

a3c_load_play.py

```
# A3C load and play (tf2 version)
# coded by St.Watermelon
## 학습된 신경망 파라미터를 가져와서 에이전트를 실행시키는 파일

# 필요한 패키지 임포트
import gym
import tensorflow as tf
from a3c_learn import A3Cagent

def main():

    env_name = 'Pendulum-v0'
    env = gym.make(env_name)

    agent = A3Cagent(env_name)  # A3C 에이전트 객체
```

```
    # 글로벌 신경망 파라미터 가져옴
    agent.load_weights('./save_weights/')

    time = 0
    state = env.reset()  # 환경을 초기화하고, 초기 상태 관측

    while True:
        env.render()
        # 행동 계산
        action = agent.global_actor(tf.convert_to_tensor([state], dtype=tf.float32))[0][0]
        # 환경으로부터 다음 상태, 보상 받음
        state, reward, done, _ = env.step(action)
        time += 1

        print('Time: ', time, 'Reward: ', reward)

        if done:
            break

    env.close()

if __name__=="__main__":
    main()
```

06장 PPO

6.1 배경

어드밴티지 액터-크리틱(A2C, advantage actor-critic) 알고리즘은 REINFORCE 알고리즘의 단점인 몬테카를로 업데이트 문제와 목적함수 그래디언트의 분산이 크다는 점을 개선했지만, 여전히 온-폴리시(on-policy)라는 단점이 있다. 온-폴리시 방법은 정책을 업데이트하기 위해 해당 정책을 실행시켜 발생한 샘플이 필요하므로 효율성이 매우 떨어진다. 또 다른 단점은 액터-크리틱뿐만 아니라 정책 그래디언트를 이용한 방법의 문제인데, 정책 파라미터 변화량이 작더라도 정책 자체는 크게 변할 수도 있다는 점이다. 정책이 점진적으로 업데이트되어야만 안정적인 학습이 가능하다. 이 장에서는 이 문제점을 개선하기 위한 방법을 알아보고, 대표적인 알고리즘인 PPO(proximal policy optimization, 근접 정책 최적화)를 소개한다.

6.2 그래디언트의 재구성

어드밴티지 액터-크리틱(A2C)에서 사용된 목적함수 그래디언트를 다시 써 보자.

$$
\begin{aligned}
\nabla_\theta J(\theta) &= \sum_{t=0}^{T} \left(\mathbb{E}_{\tau_{x_0:u_t} \sim p_\theta(\tau_{x_0:u_t})} \left[\gamma^t \nabla_\theta \log \pi_\theta (u_t | x_t) A^{\pi_\theta}(x_t, u_t) \right] \right) \\
&= \sum_{t=0}^{T} \left(\mathbb{E}_{x_t \sim p_\theta(x_t),\, u_t \sim \pi_\theta(u_t | x_t)} \left[\gamma^t \nabla_\theta \log \pi_\theta (u_t | x_t) A^{\pi_\theta}(x_t, u_t) \right] \right)
\end{aligned}
\tag{6.1}
$$

여기서 첫 번째 줄의 식에서 궤적은 $\tau_{x_0:u_t}=(x_0, u_0, x_1, u_1, ..., x_t, u_t)$다. 위 식에서 알 수 있듯이 π_θ로 발생시킨 샘플을 이용해 기댓값을 계산한다. 즉, 정책을 한 단계 업데이트한 후 이전 정책이 발생시킨 샘플은 폐기하고 업데이트된 정책으로 샘플을 다시 발생시킨다. 이 샘플로 다시 정책을 업데이트하는 것을 반복한다. 이와 같이 정책을 업데이트하기 위해 해당 정책으로 발생시킨 샘플이 필요한 방법을 온-폴리시(on-policy) 방법이라고 한다. 온-폴리시 방법은 오프-폴리시(off-policy)에 비해 데이터 효율성이 떨어진다. 오프-폴리시 방법은 다른 정책으로 발생시킨 샘플로도 해당 정책을 업데이트할 수 있기 때문이다. 그렇다면, 현재 정책 π_θ 대신에 이전 정책 $\pi_{\theta_{OLD}}$로 발생시킨 샘플로도 기댓값을 계산할 수는 없을까?

중요 샘플링에 의하면 확률밀도함수 $p(x)$에 기반한 함수 $f(x)$의 기댓값을 다른 확률밀도함수 $q(x)$에 기반해 다음과 같이 계산할 수 있다.

$$\mathbb{E}_{x\sim p(x)}[f(x)]=\mathbb{E}_{x\sim q(x)}\left[\frac{p(x)}{q(x)}f(x)\right] \tag{6.2}$$

이 방법을 식 (6.1)의 첫 번째 목적함수 그래디언트 식에 적용하면 다음과 같이 된다.

$$\nabla_\theta J(\theta)=\sum_{t=0}^{T}\left(\mathbb{E}_{\tau_{x_0:u_t}\sim p_{\theta_{OLD}}(\tau_{x_0:u_t})}\left[\frac{p_\theta(\tau_{x_0:u_t})}{p_{\theta_{OLD}}(\tau_{x_0:u_t})}\gamma^t \nabla_\theta \log \pi_\theta(u_t|x_t)A^{\pi_\theta}(x_t, u_t)\right]\right) \tag{6.3}$$

여기서 $p_{\theta_{OLD}}(\tau_{x_0:u_t})$는 θ_{OLD}로 파라미터화된 확률밀도함수로서, θ로 파라미터화된 확률밀도함수 $p_\theta(\tau_{x_0:u_t})$와는 다른 함수다. 궤적이 $\tau=(x_0, u_0, x_1, u_1, x_2, u_2, ..., x_T, u_T)$일 때 마르코프 가정 하에서 $p_\theta(\tau)$를 전개하면 다음과 같았다.

$$p_\theta(\tau)=p(x_0)\prod_{t=0}^{T}\pi_\theta(u_t|x_t)p(x_{t+1}|x_t, u_t) \tag{6.4}$$

궤적이 $\tau_{x_0:u_t}=(x_0, u_0, x_1, u_1, \dots, x_t, u_t)$임을 감안해 위 식을 이용하면,

$$\frac{p_\theta(\tau_{x_0:u_t})}{p_{\theta_{OLD}}(\tau_{x_0:u_t})}=\frac{p(x_0)\prod_{k=0}^{t}\pi_\theta(u_k|x_k)p(x_{k+1}|x_k, u_k)}{p(x_0)\prod_{k=0}^{t}\pi_{\theta_{OLD}}(u_k|x_k)p(x_{k+1}|x_k, u_k)} \tag{6.5}$$

$$=\prod_{k=0}^{t}\frac{\pi_\theta(u_k|x_k)}{\pi_{\theta_{OLD}}(u_k|x_k)}$$

가 된다. 이 식을 목적함수 그래디언트 식 (6.3)에 대입하면 다음과 같이 된다.

$$\nabla_\theta J(\theta)=\sum_{t=0}^{T}\left(\mathbb{E}_{\tau_{x_0:u_t}\sim p_{\theta_{OLD}}(\tau_{x_0:u_t})}\left[\left(\prod_{k=0}^{t}\frac{\pi_\theta(u_k|x_k)}{\pi_{\theta_{OLD}}(u_k|x_k)}\right)\gamma^t\nabla_\theta\log\pi_\theta(u_t|x_t)A^{\pi_\theta}(x_t, u_t)\right]\right) \tag{6.6}$$

여기서 $\pi_{\theta_{OLD}}$는 이전 정책이고, π_θ는 현재 정책이다. 위 식에 의하면 이전 정책 $\pi_{\theta_{OLD}}$로 발생시킨 샘플 $\tau_{x_0:u_t}$를 이용해 기댓값을 계산할 수 있다. 즉, 이전 정책으로 발생시킨 샘플을 이용해 현재의 정책을 평가하고 업데이트할 수 있다. 하지만 위 식에는 큰 문제가 있는데, 시간이 흐름에 따라 스케일 함수 $\prod_{k=0}^{t}\frac{\pi_\theta(u_k|x_k)}{\pi_{\theta_{OLD}}(u_k|x_k)}$가 계속 곱해진다는 것이다. 정책 π_θ와 $\pi_{\theta_{OLD}}$가 서로 비슷하다고 하더라도 곱셈이 계속 누적된다면 나중에는 큰 차이를 보일 수 있다. 즉, 스케일이 아주 커지거나 아주 작아질 수 있다는 뜻이다. 스케일이 아주 작아진다면 학습이 어려울 것이고, 아주 커진다면 학습이 불안정해질 것이다.

이번에는 식 (6.1)의 두 번째 식을 살펴보자.

$$\nabla_\theta J(\theta)=\sum_{t=0}^{T}(\mathbb{E}_{x_t\sim p_\theta(x_t),\, u_k\sim\pi_\theta(u_t|x_t)}[\gamma^t\nabla_\theta\log\pi_\theta(u_t|x_t)A^{\pi_\theta}(x_t, u_t)]) \tag{6.7}$$

중요 샘플링을 이용해 새 정책 $\pi_\theta(u_t|x_t)$에 기반한 기댓값을 이전 정책 $\pi_{\theta_{OLD}}(u_t|x_t)$로 바꿔보자. 그러면 다음과 같이 된다.

$$\nabla_\theta J(\theta)=\sum_{t=0}^{T}\left(\mathbb{E}_{\mathrm{x}_t\sim p_{\theta_{OLD}}(\mathrm{x}_t)}\left[\frac{p_\theta(\mathrm{x}_t)}{p_{\theta_{OLD}}(\mathrm{x}_t)}\mathbb{E}_{\mathrm{u}_t\sim\pi_{\theta_{OLD}}(\mathrm{u}_t|\mathrm{x}_t)}\left[\gamma^t\frac{\pi_\theta(\mathrm{u}_t|\mathrm{x}_t)}{\pi_{\theta_{OLD}}(\mathrm{u}_t|x_t)}\nabla_\theta\log\pi_\theta(\mathrm{u}_t|\mathrm{x}_t)A^{\pi_\theta}(\mathrm{x}_t,\ \mathrm{u}_t)\right]\right]\right) \tag{6.8}$$

위 식에서 $\frac{p_\theta(\mathrm{x}_t)}{p_{\theta_{OLD}}(\mathrm{x}_t)}\approx 1$이라면,

$$\nabla_\theta J(\theta)=\sum_{t=0}^{T}\left(\mathbb{E}_{\mathrm{x}_t\sim p_{\theta_{OLD}}(\mathrm{x}_t)}\left[\mathbb{E}_{\mathrm{u}_t\sim\pi_{\theta_{OLD}}(\mathrm{u}_t|\mathrm{x}_t)}\left[\gamma^t\frac{\pi_\theta(\mathrm{u}_t|\mathrm{x}_t)}{\pi_{\theta_{OLD}}(\mathrm{u}_t|\mathrm{x}_t)}\nabla_\theta\log\pi_\theta(\mathrm{u}_t|\mathrm{x}_t)A^{\pi_\theta}(\mathrm{x}_t,\ \mathrm{u}_t)\right]\right]\right) \tag{6.9}$$

가 된다. 위 식에 의하면 이전 정책으로 발생시킨 샘플을 이용해 현재 정책을 평가하고 업데이트할 수 있으며, 스케일 함수 $\frac{\pi_\theta(\mathrm{u}_t|\mathrm{x}_t)}{\pi_{\theta_{OLD}}(\mathrm{u}_t|\mathrm{x}_t)}$는 현재 시간스텝 t만의 함수가 되기 때문에 누적되지 않는다. 하지만 위 식은 $\frac{p_\theta(\mathrm{x}_t)}{p_{\theta_{OLD}}(\mathrm{x}_t)}\approx 1$이라는 가정하에서 성립한다. 이제 $\frac{p_\theta(\mathrm{x}_t)}{p_{\theta_{OLD}}(\mathrm{x}_t)}\approx 1$을 만족하는 조건이 무엇인지 알아보자. 또한 $A^{\pi_\theta}(\mathrm{x}_t,\ \mathrm{u}_t)$를 $A^{\pi_{\theta_{OLD}}}(\mathrm{x}_t,\ \mathrm{u}_t)$로 바꿔 쓸 수 있는지도 알아본다.

6.3 정책 업데이트와 성능

다시 처음으로 돌아가 보자. 정책 그래디언트의 원래 목적은 다음과 같은 목적함수가 있을 때

$$J(\theta)=\mathbb{E}_{\tau\sim p_\theta(\tau)}\left[\sum_{t=0}^{T}\gamma^t r(\mathrm{x}_t,\ \mathrm{u}_t)\right] \tag{6.10}$$

다음과 같이 정책 파라미터 θ에 대한 목적함수의 그래디언트를 이용해

$$\theta\leftarrow\theta+\alpha\nabla_\theta J(\theta) \tag{6.11}$$

목적함수가 최대가 되도록 점진적으로 정책 π_θ를 업데이트하는 것이었다. 정책을 업데이트한다(또는 개선시킨다)는 것은 업데이트 이전의 정책 $\pi_{\theta_{OLD}}$와 이후의 정책 π_θ가 있을 때 두 개의 정책으로 인한 목적함수의 차이가 $J(\theta)-J(\theta_{OLD})>0$이 되도록 하는 것이다.

이제 정책의 차이에 따른 목적함수 값(즉, 성능)의 차이를 정량적으로 계산해 보자. 다음과 같이 정책 $\pi_{\theta_{OLD}}$와 정책 π_θ에 따른 목적함수가 있다고 하자.

$$\begin{aligned} J(\theta) &= \mathbb{E}_{\tau \sim p_\theta(\tau)}\left[\sum_{t=0}^{\infty} \gamma^t r(\mathrm{x}_t, \mathrm{u}_t)\right] \\ J(\theta_{OLD}) &= \mathbb{E}_{\tau \sim p_{\theta_{OLD}}(\tau)}\left[\sum_{t=0}^{\infty} \gamma^t r(\mathrm{x}_t, \mathrm{u}_t)\right] \end{aligned} \tag{6.12}$$

여기서 궤적은 $\tau=(\mathrm{x}_0, \mathrm{u}_0, \mathrm{x}_1, \mathrm{u}_1, \ldots)$이며 무한 구간 에피소드를 가정했다. 목적함수는 다음과 같이 표현할 수 있다.

$$\begin{aligned} J(\theta) &= \mathbb{E}_{\mathrm{x}_0 \sim p(\mathrm{x}_0)}\left[V^{\pi_\theta}(\mathrm{x}_0)\right] \\ &= \int_{\mathrm{x}_0} V^{\pi_\theta}(\mathrm{x}_0) p(\mathrm{x}_0) d\mathrm{x}_0 \end{aligned} \tag{6.13}$$

위 식을 이용하면 두 개의 정책 차이에 따른 목적함수의 차이를 다음과 같이 쓸 수 있다.

$$J(\theta)-J(\theta_{OLD}) = \mathbb{E}_{\mathrm{x}_0 \sim p(\mathrm{x}_0)}\left[V^{\pi_\theta}(\mathrm{x}_0)\right] - \mathbb{E}_{\mathrm{x}_0 \sim p(\mathrm{x}_0)}\left[V^{\pi_{\theta_{OLD}}}(\mathrm{x}_0)\right] \tag{6.14}$$

확률밀도함수의 적분은 1임을 이용해 위 식의 두 번째 항을 바꾸면 다음과 같다.

$$\begin{aligned} \mathbb{E}_{\mathrm{x}_0 \sim p(\mathrm{x}_0)}\left[V^{\pi_{\theta_{OLD}}}(\mathrm{x}_0)\right] &= \int_{\mathrm{x}_0} V^{\pi_{\theta_{OLD}}}(\mathrm{x}_0) p(\mathrm{x}_0) d\mathrm{x}_0 \\ &= \int_{\mathrm{x}_0}\left[\int_{(\mathrm{u}_0, \mathrm{x}_1, \mathrm{u}_1, \ldots)} p_\theta(\mathrm{u}_0, \mathrm{x}_1, \mathrm{u}_1, \ldots) d\mathrm{u}_0 d\mathrm{x}_1 d\mathrm{u}_1 \cdots\right] V^{\pi_{\theta_{OLD}}}(\mathrm{x}_0) p(\mathrm{x}_0) d\mathrm{x}_0 \\ &= \int_\tau V^{\pi_{\theta_{OLD}}}(\mathrm{x}_0) p_\theta(\tau) d\tau \\ &= E_{\tau \sim p_\theta(\tau)}\left[V^{\pi_{\theta_{OLD}}}(\mathrm{x}_0)\right] \end{aligned} \tag{6.15}$$

여기서 정책은 $\pi_{\theta_{OLD}}$이지만, 궤적은 $\tau \sim p_{\theta_{OLD}}(\tau)$ 대신에 $\tau \sim p_\theta(\tau)$를 택하는 트릭을 사용했다. 식 (6.14)의 첫 번째 항도 같은 방식으로 다음과 같이 바꿀 수 있다.

$$\mathbb{E}_{\mathrm{x}_0 \sim p(\mathrm{x}_0)}[V^{\pi_\theta}(\mathrm{x}_0)] = \mathbb{E}_{\tau \sim p_\theta(\tau)}[V^{\pi_\theta}(\mathrm{x}_0)] \tag{6.16}$$

따라서 목적함수 차이는 다음과 같이 된다.

$$J(\theta) - J(\theta_{OLD}) = \mathbb{E}_{\tau \sim p_\theta(\tau)}[V^{\pi_\theta}(\mathrm{x}_0)] - \mathbb{E}_{\tau \sim p_\theta(\tau)}[V^{\pi_{\theta_{OLD}}}(\mathrm{x}_0)] \tag{6.17}$$

무한 구간 에피소드를 가정했으므로 위 식은 다음과 같이 전개된다.

$$\begin{aligned} &\mathbb{E}_{\tau \sim p_\theta(\tau)}[V^{\pi_\theta}(\mathrm{x}_0)] - \mathbb{E}_{\tau \sim p_\theta(\tau)}[V^{\pi_{\theta_{OLD}}}(\mathrm{x}_0)] \\ &\quad = \mathbb{E}_{\tau \sim p_\theta(\tau)}[V^{\pi_\theta}(\mathrm{x}_0)] - \mathbb{E}_{\tau \sim p_\theta(\tau)}\left[\sum_{t=0}^{\infty} \gamma^t V^{\pi_{\theta_{OLD}}}(\mathrm{x}_t) - \sum_{t=1}^{\infty} \gamma^t V^{\pi_{\theta_{OLD}}}(\mathrm{x}_t)\right] \\ &\quad = \mathbb{E}_{\tau \sim p_\theta(\tau)}\left[\sum_{t=0}^{\infty} \gamma^t r(\mathrm{x}_t, \mathbb{E}_t)\right] + \mathbb{E}_{\tau \sim p_\theta(\tau)}\left[\sum_{t=0}^{\infty} \gamma^t (\gamma V^{\pi_{\theta_{OLD}}}(\mathrm{x}_{t+1}) - V^{\pi_{\theta_{OLD}}}(\mathrm{x}_t))\right] \\ &\quad = \mathbb{E}_{\tau \sim p_\theta(\tau)}\left[\sum_{t=0}^{\infty} \gamma^t (r(\mathrm{x}_t, \mathrm{u}_t) + \gamma V^{\pi_{\theta_{OLD}}}(\mathrm{x}_{t+1}) - V^{\pi_{\theta_{OLD}}}(\mathrm{x}_t))\right] \end{aligned} \tag{6.18}$$

한편, 어드밴티지 함수의 정의로부터

$$\begin{aligned} A^{\pi_\theta}(\mathrm{x}_t, \mathrm{u}_t) &= Q^{\pi_\theta}(\mathrm{x}_t, \mathrm{u}_t) - V^{\pi_\theta}(\mathrm{x}_t) \\ &= r(\mathrm{x}_t, \mathrm{u}_t) + \mathbb{E}_{\mathrm{x}_{t+1} \sim p(\mathrm{x}_{t+1}|\mathrm{x}_t, \mathrm{u}_t)}[\gamma V^{\pi_\theta}(\mathrm{x}_{t+1})] - V^{\pi_\theta}(\mathrm{x}_t) \\ &= \mathbb{E}_{\mathrm{x}_{t+1} \sim p(\mathrm{x}_{t+1}|\mathrm{x}_t, \mathrm{u}_t)}[r(\mathrm{x}_t, \mathrm{u}_t) + \gamma V^{\pi_\theta}(\mathrm{x}_{t+1}) - V^{\pi_\theta}(\mathrm{x}_t)] \end{aligned} \tag{6.19}$$

이므로, 식 (6.19)를 (6.18)에 대입하면 목적함수 차이는 다음과 같이 된다.

$$\begin{aligned} J(\theta) - J(\theta_{OLD}) &= \mathbb{E}_{\tau \sim p_\theta(\tau)}\left[\sum_{t=0}^{\infty} \gamma^t A^{\pi_{\theta_{OLD}}}(\mathrm{x}_t, \mathrm{u}_t)\right] \\ &= \sum_{t=0}^{\infty} \mathbb{E}_{\tau \sim p_\theta(\tau)}[\gamma^t A^{\pi_{\theta_{OLD}}}(\mathrm{x}_t, \mathrm{u}_t)] \end{aligned} \tag{6.20}$$

위 식은 여전히 현재 정책 π_θ로 발생시킨 샘플이 필요하다. 이제 이 문제를 해결해 보자. 궤적 τ의 확률밀도함수는 확률의 연쇄법칙을 이용하면 다음과 같이 전개된다.

$$\begin{aligned} p_\theta(\tau) &= p_\theta(\mathrm{x}_0, \mathrm{u}_0, \ldots, \mathrm{u}_{t-1}, \mathrm{x}_t, \mathrm{u}_t, \mathrm{x}_{t+1}, \ldots) \\ &= p_\theta(\tau_{\mathrm{x}_0:\mathrm{u}_{t-1}}, \mathrm{x}_t, \mathrm{u}_t, \tau_{\mathrm{x}_{t+1}:\infty}) \\ &= p_\theta(\mathrm{u}_t|\mathrm{x}_t, \tau_{\mathrm{x}_0:\mathrm{u}_{t-1}}, \tau_{\mathrm{x}_{t+1}:\infty}) p_\theta(\mathrm{x}_t, \tau_{\mathrm{x}_0:\mathrm{u}_{t-1}}, \tau_{\mathrm{x}_{t+1}:\infty}) \end{aligned} \tag{6.21}$$

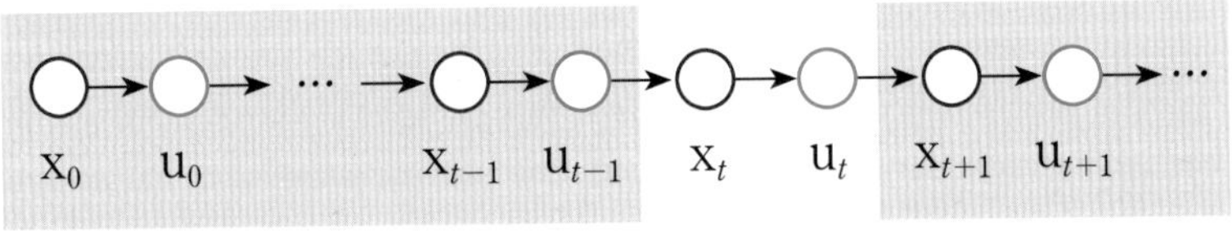

여기서 $\tau_{\mathrm{x}_0:\mathrm{u}_{t-1}} = (\mathrm{x}_0, \mathrm{u}_0, \ldots, \mathrm{x}_{t-1}, \mathrm{u}_{t-1})$, $\tau_{\mathrm{x}_{t+1}:\infty} = (\mathrm{x}_{t+1}, \mathrm{u}_{t+1}, \ldots)$이다. 마르코프 정리를 이용하면 위 식은

$$p_\theta(\tau) = \pi_\theta(\mathrm{u}_t|\mathrm{x}_t) p_\theta(\mathrm{x}_t, \tau_{\mathrm{x}_0:\mathrm{u}_{t-1}}, \tau_{\mathrm{x}_{t+1}:\infty}) \tag{6.22}$$

가 된다. 이 식을 식 (6.20)에 대입하면,

$$\begin{aligned} &\mathbb{E}_{\tau\sim p_\theta(\tau)}[\gamma^t A^{\pi_{\theta_{OLD}}}(\mathrm{x}_t, \mathrm{u}_t)] \\ &= \int_\tau \gamma^t A^{\pi_{\theta_{OLD}}}(\mathrm{x}_t, \mathrm{u}_t) p_\theta(\tau) d\tau \\ &= \int_{\mathrm{x}_t}\int_{\mathrm{u}_t}\int_{\tau_{\mathrm{x}_0:\mathrm{u}_{t-1}}}\int_{\tau_{\mathrm{x}_{t+1}:\infty}} \gamma^t A^{\pi_{\theta_{OLD}}}(\mathrm{x}_t, \mathrm{u}_t) \pi_\theta(\mathrm{u}_t|\mathrm{x}_t) p_\theta(\mathrm{x}_t, \tau_{\mathrm{x}_0:\mathrm{u}_{t-1}}, \tau_{\mathrm{x}_{t+1}:\infty}) d\tau_{\mathrm{x}_0:\mathrm{u}_{t-1}} d\tau_{\mathrm{x}_{t+1}:\infty} d\mathrm{u}_t d\mathrm{x}_t \\ &= \int_{\mathrm{x}_t}\int_{\mathrm{u}_t} \gamma^t A^{\pi_{\theta_{OLD}}}(\mathrm{x}_t, \mathrm{u}_t) \pi_\theta(\mathrm{u}_t|\mathrm{x}_t) p_\theta(\mathrm{x}_t) d\mathrm{u}_t d\mathrm{x}_t \end{aligned} \tag{6.23}$$

가 된다. 여기서 $p_\theta(\mathrm{x}_t)$는 정책 π_θ를 사용했을 때의 상태변수 x_t의 한계(marginal) 확률밀도함수다. 위 식을 계속 전개하면 다음과 같이 된다.

$$\begin{aligned}\mathbb{E}_{\tau\sim p_\theta(\tau)}[\gamma^t A^{\pi_{\theta_{OLD}}}(\mathrm{x}_t,\ \mathrm{u}_t)] &= \int_{\mathrm{x}_t}\left[\int_{\mathrm{u}_t} A^{\pi_{\theta_{OLD}}}(\mathrm{x}_t,\ \mathrm{u}_t)\pi_\theta(\mathrm{u}_t|\mathrm{x}_t)d\mathrm{u}_t\right]\gamma^t p_\theta(\mathrm{x}_t)d\mathrm{x}_t \\ &= \int_{\mathrm{x}_t}\left[\int_{\mathrm{u}_t} A^{\pi_{\theta_{OLD}}}(\mathrm{x}_t,\ \mathrm{u}_t)\pi_\theta(\mathrm{u}_t|\mathrm{x}_t)d\mathrm{u}_t\right]d_\theta(\mathrm{x}_t)d\mathrm{x}_t \\ &= \mathbb{E}_{\mathrm{x}_t\sim d_\theta(\mathrm{x}_t)}[\mathbb{E}_{\mathrm{u}_t\sim\pi_\theta(\mathrm{u}_t|\mathrm{x}_t)}[A^{\pi_{\theta_{OLD}}}(\mathrm{x}_t,\ \mathrm{u}_t)]]\end{aligned} \tag{6.24}$$

여기서 $d_\theta(\mathrm{x}_t)=\gamma^t p_\theta(\mathrm{x}_t)$를 상태변수 x_t의 감가된 확률밀도함수라고 한다. 앞서 3.3절에서 한 논의와 마찬가지로 감가율 γ^t는 에피소드의 후반부 궤적에 있는 데이터의 이용도를 크게 떨어뜨린다는 단점이 있다. 따라서 일반적으로 확률밀도함수 $p_\theta(\mathrm{x}_t)$에 곱해진 γ^t를 제거한다. 그러면 $d_\theta(\mathrm{x}_t)=p_\theta(\mathrm{x}_t)$가 된다.

이제 중요 샘플링을 이용해 새 정책 $\pi_\theta(\mathrm{u}_t|\mathrm{x}_t)$에 기반한 기댓값을 이전 정책 $\pi_{\theta_{OLD}}(\mathrm{u}_t|\mathrm{x}_t)$로 바꿔보자. 그러면

$$\begin{aligned}&\mathbb{E}_{\mathrm{x}_t\sim p_\theta(\mathrm{x}_t)}[\mathbb{E}_{\mathrm{u}_t\sim\pi_\theta(\mathrm{u}_t|\mathrm{x}_t)}[\gamma^t A^{\pi_{\theta_{OLD}}}(\mathrm{x}_t,\ \mathrm{u}_t)]] \\ &= \mathbb{E}_{\mathrm{x}_t\sim p_\theta(\mathrm{x}_t)}\left[\mathbb{E}_{\mathrm{u}_t\sim\pi_{\theta_{OLD}}(\mathrm{u}_t|\mathrm{x}_t)}\left[\frac{\pi_\theta(\mathrm{u}_t|\mathrm{x}_t)}{\pi_{\theta_{OLD}}(\mathrm{u}_t|\mathrm{x}_t)}\gamma^t A^{\pi_{\theta_{OLD}}}(\mathrm{x}_t,\ \mathrm{u}_t)\right]\right]\end{aligned} \tag{6.25}$$

이 된다. 따라서 식 (6.20)은 다음과 같이 된다.

$$J(\theta)-J(\theta_{OLD})=\sum_{t=0}^{\infty}\mathbb{E}_{\mathrm{x}_t\sim p_\theta(\mathrm{x}_t)}\left[\mathbb{E}_{\mathrm{u}_t\sim\pi_{\theta_{OLD}}(\mathrm{u}_t|\mathrm{x}_t)}\left[\frac{\pi_\theta(\mathrm{u}_t|\mathrm{x}_t)}{\pi_{\theta_{OLD}}(\mathrm{u}_t|\mathrm{x}_t)}\gamma^t A^{\pi_{\theta_{OLD}}}(\mathrm{x}_t,\ \mathrm{u}_t)\right]\right] \tag{6.26}$$

위 식에서 $p_\theta(\mathrm{x}_t)\approx p_{\theta_{OLD}}(\mathrm{x}_t)$라면 목적함수의 차이는

$$J(\theta)-J(\theta_{OLD})=\sum_{t=0}^{\infty}\mathbb{E}_{\mathrm{x}_t\sim p_{\theta_{OLD}}(\mathrm{x}_t)}\left[\mathbb{E}_{\mathrm{u}_t\sim\pi_{\theta_{OLD}}(\mathrm{u}_t|\mathrm{x}_t)}\left[\frac{\pi_\theta(\mathrm{u}_t|\mathrm{x}_t)}{\pi_{\theta_{OLD}}(\mathrm{u}_t|\mathrm{x}_t)}\gamma^t A^{\pi_{\theta_{OLD}}}(\mathrm{x}_t,\ \mathrm{u}_t)\right]\right] \tag{6.27}$$

가 되어 매우 바람직한 상황이 된다. 왜냐하면, 이전 정책 $\pi_{\theta_{OLD}}$로 발생시킨 샘플을 이용해 기댓값을 계산할 수 있고 스케일 함수 $\dfrac{\pi_\theta(\mathrm{u}_t|\mathrm{x}_t)}{\pi_{\theta_{OLD}}(\mathrm{u}_t|\mathrm{x}_t)}$는 현재 시간스텝 t만의 함수가 되기 때문에 누적되지 않기 때문이다.

그렇다면 $p_\theta(\mathrm{x}_t) \approx p_{\theta_{OLD}}(\mathrm{x}_t)$의 조건은 무엇일까? 업데이트된 정책 π_θ가 이전 정책 $\pi_{\theta_{OLD}}$에서 조금만 변화했다면, 즉 $\pi_\theta \approx \pi_{\theta_{OLD}}$라면 $p_\theta(\mathrm{x}_t) \approx p_{\theta_{OLD}}(\mathrm{x}_t)$가 가능할까? 이와 관련하여 다음 정리가 있다.

정리 6.1 (참고문헌 [38] W. Montgomery. and S. Levine, "Guided Policy Search as Approximate Mirror Descent", arXiv: 1607.04614v1, July 2016)

만약 모든 x_t에 대해서 $|p(\mathrm{u}_t|\mathrm{x}_t) - q(\mathrm{u}_t|\mathrm{x}_t)| \le \sqrt{2\epsilon_t}$ 이면 $|p(\mathrm{x}_t) - q(\mathrm{x}_t)| \le 2\sum_{k=0}^{t} \sqrt{2\epsilon_k}$ 이다.

정리에 의하면 $\pi_\theta \approx \pi_{\theta_{OLD}}$라면 $p_\theta(\mathrm{x}_t) \approx p_{\theta_{OLD}}(\mathrm{x}_t)$가 가능하다. 따라서 정책을 업데이트할 때 정책 π_θ가 이전 정책과 비교해 크게 변하지 않도록 제한을 가할 필요가 있다. 정책의 변화에 따른 목적함수 차이를 다음과 같이 정의하면,

$$L(\theta) = \sum_{t=0}^{\infty} \mathbb{E}_{\mathrm{x}_t \sim p_{\theta_{OLD}}(\mathrm{x}_t)} \left[\mathbb{E}_{\mathrm{u}_t \sim \pi_{\theta_{OLD}}(\mathrm{u}_t|\mathrm{x}_t)} \left[\frac{\pi_\theta(\mathrm{u}_t|\mathrm{x}_t)}{\pi_{\theta_{OLD}}(\mathrm{u}_t|\mathrm{x}_t)} \gamma^t A^{\pi_{\theta_{OLD}}}(\mathrm{x}_t, \mathrm{u}_t) \right] \right] \tag{6.28}$$

정책 파라미터 θ_{OLD}와 θ의 차이에 의한 목적함수의 관계는 다음과 같다.

$$J(\theta) = J(\theta_{OLD}) + L(\theta) \tag{6.29}$$

이제 $L(\theta)$를 θ로 미분해 보자. 그러면,

$$\begin{aligned} \nabla_\theta L(\theta) &= \sum_{t=0}^{\infty} \mathbb{E}_{\mathrm{x}_t \sim p_{\theta_{OLD}}(\mathrm{x}_t)} \left[\mathbb{E}_{\mathrm{u}_t \sim \pi_{\theta_{OLD}}(\mathrm{u}_t|\mathrm{x}_t)} \left[\frac{\nabla_\theta \pi_\theta(\mathrm{u}_t|\mathrm{x}_t)}{\pi_{\theta_{OLD}}(\mathrm{u}_t|\mathrm{x}_t)} \gamma^t A^{\pi_{\theta_{OLD}}}(\mathrm{x}_t, \mathrm{u}_t) \right] \right] \\ &= \sum_{t=0}^{\infty} \mathbb{E}_{\mathrm{x}_t \sim p_{\theta_{OLD}}(\mathrm{x}_t)} \left[\mathbb{E}_{\mathrm{u}_t \sim \pi_{\theta_{OLD}}(\mathrm{u}_t|\mathrm{x}_t)} \left[\frac{\pi_\theta(\mathrm{u}_t|\mathrm{x}_t)}{\pi_{\theta_{OLD}}(\mathrm{u}_t|\mathrm{x}_t)} \nabla_\theta \log \pi_\theta(\mathrm{u}_t|\mathrm{x}_t) \gamma^t A^{\pi_{\theta_{OLD}}}(\mathrm{x}_t, \mathrm{u}_t) \right] \right] \end{aligned} \tag{6.30}$$

가 된다. 여기서 $\theta_{OLD} = \theta$로 놓으면 위 식은

$$\nabla_\theta L(\theta)=\sum_{t=0}^{\infty}\mathbb{E}_{\mathrm{x}_t\sim p_\theta(\mathrm{x}_t)}[\mathbb{E}_{\mathrm{u}_t\sim\pi_\theta(\mathrm{u}_t|\mathrm{x}_t)}[\nabla_\theta\log\pi_\theta(\mathrm{u}_t|\mathrm{x}_t)\gamma^t A^{\pi_\theta}(\mathrm{x}_t,\ \mathrm{u}_t)]] \tag{6.31}$$

가 되어 목적함수 그래디언트 $\nabla_\theta J(\theta)$의 식 (6.1)과 동일함을 알 수 있다.

이제 정책을 크게 변화시키지 않으면서 $L(\theta)$를 최대한 큰 값으로 만드는 것이 정책(즉, 목적함수 값)을 개선시키는 길이다. 따라서 정책 업데이트 문제는 다음과 같이 제약조건이 있는 최적화 문제로 표현할 수 있다.

$$\theta\leftarrow\underset{\theta}{\mathrm{argmax}}\sum_{t=0}^{\infty}\mathbb{E}_{\tau_{\mathrm{x}_0:\mathrm{u}_t}\sim p_{\theta_{OLD}}(\tau_{\mathrm{x}_0:\mathrm{u}_t})}\left[\frac{\pi_\theta(\mathrm{u}_t|\mathrm{x}_t)}{\pi_{\theta_{OLD}}(\mathrm{u}_t|\mathrm{x}_t)}\gamma^t A^{\pi_{\theta_{OLD}}}(\mathrm{x}_t,\ \mathrm{u}_t)\right] \tag{6.32}$$

제약조건: $\pi_\theta(\mathrm{u}_t|\mathrm{x}_t)\approx\pi_{\theta_{OLD}}(\mathrm{u}_t|\mathrm{x}_t)$

여기서 궤적 구간을 $\tau_{\mathrm{x}_0:\mathrm{u}_t}=(\mathrm{x}_0,\ \mathrm{u}_0,\ \ldots,\ \mathrm{x}_t,\ \mathrm{u}_t)$로 하면 $L(\theta)$를 다음과 같이 표현해도 된다.

$$\begin{aligned}L(\theta)&=\sum_{t=0}^{\infty}\mathbb{E}_{\mathrm{x}_t\sim p_{\theta_{OLD}}(\mathrm{x}_t)}\left[\mathbb{E}_{\mathrm{u}_t\sim\pi_{\theta_{OLD}}(\mathrm{u}_t|\mathrm{x}_t)}\left[\frac{\pi_\theta(\mathrm{u}_t|\mathrm{x}_t)}{\pi_{\theta_{OLD}}(\mathrm{u}_t|\mathrm{x}_t)}\gamma^t A^{\pi_{\theta_{OLD}}}(\mathrm{x}_t,\ \mathrm{u}_t)\right]\right]\\&=\sum_{t=0}^{\infty}\mathbb{E}_{\tau_{\mathrm{x}_0:\mathrm{u}_t}\sim p_{\theta_{OLD}}(\tau_{\mathrm{x}_0:\mathrm{u}_t})}\left[\frac{\pi_\theta(\mathrm{u}_t|\mathrm{x}_t)}{\pi_{\theta_{OLD}}(\mathrm{u}_t|\mathrm{x}_t)}\gamma^t A^{\pi_{\theta_{OLD}}}(\mathrm{x}_t,\ \mathrm{u}_t)\right]\end{aligned} \tag{6.33}$$

PPO에 사용되는 정책파라미터 업데이트를 표 6.1에 정리했다.

표 6.1 PPO에 사용되는 목적함수 그래디언트

목적함수	$J(\theta)=\mathbb{E}_{\tau\sim p_\theta(\tau)}\left[\sum_{t=0}^{\infty}\gamma^t r(\mathrm{x}_t,\ \mathrm{u}_t)\right],\ \tau=(\mathrm{x}_0,\ \mathrm{u}_0,\ \mathrm{x}_1,\ \mathrm{u}_1,\ \ldots)$
대체(surrogate) 목적함수	$L(\theta)=\sum_{t=0}^{\infty}\mathbb{E}_{\mathrm{x}_t\sim p_{\theta_{OLD}}(\mathrm{x}_t)}\left[\mathbb{E}_{\mathrm{u}_t\sim\pi_{\theta_{OLD}}(\mathrm{u}_t\|\mathrm{x}_t)}\left[\frac{\pi_\theta(\mathrm{u}_t\|\mathrm{x}_t)}{\pi_{\theta_{OLD}}(\mathrm{u}_t\|\mathrm{x}_t)}\gamma^t A^{\pi_{\theta_{OLD}}}(\mathrm{x}_t,\ \mathrm{u}_t)\right]\right]$ $=\sum_{t=0}^{\infty}\mathbb{E}_{\tau_{\mathrm{x}_0:\mathrm{u}_t}\sim p_{\theta_{OLD}}(\tau_{\mathrm{x}_0:\mathrm{u}_t})}\left[\frac{\pi_\theta(\mathrm{u}_t\|\mathrm{x}_t)}{\pi_{\theta_{OLD}}(\mathrm{u}_t\|\mathrm{x}_t)}\gamma^t A^{\pi_{\theta_{OLD}}}(\mathrm{x}_t,\ \mathrm{u}_t)\right]$
가정	확률적 정책, $\mathrm{u}_t\sim\pi_\theta(\mathrm{u}_t\|\mathrm{x}_t)$

그래디언트	$\pi_\theta(u_t\|x_t) \approx \pi_{\theta_{OLD}}(u_t\|x_t)$ $\nabla_\theta L(\theta) = \sum_{t=0}^{\infty} \mathbb{E}_{x_t \sim p_{\theta_{OLD}}(x_t),\ u_t \sim \pi_{\theta_{OLD}}(u_t\|x_t)}$ $\left[\frac{\pi_\theta(u_t\|x_t)}{\pi_{\theta_{OLD}}(u_t\|x_t)} \nabla_\theta \log \pi_\theta(u_t\|x_t) \gamma^t A^{\pi_{\theta_{OLD}}}(x_t,\ u_t) \right]$
업데이트	$\theta \leftarrow \theta + \alpha \nabla_\theta L(\theta)$

6.4 PPO 알고리즘

정책의 변화를 제한하면서 $L(\theta)$를 최대화하는 방법은 무엇일까? KL 발산(KL divergence)은 두 확률분포가 얼마나 유사한지 '거리'를 측정하는 도구로 쓰인다. KL 발산은 항상 $D_{KL} \geq 0$을 만족하며, 두 확률분포함수가 같을 때만 $D_{KL} = 0$이다. 따라서 새 정책 π_θ와 이전 정책 $\pi_{\theta_{OLD}}$ 사이의 변화의 크기를 제한하기 위해서는 두 함수의 KL 발산을 제한하면 된다. 이제, 정책 업데이트 문제는 다음과 같이 제약조건이 있는 최적화 문제로 표현할 수 있다.

$$\theta \leftarrow \underset{\theta}{\operatorname{argmax}} \sum_{t=0}^{\infty} \mathbb{E}_{\tau_{x_0:u_t} \sim p_{\theta_{OLD}}(\tau_{x_0:u_t})} \left[\frac{\pi_\theta(u_t|x_t)}{\pi_{\theta_{OLD}}(u_t|x_t)} A^{\pi_{\theta_{OLD}}}(x_t,\ u_t) \right] \tag{6.34}$$

제약조건: $D_{KL}(\pi_{\theta_{OLD}}(u_t|x_t) || \pi_\theta(u_t|x_t)) \leq \delta$

여기서 δ는 임의의 작은 수로 설계자가 결정해야 할 파라미터다. 위와 같은 최적화 문제는 액터-크리틱을 포함한 정책 그래디언트의 두 가지 문제, 즉 온-폴리시 문제와 정책 파라미터에 대한 정책 함수의 민감도 문제를 해결한다. 하지만 주의할 점은 이전 정책으로 발생시킨 샘플로 현재 정책을 업데이트할 수는 있지만 그 이전 정책이 현재 정책과 큰 차이를 보이지 않는 정책이어야 한다는 점이다.

그러면 어떻게 제약조건을 만족하면서 함수 $L(\theta)$를 최대화할 수 있을까? 이 문제의 해결책으로 TRPO(trust region policy optimization, 신뢰구간 정책 최적화)와 PPO(proximal policy optimization, 근접 정책 최적화) 등의 알고리즘이 제안되었다. TRPO는 $L(\theta)$를 선형화하고 제약조건을 2차 함수로 근사한 후에 θ의 최적값을 구하는 접근법을 사용한다. PPO는 제약조건 대신에 $L(\theta)$에 있는 두 정책의 크기의 비를 일정 범위로 한정시키는 전략을 사용한다. PPO는 수학적으로 간단하지만 TRPO와 비슷한 성능을 낸다고 알려져 있다.

PPO 방법을 설명하면 다음과 같다. 우선 현재 정책과 이전 정책의 비율 $r_t(\theta)$를 다음과 같이 정의한다.

$$r_t(\theta)=\frac{\pi_\theta(\mathrm{u}_t|\mathrm{x}_t)}{\pi_{\theta_{OLD}}(\mathrm{u}_t|\mathrm{x}_t)},\ r_t(\theta_{OLD})=1 \tag{6.35}$$

$r_t(\theta)\geq 1+\epsilon$이면 $r_t(\theta)=1+\epsilon$으로 놓고 $r_t(\theta)\leq 1-\epsilon$이면 $r_t(\theta)=1-\epsilon$으로 놓는데, 이것을 클리핑(clipping)이라고 한다.

$$clip(r_t(\theta),\ 1-\epsilon,\ 1+\epsilon)=\begin{cases}1+\epsilon, & if\ r_t(\theta)\geq 1+\epsilon\\ 1-\epsilon, & if\ r_t(\theta)\leq 1-\epsilon\\ r_t(\theta), & otherwise\end{cases} \tag{6.36}$$

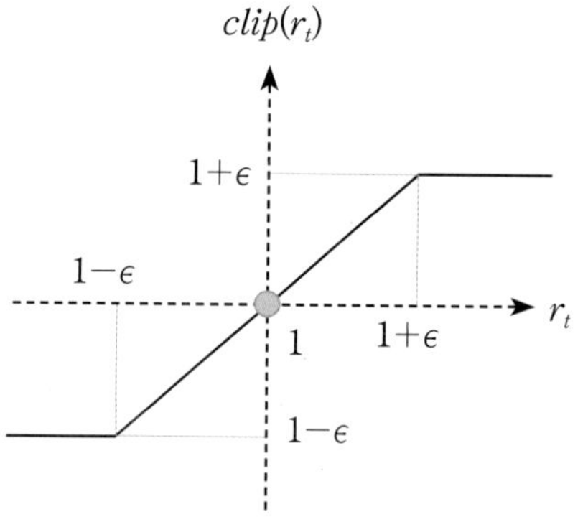

그림 6.1 클리핑

여기서 ϵ는 하이퍼파라미터로서 설계자가 결정해야 한다. 그리고 제약조건이 있는 최적화 문제를 다음과 같이 제약조건이 없는 최적화 문제로 만든다.

$$\theta \leftarrow \arg\max_{\theta} \sum_{t=0}^{\infty} \mathbb{E}_{\tau_{x_0:u_t} \sim p_{\theta_{OLD}}(\tau_{x_0:u_t})} [L_t^{clip}(\theta)] \tag{6.37}$$

$$L_t^{clip}(\theta) = \min\{r_t(\theta) A^{\pi_{\theta_{OLD}}}(x_t, u_t), clip(r_t(\theta), 1-\epsilon, 1+\epsilon) A^{\pi_{\theta_{OLD}}}(x_t, u_t)\}$$

식 (6.37)에 의하면 두 정책의 비율 $r_t(\theta)$가 $[1-\epsilon, 1+\epsilon]$사이로 클리핑되어 있기 때문에 목적함수 $L_t^{clip}(\theta)$가 일정 수준 이상으로 커지는 것을 제한한다. 그렇다면 위 최적화 문제가 어떻게 두 정책의 크기의 비를 일정 범위로 한정시킬 수 있을까? 이에 대한 설명은 다음과 같다. 만약 어드밴티지가 $A^{\pi_{\theta_{OLD}}}(x_t, u_t) > 0$이라면 상태변수 x_t에서 선택된 행동 u_t가 평균에 비해 좋다는 뜻이기 때문에 새 정책은 그 행동을 산출한 이전 정책보다 증가될 것이다. 그러나 새로운 정책과 이전 정책의 비율이 클리핑되어 있기 때문에 어드밴티지가 일정 수준 이상으로 증가되는 것이 제한되므로 $r_t(\theta)$는 $1+\epsilon$까지만 증가될 것이다. 반대로 $A^{\pi_{\theta_{OLD}}}(x_t, u_t) < 0$이라면 새 정책은 그 행동을 산출한 이전 정책보다 감소되겠지만, 클리핑 때문에 $r_t(\theta)$는 $1-\epsilon$까지만 감소될 것이다. 결국 새로운 정책은 이전 정책과 비교해 변화의 크기에 제한을 받아서 두 정책의 비율 $r_t(\theta)$가 대략 $[1-\epsilon, 1+\epsilon]$의 범위로 한정된다.

정책 확률밀도함수를 기댓값이 $\mu=[\mu_1 \mu_2 \ldots \mu_m]^T$이고 공분산이 $P=diag\{\sigma_1^2, \sigma_2^2, \ldots, \sigma_m^2\}$인 가우시안이라고 가정하면 로그-정책 확률밀도함수는 다음과 같이 표현할 수 있다.

$$\begin{aligned} \log \pi_\theta(u_t|x_t) &= \sum_{j=1}^{m} \log \pi_\theta(u_{t,j}|x_t) \\ &= -\sum_{j=1}^{m} \left[\frac{(u_{t,j} - \mu_{\theta,j}(x_t))^2}{2\sigma_{\theta,j}^2(x_t)} + \frac{1}{2} \log(2\pi\sigma_{\theta,j}^2(x_t)) \right] \end{aligned} \tag{6.38}$$

따라서 이전 정책과 현재 정책은 비율 $r_t(\theta)$은 다음과 같이 계산할 수 있다.

$$\begin{aligned} \log r_t(\theta) &= \log \pi_\theta(u_t|x_t) - \log \pi_{\theta_{OLD}}(u_t|x_t) \\ r_t(\theta) &= \exp(\log r_t(\theta)) \end{aligned} \tag{6.39}$$

PPO는 사실상 온-폴리시 알고리즘이다. 이전 정책과 현재 정책의 차이가 크지 않아야 하기 때문이다. 하지만 다른 온-폴리시 알고리즘과는 차이가 있는데, 그것은 학습 과정에서 여러 번의 에포크(epoch)를 사용할 수 있다는 점이다. 본래 온-폴리시 알고리즘은 원 스텝(one-step) 파라미터 업데이트만 가능하다. 왜냐하면 정책을 업데이트하면 업데이트되기 전의 정책으로 만든 데이터는 폐기해야 하기 때문이다. 하지만 PPO는 멀티 스텝(multi-step) 업데이트가 가능하다.

PPO 알고리즘을 그림으로 나타내면 다음과 같다. 그림에서는 멀티 스텝 업데이트 또는 여러 번의 에포크가 가능함을 여러 장의 업데이트 박스로 나타냈다.

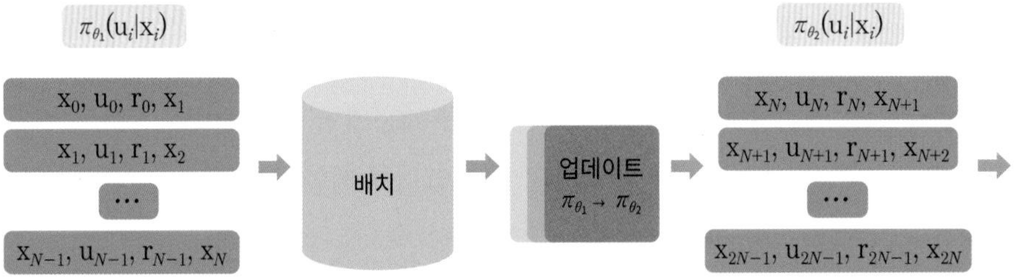

그림 6.2 PPO 프로세스

PPO 알고리즘은 다음과 같다.

1. 크리틱과 액터 신경망의 파라미터 ϕ와 θ를 초기화한다.
2. **Repeat {**

   [1] **Repeat {**

   (1) 이전 정책 $\pi_{\theta_{OLD}}(u_i|x_i)$을 가우시안으로 가정하고 평균과 표준편차를 계산한다.

   (2) 이전 정책으로부터 확률적으로 행동 $u_i \sim \pi_{\theta_{OLD}}(u_i|x_i)$를 선택한다.

   (3) 이전 정책의 로그-확률밀도함수를 계산한다.

$$\log \pi_\theta(u_i|x_i) = -\sum_{j=1}^{n}\left[\frac{(u_{i,j}-\mu_{\theta,j}(x_i))^2}{2\sigma_{\theta,j}^2(x_i)} + \frac{1}{2}\log(2\pi\sigma_{\theta,j}^2(x_i))\right]$$

   (4) u_i를 실행해 보상 $r_i = r(x_i, u_i)$와 다음 상태변수 x_{i+1}을 측정한다.

(5) TD 타깃 y_i와 어드밴티지 $A_\phi(\mathrm{x}_i, \mathrm{u}_i)$를 계산한다.

(6) 데이터 모음 $(\mathrm{x}_i, \mathrm{u}_i, y_i, A_i, \log\pi_{\theta_{OLD}}(\mathrm{u}_i|\mathrm{x}_i))$를 배치(batch)에 저장한다.

} N 시간스텝 동안 반복

(총 N개의 데이터 모음 $(\mathrm{x}_i, \mathrm{u}_i, y_i, A_i, \log\pi_{\theta_{OLD}}(\mathrm{u}_i|\mathrm{x}_i))_{i=1,\dots,N}$이 생성됨)

[2] **Repeat {**

(1) 배치에서 설정된 미니배치 크기(B)만큼 데이터를 추출한다.

(2) 크리틱 신경망의 손실함수를 계산한다.

$$L=\frac{1}{2B}\sum_i(y_i-V_\phi(\mathrm{x}_i))^2$$

(3) 다음 수식으로 크리틱 신경망을 업데이트한다.

$$\phi\leftarrow\phi+\beta\sum_i[(y_p-V_\phi(\mathrm{x}_i))\nabla_\phi V_\phi(\mathrm{x}_i)]$$

(4) 이전 정책과 현재 정책의 비율 $r_t(\theta)$를 계산한다.

$$r_t(\theta)=\frac{\pi_\theta(\mathrm{u}_i|\mathrm{x}_i)}{\pi_{\theta_{OLD}}(\mathrm{u}_i|\mathrm{x}_i)}$$

(5) 대체 목적함수 그래디언트를 계산하고 액터 신경망을 업데이트한다.

$$L_i^{clip}=\min\{r_t(\theta)A^{\pi_{\theta_{OLD}}}(\mathrm{x}_i, \mathrm{u}_i), clip(r_t(\theta), 1-\epsilon, 1+\epsilon)A^{\pi_{\theta_{OLD}}}(\mathrm{x}_i, \mathrm{u}_i)\}$$

$$\nabla_\theta L^{clip}(\theta)\approx\nabla_\theta\sum_i L_i^{clip}(\theta)$$

$$\theta\leftarrow\theta+\alpha\nabla_\theta L^{clip}(\theta)$$

} 설정된 에포크만큼 반복

}

6.5 어드밴티지 추정의 일반화 (GAE)

어드밴티지를 다음과 같이 1-스텝 관계식을 이용해 근사적으로 계산하면 어드밴티지 추정값의 분산은 작지만 편향이 커진다.

$$A_\phi^{(1)}(\mathrm{x}_t,\ \mathrm{u}_t)=r(\mathrm{x}_t,\ \mathrm{u}_t)+\gamma V_\phi(\mathrm{x}_{t+1})-V_\phi(\mathrm{x}_t) \tag{6.40}$$

반면, 다음 식과 같이 몬테카를로 방식으로 한 개의 에피소드에서 어드밴티지를 계산한다면 편향은 없지만 큰 분산을 갖게 된다.

$$A_\phi^{(\infty)}(\mathrm{x}_t,\ \mathrm{u}_t)=\sum_{k=t}^{\infty}\gamma^{k-t}r(\mathrm{x}_k,\ \mathrm{u}_k)-V_\phi(\mathrm{x}_t) \tag{6.41}$$

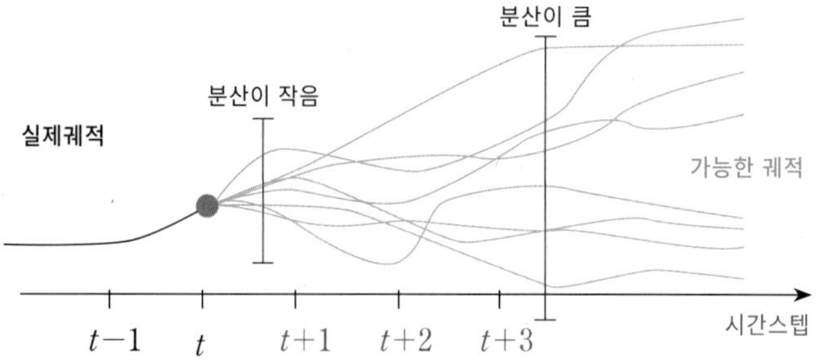

그림 6.3 어드밴티지 계산과 분산

두 방법을 절충한 것이 다음과 같은 n-스텝 어드밴티지 추정 방법으로, 반환값을 n-스텝까지만 계산함으로써 분산과 편향을 조절할 수 있다.

$$\begin{aligned}A_\phi^{(n)}(\mathrm{x}_t,\ \mathrm{u}_t) &= r(\mathrm{x}_t,\ \mathrm{u}_t)+\gamma r(\mathrm{x}_{t+1},\ \mathrm{u}_{t+1})+\cdots+\gamma^{n-1}r(\mathrm{x}_{t+n-1},\ \mathrm{u}_{t+n-1}) \\ &\quad +\gamma^n V_\phi(\mathrm{x}_{t+n})-V_\phi(\mathrm{x}_t) \\ &= \sum_{k=t}^{t+n-1}\gamma^{k-t}r(\mathrm{x}_k,\ \mathrm{u}_k)+\gamma^n V_\phi(\mathrm{x}_{t+n})-V_\phi(\mathrm{x}_t)\end{aligned} \tag{6.42}$$

그렇다면 스텝 n을 어떤 값으로 설정해야 적절한 분산과 편향을 갖는 어드밴티지 추정값을 얻을 수 있을까?

어드밴티지 추정의 일반화(GAE, generalized advantage estimation) 방법에서는 특정 n-스텝 어드밴티지를 계산하지 않고 1-스텝 어드밴티지, 2-스텝 어드밴티지 등 모든 스텝의 어드밴티지를 계산한 후 가중 합산(weighted sum)하는 방식을 취한다. GAE는 n-스텝 어드밴티지 추정 방법을 확장시킨 방법으로 다음과 같이 주어진다.

$$A_\phi^{GAE}(\mathrm{x}_t,\ \mathrm{u}_t)=\sum_{n=1}^{\infty} w_n A_\phi^{(n)}(\mathrm{x}_t,\ \mathrm{u}_t) \tag{6.43}$$

여기서 w_n은 n-스텝에서 구한 어드밴티지 추정값에 부과되는 가중치다. 가중치는 작은 분산값을 갖는 어드밴티지에 큰 값을 부여하도록 $w_n=(1-\lambda)\lambda^{n-1}$로 설정한다. 여기서 파라미터 λ의 범위는 $0<\lambda<1$을 사용한다. 1-스텝 시간차 오차 δ_t를 다음과 같이 정의하면,

$$\delta_t=r(\mathrm{x}_t,\ \mathrm{u}_t)+\gamma V_\phi(\mathrm{x}_{t+1})-V_\phi(\mathrm{x}_t) \tag{6.44}$$

n-스텝 어드밴티지를 다음과 같이 표현할 수 있다.

$$\begin{aligned}
A_\phi^{(1)}(\mathrm{x}_t,\ \mathrm{u}_t)&=r(\mathrm{x}_t,\ \mathrm{u}_t)+\gamma V_\phi(\mathrm{x}_{t+1})-V_\phi(\mathrm{x}_t)\\
&=\delta_t\\
A_\phi^{(2)}(\mathrm{x}_t,\ \mathrm{u}_t)&=r(\mathrm{x}_t,\ \mathrm{u}_t)+\gamma r(\mathrm{x}_{t+1},\ \mathrm{u}_{t+1})+\gamma^2 V_\phi(\mathrm{x}_{t+2})-V_\phi(\mathrm{x}_t)\\
&=r(\mathrm{x}_t,\ \mathrm{u}_t)+\gamma V_\phi(\mathrm{x}_{t+1})-V_\phi(\mathrm{x}_t)\\
&\qquad+\gamma(r(\mathrm{x}_{t+1},\ \mathrm{u}_{t+1})+\gamma V_\phi(\mathrm{x}_{t+2})-V_\phi(\mathrm{x}_{t+1}))\\
&=\delta_t+\gamma\delta_{t+1}\\
&\cdots\\
A_\phi^{(n)}(\mathrm{x}_t,\ \mathrm{u}_t)&=\sum_{k=t}^{t+n-1}\gamma^{k-t}\delta_k
\end{aligned} \tag{6.45}$$

이를 이용하면 일반화 어드밴티지 추정(GAE)을 다음과 같이 1-스텝 시간차 오차 δ_k로 표현할 수 있다.

$$
\begin{aligned}
A_\phi^{GAE}(\mathrm{x}_t,\ \mathrm{u}_t) &= \sum_{n=1}^{\infty} w_n A_\phi^{(n)}(\mathrm{x}_t,\ \mathrm{u}_t) \\
&= (1-\lambda)\sum_{n=1}^{\infty} \lambda^{n-1} A_\phi^{(n)}(\mathrm{x}_t,\ \mathrm{u}_t) \\
&= (1-\lambda)\sum_{n=1}^{\infty} (\delta_t + \lambda(\delta_t + \gamma\delta_{t+1}) + \lambda^2(\delta_t + \gamma\delta_{t+1} + \gamma^2\delta_{t+2}) + \cdots) \\
&= (1-\lambda)[\delta_t(1+\lambda+\lambda^2+\cdots) + \gamma\delta_{t+1}(\lambda+\lambda^2+\cdots) + \gamma^2\delta_{t+2}(\lambda^2+\cdots) + \cdots] \\
&= (1-\lambda)\left[\frac{\delta_t}{1-\lambda} + \frac{\gamma\lambda\delta_{t+1}}{1-\lambda} + \frac{\gamma^2\lambda^2\delta_{t+2}}{1-\lambda} + \cdots\right] \\
&= \sum_{k=t}^{\infty} (\gamma\lambda)^{k-t}\delta_k
\end{aligned}
\tag{6.46}
$$

파라미터 λ가 0이면,

$$
\begin{aligned}
A_\phi^{GAE}(\mathrm{x}_t,\ \mathrm{u}_t) &= \delta_t = r(\mathrm{x}_t,\ \mathrm{u}_t) + \gamma V_\phi(\mathrm{x}_{t+1}) - V_\phi(\mathrm{x}_t) \\
&= A_\phi^{(1)}(\mathrm{x}_t,\ \mathrm{u}_t)
\end{aligned}
$$

가 되고, $\lambda \to 1$이면

$$
\begin{aligned}
A_\phi^{GAE}(\mathrm{x}_t,\ \mathrm{u}_t) &= \sum_{k=t}^{\infty} \gamma^{k-t}\delta_k \\
&= A_\phi^{(\infty)}(\mathrm{x}_t,\ \mathrm{u}_t)
\end{aligned}
$$

가 되기 때문에 $0<\lambda<1$의 범위에서 λ를 조절함으로써 어드밴티지 추정값의 분산과 편향의 상대적 크기를 절충할 수 있음을 알 수 있다. 실험 결과에 의하면 γ보다 작은 값 λ에서 좋은 성능을 발휘했다고 한다. PPO에서는 GAE 방법을 도입했다.

6.6 PPO 알고리즘 구현

6.6.1 테스트 환경

테스트 환경은 OpenAI Gym에서 제공하는 'Pendulum-v0'다.

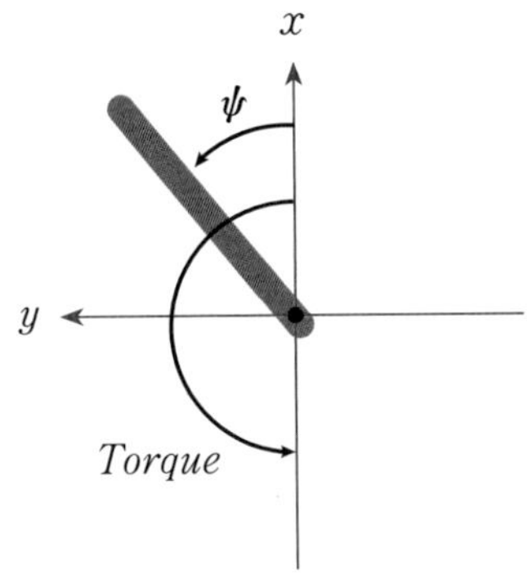

그림 6.4 Pendulum-v0

에이전트의 목표는 진자를 위로 수직으로 세워서 오래 유지하는 것이다. 일정 시간스텝이 경과하면 에피소드가 자동으로 종결된다.

6.6.2 코드 개요

PPO 코드는 액터-크리틱 신경망을 구현하고 학습시키기 위한 ppo_learn.py, 이를 실행시키기 위한 ppo_main.py, 그리고 학습을 마친 신경망 파라미터를 읽어와 에이전트를 구동하기 위한 ppo_load_play.py로 구성되어 있다. 전체 코드는 6.6.7절에 있으니 참고하기 바란다.

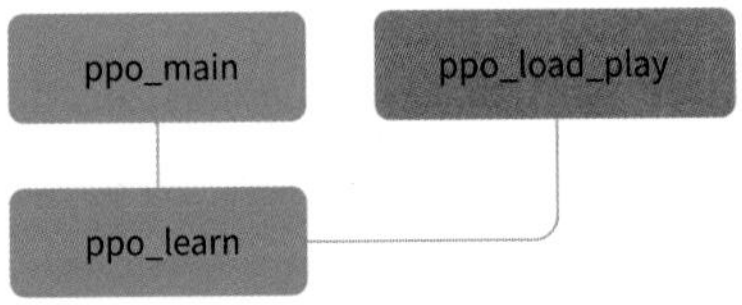

그림 6.5 PPO 코드 구조

전체적인 학습 프로세스는 ppo_learn.py 파일에 있는 PPOagent 클래스의 멤버함수인 train에 있다. 구체적으로 살펴보면 다음과 같다.

1. 상태변수, 행동, 보상, 그리고 이전 정책의 로그-확률밀도함수를 저장할 배치(batch)를 초기화한다.

```
batch_state, batch_action, batch_reward = [], [], []
batch_log_old_policy_pdf = []
```

2. 환경을 초기화하고 환경으로부터 첫 번째 상태변수 x_0를 측정한다.

```
time, episode_reward, done = 0, 0, False
state = self.env.reset()
```

3. 액터 신경망을 이용해 이전 정책의 평균과 표준편차를 계산하고 행동 $\mathrm{u}_0 \sim \pi_{\theta_{OLD}}(\mathrm{u}_0|\mathrm{x}_0)$를 샘플링한다.

```
mu_old, std_old, action = self.get_policy_action(tf.convert_to_tensor([state], dtype=tf.
float32))
```

4. 행동이 범위 $[-2, 2]$를 벗어나지 않도록 제한한다.

```
action = np.clip(action, -self.action_bound, self.action_bound)
```

5. 이전 정책의 로그-확률밀도함수 $\log\pi_{\theta_{OLD}}(\mathrm{u}_0|\mathrm{x}_0)$를 계산한다.

```
var_old = std_old ** 2
log_old_policy_pdf = -0.5 * (action - mu_old) ** 2 / var_old - 0.5 * np.log(var_old * 2 *
np.pi)
log_old_policy_pdf = np.sum(log_old_policy_pdf)
```

6. 행동 u_0를 실행해 보상 $r(\mathrm{x}_0, \mathrm{u}_0)$와 다음 상태변수 x_1를 얻는다. 여기서 done=1이면 에피소드가 종료되는 조건에 도달했음을 의미한다.

```
next_state, reward, done, _ = self.env.step(action)
```

7. Gym 환경과 학습 환경에서 사용하는 변수의 배열 모양이 다름을 고려해 상태변수, 행동, 보상, 이전 정책의 로그-확률밀도함수등의 배열 모양을 바꿔준다.

```
state = np.reshape(state, [1, self.state_dim])
action = np.reshape(action, [1, self.action_dim])
reward = np.reshape(reward, [1, 1])
log_old_policy_pdf = np.reshape(log_old_policy_pdf, [1, 1])
```

8. 학습용으로 사용할 보상의 범위를 식 $r_{\text{train}} = \frac{r+8}{8}$을 이용해 [−16, 0]에서 [−1, 1]로 조정한다.

```
train_reward = (reward + 8) / 8
```

9. 상태변수, 행동, 보상, 그리고 이전 정책의 로그-확률밀도함수를 배치에 저장한다.

```
batch_state.append(state)
batch_action.append(action)
batch_reward.append(train_reward)
batch_log_old_policy_pdf.append(log_old_policy_pdf)
```

10. 배치가 N개(BATCH_SIZE)만큼 쌓일 때까지는 학습하지 않고 저장만 한다.

```
if len(batch_state) < self.BATCH_SIZE:
state = next_state
episode_reward += reward[0]
time += 1
continue
```

11. 배치가 차면 각각 N개의 상태변수, 행동, 보상, 그리고 이전 정책의 로그-확률밀도함수를 추출한다. 그리고 배치를 비운다.

```
states = self.unpack_batch(batch_state)
actions = self.unpack_batch(batch_action)
rewards = self.unpack_batch(batch_reward)
log_old_policy_pdfs = self.unpack_batch(batch_log_old_policy_pdf)
# clear the batch
```

```
batch_state, batch_action, batch_reward, = [], [], []
batch_log_old_policy_pdf = []
```

12. 크리틱 신경망을 이용하여 시간차 타깃과 GAE를 계산한다.

```
next_v_value = self.critic(tf.convert_to_tensor([next_state], dtype=tf.float32))
v_values = self.critic(tf.convert_to_tensor(states, dtype=tf.float32))
gaes, y_i = self.gae_target(rewards, v_values.numpy(), next_v_value.numpy(), done)
```

13. 정해진 EPOCH만큼 액터 신경망을 학습한다.

```
self.actor_learn(tf.convert_to_tensor(log_old_policy_pdfs, dtype=tf.float32),
tf.convert_to_tensor(states, dtype=tf.float32),
tf.convert_to_tensor(actions, dtype=tf.float32),
tf.convert_to_tensor(gaes, dtype=tf.float32))
```

14. 정해진 EPOCH만큼 크리틱 신경망을 학습한다.

```
self.critic_learn(tf.convert_to_tensor(states, dtype=tf.float32),
tf.convert_to_tensor(y_i, dtype=tf.float32))
```

15. 다시 상태변수 x_i를 이용해 행동 u_i를 계산하는 과정을 되풀이한다.

```
state = next_state
episode_reward += reward[0]
time += 1
```

6.6.3 액터 클래스

액터 신경망 구조는 A2C와 동일하게 설정했다. 3개의 은닉층으로 구성되어 있으며 입력은 상태변수, 출력은 가우시안 정책 확률밀도함수의 평균값과 표준편차다.

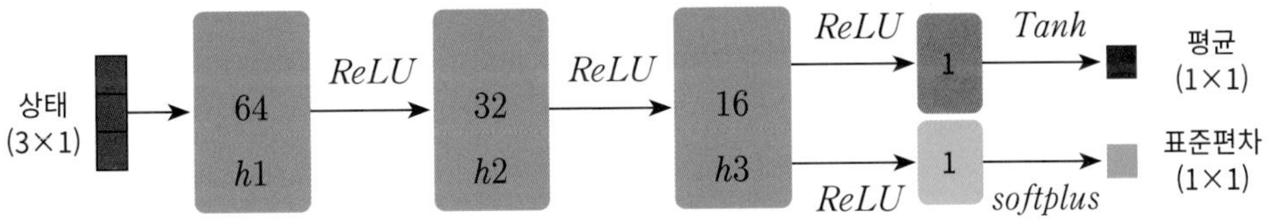

그림 6.6 액터 신경망 구조

```
class Actor(Model):

    def __init__(self, action_dim, action_bound):
        super(Actor, self).__init__()
        self.action_bound = action_bound
        self.h1 = Dense(64, activation='relu')
        self.h2 = Dense(32, activation='relu')
        self.h3 = Dense(16, activation='relu')
        self.mu = Dense(action_dim, activation='tanh')
        self.std = Dense(action_dim, activation='softplus')

    def call(self, state):
        x = self.h1(state)
        x = self.h2(x)
        x = self.h3(x)
        mu = self.mu(x)
        std = self.std(x)
        # 평균값을 [-action_bound, action_bound] 범위로 조정
        mu = Lambda(lambda x: x*self.action_bound)(mu)
        return [mu, std]
```

액터 신경망을 학습하는 부분은 에이전트 클래스 멤버함수인 actor_learn에 구현되어 있다.

```
    def actor_learn(self, log_old_policy_pdf, states, actions, gaes):
        with tf.GradientTape() as tape:
            # 현재 정책 확률밀도함수
            mu_a, std_a = self.actor(states, training=True)
            log_policy_pdf = self.log_pdf(mu_a, std_a, actions)
            # 현재와 이전 정책 비율
            ratio = tf.exp(log_policy_pdf - log_old_policy_pdf)
            clipped_ratio = tf.clip_by_value(ratio, 1.0-self.RATIO_CLIPPING,
1.0+self.RATIO_CLIPPING)
```

```
            surrogate = -tf.minimum(ratio * gaes, clipped_ratio * gaes)
            loss = tf.reduce_mean(surrogate)
        grads = tape.gradient(loss, self.actor.trainable_variables)
        self.actor_opt.apply_gradients(zip(grads, self.actor.trainable_variables))
```

먼저 액터 신경망으로부터 현재의 로그-정책 확률밀도함수를 계산한다.

```
mu_a, std_a = self.actor(states, training=True)
log_policy_pdf = self.log_pdf(mu_a, std_a, actions)
```

현재 정책과 이전 정책의 비율과 클리핑된 비율을 계산한다.

```
ratio = tf.exp(log_policy_pdf - log_old_policy_pdf)
clipped_ratio = tf.clip_by_value(ratio, 1.0-self.RATIO_CLIPPING, 1.0+self.RATIO_CLIPPING)
```

대체 목적함수의 그래디언트를 계산한다.

```
surrogate = -tf.minimum(ratio * gaes, clipped_ratio * gaes)
        loss = tf.reduce_mean(surrogate)
grads = tape.gradient(loss, self.actor.trainable_variables)
```

그리고 텐서플로의 아담 옵티마이저(Adam optimizer)를 이용해 액터 신경망을 학습한다.

```
self.actor_opt.apply_gradients(zip(grads, self.actor.trainable_variables))
```

가우시안 정책 확률밀도함수 $\pi_\theta(u|x)$로부터 행동을 샘플링하기 위해 다음 함수를 이용한다. 앞서와 마찬가지로 표준편차 σ가 너무 작거나 너무 크지 않도록 적당한 값 사이에 둔다.

```
def get_policy_action(self, state):
    mu_a, std_a = self.actor(state)
    mu_a = mu_a.numpy()[0]
    std_a = std_a.numpy()[0]
    std_a = np.clip(std_a, self.std_bound[0], self.std_bound[1])
    action = np.random.normal(mu_a, std_a, size=self.action_dim)
    return mu_a, std_a, action
```

6.6.4 크리틱 클래스

크리틱 신경망 구조도 A2C와 동일하게 설정했다. 3개의 은닉층으로 구성되어 있으며 입력은 상태변수, 출력은 상태가치다.

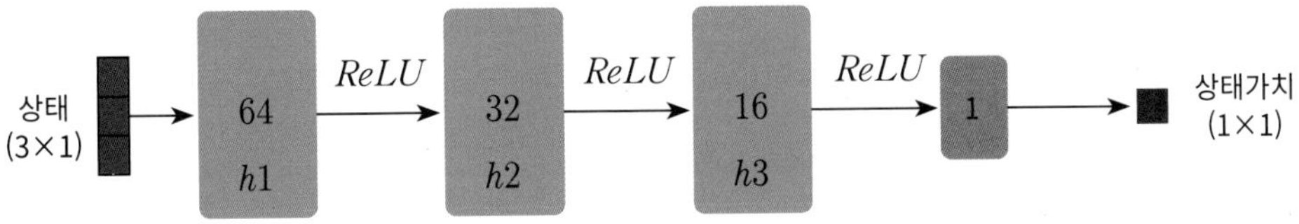

그림 6.7 크리틱 신경망 구조

```
class Critic(Model):

    def __init__(self):
        super(Critic, self).__init__()
        self.h1 = Dense(64, activation='relu')
        self.h2 = Dense(32, activation='relu')
        self.h3 = Dense(16, activation='relu')
        self.v = Dense(1, activation='linear')

    def call(self, state):
        x = self.h1(state)
        x = self.h2(x)
        x = self.h3(x)
        v = self.v(x)
        return v
```

크리틱 신경망을 학습하는 부분은 에이전트 클래스 멤버함수인 critic_learn에 구현되어 있다.

크리틱 신경망은 손실함수 $L=\frac{1}{2}\sum_i(y_i - V_\phi(x_i))^2$와 아담 옵티마이저를 이용해 학습한다.

```
def critic_learn(self, states, td_targets):
    with tf.GradientTape() as tape:
        td_hat = self.critic(states, training=True)
        loss = tf.reduce_mean(tf.square(td_hat-td_targets))

    grads = tape.gradient(loss, self.critic.trainable_variables)
    self.critic_opt.apply_gradients(zip(grads, self.critic.trainable_variables))
```

6.6.5 에이전트 클래스

에이전트 클래스에는 하이퍼파라미터를 설정하는 부분, 액터와 크리틱으로 구성된 에이전트를 생성하는 부분, 그리고 에이전트의 학습을 진행하는 부분이 포함되어 있다. 학습은 멤버함수 train에 구현되어 있으며 내용은 6.6.2절의 코드 개요에서 설명했다. 하이퍼파라미터는 다음과 같이 설정한다. 에포크는 5, 클리핑 계수는 0.05, GAE의 파라미터 λ는 0.9다.

```
self.GAMMA = 0.95
self.GAE_LAMBDA = 0.9
self.BATCH_SIZE = 32
self.ACTOR_LEARNING_RATE = 0.0001
self.CRITIC_LEARNING_RATE = 0.001
self.RATIO_CLIPPING = 0.05
self.EPOCHS = 5
```

멤버함수 gae_target은 GAE $A_i^{GAE}=A_\phi^{GAE}(\mathbf{x}_i, \mathbf{u}_i)$와 상태가치 $V_\phi(\mathbf{x}_i)$ 추정을 위한 시간차 타깃 y_i를 구현한 것이다. $N=i, \dots, i+n-1$의 시간스텝에서의 GAE는 다음과 같이 역방향 시간의 궤환식으로 표현할 수 있다.

$$\delta_{i+n-1}=r(\mathbf{x}_{i+n-1}, \mathbf{u}_{i+n-1})+\gamma V(\mathbf{x}_{i+n})-V(\mathbf{x}_{i+n-1})$$

$$\begin{aligned}
A_{i+n-1}^{GAE} &= \delta_{i+n-1} \\
A_{i+n-2}^{GAE} &= \delta_{i+n-2}+(\gamma\lambda)\delta_{i+n-1} \\
&= \delta_{i+n-2}+(\gamma\lambda)A_{i+n-1}^{GAE} \\
A_{i+n-3}^{GAE} &= \delta_{i+n-3}+(\gamma\lambda)\delta_{i+n-2}+(\gamma\lambda)^2\delta_{i+n-1} \\
&= \delta_{i+n-3}+(\gamma\lambda)A_{i+n-2}^{GAE} \\
&\cdots \\
A_i^{GAE} &= \delta_i+(\gamma\lambda)\delta_{i+1}+\cdots+(\gamma\lambda)^{n-1}\delta_{i+n-1} \\
&= \delta_i+(\gamma\lambda)A_{i+1}^{GAE}
\end{aligned}$$

시간차 타깃 y_i는 다음 식으로 설정한다.

$$y_i=A_i^{GAE}+V_\phi(\mathbf{x}_i)$$

```
def gae_target(self, rewards, v_values, next_v_value, done):
    n_step_targets = np.zeros_like(rewards)
    gae = np.zeros_like(rewards)
    gae_cumulative = 0
    forward_val = 0

    if not done:
        forward_val = next_v_value

    for k in reversed(range(0, len(rewards))):
        delta = rewards[k] + self.GAMMA * forward_val - v_values[k]
        gae_cumulative = self.GAMMA * self.GAE_LAMBDA * gae_cumulative + delta
        gae[k] = gae_cumulative
        forward_val = v_values[k]
        n_step_targets[k] = gae[k] + v_values[k]
    return gae, n_step_targets
```

멤버함수 unpack_batch는 넘파이 어레이를 요소로 하는 파이썬 리스트로 구성된 배치 데이터를 넘파이 어레이로 바꿔준다.

```
def unpack_batch(self, batch):
    unpack = batch[0]
    for idx in range(len(batch)-1):
        unpack = np.append(unpack, batch[idx+1], axis=0)
    return unpack
```

6.6.6 학습 결과

ppo_main.py 파일을 실행시키면 학습이 진행된다. 학습은 1000번의 에피소드로 실행됐으며 학습 결과는 다음 그림과 같다. 학습된 신경망의 파라미터는 save_weights 폴더에 각각 pendulum_actor.h5와 pendulum_critic.h5 파일로 저장된다. ppo_load_play.py를 실행하면 저장된 파라미터를 읽어와 에이전트가 실행된다. 그림 6.8은 학습 결과다. 약 600번의 에피소드만에 일정 수준의 학습 성과를 달성한 것을 볼 수 있다. 그림 6.9는 서로 다른 초기 조건에 대해서 진자의 각도의 시간 궤적을 도시한 실행 결과다. 서로 다른 초기 각도에 대해서 각도가 약 0도로 모두 수렴하므로 진자가 성공적으로 기립함을 알 수 있다. 그림 6.10은 이때의 토크 시간 궤적을 도시한 것이다.

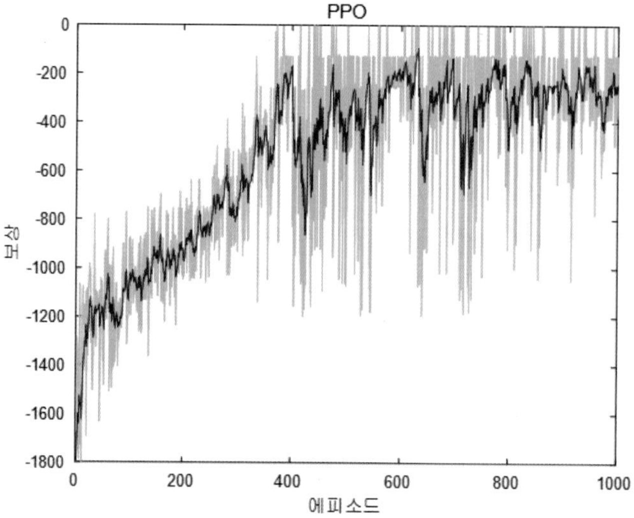

그림 6.8 학습 결과

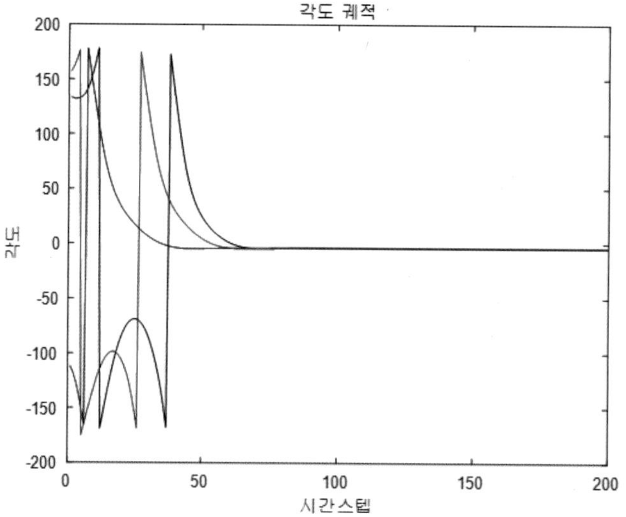

그림 6.9 실행 결과: 각도(ψ)의 시간 궤적

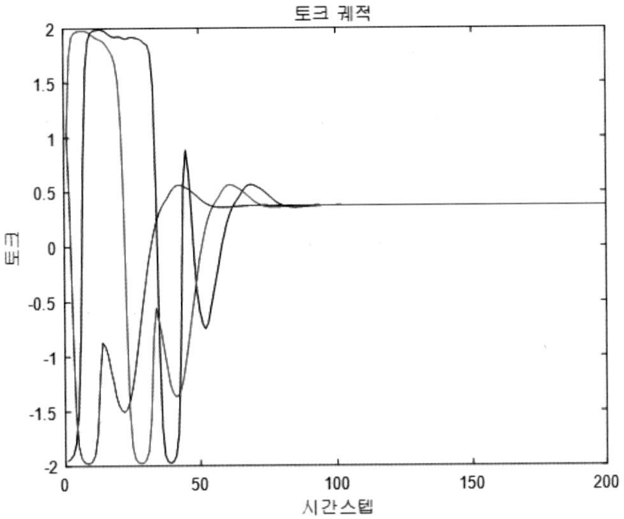

그림 6.10 실행 결과: 토크의 시간 궤적

6.6.7 전체 코드

ppo_learn.py

```
# PPO learn (tf2 subclassing API version)
# coded by St.Watermelon

# 필요한 패키지 임포트
import tensorflow as tf

from tensorflow.keras.models import Model
from tensorflow.keras.layers import Dense, Lambda
from tensorflow.keras.optimizers import Adam

import numpy as np
import matplotlib.pyplot as plt


## PPO 액터 신경망
class Actor(Model):

    def __init__(self, action_dim, action_bound):
```

```
        super(Actor, self).__init__()
        self.action_bound = action_bound

        self.h1 = Dense(64, activation='relu')
        self.h2 = Dense(32, activation='relu')
        self.h3 = Dense(16, activation='relu')
        self.mu = Dense(action_dim, activation='tanh')
        self.std = Dense(action_dim, activation='softplus')

    def call(self, state):
        x = self.h1(state)
        x = self.h2(x)
        x = self.h3(x)
        mu = self.mu(x)
        std = self.std(x)

        # 평균값을 [-action_bound, action_bound] 범위로 조정
        mu = Lambda(lambda x: x*self.action_bound)(mu)

        return [mu, std]


## PPO 크리틱 신경망
class Critic(Model):

    def __init__(self):
        super(Critic, self).__init__()

        self.h1 = Dense(64, activation='relu')
        self.h2 = Dense(32, activation='relu')
        self.h3 = Dense(16, activation='relu')
        self.v = Dense(1, activation='linear')

    def call(self, state):
        x = self.h1(state)
        x = self.h2(x)
        x = self.h3(x)
        v = self.v(x)
        return v
```

```
## PPO 에이전트 클래스
class PPOagent(object):

    def __init__(self, env):

        # 하이퍼파라미터
        self.GAMMA = 0.95
        self.GAE_LAMBDA = 0.9
        self.BATCH_SIZE = 32
        self.ACTOR_LEARNING_RATE = 0.0001
        self.CRITIC_LEARNING_RATE = 0.001
        self.RATIO_CLIPPING = 0.05
        self.EPOCHS = 5

        # 환경
        self.env = env
        # 상태변수 차원
        self.state_dim = env.observation_space.shape[0]
        # 행동 차원
        self.action_dim = env.action_space.shape[0]
        # 행동의 최대 크기
        self.action_bound = env.action_space.high[0]
        # 표준편차의 최솟값과 최댓값 설정
        self.std_bound = [1e-2, 1.0]

        # 액터 신경망 및 크리틱 신경망 생성
        self.actor = Actor(self.action_dim, self.action_bound)
        self.critic = Critic()
        self.actor.build(input_shape=(None, self.state_dim))
        self.critic.build(input_shape=(None, self.state_dim))

        self.actor.summary()
        self.critic.summary()

        # 옵티마이저
        self.actor_opt = Adam(self.ACTOR_LEARNING_RATE)
        self.critic_opt = Adam(self.CRITIC_LEARNING_RATE)

        # 에피소드에서 얻은 총 보상값을 저장하기 위한 변수
        self.save_epi_reward = []
```

```
    ## 로그-정책 확률밀도함수 계산
    def log_pdf(self, mu, std, action):
        std = tf.clip_by_value(std, self.std_bound[0], self.std_bound[1])
        var = std ** 2
        log_policy_pdf = -0.5 * (action - mu) ** 2 / var - 0.5 * tf.math.log(var * 2 * np.pi)
        return tf.reduce_sum(log_policy_pdf, 1, keepdims=True)


    ## 액터 신경망으로 정책의 평균, 표준편차를 계산하고 행동 샘플링
    def get_policy_action(self, state):
        mu_a, std_a = self.actor(state)
        mu_a = mu_a.numpy()[0]
        std_a = std_a.numpy()[0]
        std_a = np.clip(std_a, self.std_bound[0], self.std_bound[1])
        action = np.random.normal(mu_a, std_a, size=self.action_dim)
        return mu_a, std_a, action


    ## GAE와 시간차 타깃 계산
    def gae_target(self, rewards, v_values, next_v_value, done):
        n_step_targets = np.zeros_like(rewards)
        gae = np.zeros_like(rewards)
        gae_cumulative = 0
        forward_val = 0

        if not done:
            forward_val = next_v_value

        for k in reversed(range(0, len(rewards))):
            delta = rewards[k] + self.GAMMA * forward_val - v_values[k]
            gae_cumulative = self.GAMMA * self.GAE_LAMBDA * gae_cumulative + delta
            gae[k] = gae_cumulative
            forward_val = v_values[k]
            n_step_targets[k] = gae[k] + v_values[k]
        return gae, n_step_targets


    ## 배치에 저장된 데이터 추출
    def unpack_batch(self, batch):
        unpack = batch[0]
        for idx in range(len(batch)-1):
```

```
            unpack = np.append(unpack, batch[idx+1], axis=0)

        return unpack

    ## 액터 신경망 학습
    def actor_learn(self, log_old_policy_pdf, states, actions, gaes):

        with tf.GradientTape() as tape:
            # 현재 정책 확률밀도함수
            mu_a, std_a = self.actor(states, training=True)
            log_policy_pdf = self.log_pdf(mu_a, std_a, actions)

            # 현재와 이전 정책 비율
            ratio = tf.exp(log_policy_pdf - log_old_policy_pdf)
            clipped_ratio = tf.clip_by_value(ratio, 1.0-self.RATIO_CLIPPING, 1.0+self.RATIO_CLIPPING)
            surrogate = -tf.minimum(ratio * gaes, clipped_ratio * gaes)
            loss = tf.reduce_mean(surrogate)

        grads = tape.gradient(loss, self.actor.trainable_variables)
        self.actor_opt.apply_gradients(zip(grads, self.actor.trainable_variables))


    ## 크리틱 신경망 학습
    def critic_learn(self, states, td_targets):
        with tf.GradientTape() as tape:
            td_hat = self.critic(states, training=True)
            loss= tf.reduce_mean(tf.square(td_hat-td_targets))

        grads = tape.gradient(loss, self.critic.trainable_variables)
        self.critic_opt.apply_gradients(zip(grads, self.critic.trainable_variables))


    ## 신경망 파라미터 로드
    def load_weights(self, path):
        self.actor.load_weights(path + 'pendulum_actor.h5')
        self.critic.load_weights(path + 'pendulum_critic.h5')


    ## 에이전트 학습
    def train(self, max_episode_num):
```

```
        # 배치 초기화
        batch_state, batch_action, batch_reward = [], [], []
        batch_log_old_policy_pdf = []

        # 에피소드마다 다음을 반복
        for ep in range(int(max_episode_num)):

            # 에피소드 초기화
            time, episode_reward, done = 0, 0, False
            # 환경 초기화 및 초기 상태 관측
            state = self.env.reset()

            while not done:

                # 환경 가시화
                #self.env.render()
                # 이전 정책의 평균, 표준편차를 계산하고 행동 샘플링
                mu_old, std_old, action = self.get_policy_action(tf.convert_to_tensor([state], 
dtype=tf.float32))
                # 행동 범위 클리핑
                action = np.clip(action, -self.action_bound, self.action_bound)
                # 이전 정책의 로그 확률밀도함수 계산
                var_old = std_old ** 2
                log_old_policy_pdf = -0.5 * (action - mu_old) ** 2 / var_old - 0.5 * np.log(var_
old * 2 * np.pi)
                log_old_policy_pdf = np.sum(log_old_policy_pdf)
                # 다음 상태, 보상 관측
                next_state, reward, done, _ = self.env.step(action)
                # shape 변환
                state = np.reshape(state, [1, self.state_dim])
                action = np.reshape(action, [1, self.action_dim])
                reward = np.reshape(reward, [1, 1])
                log_old_policy_pdf = np.reshape(log_old_policy_pdf, [1, 1])
                # 학습용 보상 설정
                train_reward = (reward + 8) / 8
                # 배치에 저장
                batch_state.append(state)
                batch_action.append(action)
                batch_reward.append(train_reward)
                batch_log_old_policy_pdf.append(log_old_policy_pdf)
```

```
            # 배치가 채워질 때까지 학습하지 않고 저장만 계속
            if len(batch_state) < self.BATCH_SIZE:
                # 상태 업데이트
                state = next_state
                episode_reward += reward[0]
                time += 1
                continue

            # 배치가 채워지면, 학습 진행
            # 배치에서 데이터 추출
            states = self.unpack_batch(batch_state)
            actions = self.unpack_batch(batch_action)
            rewards = self.unpack_batch(batch_reward)
            log_old_policy_pdfs = self.unpack_batch(batch_log_old_policy_pdf)
            # 배치 비움
            batch_state, batch_action, batch_reward, = [], [], []
            batch_log_old_policy_pdf = []
            # GAE와 시간차 타깃 계산
            next_v_value = self.critic(tf.convert_to_tensor([next_state], dtype=tf.float32))
            v_values = self.critic(tf.convert_to_tensor(states, dtype=tf.float32))
            gaes, y_i = self.gae_target(rewards, v_values.numpy(), next_v_value.numpy(), done)

            # 에포크만큼 반복
            for _ in range(self.EPOCHS):
                # 액터 신경망 업데이트
                self.actor_learn(tf.convert_to_tensor(log_old_policy_pdfs, dtype=tf.float32),
                                 tf.convert_to_tensor(states, dtype=tf.float32),
                                 tf.convert_to_tensor(actions, dtype=tf.float32),
                                 tf.convert_to_tensor(gaes, dtype=tf.float32))
                # 크리틱 신경망 업데이트
                self.critic_learn(tf.convert_to_tensor(states, dtype=tf.float32),
                                  tf.convert_to_tensor(y_i, dtype=tf.float32))

            # 다음 에피소드를 위한 준비
            state = next_state
            episode_reward += reward[0]
            time += 1

        # 에피소드마다 결과 보상값 출력
        print('Episode: ', ep+1, 'Time: ', time, 'Reward: ', episode_reward)
        self.save_epi_reward.append(episode_reward)
```

```
            # 에피소드 10번마다 신경망 파라미터를 파일에 저장
            if ep % 10 == 0:
                self.actor.save_weights("./save_weights/pendulum_actor.h5")
                self.critic.save_weights("./save_weights/pendulum_critic.h5")

        # 학습이 끝난 후, 누적 보상값 저장
        np.savetxt('./save_weights/pendulum_epi_reward.txt', self.save_epi_reward)
        print(self.save_epi_reward)


    ## 에피소드와 누적 보상값을 그려주는 함수
    def plot_result(self):
        plt.plot(self.save_epi_reward)
        plt.show()
```

ppo_main.py

```
# PPO main
# coded by St.Watermelon
## PPO 에이전트를 학습하고 결과를 도시하는 파일

# 필요한 패키지 임포트
from ppo_learn import PPOagent
import gym

def main():

    max_episode_num = 1000  # 최대 에피소드 설정
    env_name = 'Pendulum-v0'
    env = gym.make(env_name) # 환경으로 OpenAI Gym의 pendulum-v0 설정
    agent = PPOagent(env) # PPO 에이전트 객체

    # 학습 진행
    agent.train(max_episode_num)

    # 학습 결과 도시
    agent.plot_result()

if __name__=="__main__":
    main()
```

ppo_load_play.py

```
# PPO load and play (tf2 version)
# coded by St.Watermelon
## 학습된 신경망 파라미터를 가져와서 에이전트를 실행시키는 파일

# 필요한 패키지 임포트
import gym
import tensorflow as tf
from ppo_learn import PPOagent

def main():

    env_name = 'Pendulum-v0'
    env = gym.make(env_name)

    agent = PPOagent(env) # PPO 에이전트 객체

    agent.load_weights('./save_weights/') #신경망 파라미터 가져옴

    time = 0
    state = env.reset() # 환경을 초기화하고, 초기 상태 관측

    while True:
        env.render()
        # 행동 계산
        action = agent.actor(tf.convert_to_tensor([state], dtype=tf.float32))[0][0]
        # 환경으로부터 다음 상태, 보상 받음
        state, reward, done, _ = env.step(action)
        time += 1

        print('Time: ', time, 'Reward: ', reward)

        if done:
            break

    env.close()

if __name__=="__main__":
    main()
```

07장

DDPG

7.1 배경

이산공간 행동변수일 경우, 행동 변수 1개당 가질 수 있는 값이 유한개로 정해져 있다. 따라서 신경망의 출력층 뉴런의 개수는 이산화된 행동 변수가 가질 수 있는 값의 개수와 같으며 신경망의 출력은 행동 변수가 가질 수 있는 값의 확률이다. 행동변수 개수가 N개이고 각 행동변수가 가질 수 있는 값의 개수가 각각 M개라면 신경망 출력의 뉴런 개수는 NM개가 될 것이다.

연속공간 행동 변수일 경우에는 각 행동변수 1개당 가질 수 있는 값이 무한개이며 정책 신경망의 출력은 확률밀도함수인 $\pi(\mathrm{u}_t|\mathrm{x}_t)$다. $\pi(\mathrm{u}_t|\mathrm{x}_t)$를 임의의 확률밀도함수로 둘 경우 그 확률밀도함수를 표현하기 위해 무한개의 뉴런 개수가 필요하다. 따라서 구현 가능한 정책 신경망을 만들기 위해서는 신경망의 출력을 임의의 확률밀도함수로 두기보다는 특정한 구조를 갖는 확률밀도함수로 고정하는 것이 필요하다. 예를 들면 정책이 가우시안 분포를 갖는 것으로 가정하고, 정책 신경망이 가우시안 분포의 평균값과 분산을 출력하게 하는 것이다. 이 경우 출력층의 뉴런 개수는 행동 변수의 개수당 2개면 된다. 행동변수가 N개라면 신경망 출력층의 뉴런 개수는 $2N$개가 된다. 이 방법의 단점은 정책이 특정 구조를 갖도록 제약을 가한다는 점이다.

$$x_t = \begin{bmatrix} x_{1t} \\ x_{2t} \\ x_{3t} \end{bmatrix} \qquad \mu_t = \begin{bmatrix} \mu_{1t} \\ \mu_{2t} \end{bmatrix} \qquad \sim \quad u_t = \begin{bmatrix} u_{1t} \\ u_{2t} \end{bmatrix}$$
$$\Sigma_t = \begin{bmatrix} \sigma_{1t} \\ \sigma_{2t} \end{bmatrix}$$

$$\pi_\theta(u_t \mid x_t) = N(\mu_t, \Sigma_t)$$

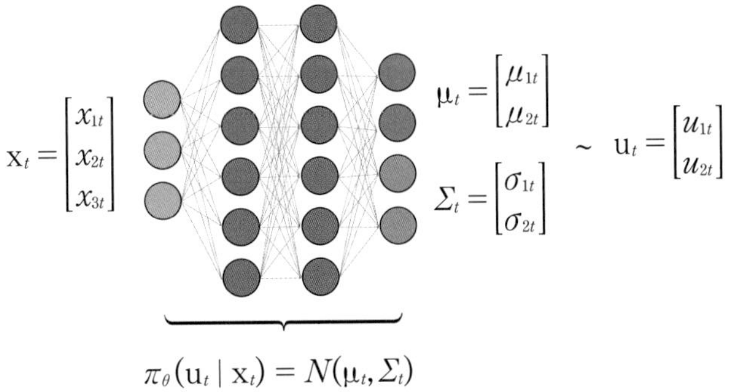

그림 7.1 확률적 정책 신경망

그렇다면 연속공간 행동 변수일 경우에 확률밀도함수인 $\pi(u_t|x_t)$를 계산하는 대신에 행동 그 자체를 계산하면 어떨까? 이 방법을 확정적 정책 그래디언트라고 한다. 심층 신경망을 정책 신경망으로 이용하면 심층 확정적 정책 그래디언트(DDPG, deep deterministic policy gradient)라고 한다. 이 경우 정책 신경망의 출력층 뉴런 개수는 행동변수의 개수와 같으면 된다. 여기서 확정적 정책이란 주어진 상태변수 값에서 행동변수의 값을 확정적으로 계산할 수 있다는 뜻이다. 즉, $u_t = \pi(x_t)$다. 반면에 확률적 정책에서는 확률밀도함수로 표현되는 정책에서 행동이 확률적으로 선택(샘플링)된다. 즉, $u_t \sim \pi(u_t|x_t)$다.

$$x_t = \begin{bmatrix} x_{1t} \\ x_{2t} \\ x_{3t} \end{bmatrix} \qquad u_t = \begin{bmatrix} u_{1t} \\ u_{2t} \end{bmatrix}$$

$$\pi_\theta(x_t)$$

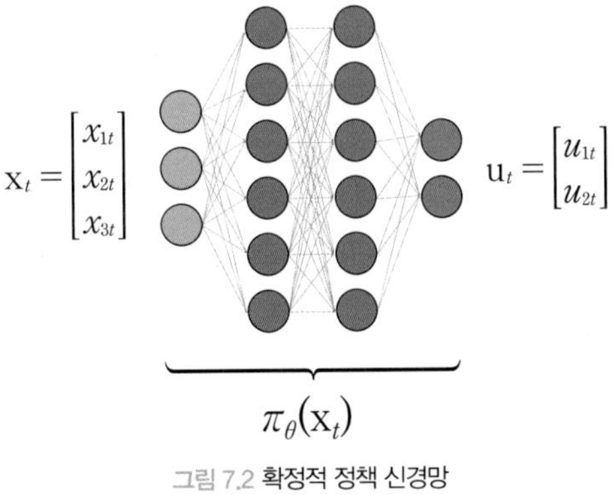

그림 7.2 확정적 정책 신경망

이 장에서는 DDPG 알고리즘에 대해서 알아본다.

7.2 그래디언트의 재구성

강화학습의 목표는 반환값의 기댓값으로 이루어진 목적함수 J를 최대로 만드는 정책 $\pi(\mathbf{u}_t|\mathbf{x}_t)$를 구하는 것이다. 목적함수는 다음과 같다.

$$\begin{aligned} J(\theta) &= \int_{\mathbf{x}_0} V^{\pi_\theta}(\mathbf{x}_0)p(\mathbf{x}_0)d\mathbf{x}_0 \\ &= \mathbb{E}_{\mathbf{x}_0\sim p(\mathbf{x}_0)}[V^{\pi_\theta}(\mathbf{x}_0)] \end{aligned} \tag{7.1}$$

확정적 정책을 가정할 경우, $\mathbf{u}_t=\pi_\theta(\mathbf{x}_t)$이므로 상태가치 함수와 행동가치 함수의 관계식 $V^\pi(\mathbf{x}_t)=\mathbb{E}_{\mathbf{u}_t\sim\pi(\mathbf{u}_t|\mathbf{x}_t)}[Q^\pi(\mathbf{x}_t,\ \mathbf{u}_t)]$로부터

$$V^{\pi_\theta}(\mathbf{x}_t)=Q^{\pi_\theta}(\mathbf{x}_t,\ \mathbf{u}_t)=Q^{\pi_\theta}(\mathbf{x}_t,\ \pi_\theta(\mathbf{x}_t)) \tag{7.2}$$

가 돼서 상태가치 함수와 행동가치 함수가 동일함을 알 수 있다. 한편 행동가치 함수는 다음과 같다.

$$\begin{aligned} Q^\pi(\mathbf{x}_t,\ \mathbf{u}_t) &= \int_{\mathbf{x}_{t+1}} [r(\mathbf{x}_t,\ \mathbf{u}_t)+\gamma V^\pi(\mathbf{x}_{t+1})]p(\mathbf{x}_{t+1}|\mathbf{x}_t,\ \mathbf{u}_t)d\mathbf{x}_{t+1} \\ &= r(\mathbf{x}_t,\ \mathbf{u}_t)+\mathbb{E}_{\mathbf{x}_{t+1}\sim p(\mathbf{x}_{t+1}|\mathbf{x}_t,\mathbf{u}_t)}[\gamma V^\pi(\mathbf{x}_{t+1})] \end{aligned} \tag{7.3}$$

이제, $V^{\pi_\theta}(\mathbf{x}_0)$의 그래디언트를 구하면 다음과 같다.

$$\begin{aligned} \nabla_\theta V^{\pi_\theta}(\mathbf{x}_0) &= \nabla_\theta Q^{\pi_\theta}(\mathbf{x}_0,\ \pi_\theta(\mathbf{x}_0)) \\ &= \nabla_\theta \left[r(\mathbf{x}_0,\ \mathbf{u}_0)+\int_{\mathbf{x}_1} \gamma V^{\pi_\theta}(\mathbf{x}_1)p(\mathbf{x}_1|\mathbf{x}_0,\ \mathbf{u}_0)d\mathbf{x}_1 \right] \\ &= \nabla_\theta \pi_\theta(\mathbf{x}_0)\nabla_{\mathbf{u}_0} r(\mathbf{x}_0,\ \mathbf{u}_0)+\nabla_\theta \left[\int_{\mathbf{x}_1} \gamma V^{\pi_\theta}(\mathbf{x}_1)p(\mathbf{x}_1|\mathbf{x}_0,\ \mathbf{u}_0)d\mathbf{x}_1 \right] \\ &= \nabla_\theta \pi_\theta(\mathbf{x}_0)\nabla_{\mathbf{u}_0} r(\mathbf{x}_0,\ \mathbf{u}_0)+\int_{\mathbf{x}_1} \gamma V^{\pi_\theta}(\mathbf{x}_1)\nabla_\theta \pi_\theta(\mathbf{x}_0)\nabla_{\mathbf{u}_0} p(\mathbf{x}_1|\mathbf{x}_0,\ \mathbf{u}_0)d\mathbf{x}_1 \\ &\quad +\int_{\mathbf{x}_1} \gamma \nabla_\theta V^{\pi_\theta}(\mathbf{x}_1)p(\mathbf{x}_1|\mathbf{x}_0,\ \mathbf{u}_0)d\mathbf{x}_1 \end{aligned} \tag{7.4}$$

여기서 관계식 $u_0=\pi_\theta(x_0)$를 이용했다. 한편, $Q^\pi(x_t, u_t)$의 정의를 이용해 위 식을 정리하면,

$$\begin{aligned}\nabla_\theta V^{\pi_\theta}(x_0) &= \nabla_\theta \pi_\theta(x_0)\nabla_{u_0}\left[r(x_0, u_0)+\int_{x_1}\gamma V^{\pi_\theta}(x_1)p(x_1|x_0, u_0)dx_1\right] \\ &\quad +\int_{x_1}\gamma\nabla_\theta V^{\pi_\theta}(x_1)p(x_1|x_0, u_0)dx_1 \\ &= \nabla_\theta\pi_\theta(x_0)\nabla_{u_0}Q^{\pi_\theta}(x_0, u_0)+\int_{x_1}\gamma\nabla_\theta V^{\pi_\theta}(x_1)p(x_1|x_0, u_0)dx_1\end{aligned} \tag{7.5}$$

이 된다. 비슷한 방법으로 $V^{\pi_\theta}(x_1)$의 그래디언트를 구하면,

$$\nabla_\theta V^{\pi_\theta}(x_1)=\nabla_\theta\pi_\theta(x_1)\nabla_{u_1}Q^{\pi_\theta}(x_1, u_1)+\int_{x_2}\gamma\nabla_\theta V^{\pi_\theta}(x_2)p(x_2|x_1, u_1)dx_2 \tag{7.6}$$

다. 식 (7.6)을 식 (7.5)에 대입하면 식 (7.5)는 다음과 같이 된다.

$$\begin{aligned}\nabla_\theta V^{\pi_\theta}(x_0) &= \nabla_\theta\pi_\theta(x_0)\nabla_{u_0}Q^{\pi_\theta}(x_0, u_0) \\ &\quad +\int_{x_1}\gamma[\nabla_\theta\pi_\theta(x_1)\nabla_{u_1}Q^{\pi_\theta}(x_1, u_1)]p(x_1|x_0, u_0)dx_1 \\ &\quad +\int_{x_1}\gamma\left[\int_{x_2}\gamma\nabla_\theta V^{\pi_\theta}(x_2)p(x_2|x_1, u_1)dx_2\right]p(x_1|x_0, u_0)dx_1\end{aligned} \tag{7.7}$$

계속해서 비슷한 방법으로 $\nabla_\theta V^{\pi_\theta}(x_2)$를 구하고

$$\nabla_\theta V^{\pi_\theta}(x_2)=\nabla_\theta\pi_\theta(x_2)\nabla_{u_2}Q^{\pi_\theta}(x_2, u_2)+\int_{x_3}\gamma\nabla_\theta V^{\pi_\theta}(x_3)p(x_3|x_2, u_2)dx_3 \tag{7.8}$$

식 (7.7)에 대입하면 $\nabla_\theta V^{\pi_\theta}(x_0)$은 다음과 같이 된다.

$$\begin{aligned}\nabla_\theta V^{\pi_\theta}(\mathrm{x}_0) = & \nabla_\theta \pi_\theta(\mathrm{x}_0) \nabla_{\mathrm{u}_0} Q^{\pi_\theta}(\mathrm{x}_0, \mathrm{u}_0) \\ & + \int_{\mathrm{x}_1} \gamma [\nabla_\theta \pi_\theta(\mathrm{x}_1) \nabla_{\mathrm{u}_1} Q^{\pi_\theta}(\mathrm{x}_1, \mathrm{u}_1)] p(\mathrm{x}_1|\mathrm{x}_0, \mathrm{u}_0) d\mathrm{x}_1 \\ & + \int_{\mathrm{x}_2}\int_{\mathrm{x}_1} \gamma^2 [\nabla_\theta \pi_\theta(\mathrm{x}_2) \nabla_{\mathrm{u}_2} Q^{\pi_\theta}(\mathrm{x}_2, \mathrm{u}_2)] p(\mathrm{x}_2|\mathrm{x}_1, \mathrm{u}_1) p(\mathrm{x}_1|\mathrm{x}_0, \mathrm{u}_0) d\mathrm{x}_1 d\mathrm{x}_2 \\ & + \int_{\mathrm{x}_3}\int_{\mathrm{x}_2}\int_{\mathrm{x}_1} \gamma^3 \nabla_\theta V^{\pi_\theta}(\mathrm{x}_3) p(\mathrm{x}_3|\mathrm{x}_2, \mathrm{u}_2) p(\mathrm{x}_2|\mathrm{x}_1, \mathrm{u}_1) p(\mathrm{x}_1|\mathrm{x}_0, \mathrm{u}_0) d\mathrm{x}_1 d\mathrm{x}_2 d\mathrm{x}_3\end{aligned} \tag{7.9}$$

한편, 식 (7.1)로부터 목적함수 그래디언트가

$$\nabla_\theta J(\theta) = \int_{\mathrm{x}_0} \nabla_\theta V^{\pi_\theta}(\mathrm{x}_0) p(\mathrm{x}_0) d\mathrm{x}_0 \tag{7.10}$$

이므로 위 식에 식 (7.9)를 대입하면,

$$\begin{aligned}\nabla_\theta J(\theta) = & \int_{\mathrm{x}_0} \nabla_\theta \pi_\theta(\mathrm{x}_0) \nabla_{\mathrm{u}_0} Q^{\pi_\theta}(\mathrm{x}_0, \mathrm{u}_0) p(\mathrm{x}_0) d\mathrm{x}_0 \\ & + \int_{(\mathrm{x}_0, \mathrm{x}_1)} \gamma [\nabla_\theta \pi_\theta(\mathrm{x}_1) \nabla_{\mathrm{u}_1} Q^{\pi_\theta}(\mathrm{x}_1, \mathrm{u}_1)] p(\mathrm{x}_1|\mathrm{x}_0, \mathrm{u}_0) p(\mathrm{x}_0) d\mathrm{x}_0 d\mathrm{x}_1 \\ & + \int_{(\mathrm{x}_0, \mathrm{x}_1, \mathrm{x}_2)} \gamma^2 [\nabla_\theta \pi_\theta(\mathrm{x}_2) \nabla_{\mathrm{u}_2} Q^{\pi_\theta}(\mathrm{x}_2, \mathrm{u}_2)] p(\mathrm{x}_2|\mathrm{x}_1, \mathrm{u}_1) p(\mathrm{x}_1|\mathrm{x}_0, \mathrm{u}_0) p(\mathrm{x}_0) d\mathrm{x}_0 d\mathrm{x}_1 d\mathrm{x}_2 \\ & + \int_{(\mathrm{x}_0, \ldots, \mathrm{x}_3)} \gamma^3 \nabla_\theta V^{\pi_\theta}(\mathrm{x}_3) p(\mathrm{x}_3|\mathrm{x}_2, \mathrm{u}_2) p(\mathrm{x}_2|\mathrm{x}_1, \mathrm{u}_1) p(\mathrm{x}_1|\mathrm{x}_0, \mathrm{u}_0) p(\mathrm{x}_0) d\mathrm{x}_0 d\mathrm{x}_1 d\mathrm{x}_2 d\mathrm{x}_3\end{aligned} \tag{7.11}$$

이 된다. 계속해서 비슷한 방법으로 $\nabla_\theta V^{\pi_\theta}(\mathrm{x}_3)$, $\nabla_\theta V^{\pi_\theta}(\mathrm{x}_4)$, ...를 계산해 위 식에 대입하면,

$$\begin{aligned}\nabla_\theta J(\theta) = & \int_{\mathrm{x}_0} [\nabla_\theta \pi_\theta(\mathrm{x}_0) \nabla_{\mathrm{u}_0} Q^{\pi_\theta}(\mathrm{x}_0, \mathrm{u}_0) p(\mathrm{x}_0)] d\mathrm{x}_0 \\ & + \int_{(\mathrm{x}_0, \mathrm{x}_1)} [\gamma \nabla_\theta \pi_\theta(\mathrm{x}_1) \nabla_{\mathrm{u}_1} Q^{\pi_\theta}(\mathrm{x}_1, \mathrm{u}_1) p(\mathrm{x}_0) p(\mathrm{x}_1|\mathrm{x}_0, \mathrm{u}_0)] d\mathrm{x}_0 d\mathrm{x}_1 \\ & + \cdots \\ & + \int_{(\mathrm{x}_0, \ldots, \mathrm{x}_t)} [\gamma^t \nabla_\theta \pi_\theta(\mathrm{x}_t) \nabla_{\mathrm{u}_t} Q^{\pi_\theta}(\mathrm{x}_t, \mathrm{u}_t) p(\mathrm{x}_0) \cdots p(\mathrm{x}_t|\mathrm{x}_{t-1}, \mathrm{u}_{t-1})] d\mathrm{x}_0 \cdots d\mathrm{x}_t \\ & + \cdots\end{aligned} \tag{7.12}$$

이 된다. 따라서 무한구간에서 목적함수 그래디언트는 다음과 같이 간략하게 표현될 수 있다.

$$\nabla_\theta J(\theta)=\sum_{t=0}^{\infty}\left(\int_{\overline{\tau}_{x_0:x_t}}\gamma^t \nabla_\theta \pi_\theta(x_t)\nabla_{u_t}Q^{\pi_\theta}(x_t,\ u_t)p(\tau_{x_0:x_t})d\overline{\tau}_{x_0:x_t}\right) \tag{7.13}$$
$$=\sum_{t=0}^{\infty}\left(\mathbb{E}_{\overline{\tau}_{x_0:x_t}\sim p(\overline{\tau}_{x_0:x_t})}\left[\gamma^t \nabla_\theta \pi_\theta(x_t)\nabla_{u_t}Q^{\pi_\theta}(x_t,\ u_t)\right]\right)$$

여기서 상태천이 확률밀도함수 $p(x_{t+1}|x_t,\ u_t)$는 환경 모델 또는 시스템의 운동 모델로서 정책 $u_t=\pi_\theta(x_t)$와 무관하므로 위 식에서 궤적 $\overline{\tau}_{x_0:x_t}=(x_0,\ x_1,\ x_2,\ ...,\ x_t)$가 현재 정책 $\pi_\theta(x_t)$로 생성된 궤적이든, 이전 정책 $\pi_{\theta_{OLD}}(x_t)$로 생성된 궤적이든 계산 결과는 같다. 따라서 한계밀도함수 특성을 이용해서 목적함수 그래디언트를 다음과 같이 변형해도 된다.

$$\nabla_\theta J(\theta)=\sum_{t=0}^{\infty}\left(\mathbb{E}_{\overline{\tau}_{x_0:x_t}\sim p_{\theta_{OLD}}(\overline{\tau}_{x_0:x_t})}\left[\gamma^t \nabla_\theta \pi_\theta(x_t)\nabla_{u_t}Q^{\pi_\theta}(x_t,\ u_t)\right]\right) \tag{7.14}$$
$$=\sum_{t=0}^{\infty}\left(\mathbb{E}_{x_t\sim p_{\theta_{OLD}}(x_t)}\left[\gamma^t \nabla_\theta \pi_\theta(x_t)\nabla_{u_t}Q^{\pi_\theta}(x_t,\ u_t)\right]\right)$$
$$=\sum_{t=0}^{\infty}\left(\mathbb{E}_{x_t\sim d_{\theta_{OLD}}(x_t)}\left[\nabla_\theta \pi_\theta(x_t)\nabla_{u_t}Q^{\pi_\theta}(x_t,\ u_t)\right]\right)$$

여기서 이전 정책 $\pi_{\theta_{OLD}}$로 발생시킨 궤적을 이용해 현재 정책 π_θ를 업데이트할 수 있다는 것을 강조하기 위해 이전 정책 $\pi_{\theta_{OLD}}$로 발생시킨 궤적에서 기댓값을 계산하도록 목적함수 그래디언트를 바꿨다. 따라서 DDPG는 오프-폴리시 방법이라는 것을 알 수 있다. 한편 위 식에서 $d_{\theta_{OLD}}(x_t)=\gamma^t p_{\theta_{OLD}}(x_t)$를 상태변수 x_t의 감가된 확률밀도함수라고 한다. 앞서 3.3절에서 논의한 것와 마찬가지로 감가율 γ^t는 에피소드의 후반부 궤적에 있는 데이터의 이용도를 크게 떨어뜨린다는 단점이 있다. 따라서 일반적으로 $d_\theta(x_t)=p_\theta(x_t)$로 가정한다.

DDPG에 사용되는 목적함수 그래디언트를 표 7.1에 정리했다.

표 7.1 DDPG에 사용되는 목적함수 그래디언트

목적함수	$J(\theta)=\mathbb{E}_{\tau\sim p_\theta(\tau)}\left[\sum_{t=0}^{\infty}\gamma^t r(\mathrm{x}_t, \mathrm{u}_t)\right], \tau=(\mathrm{x}_0, \mathrm{u}_0, \mathrm{x}_1, \mathrm{u}_1, \ldots)$
가정	확정적 정책 $\mathrm{u}_t=\pi_\theta(\mathrm{x}_t)$
그래디언트	$\nabla_\theta J(\theta)=\sum_{t=0}^{\infty}(\mathbb{E}_{\bar{\tau}_{\mathrm{x}_0:\mathrm{x}_t}\sim p_{\theta_{OLD}}(\bar{\tau}_{\mathrm{x}_0:\mathrm{x}_t})}[\nabla_\theta \pi_\theta(\mathrm{x}_t)\nabla_{\mathrm{u}_t}Q^{\pi_\theta}(\mathrm{x}_t, \mathrm{u}_t)])$ $=\sum_{t=0}^{\infty}(\mathbb{E}_{\mathrm{x}_t\sim p_{\theta_{OLD}}(\mathrm{x}_t)}[\nabla_\theta \pi_\theta(\mathrm{x}_t)\nabla_{\mathrm{u}_t}Q^{\pi_\theta}(\mathrm{x}_t, \mathrm{u}_t)])$
업데이트	$\theta\leftarrow\theta+\alpha\nabla_\theta J(\theta)$

7.3 DDPG 알고리즘

이제 목적함수 그래디언트를 계산하기 위해 액터-크리틱 구조의 알고리즘을 고안해 보자. 우선 행동가치 함수를 근사하는 함수 $Q^{\pi_\theta}(\mathrm{x}_t, \mathrm{u}_t)\approx Q_\phi(\mathrm{x}_t, \mathrm{u}_t)$를 도입한다. DDPG는 오프-폴리시 방법이므로 이전 정책 $\pi_{\theta_{OLD}}$로 생성한 데이터를 이용할 수 있다. 액터 신경망을 이용해 행동을 계산하고, 크리틱 신경망을 이용해 행동가치를 계산함으로써 액터 신경망이 산출한 행동을 평가한다. 액터 신경망은 상태변수를 입력으로 받아서 확정적 행동을 계산하고, 크리틱 신경망은 액터 신경망이 계산한 행동과 상태변수를 입력으로 받아서 행동가치를 계산한다.

이론적으로 가능할 것 같은 이와 같은 시나리오는 실제로는 잘 작동하지 않는다. 문제점은 다음과 같다. 첫째, 정책과 가치함수를 학습시킬 때 사용하는 궤적 데이터가 시간적으로 상관되어 있다는 문제가 있다. 확률 경사하강 방법은 각 샘플이 서로 독립적이고 균등하게 분포돼 있다는 가정하에 성립한다. 따라서 이러한 상관관계를 깨는 것이 필요하다. 이를 위해 DDPG에서는 에이전트의 경험(샘플 궤적)을 바로 학습에 사용하지 않고, 일단 리플레이 버퍼(replay buffer)에 저장해 둔다. 그리고 어느 정도 이상의 샘플이 모이면 버퍼에서 샘플을 무작위로 꺼내서 학습에 이용한다. 이러한 기법을 경험 리플레이(experience replay)라고 하는데, 이는 심층 Q 네트워크(DQN)에서 사용된 방법이다. 리플레이 버퍼를 이용해 학습이 가능한 이유는 DDPG가 오프-폴리시 방법이기 때문이다. 오프-폴리시는 다른 정책으로 만든 데이터를 이용해 현재의 정책을 업데이트할 수 있다.

이제 DDPG는 리플레이 버퍼를 사용할 수 있으므로 크리틱 신경망의 손실함수는 행동가치 추정값 $Q_\phi(\mathrm{x}_t, \mathrm{u}_t)$와 행동가치의 참값 $Q^{\pi_\theta}(\mathrm{x}_t, \mathrm{u}_t)$의 차이가 최소가 되도록 다음과 같이 설정할 수 있다.

$$L(\phi)=\mathbb{E}_{(\mathrm{x}_i, \mathrm{u}_i)\sim\mathcal{D}}\left[\frac{1}{2}(Q_\phi(\mathrm{x}_i, \mathrm{u}_i)-Q^{\pi_\theta}(\mathrm{x}_i, \mathrm{u}_i)\mid \mathrm{x}_i, \mathrm{u}_i)^2\right] \tag{7.15}$$

여기서 $\mathbb{E}_{(\mathrm{x}_i, \mathrm{u}_i)\sim\mathcal{D}}$는 리플레이 버퍼 $\mathcal{D}$에서 추출한 데이터 $(\mathrm{x}_i, \mathrm{u}_i)$로 평균을 계산한다는 의미이다. 물론 식 (7.15)는 다음과 같이 샘플 평균을 통해서 구현된다.

$$L(\phi)=\frac{1}{2N}\sum_i^N(Q^{\pi_\theta}(\mathrm{x}_i, \mathrm{u}_i)-Q_\phi(\mathrm{x}_i, \mathrm{u}_i))^2 \tag{7.16}$$

그런데 여기서 $Q^{\pi_\theta}(\mathrm{x}_i, \mathrm{u}_i)$를 알지 못하므로, 식 (7.3)을 이용하여 다음과 같이 근사화된 시간차 타깃을 설정한다.

$$Q^{\pi_\theta}(\mathrm{x}_i, \mathrm{u}_i)\approx y_i=r_i+\gamma Q_\phi(\mathrm{x}_{i+1}, \pi_\theta(\mathrm{x}_{i+1})) \tag{7.17}$$

식 (7.17)을 (7.16)에 대입하면 다음과 같다.

$$L(\phi)=\frac{1}{2N}\sum_i^N(y_i-Q_\phi(\mathrm{x}_i, \mathrm{u}_i))^2 \tag{7.18}$$

여기서 두번째 문제가 발생한다. 식 (7.18)을 보면 크리틱 신경망 파라미터를 업데이트하는 동안 시간차 타깃 y_i도 업데이트된 신경망 파라미터로 인해 변함을 알 수 있다. 이렇게 되면 업데이트하는 동안에도 타깃이 계속 바뀌기 때문에 안정적으로 학습이 진행되지 않거나 발산할 수 있다. 따라서 신경망을 업데이트하는 동안 타깃 계산에 사용되는 파라미터를 고정시킬 방법이 필요하다. 또한 크리틱 신경망 학습에 사용될 경사하강법에 관한 문제도 있다. 경사하강법에 의하면 손실함수 $L_Q(\phi)$의 그래디언트를 계산해야 하는데 보통 다음과 같은 식을 사용한다.

$$\phi \leftarrow \phi + \alpha_\phi \sum_i (y_i - Q_\phi(\mathrm{x}_i,\ \mathrm{u}_i))\ \nabla_\phi Q_\phi(\mathrm{x}_i,\ \mathrm{u}_i) \tag{7.19}$$

$$= \phi + \alpha_\phi \sum_i (r_i + \gamma Q_\phi(\mathrm{x}_{i+1},\ \pi_\theta(\mathrm{x}_{i+1})) - Q_\phi(\mathrm{x}_i,\ \mathrm{u}_i))\ \nabla_\phi Q_\phi(\mathrm{x}_i,\ \mathrm{u}_i)$$

원래대로 하면 손실함수의 그래디언트를 계산할 때 시간차 타깃 y_i도 ϕ의 함수이기 때문에 미분해야 맞다. 하지만 일반 지도학습 문제에서는 타깃을 외부에서 주어지는 고정된 값으로 보기 때문에 타깃은 미분하지 않는다.

물론 A2C, A3C, PPO 알고리즘에서도 이와 같은 문제점이 있지만 DQN이나 DDPG의 경우는 함수 근사화, 부트스트래핑(bootstrapping), 오프-폴리시 학습 방법 등 죽음의 삼총사(Deadly Triad)에 해당하므로 특히 안정성에 문제가 있다.

이와 같은 문제점을 해결하기 위하여 DQN에서는 Q 신경망과는 별도로 타깃(target) Q 신경망을 도입하였다. 타깃 신경망은 시간차 타깃 y_i를 계산하기 위한 것으로 Q 신경망을 업데이트 하는 동안 타깃 계산에 사용되는 파라미터를 고정시킨다. 그리고 일정 시간마다 Q 신경망의 파라미터로 주기적으로 업데이트시킨다. DDPG에서도 이와 같은 아이디어를 이용해 타깃 액터 신경망(target actor network)과 타깃 크리틱 신경망(target critic network)을 별도로 운영한다. 타깃 액터 신경망의 파라미터를 θ'로 타깃 크리틱 신경망의 파라미터 ϕ'로 표시하면 시간차 타깃 y_i와 손실함수 $L_Q(\phi)$는 다음과 같이 된다.

$$y_i = r(\mathrm{x}_i,\ \mathrm{u}_i) + \gamma Q_{\phi'}(\mathrm{x}_{i+1},\ \pi_{\theta'}(\mathrm{x}_{i+1})) \tag{7.20}$$

$$L(\phi) = \frac{1}{2N} \sum_i^N (y_i - Q_\phi(\mathrm{x}_i,\ \mathrm{u}_i))^2$$

여기서 N은 리플레이 버퍼에서 추출한 샘플 개수로서 미니배치의 크기다. DQN에서는 타깃신경망을 일정 시간마다 주기적으로 업데이트했지만, DDPG에서는 타깃 신경망의 파라미터가 다음 식과 같이 본래 신경망의 파라미터를 느린 속도로 따라가는 방법을 사용한다.

$$\theta' \leftarrow \tau\theta + (1-\tau)\theta' \tag{7.21}$$

$$\phi' \leftarrow \tau\phi + (1-\tau)\phi'$$

여기서 τ는 아주 작은 값으로 설정한다.

셋째 문제는 확정적 정책의 문제인 탐색 문제다. 환경을 구석구석 지속해서 탐색하기 위해서는 에이전트의 행동에 무작위적인 성질이 필요한데, DDPG는 확정적 정책이므로 이러한 무작위성이 없다. DDPG에서는 이 문제를 간단하게 행동에 노이즈(noise) ε_t를 도입함으로써 해결했다.

$$\pi_{noisy}(\mathrm{x}_t)=\pi_\theta(\mathrm{x}_t)+\varepsilon_t \tag{7.22}$$

탐험용 노이즈로는 가우시안 화이트 노이즈(Gaussian white noise) 등이 쓰일 수 있으나, DDPG를 처음 제안한 논문(참고문헌 [24])에서는 Ornstein–Uhlenbeck 노이즈를 사용했다. 이산시간에서 Ornstein– Uhlenbeck 노이즈를 근사화하면 다음과 같다.

$$\varepsilon_{t+1}=\varepsilon_t+\rho(\mu-\varepsilon_t)\triangle t+\sqrt{\triangle t}\,\sigma n_t \tag{7.23}$$

여기서 $\sigma>0$, $\rho>0$, μ는 각각 상수다. μ는 노이즈의 평균값이고 $\triangle t$는 연속시간을 이산시간으로 바꿀 때의 시간 증분(increment)이다. n_k는 평균이 0이고 분산이 1인 가우시안 화이트 노이즈다. 다음 그림은 $\rho=0.15$, $\mu=0$, $\sigma=0.2$, $\triangle t=0.1$일 때의 Ornstein–Uhlenbeck 노이즈의 시간 궤적을 보여준다.

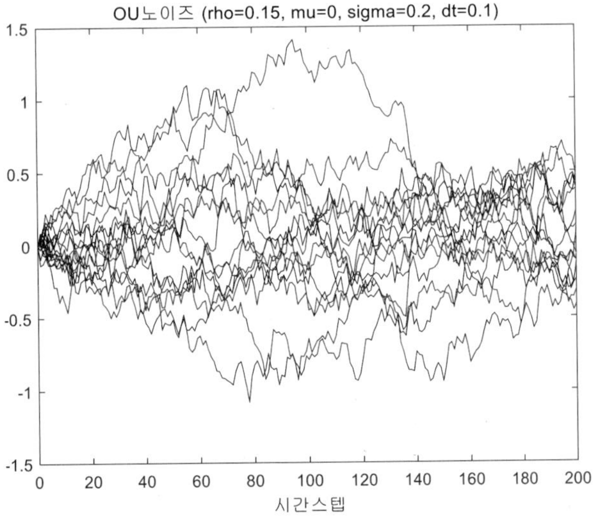

그림 7.3 Ornstein–Uhlenbeck 노이즈

한편 액터 신경망의 손실함수를 정하기 위하여 미분의 연쇄법칙을 식 (7.14)에 적용해 보자.

$$\begin{aligned} & \mathbb{E}_{\mathrm{x}_t \sim p_{\theta_{OLD}}(\mathrm{x}_t)}[\nabla_\theta \pi_\theta(\mathrm{x}_t)) \nabla_{u_t} Q_\phi(\mathrm{x}_t, \mathrm{u}_t)] \\ & = \mathbb{E}_{\mathrm{x}_t \sim p_{\theta_{OLD}}(\mathrm{x}_t)}\left[\frac{d\mathrm{u}_t}{d\theta} \frac{dQ_\phi}{d\mathrm{u}_t}\right] \\ & = \mathbb{E}_{\mathrm{x}_t \sim p_{\theta_{OLD}}(\mathrm{x}_t)}\left[\frac{dQ_\phi}{d\theta}\right] \\ & = \mathbb{E}_{\mathrm{x}_t \sim p_{\theta_{OLD}}(\mathrm{x}_t)}[\nabla_\theta Q_\phi] \\ & = \nabla_\theta \mathbb{E}_{\mathrm{x}_t \sim p_{\theta_{OLD}}(\mathrm{x}_t)}[Q_\phi] \end{aligned} \tag{7.24}$$

식 (7.24)에 의하면 액터 신경망의 손실함수를 다음과 같이 정하면 된다.

$$L(\theta) = -\mathbb{E}_{\mathrm{x}_i \sim \mathcal{D}}[Q_\phi(\mathrm{x}_i, \pi_\theta(\mathrm{x}_i)) \mid \mathrm{x}_i] \tag{7.25}$$

또는

$$L(\theta) = -\sum_i Q_\phi(\mathrm{x}_i, \pi_\theta(\mathrm{x}_i)) \tag{7.26}$$

여기서 마이너스 부호가 붙은 이유는 신경망은 손실함수를 최소화하도록 파라미터가 업데이트 되는 반면, DDPG 알고리즘은 Q_ϕ를 최대로 해야 하기 때문이다.

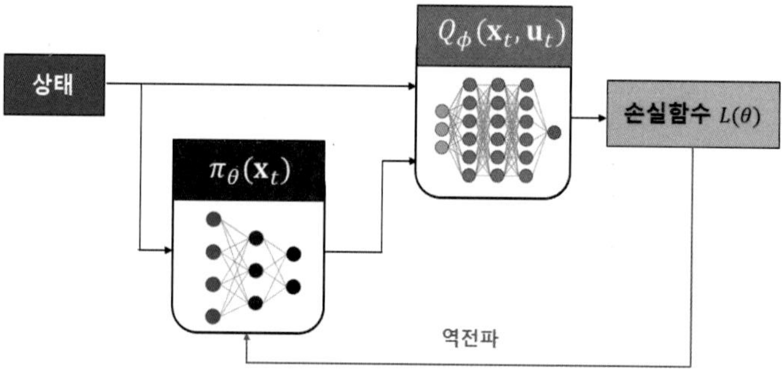

그림 7.4 액터 신경망 업데이트

DDPG는 이름에서도 알 수 있듯이 본래 정책 그래디언트 방법을 사용하여 확정적 정책을 계산하는 정책 그래디언트 계열의 알고리즘이다. 하지만 DQN을 연속공간 행동으로 확장한 Q-러닝 계열의 알고리즘으로 볼 수도 있다. DQN에서 DDPG 알고리즘을 유도하는 과정은 저자의 블로그인 http://pasus.tistory.com에 설명해 놓았으니 참고하기 바란다.

DDPG 알고리즘을 정리하면 다음과 같다.

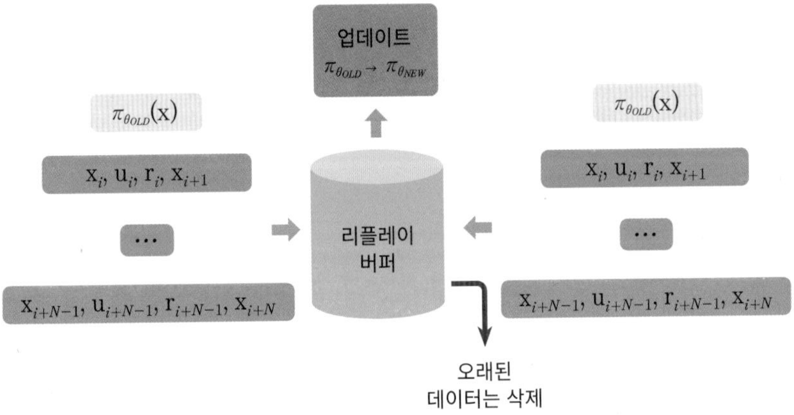

그림 7.5 DDPG 프로세스

1. 크리틱과 액터 신경망의 파라미터 ϕ와 θ를 초기화한다.
2. 크리틱과 액터의 타깃 신경망의 파라미터 ϕ' 와 θ' 에 ϕ와 θ를 복사한다.
3. 리플레이 버퍼 $\mathcal{D}$을 초기화한다.
4. **Repeat {**

   [1] 행동 탐험용 랜덤 프로세스 ε을 초기화한다.

   [2] 초기 상태변수 x_0를 측정한다.

   [3] **Repeat {**

   (1) 현재 정책 $u_t = \pi_\theta(x_t) + \varepsilon_t$로 행동을 계산한다.

   (2) u_t를 실행해 보상 $r_t = r(x_t, u_t)$와 다음 상태변수 x_{t+1}을 측정한다.

   (3) 기본 샘플 단위 (x_t, u_t, r_t, x_{t+1})을 리플레이 버퍼 $\mathcal{D}$에 저장한다.

   (4) $\mathcal{D}$에서 N개의 기본 샘플 단위 (x_i, u_i, r_i, x_{i+1}) 미니배치를 무작위로 추출한다.

   (5) 시간차 타깃 $y_i = r_i + \gamma Q_{\phi'}(x_{i+1}, \pi_{\theta'}(x_{i+1}))$을 계산한다.

(6) 다음 손실함수를 이용해 크리틱 신경망을 업데이트한다.

$$L(\phi) = \frac{1}{2N}\sum_i (y_i - Q_\phi(\mathrm{x}_i, \mathrm{u}_i))^2$$

(7) 다음 그래디언트 식으로 액터 신경망을 업데이트한다.

$$\nabla_\theta L(\theta) = \nabla_\theta \sum_i Q_\phi(\mathrm{x}_i, \pi_\theta(\mathrm{x}_i))$$

(8) 타깃 크리틱과 타깃 액터 신경망을 업데이트한다.

$$\phi' \leftarrow \tau\phi + (1-\tau)\phi'$$
$$\theta' \leftarrow \tau\theta + (1-\tau)\theta'$$

} N **시간스텝 동안 반복**

}

7.4 DDPG 알고리즘 구현

7.4.1 테스트 환경

테스트 환경은 OpenAI Gym에서 제공하는 'Pendulum-v0'이다.

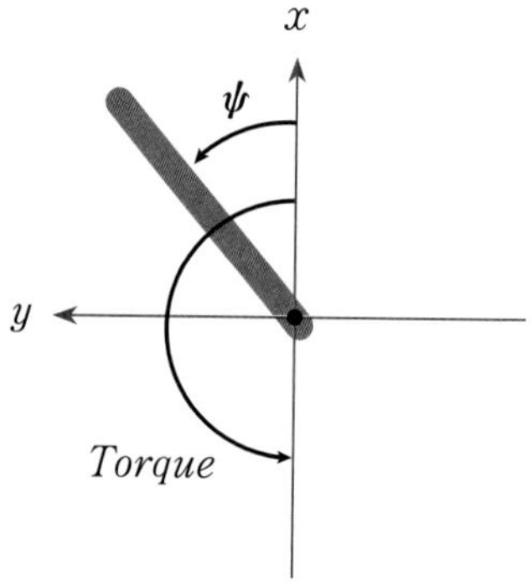

그림 7.5 Pendulum-v0

에이전트의 목표는 진자를 위로 수직으로 세워서 오래 유지시키는 것이다. 일정 시간스텝이 경과하면 에피소드가 자동으로 종결된다.

7.4.2 코드 개요

DDPG 코드는 액터-크리틱 신경망을 구현하고 학습시키기 위한 ddpg_learn.py, 이를 실행시키기 위한 ddpg_main.py, 학습을 마친 신경망 파라미터를 읽어와 에이전트를 구동하기 위한 ddpg_load_play.py, 그리고 리플레이 버퍼를 구현한 replaybuffer.py로 구성되어 있다. 전체 코드는 7.4.7절에 있으니 참고하기 바란다.

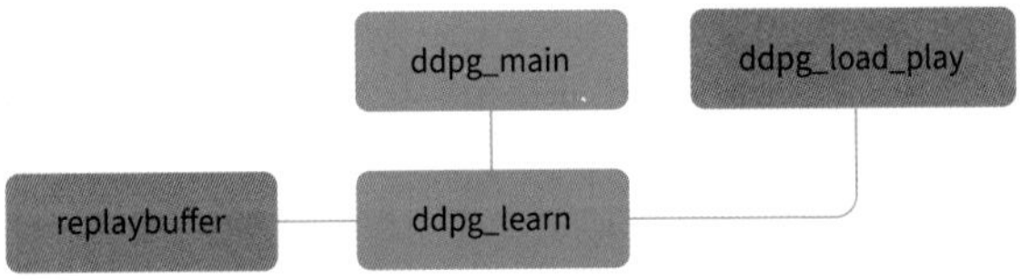

그림 7.6 DDPG 코드 구조

전체적인 학습 프로세스는 ddpg_learn.py 파일에 있는 DDPGagent 클래스의 멤버함수인 train에 있다. 구체적으로 살펴보면 다음과 같다.

1. 액터 신경망과 크리틱 신경망을 초기화한다. 그리고 초기화된 신경망 파라미터를 각각 타깃 액터 신경망과 타깃 크리틱 신경망에 복사한다.

```
self.update_target_network(1.0)
```

2. OU 노이즈를 초기화한다. 그리고 환경을 초기화하고 환경으로부터 첫 번째 상태변수 x_0를 측정한다.

```
pre_noise = np.zeros(self.action_dim)
time, episode_reward, done = 0, 0, False
state = self.env.reset()
```

3. 액터 신경망을 이용해 행동을 계산하고 노이즈를 더한다.

```
action = self.actor(tf.convert_to_tensor([state], dtype=tf.float32))
action = action.numpy()[0]
noise = self.ou_noise(pre_noise, dim=self.action_dim)))
```

4. 행동이 범위 [−2, 2]를 벗어나지 않도록 제한한다.

```
action = np.clip(action + noise, -self.action_bound, self.action_bound)
```

5. 행동 u_0를 실행해 보상 $r(\mathrm{x}_0, \mathrm{u}_0)$와 다음 상태변수 x_1를 얻는다. 여기서 done=1이면 에피소드가 종료되는 조건에 도달했음을 의미한다.

```
next_state, reward, done, _ = self.env.step(action)
```

6. 학습용으로 사용할 보상의 범위를 식 $r_{\text{train}}=\frac{r+8}{8}$을 이용해 [−16, 0]에서 [−1, 1]로 조정한다.

```
train_reward = (reward + 8) / 8
```

7. 상태, 행동, 보상, 다음 상태 등 기본 샘플 단위를 리플레이 버퍼에 저장한다.

```
self.buffer.add_buffer(state, action, train_reward, next_state, done)
```

8. 리플레이 버퍼에 기본 샘플 단위가 일정한 개수 이상(여기서는 1000개)이 채워지면 학습을 시작한다.

```
if self.buffer.buffer_count() > 1000
```

9. 리플레이 버퍼에서 배치 크기 N개의 기본 샘플 단위를 무작위로 추출한다.

```
states, actions, rewards, next_states, dones = self.buffer.sample_batch(self.BATCH_SIZE)
```

10. 타깃 크리틱 신경망에서 행동가치 $Q_{\phi'}(\mathrm{x}_{i+1}, \pi_{\theta'}(\mathrm{x}_{i+1}))$을 계산한다.

```
target_qs = self.target_critic([tf.convert_to_tensor(next_states, dtype=tf.float32),
self.target_actor(tf.convert_to_tensor(next_states, dtype=tf.float32))])
```

11. 시간차 타깃 $y_i = r_i + \gamma Q_{\phi'}(\mathrm{x}_{i+1}, \pi_{\theta'}(\mathrm{x}_{i+1}))$을 계산한다.

```
y_i = self.td_target(rewards, target_qs.numpy(), dones)
```

12. 크리틱 신경망을 학습한다.

```
self.critic_learn(tf.convert_to_tensor(states, dtype=tf.float32),
tf.convert_to_tensor(actions, dtype=tf.float32),
tf.convert_to_tensor(y_i, dtype=tf.float32))
```

13. 액터 신경망을 학습한다.

```
self.actor_learn(tf.convert_to_tensor(states, dtype=tf.float32))
```

14. 타깃 크리틱과 타깃 액터 신경망을 업데이트한다.

```
self.update_target_network()
```

15. 다시 상태변수 x_i를 이용해 행동 u_i를 계산하는 과정을 되풀이한다.

```
pre_noise = noise
state = next_state
episode_reward += reward
time += 1
```

7.4.3 액터 클래스

액터 신경망 구조는 기본적으로 A2C와 동일하게 설정했다. 차이점은 출력층이 행동 1개라는 점이다. 3개의 은닉층으로 구성되어 있으며 입력은 상태변수, 출력은 행동 값이다.

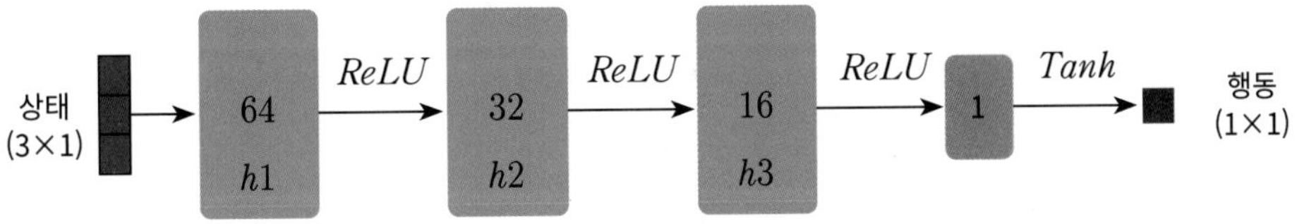

그림 7.7 액터 신경망 구조

```
class Actor(Model):

    def __init__(self, action_dim, action_bound):
        super(Actor, self).__init__()
        self.action_bound = action_bound
        self.h1 = Dense(64, activation='relu')
        self.h2 = Dense(32, activation='relu')
        self.h3 = Dense(16, activation='relu')
        self.action = Dense(action_dim, activation='tanh')

    def call(self, state):
        x = self.h1(state)
        x = self.h2(x)
        x = self.h3(x)
        a = self.action(x)
        # 행동을 [-action_bound, action_bound] 범위로 조정
        a = Lambda(lambda x: x*self.action_bound)(a)
        return a
```

액터 신경망을 학습하는 부분은 에이전트 클래스 멤버함수인 actor_learn에 구현되어 있다.

```
def actor_learn(self, states):
    with tf.GradientTape() as tape:
        actions = self.actor(states, training=True)
        critic_q = self.critic([states, actions])
        loss = -tf.reduce_mean(critic_q)
    grads = tape.gradient(loss, self.actor.trainable_variables)
    self.actor_opt.apply_gradients(zip(grads, self.actor.trainable_variables))
```

먼저 액터 신경망으로부터 행동 $\mathrm{u}_i = \pi_\theta(\mathrm{x}_i)$을 계산한다.

```
actions = self.actor(states, training=True)
```

크리틱 신경망으로부터 상태변수와 행동에 대한 행동 가치함수 $Q_\phi(\mathrm{x}_i, \pi_\theta(\mathrm{x}_i))$를 계산한다.

```
critic_q = self.critic([states, actions])
```

손실함수 $L(\theta)=-\sum_{i} Q_{\phi}(\mathrm{x}_i,\ \pi_{\theta}(\mathrm{x}_i))$의 그래디언트를 계산한다.

```
loss = -tf.reduce_mean(critic_q)
    grads = tape.gradient(loss, self.actor.trainable_variables)
```

그리고 텐서플로의 아담 옵티마이저(Adam optimizer)를 이용해 액터 신경망을 학습한다.

```
self.actor_opt.apply_gradients(zip(grads, self.actor.trainable_variables))
```

7.4.4 크리틱 클래스

크리틱 신경망 구조는 크리틱 클래스의 멤버함수 `call`에 기술되어 있다. 입력으로 상태변수와 행동을 받는데, 상태변수를 첫 번째 은닉층으로 처리한 후 두 번째 은닉층에서 행동과 병합(concatenate)하는 구조다. 신경망의 출력은 행동가치 값이다.

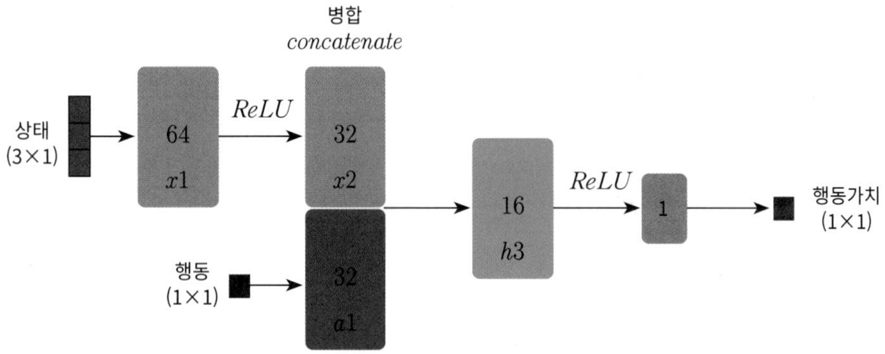

그림 7.8 크리틱 신경망 구조

```
class Critic(Model):

    def __init__(self):
        super(Critic, self).__init__()

        self.x1 = Dense(32, activation='relu')
        self.a1 = Dense(32, activation='relu')
        self.h2 = Dense(32, activation='relu')
```

```
        self.h3 = Dense(16, activation='relu')
        self.q = Dense(1, activation='linear')

    def call(self, state_action):
        state = state_action[0]
        action = state_action[1]
        x = self.x1(state)
        a = self.a1(action)
        h = concatenate([x, a], axis=-1)
        x = self.h2(h)
        x = self.h3(x)
        q = self.q(x)
        return q
```

크리틱 신경망을 학습하는 부분은 에이전트 클래스 멤버함수인 critic_learn에 구현되어 있다. 크리틱 신경망은 손실함수 $L(\phi)=\frac{1}{2}\sum_i(y_i-Q_\phi(\mathrm{x}_i,\ \mathrm{u}_i))^2$와 아담 옵티마이저를 이용해 학습한다.

```
def critic_learn(self, states, actions, td_targets):
    with tf.GradientTape() as tape:
        q = self.critic([states, actions], training=True)
        loss =  tf.reduce_mean(tf.square(q-td_targets))
    grads = tape.gradient(loss, self.critic.trainable_variables)
    self.critic_opt.apply_gradients(zip(grads, self.critic.trainable_variables))
```

7.4.5 액터-크리틱 에이전트 클래스

에이전트 클래스에는 하이퍼파라미터를 설정하는 부분, 액터와 크리틱으로 구성된 에이전트를 생성하는 부분, 그리고 에이전트의 학습을 진행하는 부분이 포함되어 있다. 학습은 멤버함수 train에 구현되어 있으며 내용은 7.4.2절의 코드 개요에서 설명했다. 하이퍼파라미터는 다음과 같이 설정했다. 총 배치 사이즈는 32이고, 타깃 신경망 업데이트 시간 파라미터 τ는 0.001이다.

```
self.GAMMA = 0.95
self.BATCH_SIZE = 32
self.BUFFER_SIZE = 20000
```

```
self.ACTOR_LEARNING_RATE = 0.0001
self.CRITIC_LEARNING_RATE = 0.001
self.TAU = 0.001
```

멤버함수 ou_noise는 Ornstein-Uhlenbeck 노이즈, $\epsilon_{t+1}=\epsilon_t+\rho(\mu-\epsilon_t)\Delta t+\sqrt{\Delta t}\,\sigma n_t$를 구현한 것이다.

```
def ou_noise(self, x, rho=0.15, mu=0, dt=1e-1, sigma=0.2, dim=1):
    return x + rho*(mu - x)*dt + sigma*np.sqrt(dt)*np.random.normal(size=dim)
```

여기서 $\rho=0.15$, $\mu=0$, $\sigma=0.2$, $\Delta t=0.1$을 사용했다. 멤버함수 td_target은 시간차 타깃 $y_i=r(\mathrm{x}_i,\ \mathrm{u}_i)+\gamma Q_{\phi'}(\mathrm{x}_{i+1},\ \pi_{\theta'}(\mathrm{x}_{i+1}))$을 구현한 것이다. 에피소드가 종료될 때는 시간차 타깃이 $y_i=r(\mathrm{x}_i,\ \mathrm{u}_i)$임을 고려했다.

```
def td_target(self, rewards, q_values, dones):
    y_k = np.asarray(q_values)
    for i in range(q_values.shape[0]): # number of batch
        if dones[i]:
            y_k[i] = rewards[i]
        else:
            y_k[i] = rewards[i] + self.GAMMA * q_values[i]
    return y_k
```

타깃 신경망의 업데이트 식은 멤버함수 update_target_ network에 구현되어 있다. 그리고 리플레이 버퍼는 replaybuffer.py에 구현되어 있다.

7.4.6 학습 결과

ddpg_main.py 파일을 실행하면 학습이 진행된다. 학습은 200번의 에피소드로 실행됐으며 학습 결과는 다음 그림과 같다. 학습된 신경망의 파라미터는 save_weights 폴더에 각각 pendulum_actor.h5와 pendulum_critic.h5 파일로 저장된다. ddpg_load_play.py를 실행하면 저장된 파라미터를 읽어와 에이전트가 실행된다. 그림 7.9는 학습 결과다. 약 140번의 에피소드만에 일정 수준의 학습 성과를 달성한 것을 볼 수 있다. 그림 7.10은 서로 다른 초기 조건에 대해서 진자의 각도의 시간 궤적을 도시한 실행 결과다. 서로 다른 초기 각도에 대해서 각도가 약 0도로 모두 수렴하므로 진자가 성공적으로 기립함을 알 수 있다. 그림 7.11은 이때의 토크 시간 궤적을 도시한 것이다.

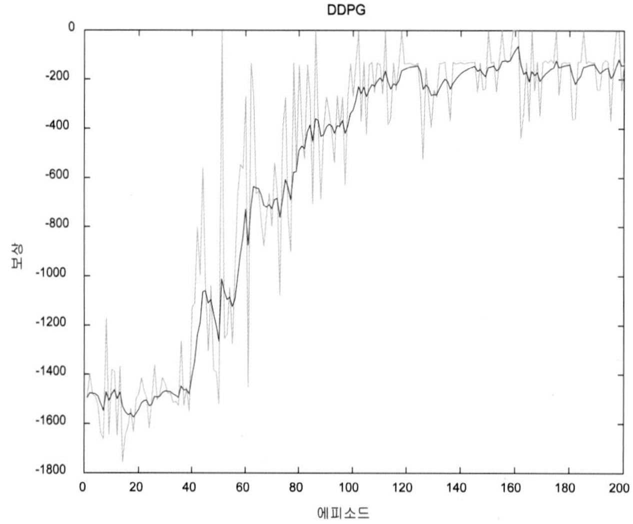

그림 7.9 학습 결과

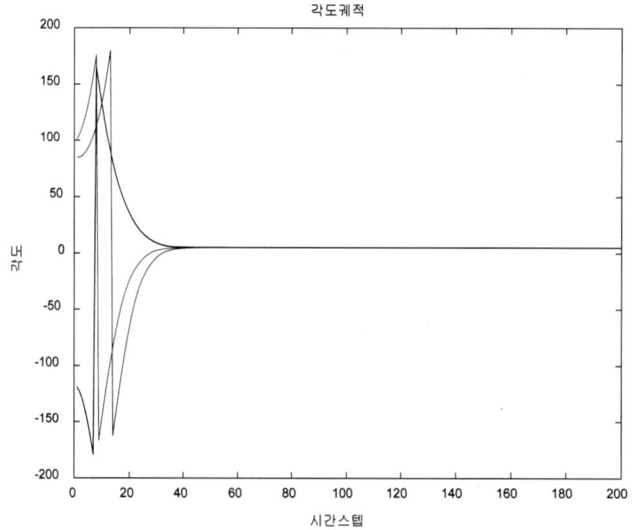

그림 7.10 실행 결과: 각도(ψ)의 시간 궤적

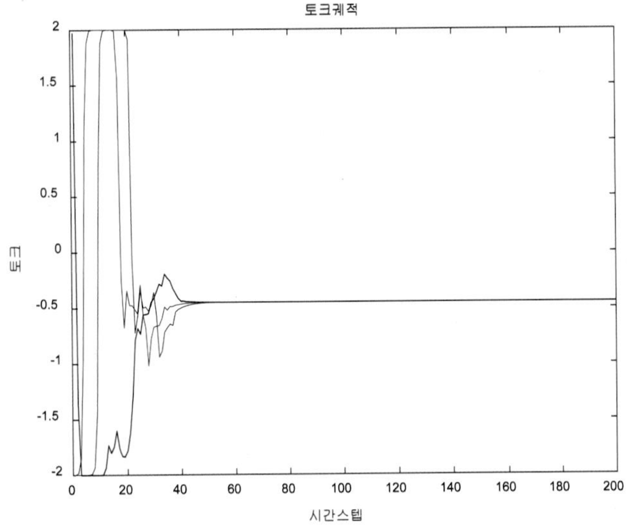

그림 7.11 실행 결과: 토크의 시간 궤적

7.4.7 전체 코드

ddpg_learn.py

```
# DDPG learn (tf2 subclassing version: using chain rule to train Actor)
# coded by St.Watermelon

# 필요한 패키지 임포트
import numpy as np
import matplotlib.pyplot as plt

from tensorflow.keras.models import Model
from tensorflow.keras.layers import Input, Dense, Lambda, concatenate
from tensorflow.keras.optimizers import Adam
import tensorflow as tf

from replaybuffer import ReplayBuffer


## 액터 신경망
class Actor(Model):
```

```
    def __init__(self, action_dim, action_bound):
        super(Actor, self).__init__()

        self.action_bound = action_bound

        self.h1 = Dense(64, activation='relu')
        self.h2 = Dense(32, activation='relu')
        self.h3 = Dense(16, activation='relu')
        self.action = Dense(action_dim, activation='tanh')


    def call(self, state):
        x = self.h1(state)
        x = self.h2(x)
        x = self.h3(x)
        a = self.action(x)

        # 행동을 [-action_bound, action_bound] 범위로 조정
        a = Lambda(lambda x: x*self.action_bound)(a)

        return a


## 크리틱 신경망
class Critic(Model):

    def __init__(self):
        super(Critic, self).__init__()

        self.x1 = Dense(32, activation='relu')
        self.a1 = Dense(32, activation='relu')
        self.h2 = Dense(32, activation='relu')
        self.h3 = Dense(16, activation='relu')
        self.q = Dense(1, activation='linear')


    def call(self, state_action):
        state = state_action[0]
        action = state_action[1]
        x = self.x1(state)
        a = self.a1(action)
        h = concatenate([x, a], axis=-1)
```

```
        x = self.h2(h)
        x = self.h3(x)
        q = self.q(x)
        return q


## DDPG 에이전트
class DDPGagent(object):

    def __init__(self, env):

        # 하이퍼파라미터
        self.GAMMA = 0.95
        self.BATCH_SIZE = 32
        self.BUFFER_SIZE = 20000
        self.ACTOR_LEARNING_RATE = 0.0001
        self.CRITIC_LEARNING_RATE = 0.001
        self.TAU = 0.001
        # 환경
        self.env = env
        # 상태변수 차원
        self.state_dim = env.observation_space.shape[0]
        # 행동 차원
        self.action_dim = env.action_space.shape[0]
        # 행동의 최대 크기
        self.action_bound = env.action_space.high[0]

        # 액터, 타깃 액터 신경망 및 크리틱, 타깃 크리틱 신경망 생성
        self.actor = Actor(self.action_dim, self.action_bound)
        self.target_actor = Actor(self.action_dim, self.action_bound)

        self.critic = Critic()
        self.target_critic = Critic()

        self.actor.build(input_shape=(None, self.state_dim))
        self.target_actor.build(input_shape=(None, self.state_dim))

        state_in = Input((self.state_dim,))
        action_in = Input((self.action_dim,))
        self.critic([state_in, action_in])
        self.target_critic([state_in, action_in])
```

```
        self.actor.summary()
        self.critic.summary()

        # 옵티마이저
        self.actor_opt = Adam(self.ACTOR_LEARNING_RATE)
        self.critic_opt = Adam(self.CRITIC_LEARNING_RATE)

        # 리플레이 버퍼 초기화
        self.buffer = ReplayBuffer(self.BUFFER_SIZE)

        # 에피소드에서 얻은 총 보상값을 저장하기 위한 변수
        self.save_epi_reward = []


    ## 신경망의 파라미터값을 타깃 신경망으로 복사
    def update_target_network(self, TAU):
        theta = self.actor.get_weights()
        target_theta = self.target_actor.get_weights()
        for i in range(len(theta)):
            target_theta[i] = TAU * theta[i] + (1 - TAU) * target_theta[i]
        self.target_actor.set_weights(target_theta)

        phi = self.critic.get_weights()
        target_phi = self.target_critic.get_weights()
        for i in range(len(phi)):
            target_phi[i] = TAU * phi[i] + (1 - TAU) * target_phi[i]
        self.target_critic.set_weights(target_phi)


    ## 크리틱 신경망 학습
    def critic_learn(self, states, actions, td_targets):
        with tf.GradientTape() as tape:
            q = self.critic([states, actions], training=True)
            loss = tf.reduce_mean(tf.square(q-td_targets))

        grads = tape.gradient(loss, self.critic.trainable_variables)
        self.critic_opt.apply_gradients(zip(grads, self.critic.trainable_variables))


    ## 액터 신경망 학습
    def actor_learn(self, states):
        with tf.GradientTape() as tape:
```

```
            actions = self.actor(states, training=True)
            critic_q = self.critic([states, actions])
            loss = -tf.reduce_mean(critic_q)

        grads = tape.gradient(loss, self.actor.trainable_variables)
        self.actor_opt.apply_gradients(zip(grads, self.actor.trainable_variables))


    ## Ornstein Uhlenbeck 노이즈
    def ou_noise(self, x, rho=0.15, mu=0, dt=1e-1, sigma=0.2, dim=1):
        return x + rho*(mu - x)*dt + sigma*np.sqrt(dt)*np.random.normal(size=dim)


    ## TD 타깃 계산
    def td_target(self, rewards, q_values, dones):
        y_k = np.asarray(q_values)
        for i in range(q_values.shape[0]): # number of batch
            if dones[i]:
                y_k[i] = rewards[i]
            else:
                y_k[i] = rewards[i] + self.GAMMA * q_values[i]
        return y_k


    ## 신경망 파라미터 로드
    def load_weights(self, path):
        self.actor.load_weights(path + 'pendulum_actor.h5')
        self.critic.load_weights(path + 'pendulum_critic.h5')


    ## 에이전트 학습
    def train(self, max_episode_num):

        # 타깃 신경망 초기화
        self.update_target_network(1.0)

        # 에피소드마다 다음을 반복
        for ep in range(int(max_episode_num)):
            # OU 노이즈 초기화
            pre_noise = np.zeros(self.action_dim)
            # 에피소드 초기화
            time, episode_reward, done = 0, 0, False
```

```
# 환경 초기화 및 초기 상태 관측
state = self.env.reset()

while not done:
    # 환경 가시화
    #self.env.render()
    # 행동과 노이즈 계산
    action = self.actor(tf.convert_to_tensor([state], dtype=tf.float32))
    action = action.numpy()[0]
    noise = self.ou_noise(pre_noise, dim=self.action_dim)
    # 행동 범위 클리핑
    action = np.clip(action + noise, -self.action_bound, self.action_bound)
    # 다음 상태, 보상 관측
    next_state, reward, done, _ = self.env.step(action)
    # 학습용 보상 설정
    train_reward = (reward + 8) / 8
    # 리플레이 버퍼에 저장
    self.buffer.add_buffer(state, action, train_reward, next_state, done)

    # 리플레이 버퍼가 일정 부분 채워지면 학습 진행
    if self.buffer.buffer_count() > 1000:

        # 리플레이 버퍼에서 샘플 무작위 추출
        states, actions, rewards, next_states, dones = self.buffer.sample_batch(self.BATCH_SIZE)
        # 타깃 크리틱에서 행동가치 계산
        target_qs = self.target_critic([tf.convert_to_tensor(next_states, dtype=tf.float32),
                                        self.target_actor(
                                          tf.convert_to_tensor(next_states, dtype=tf.float32))])
        # TD 타깃 계산
        y_i = self.td_target(rewards, target_qs.numpy(), dones)
        # 크리틱 신경망 업데이트
        self.critic_learn(tf.convert_to_tensor(states, dtype=tf.float32),
                          tf.convert_to_tensor(actions, dtype=tf.float32),
                          tf.convert_to_tensor(y_i, dtype=tf.float32))
        # 액터 신경망 업데이트
        self.actor_learn(tf.convert_to_tensor(states, dtype=tf.float32))
        # 타깃 신경망 업데이트
        self.update_target_network(self.TAU)
```

```
                # 다음 스텝 준비
                pre_noise = noise
                state = next_state
                episode_reward += reward
                time += 1

            # 에피소드마다 결과 보상값 출력
            print('Episode: ', ep+1, 'Time: ', time, 'Reward: ', episode_reward)
            self.save_epi_reward.append(episode_reward)


            # 에피소드마다 신경망 파라미터를 파일에 저장
            self.actor.save_weights("./save_weights/pendulum_actor.h5")
            self.critic.save_weights("./save_weights/pendulum_critic.h5")

        # 학습이 끝난 후, 누적 보상값 저장
        np.savetxt('./save_weights/pendulum_epi_reward.txt', self.save_epi_reward)
        print(self.save_epi_reward)


    ## 에피소드와 누적 보상값을 그려주는 함수
    def plot_result(self):
        plt.plot(self.save_epi_reward)
        plt.show()
```

ddpg_main.py

```
# DDPG main (tf2 subclassing API version)
# coded by St.Watermelon
## DDPG 에이전트를 학습하고 결과를 도시하는 파일

# 필요한 패키지 임포트
import gym
from ddpg_learn import DDPGagent

def main():

    max_episode_num = 200  # 최대 에피소드 설정
    env = gym.make("Pendulum-v0")
    agent = DDPGagent(env)  # DDPG 에이전트 객체
```

```
    # 학습 진행
    agent.train(max_episode_num)

    # 학습 결과 도시
    agent.plot_result()

if __name__=="__main__":
    main()
```

ddpg_load_play.py

```
# DDPG load and play (tf2 subclassing API version)
# coded by St.Watermelon
## 학습된 신경망 파라미터를 가져와서 에이전트를 실행시키는 파일

# 필요한 패키지 임포트
import gym
from ddpg_learn import DDPGagent
import tensorflow as tf

def main():

    env = gym.make("Pendulum-v0") # 환경으로 OpenAI Gym의 pendulum-v0 설정
    agent = DDPGagent(env) # DDPG 에이전트 객체

    agent.load_weights('./save_weights/')  # 신경망 파라미터 가져옴

    time = 0
    state = env.reset()  # 환경을 초기화하고, 초기 상태 관측

    while True:
        env.render()
        # 행동 계산
        action = agent.actor(tf.convert_to_tensor([state], dtype=tf.float32)).numpy()[0]
        # 환경으로부터 다음 상태, 보상을 받음
        state, reward, done, _ = env.step(action)
        time += 1

        print('Time: ', time, 'Reward: ', reward)

        if done:
```

```
            break

    env.close()

if __name__=="__main__":
    main()
```

replaybuffer.py

```
## 리플레이 버퍼 클래스 파일

# 필요한 패키지 임포트
import numpy as np
from collections import deque
import random

class ReplayBuffer(object):
    """
    Reply Buffer
    """
    def __init__(self, buffer_size):
        self.buffer_size = buffer_size
        self.buffer = deque()
        self.count = 0

    ## 버퍼에 저장
    def add_buffer(self, state, action, reward, next_state, done):
        transition = (state, action, reward, next_state, done)

        # 버퍼가 꽉 찼는지 확인
        if self.count < self.buffer_size:
            self.buffer.append(transition)
            self.count += 1
        else: # 찼으면 가장 오래된 데이터 삭제하고 저장
            self.buffer.popleft()
            self.buffer.append(transition)

    ## 버퍼에서 데이터 무작위로 추출 (배치 샘플링)
    def sample_batch(self, batch_size):
        if self.count < batch_size:
```

```
            batch = random.sample(self.buffer, self.count)
        else:
            batch = random.sample(self.buffer, batch_size)
        # 상태, 행동, 보상, 다음 상태별로 정리
        states = np.asarray([i[0] for i in batch])
        actions = np.asarray([i[1] for i in batch])
        rewards = np.asarray([i[2] for i in batch])
        next_states = np.asarray([i[3] for i in batch])
        dones = np.asarray([i[4] for i in batch])
        return states, actions, rewards, next_states, dones

    ## 버퍼 사이즈 계산
    def buffer_count(self):
        return self.count

    ## 버퍼 비움
    def clear_buffer(self):
        self.buffer = deque()
        self.count = 0
```

08장 SAC

8.1 배경

강화학습 에이전트가 최적 경로를 선택하는 것만을 학습한다면 환경 변화에 매우 취약할 것이다. 환경 변화는 실제 세계에서 늘 벌어지는 일이므로 최적의 선택과 함께 차선의 선택도 학습한다면 에이전트가 환경 변화에 보다 강인하게 대처할 수 있을 것이다.

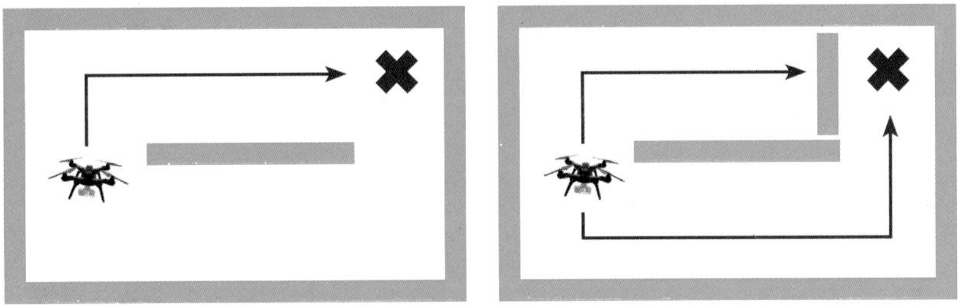

그림 8.1 환경 변화에 강인한 정책 [25]

그렇다면 어떤 방법을 통해서 환경 변화에 강인한 정책을 설계할 수 있을까. 강화학습의 목표는 다음과 같이 반환값(누적 보상)의 기댓값으로 이루어진 목적함수를 최대로 만드는 것이었다.

$$J=\mathbb{E}_{\tau\sim p(\tau)}\left[\sum_{t=0}^{T}\gamma^t r(\mathrm{x}_t,\ \mathrm{u}_t)\right] \tag{8.1}$$

그런데 이와 같은 표준 목적함수를 확장시켜서 '정책의 로그함수'를 추가한 새로운 목적함수를 생각해 보자.

$$J=\mathbb{E}_{\tau\sim p(\tau)}\left[\sum_{t=0}^{T}\gamma^t(r(\mathrm{x}_t,\ \mathrm{u}_t)-\alpha\log\pi(\mathrm{u}_t|\mathrm{x}_t))\right] \tag{8.2}$$

위 목적함수는 다음과 같은 형식으로도 쓸 수 있다.

$$\begin{aligned}J&=\int_{\tau}\left[\sum_{t=0}^{T}\gamma^t(r(\mathrm{x}_t,\ \mathrm{u}_t)-\alpha\log\pi(\mathrm{u}_t|\mathrm{x}_t))\right]p(\tau)\,d\tau\\&=\sum_{t=0}^{T}\int_{(\mathrm{x}_t,\ \mathrm{u}_t)}[\gamma^t(r(\mathrm{x}_t,\ \mathrm{u}_t)-\alpha\log\pi(\mathrm{u}_t|\mathrm{x}_t))]\,p(\mathrm{x}_t,\ \mathrm{u}_t)d\mathrm{x}_td\mathrm{u}_t\\&=\sum_{t=0}^{T}\mathbb{E}_{(\mathrm{x}_t,\ \mathrm{u}_t)\sim p(\mathrm{x}_t,\ \mathrm{u}_t)}[\gamma^t(r(\mathrm{x}_t,\ \mathrm{u}_t)-\alpha\log\pi(\mathrm{u}_t|\mathrm{x}_t))]\end{aligned} \tag{8.3}$$

위 식을 전개해 보면,

$$\begin{aligned}J&=\sum_{t=0}^{T}\mathbb{E}_{(\mathrm{x}_t,\ \mathrm{u}_t)\sim p(\mathrm{x}_t,\ \mathrm{u}_t)}[\gamma^t r(\mathrm{x}_t,\ \mathrm{u}_t)]-\sum_{t=0}^{T}\alpha\gamma^t\int_{(\mathrm{x}_t,\ \mathrm{u}_t)}\log\pi(\mathrm{u}_t|\mathrm{x}_t)p(\mathrm{x}_t,\ \mathrm{u}_t)d\mathrm{x}_td\mathrm{u}_t\\&=\sum_{t=0}^{T}\mathbb{E}_{(\mathrm{x}_t,\ \mathrm{u}_t)\sim p(\mathrm{x}_t,\ \mathrm{u}_t)}[\gamma^t r(\mathrm{x}_t,\ \mathrm{u}_t)]-\sum_{t=0}^{T}\alpha\gamma^t\int_{(\mathrm{x}_t,\ \mathrm{u}_t)}\log\pi(\mathrm{u}_t|\mathrm{x}_t)\pi(\mathrm{u}_t|\mathrm{x}_t)p(\mathrm{x}_t)d\mathrm{x}_td\mathrm{u}_t\\&=\sum_{t=0}^{T}\mathbb{E}_{(\mathrm{x}_t,\ \mathrm{u}_t)\sim p(\mathrm{x}_t,\ \mathrm{u}_t)}[\gamma^t r(\mathrm{x}_t,\ \mathrm{u}_t)]+\sum_{t=0}^{T}\gamma^t\mathbb{E}_{\mathrm{x}_t\sim p(\mathrm{x}_t)}[\alpha\mathcal{H}(\pi(\mathrm{u}_t|\mathrm{x}_t))]\end{aligned} \tag{8.4}$$

가 된다. 여기서 $\mathcal{H}(\pi(\mathrm{u}_t|\mathrm{x}_t))$는 정책 $\pi(\mathrm{u}_t|\mathrm{x}_t)$의 엔트로피(entropy)로서 다음과 같이 정의된다.

$$\mathcal{H}(\pi(\mathrm{u}_t|\mathrm{x}_t))=-\int_{\mathrm{u}_t}\log\pi(\mathrm{u}_t|\mathrm{x}_t)\pi(\mathrm{u}_t|\mathrm{x}_t)d\mathrm{u}_t \tag{8.5}$$

위 목적함수는 기존의 목적함수에 정책의 엔트로피를 추가한 것으로서 이 새로운 목적함수를 최대 엔트로피(maximum entropy) 목적함수라고 한다.

$$J = \sum_{t=0}^{T} \mathbb{E}_{(\mathrm{x}_t, \mathrm{u}_t) \sim p(\mathrm{x}_t, \mathrm{u}_t)} [\gamma^t r(\mathrm{x}_t, \mathrm{u}_t)] + \sum_{t=0}^{T} \gamma^t \mathbb{E}_{\mathrm{x}_t \sim p(\mathrm{x}_t)} [\alpha \mathcal{H}(\pi(\mathrm{u}_t | \mathrm{x}_t))]$$
$$= \sum_{t=0}^{T} \gamma^t \mathbb{E}_{(\mathrm{x}_t, \mathrm{u}_t) \sim p(\mathrm{x}_t, \mathrm{u}_t)} [r(\mathrm{x}_t, \mathrm{u}_t) + \alpha \mathcal{H}(\pi(\cdot | \mathrm{x}_t))] \tag{8.6}$$

여기서 α는 온도 파라미터(temperature parameter)라고 하며 엔트로피와 반환값의 상대적인 중요성을 결정한다.

최대 엔트로피 목적함수에 의하면 기존의 반환값뿐만 아니라 정책의 엔트로피도 동시에 최대화시킨다는 의도가 있다. 정책 엔트로피는 확률분포가 균일할 때 최댓값을 가지므로 목적함수에 이를 더함으로써 에이전트가 최대한 무작위적으로 움직이게 하려는 목적이 있다. 식 (8.6)은 보상이 작다면 정책의 무작위성이 커지면서 탐색 성향이 강하지고 반대로 보상이 크다면 현재의 정책으로 생성된 행동의 가치가 크다는 의미이므로, 탐색 대신에 정책의 활용 성향이 커지게 된다고 해석할 수 있겠다. α가 크면 정책의 무작위성이 커지고, 반대로 α가 작다면 정책의 확정적 경향성이 더 커진다. 정책의 무작위성이 커진다는 의미는 최적뿐만 아니라 준최적인 행동도 선택될 수 있다는 뜻이다. 이를 통해 에이전트가 환경 변화에 보다 강인하게 대처하기를 기대할 수 있다.

8.2 소프트 벨만 방정식

최대 엔트로피 목적함수 하에서는 표준 상태가치 함수도 엔트로피를 포함하도록 수정돼야 한다. 표준 상태가치 함수의 정의는 어떤 상태변수 x_t에서 시작하여 그로부터 어떤 정책 π에 의해서 행동이 가해졌을 때 기대할 수 있는 미래 보상의 총합이었다.

$$V^{\pi}(\mathrm{x}_t) = \mathbb{E}_{\tau_{u_t:u_T} \sim p(\tau_{u_t:u_T} | \mathrm{x}_t)} \left[\sum_{k=t}^{T} \gamma^{k-t} r(\mathrm{x}_k, \mathrm{u}_k) \right] \tag{8.7}$$

여기서 $\tau_{u_t:u_T}=(\mathrm{u}_t, \mathrm{x}_{t+1}, \mathrm{u}_{t+1}, ..., \mathrm{u}_T)$는 상태변수 x_t에서 시작하여 그로부터 어떤 정책 π로 생성되는 궤적이다. 표준 상태가치 함수에서 최대 엔트로피 목적함수를 고려한다면 새로운 상태가치 함수를 다음과 같이 정의할 수 있다.

$$V_{soft}^{\pi}(\mathrm{x}_t)=\mathbb{E}_{\tau_{u_t:u_T}\sim p(\tau_{u_t:u_T}|\mathrm{x}_t)}\left[\sum_{k=t}^{T}\gamma^{k-t}(r(\mathrm{x}_k, \mathrm{u}_k)-\alpha\log\pi(\mathrm{u}_k|\mathrm{x}_k))\right] \tag{8.8}$$

위 식은 상태가치 함수에 엔트로피를 추가한 것으로서 소프트 상태가치 함수(soft state-value function)라고 한다. 그러면 최대 엔트로피 목적함수와 소프트 상태가치 함수는 다음과 같은 관계식을 갖는다.

$$J=\mathbb{E}_{\mathrm{x}_0\sim p(\mathrm{x}_0)}[V_{soft}^{\pi}(\mathrm{x}_0)] \tag{8.9}$$

위 관계식은 표준 상태가치 함수와 목적함수 관계식과 형식적으로는 동일하다. 한편 소프트 상태가치 함수 식을 전개하면 다음과 같이 된다.

$$\begin{aligned}
V_{soft}^{\pi}(\mathrm{x}_t)&=\mathbb{E}_{\tau_{u_t:u_T}\sim p(\tau_{u_t:u_T}|\mathrm{x}_t)}\left[-\alpha\log\pi(\mathrm{u}_t|\mathrm{x}_t)+\sum_{k=t}^{T}\gamma^{k-t}[r_k-\gamma\alpha\log\pi(\mathrm{u}_{k+1}|\mathrm{x}_{k+1})]\right] \qquad (8.10)\\
&=\int_{\tau_{u_t:u_T}}-\alpha\log\pi(\mathrm{u}_t|\mathrm{x}_t)p(\tau_{u_t:u_T}|\mathrm{x}_t)d\tau_{u_t:u_T}\\
&\quad+\int_{\tau_{u_t:u_T}}\sum_{k=t}^{T}\gamma^{k-t}[r_k-\gamma\alpha\log\pi(\mathrm{u}_{k+1}|\mathrm{x}_{k+1})]p(\tau_{u_t:u_T}|\mathrm{x}_t)d\tau_{u_t:u_T}\\
&=\int_{\mathrm{u}_t}\int_{\tau_{x_{t+1}:u_T}}-\alpha\log\pi(\mathrm{u}_t|\mathrm{x}_t)p(\tau_{x_{t+1}:u_T}|\mathrm{x}_t, \mathrm{u}_t)\pi(\mathrm{u}_t|\mathrm{x}_t)d\tau_{x_{t+1}:u_T}d\mathrm{u}_t\\
&\quad+\int_{\mathrm{u}_t}Q_{soft}^{\pi}(\mathrm{x}_t, \mathrm{u}_t)d\mathrm{u}_t\\
&=\mathbb{E}_{\mathrm{u}_t\sim\pi(\mathrm{u}_t|\mathrm{x}_t)}[-\alpha\log\pi(\mathrm{u}_t|\mathrm{x}_t)+Q_{soft}^{\pi}(\mathrm{x}_t, \mathrm{u}_t)]
\end{aligned}$$

여기서 $Q_{soft}^{\pi}(\mathrm{x}_t, \mathrm{u}_t)$는 표준 행동가치 함수에 엔트로피를 추가한 것으로서 소프트 행동가치 함수(soft action-value function)라고 한다.

$$Q_{soft}^{\pi}(\mathrm{x}_t, \mathrm{u}_t)= \int_{\tau_{x_{t+1}:u_T}} \sum_{k=t}^{T} \gamma^{k-t} [r_k - \gamma\alpha \log \pi(\mathrm{u}_{k+1}|\mathrm{x}_{k+1})] p(\tau_{x_{t+1}:u_T}|\mathrm{x}_t, \mathrm{u}_t) d\tau_{x_{t+1}:u_T} \tag{8.11}$$
$$= \mathbb{E}_{\tau_{x_{t+1}:u_T} \sim p(\tau_{x_{t+1}:u_T}|\mathrm{x}_t, \mathrm{u}_t)} \left[\sum_{k=t}^{T} \gamma^{k-t} (r_k - \gamma\alpha \log \pi(\mathrm{u}_{k+1}|\mathrm{x}_{k+1})) \right]$$

$\tau_{x_{t+1}:u_T} = (\mathrm{x}_{t+1}, \mathrm{u}_{t+1}, \ldots, \mathrm{u}_T)$는 상태변수 x_t에서 행동 u_t를 선택하고 그로부터 어떤 정책 π로 생성되는 궤적이다. 최대 엔트로피 목적함수와 소프트 행동가치 함수와의 관계식은 다음과 같다.

$$J = \mathbb{E}_{x_0 \sim p(x_0),\, \mathrm{u}_0 \sim \pi(u_0|x_0)} [Q_{soft}^{\pi}(\mathrm{x}_0, \mathrm{u}_0)] \tag{8.12}$$

정리하면 최대 엔트로피 목적함수에 적합하게 수정된 소프트 가치함수는 다음과 같다.

$$V_{soft}^{\pi}(\mathrm{x}_t) = \mathbb{E}_{\tau_{u_t:u_T} \sim p(\tau_{u_t:u_T}|\mathrm{x}_t)} \left[\sum_{k=t}^{T} \gamma^{k-t} (r(\mathrm{x}_k, \mathrm{u}_k) - \alpha \log \pi(\mathrm{u}_k|\mathrm{x}_k)) \right] \tag{8.13}$$
$$Q_{soft}^{\pi}(\mathrm{x}_t, \mathrm{u}_t) = \mathbb{E}_{\tau_{x_{t+1}:u_T} \sim p(\tau_{x_{t+1}:u_T}|\mathrm{x}_t, \mathrm{u}_t)} \left[\sum_{k=t}^{T} \gamma^{k-t} (r(\mathrm{x}_k, \mathrm{u}_k) - \gamma\alpha \log \pi(\mathrm{u}_{k+1}|\mathrm{x}_{k+1})) \right]$$

그리고 소프트 상태가치 함수와 행동가치 함수의 관계식은 다음과 같다.

$$V_{soft}^{\pi}(\mathrm{x}_t) = \mathbb{E}_{\mathrm{u}_t \sim \pi(\mathrm{u}_t|\mathrm{x}_t)} [Q_{soft}^{\pi}(\mathrm{x}_t, \mathrm{u}_t) - \alpha \log \pi(\mathrm{u}_t|\mathrm{x}_t)] \tag{8.14}$$

$\alpha=0$ 이면 소프트 가치함수는 표준 가치함수로 환원된다.

소프트 상태가치와 소프트 행동가치의 시간적인 관계식을 알아보기 위해서, 소프트 행동가치 함수를 한 시간스텝 전개해 보자.

$$Q_{soft}^{\pi}(\mathrm{x}_t, \mathrm{u}_t) = \int_{\tau_{x_{t+1}:u_T}} \left(\sum_{k=t}^{T} \gamma^{k-t} (r_k - \gamma\alpha \log \pi(\mathrm{u}_{k+1}|\mathrm{x}_{k+1})) \, p(\tau_{x_{t+1}:u_T}|\mathrm{x}_t, \mathrm{u}_t) \right) d\tau_{x_{t+1}:u_T} \tag{8.15}$$

$$= \int_{\tau_{x_{t+1}:u_T}} \left(r_t + \sum_{k=t+1}^{T} \gamma^{k-t} (r_k - \alpha \log \pi(\mathrm{u}_k|\mathrm{x}_k)) \right) p(\tau_{x_{t+1}:u_T}|\mathrm{x}_t, \mathrm{u}_t) d\tau_{x_{t+1}:u_T}$$

$$= r_t + \int_{\tau_{x_{t+1}:u_T}} \left(\sum_{k=t+1}^{T} \gamma^{k-t} (r_k - \alpha \log \pi(\mathrm{u}_k|\mathrm{x}_k)) \right) p(\tau_{x_{t+1}:u_T}|\mathrm{x}_t, \mathrm{u}_t) d\tau_{x_{t+1}:u_T}$$

위 식에서 조건부 확률밀도함수에 확률의 연쇄법칙을 적용하면 다음과 같이 된다.

$$\begin{aligned} p(\tau_{x_{t+1}:u_T}|\mathrm{x}_t, \mathrm{u}_t) &= p(\mathrm{x}_{t+1}, \tau_{u_{t+1}:u_T}|\mathrm{x}_t, \mathrm{u}_t) \\ &= p(\tau_{u_{t+1}:u_T}|\mathrm{x}_{t+1}, \mathrm{x}_t, \mathrm{u}_t) p(\mathrm{x}_{t+1}|\mathrm{x}_t, \mathrm{u}_t) \\ &= p(\tau_{u_{t+1}:u_T}|\mathrm{x}_{t+1}) p(\mathrm{x}_{t+1}|\mathrm{x}_t, \mathrm{u}_t) \end{aligned} \tag{8.16}$$

여기서 $\tau_{u_{t+1}:u_T} = (\mathrm{u}_{t+1}, \ldots, \mathrm{u}_T)$ 이다. 위 식의 마지막 단계는 마르코프(Markov) 시퀀스 가정을 사용한 것이다. 식 (8.16)을 식 (8.15)의 적분 식에 적용하면 다음과 같이 된다.

$$\int_{\tau_{x_{t+1}:u_T}} \left(\sum_{k=t+1}^{T} \gamma^{k-t} (r_k - \alpha \log \pi(\mathrm{u}_k|\mathrm{x}_k)) \right) p(\tau_{x_{t+1}:u_T}|\mathrm{x}_t, \mathrm{u}_t) d\tau_{x_{t+1}:u_T} \tag{8.17}$$

$$= \int_{\tau_{x_{t+1}:u_T}} \left(\sum_{k=t+1}^{T} \gamma^{k-t} (r_k - \alpha \log \pi(\mathrm{u}_k|\mathrm{x}_k)) \right) p(\tau_{u_{t+1}:u_T}|\mathrm{x}_{t+1}) p(\mathrm{x}_{t+1}|\mathrm{x}_t, \mathrm{u}_t) d\tau_{x_{t+1}:u_T}$$

$$= \int_{\mathrm{x}_{t+1}} \gamma \left[\int_{\tau_{u_{t+1}:u_T}} \left(\sum_{k=t+1}^{T} \gamma^{k-t-1} (r_k - \alpha \log \pi(\mathrm{u}_k|\mathrm{x}_k)) \right) p(\tau_{u_{t+1}:u_T}|\mathrm{x}_{t+1}) d\tau_{u_{t+1}:u_T} \right] p(\mathrm{x}_{t+1}|\mathrm{x}_t, \mathrm{u}_t) d\mathrm{x}_{t+1}$$

소프트 상태가치 함수의 정의에 의하면 위 식은 대괄호항은 $V_{soft}^{\pi}(\mathrm{x}_{t+1})$이다. 따라서 소프트 행동가치 함수는 다음과 같이 된다.

$$\begin{aligned} Q_{soft}^{\pi}(\mathrm{x}_t, \mathrm{u}_t) &= r_t + \gamma \int_{\mathrm{x}_{t+1}} V_{soft}^{\pi}(\mathrm{x}_{t+1}) p(\mathrm{x}_{t+1}|\mathrm{x}_t, \mathrm{u}_t) d\mathrm{x}_{t+1} \\ &= r_t + \gamma \mathbb{E}_{\mathrm{x}_{t+1} \sim p(\mathrm{x}_{t+1}|\mathrm{x}_t, \mathrm{u}_t)} [V_{soft}^{\pi}(\mathrm{x}_{t+1})] \end{aligned} \tag{8.18}$$

소프트 상태가치 함수와 행동가치 함수의 관계식은 아래 식과 같으므로,

$$V_{soft}^{\pi}(\mathrm{x}_t)=\mathbb{E}_{\mathrm{u}_t\sim\pi(\mathrm{u}_t|\mathrm{x}_t)}[Q_{soft}^{\pi}(\mathrm{x}_t,\ \mathrm{u}_t)-\alpha\log\pi(\mathrm{u}_t|\mathrm{x}_t)] \tag{8.19}$$

식 (8.18)을 식 (8.19)에 대입하면, 소프트 상태가치 함수는 다음과 같이 된다.

$$V_{soft}^{\pi}(\mathrm{x}_t)=\mathbb{E}_{\mathrm{u}_t\sim\pi(\mathrm{u}_t|\mathrm{x}_t)}[r_t+\gamma\mathbb{E}_{\mathrm{x}_{t+1}\sim p(\mathrm{x}_{t+1}|\mathrm{x}_t,\ \mathrm{u}_t)}[V_{soft}^{\pi}(\mathrm{x}_{t+1})]-\alpha\log\pi(\mathrm{u}_t|\mathrm{x}_t)] \tag{8.20}$$

식 (8.19)를 식 (8.18)에 대입하면 소프트 행동가치 함수는 다음과 같이 된다.

$$\begin{aligned} Q_{soft}^{\pi}(\mathrm{x}_t,\ \mathrm{u}_t)=r_t+\gamma&\mathbb{E}_{\mathrm{x}_{t+1}\sim p(\mathrm{x}_{t+1}|\mathrm{x}_t,\ \mathrm{u}_t),\ \mathrm{u}_{t+1}\sim\pi(\mathrm{u}_{t+1}|\mathrm{x}_{t+1})} \\ &[Q_{soft}^{\pi}(\mathrm{x}_{t+1},\ \mathrm{u}_{t+1})-\alpha\log\pi(\mathrm{u}_{t+1}|\mathrm{x}_{t+1})] \end{aligned} \tag{8.21}$$

식 (8.20)과 (8.21)을 각각 소프트 벨만 방정식(soft Bellman equation)이라고 한다.

8.3 소프트 정책 개선

표준 목적함수 문제에서 Q-러닝이 탐욕(greedy)적인 방법으로 정책을 계산하였듯이 이제 최대 엔트로피 목적함수 문제에서도 탐욕적인 방법으로 정책을 계산해 보자. 탐욕적인 방법이란 현재의 시간스텝만을 고려하여 최댓값을 구하는 것을 의미한다. 현재 시간스텝 t에서 x_t가 주어졌을 때 최대 엔트로피 목적함수는 다음과 같다.

$$\begin{aligned} J_t &= V_{soft}^{\pi}(\mathrm{x}_t)=\mathbb{E}_{\mathrm{u}_t\sim\pi(\mathrm{u}_t|\mathrm{x}_t)}[Q_{soft}^{\pi}(\mathrm{x}_t,\ \mathrm{u}_t)-\alpha\log\pi(\mathrm{u}_t|\mathrm{x}_t)] \\ &=\int_{\mathrm{u}_t}[Q_{soft}^{\pi}(\mathrm{x}_t,\ \mathrm{u}_t)-\alpha\log\pi(\mathrm{u}_t|\mathrm{x}_t)]\pi(\mathrm{u}_t|\mathrm{x}_t)\,d\mathrm{u}_t \end{aligned} \tag{8.22}$$

정책 $\pi(\mathrm{u}_t|\mathrm{x}_t)$에 대한 목적함수의 최댓값을 구하기 위하여 다음과 같이 미분 식을 계산한다.

$$\frac{\partial J_t}{\partial \pi(\mathrm{u}_t|\mathrm{x}_t)}=0=\int_{\mathrm{u}_t}[Q_{soft}^{\pi}(\mathrm{x}_t,\ \mathrm{u}_t)-\alpha\log\pi(\mathrm{u}_t|\mathrm{x}_t)-\alpha]d\mathrm{u}_t \tag{8.23}$$

위 식에 의하면 최적 정책은 다음과 같이 주어진다.

$$\pi(\mathrm{u}_t|\mathrm{x}_t)=\exp\Big(\frac{1}{\alpha}Q_{soft}^{\pi}(\mathrm{x}_t,\ \mathrm{u}_t)-1\Big)\propto\exp\Big(\frac{1}{\alpha}Q_{soft}^{\pi}(\mathrm{x}_t,\ \mathrm{u}_t)\Big) \tag{8.24}$$

최적 정책이 $\exp\Big(\frac{1}{\alpha}Q_{soft}^{\pi}(\mathrm{x}_t,\ \mathrm{u}_t)\Big)$와 비례하는 확률분포를 갖는 것으로 계산되는데 이는 기존 Q-러닝과 DDPG의 탐욕적 정책과는 차이가 있다.

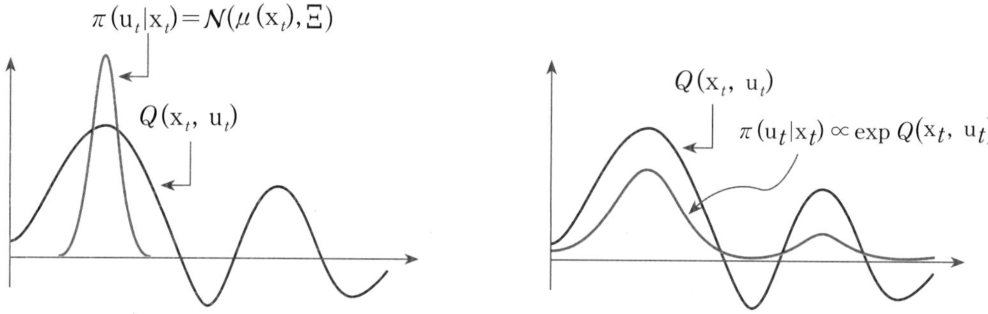

그림 8.2 최적 정책의 비교 [25]

그림 8.2에서 왼쪽 그림은 기존의 Q-러닝과 DDPG의 접근 방식을 보여준다. 기존 정책은 최대 행동가치 값에 중심을 두고 노이즈를 추가하여 인접 행동가치 값으로 일정 부분 확장하는 단일 모드 분포를 갖는다. 반면 오른쪽 그림은 식 (8.24)로 표현되는 정책의 접근 방식을 보여준다. 정책이 행동가치의 지수값에 비례하기 때문에 다중 모드 분포의 형태를 띠며 이에 따라 가능성이 높은 모든 상태를 탐색하고 학습할 수 있게 된다.

표준 목적함수 문제에서는 탐욕적 정책이 확정적 정책이었다면 최대 엔트로피 목적함수 문제에서는 정책이 확률적 정책으로 계산된다. 확률적 정책은 u_t에 관한 조건부 확률밀도함수이므로 면적이 1이 되도록 정규화시켜야 한다. 따라서 탐욕적 정책은 다음과 같이 softmax로 주어진다.

$$\pi(\mathrm{u}_t|\mathrm{x}_t)=\frac{\exp\left(\frac{1}{\alpha}Q^{\pi}_{soft}(\mathrm{x}_t,\ \mathrm{u}_t)\right)}{\int_{\mathrm{u}'}\exp\left(\frac{1}{\alpha}Q^{\pi}_{soft}(\mathrm{x}_t,\ \mathrm{u}')\right)d\mathrm{u}'}$$
$$=\underset{\mathrm{u}_t}{\mathrm{softmax}}\left(\frac{1}{\alpha}Q^{\pi}_{soft}(\mathrm{x}_t,\ \mathrm{u}_t)\right) \tag{8.25}$$

참고로 표준 목적함수 문제에서는 탐욕적 정책을 argmax로 계산했다.

$$\pi(\mathrm{x}_t)=\underset{\mathrm{u}_t}{\mathrm{argmax}}\, Q^{\pi}(\mathrm{x}_t,\ \mathrm{u}_t) \tag{8.26}$$

만약 $\alpha\to 0$ 이면 식 (8.25)는 식 (8.26)와 같아진다. 탐욕적 정책 (8.25)를 적용한다면 상태가치 함수는 식 (8.19)에 의해서 다음과 같이 계산된다.

$$V^{\pi}_{soft}(\mathrm{x}_t)=\mathbb{E}_{\mathrm{u}_t\sim\pi(\mathrm{u}_t|\mathrm{x}_t)}[Q^{\pi}_{soft}(\mathrm{x}_t,\ \mathrm{u}_t)-\alpha\log\pi(\mathrm{u}_t|\mathrm{x}_t)]$$
$$=\mathbb{E}_{\mathrm{u}_t\sim\pi(\mathrm{u}_t|\mathrm{x}_t)}\left[Q^{\pi}_{soft}(\mathrm{x}_t,\ \mathrm{u}_t)-\left(Q^{\pi}_{soft}(\mathrm{x}_t,\ \mathrm{u}_t)-\alpha\log\int_{\mathrm{u}'}\exp\left(\frac{1}{\alpha}Q^{\pi}_{\mathrm{soft}}(\mathrm{x}_t,\ \mathrm{u}')\right)d\mathrm{u}'\right)\right]$$
$$=\mathbb{E}_{\mathrm{u}_t\sim\pi(\mathrm{u}_t|\mathrm{x}_t)}\left[\alpha\log\int_{\mathrm{u}_t}\exp\left(\frac{1}{\alpha}Q^{\pi}_{soft}(\mathrm{x}_t,\ \mathrm{u}')\right)d\mathrm{u}'\right]$$
$$=\alpha\log\int_{\mathrm{u}'}\exp\left(\frac{1}{\alpha}Q^{\pi}_{soft}(\mathrm{x}_t,\ \mathrm{u}')\right)d\mathrm{u}' \tag{8.27}$$

한편, 식 (8.22)의 목적함수를 전개하면 다음과 같이 KL발산(KL divergence) 식과 관련지을 수 있다.

$$J_t=\mathbb{E}_{\mathrm{u}_t\sim\pi(\mathrm{u}_t|\mathrm{x}_t)}[\mathrm{Q}^{\pi}_{soft}(\mathrm{x}_t,\ \mathrm{u}_t)-\alpha\log\pi(\mathrm{u}_t|\mathrm{x}_t)]$$
$$=-\mathbb{E}_{\mathrm{u}_t\sim\pi(\mathrm{u}_t|\mathrm{x}_t)}\left[\alpha\left(\log\pi(\mathrm{u}_t|\mathrm{x}_t)-\frac{1}{\alpha}Q^{\pi}_{soft}(\mathrm{x}_t,\ \mathrm{u}_t)\right)\right]$$
$$=-\alpha\mathbb{E}_{\mathrm{u}_t\sim\pi(\mathrm{u}_t|\mathrm{x}_t)}\left[\log\pi(\mathrm{u}_t|\mathrm{x}_t)-\log\exp\left(\frac{1}{\alpha}Q^{\pi}_{soft}(\mathrm{x}_t,\ \mathrm{u}_t)\right)\right]$$
$$=-\alpha\mathbb{E}_{\mathrm{u}_t\sim\pi(\mathrm{u}_t|\mathrm{x}_t)}\left[\log\pi(\mathrm{u}_t|\mathrm{x}_t)-\log\exp\left(\frac{1}{\alpha}Q^{\pi}_{soft}(\mathrm{x}_t,\ \mathrm{u}_t)\right)+\log Z(\mathrm{x}_t)-\log Z(\mathrm{x}_t)\right] \tag{8.28}$$

$$= -\alpha \mathbb{E}_{u_t \sim \pi(u_t|x_t)} \left[\log \frac{\pi(u_t|x_t)}{\frac{\exp\left(\frac{1}{\alpha} Q_{soft}^{\pi}(x_t, u_t)\right)}{Z(x_t)}} - \log Z(x_t) \right]$$

$$= -\alpha D_{KL} \left(\pi(u_t|x_t) \| \frac{\exp\left(\frac{1}{\alpha} Q_{soft}^{\pi}(x_t, u_t)\right)}{Z(x_t)} \right) + \alpha \log Z(x_t)$$

여기서 기댓값이 u_t의 조건부 기댓값임을 이용하여 임의의 함수 $\log Z(x_t)$를 더하고 빼는 트릭을 사용했다. 수식에 있는 D_{KL}은 KL발산 연산자이다. $\pi(u_t|x_t)$가 확률밀도함수이므로 $\frac{\exp\left(\frac{1}{\alpha} Q_{soft}^{\pi}(x_t, u_t)\right)}{Z(x_t)}$도 확률밀도함수로 만들기 위해서 $Z(x_t)$를 도입하였다. $Z(x_t)$는 정책 확률밀도함수의 면적이 1이 되도록 만드는 정규화 항으로 정하면 된다.

$$Z(x_t) = \int_{u'} \exp\left(\frac{1}{\alpha} Q_{soft}^{\pi}(x_t, u')\right) du' \tag{8.29}$$

위 수식에 의하면 목적함수 (8.22)를 최대화하는 정책은 그 정책과 소프트 행동가치 함수의 KL 발산을 최소화하는 정책임을 알 수 있다.

$$\begin{aligned} \pi(u_t|x_t) &= \text{argmax}\, \mathbb{E}_{u_t \sim \pi(u_t|x_t)} [Q_{soft}^{\pi}(x_t, u_t) - \alpha \log \pi(u_t|x_t)] \\ &= \underset{\pi}{\text{argmin}}\, D_{KL} \left(\pi(u_t|x_t) \| \frac{\exp\left(\frac{1}{\alpha} Q_{soft}^{\pi}(x_t, u_t)\right)}{Z(x_t)} \right) \end{aligned} \tag{8.30}$$

식 (8.30)을 최소로 만드는 정책은 이미 식 (8.25)에서 계산했듯이 정책이 $\exp\left(\frac{1}{\alpha} Q_{soft}^{\pi}(x_t, u_t)\right)$와 비례하는 것인데, $\exp\left(\frac{1}{\alpha} Q_{soft}^{\pi}(x_t, u_t)\right)$에 비례하는 확률분포는 다루기가 곤란하다. 따라서 식 (8.30)은 $\exp\left(\frac{1}{\alpha} Q_{soft}^{\pi}(x_t, u_t)\right)$에 비례하는 확률분포와 최대한 유사한 가우시안 분포나 균등 분포 또는 GMM(Gaussian mixture model)과 같은 확률밀도함수를 계산하기 위한 식으로 이해하는 것이 좋겠다. 가우시안 분포의 경우 수학적으로 다루기도 쉽고 샘플링하기도 쉽다.

8.4 SAC 알고리즘

어떤 정책 π_{old}에 대해서 행동가치 함수가 주어지면 기존의 정책 보다 더 큰 행동가치 값을 갖는 새로운 정책 π_{new}를 계산할 수 있다. 이 과정을 정책 개선(policy improvement)이라고 한다. 최대 엔트로피 목적함수 문제에서 도입한 식 (8.25)의 탐욕적 정책으로 정책을 π_{old}에서 π_{new}로 업데이트하면 아래 식과 같이 소프트 행동가치의 값이 증가함을 증명할 수 있다.

$$Q_{soft}^{\pi_{old}}(\mathrm{x}_t,\ \mathrm{u}_t) \le Q_{soft}^{\pi_{new}}(\mathrm{x}_t,\ \mathrm{u}_t) \tag{8.31}$$

한편 정책 π가 주어지면, 소프트 벨만 방정식 (8.21)을 풀어서 소프트 행동가치를 계산할 수 있다. 이 과정을 정책 평가(policy evaluation)라고 한다. 소프트 벨만 방정식은 보통 해석적인 해를 구할 수 없으므로 반복적 계산 방법, 즉 이터레이션(iteration) 방법으로 해를 구할 수 있다. 이 때 이 계산이 수렴함을 또한 증명할 수 있다. 정책 개선과 정책 평가의 수렴성에 대한 증명은 저자의 블로그(https://pasus.tistory.com/)와 참고문헌 [26, 27]에 있으니 참고하기 바란다. 정책 평가와 정책 개선을 번갈아 가면서 업데이트 하는 과정을 정책 이터레이션이라고 한다.

정책 이터레이션을 수행하려면 환경 모델이 필요하다. 하지만 모델프리(model-free) 강화학습에서는 환경 모델을 이용하여 행동가지 함수를 계산하는 것이 아니라, 에이전트가 환경에 행동을 가해서 생성한 데이터를 기반으로 하여 추정한다. 이제 소프트 행동가치 함수와 정책을 추정하기 위해서 신경망을 이용하기로 하자. 행동가치 함수를 추정하기 위한 신경망을 Q 신경망 또는 크리틱(critic) 신경망이라 하고 파라미터를 ϕ로 표기하고, 정책을 추정하기 위한 신경망을 액터 신경망이라 하고 파라미터를 θ로 표기한다. 그리고 추정된 행동가치를 $Q_\phi(\mathrm{x}_t,\ \mathrm{u}_t)$로, 정책을 $\pi_\theta(\mathrm{u}_t|\mathrm{x}_t)$로 표기하자. 이와 같이 신경망을 이용하여 엔트로피 최대화 문제의 해를 찾는 알고리즘을 SAC(Soft Actor Critic) 알고리즘이라고 한다. SAC 알고리즘에서는 소프트 행동가치가 수렴할 때까지 기다리지 않고 정책 평가와 정책 개선을 번갈아 가며 한 번씩 업데이트하는 방법을 사용한다.

Q 신경망의 손실함수는 소프트 행동가치 함수를 추정할 수 있는 파라미터 ϕ를 갖도록 정해져야 한다. 따라서 손실함수는 소프트 행동가치 추정값 $Q_\phi(\mathrm{x}_t,\ \mathrm{u}_t)$와 소프트 행동가치

$Q_{soft}(\mathrm{x}_i,\ \mathrm{u}_i)$의 차이가 최소가 되도록 정하면 되므로 다음과 같이 Q 신경망의 손실함수를 설정한다.

$$L_Q(\phi)=\mathbb{E}_{(\mathrm{x}_i,\ \mathrm{u}_i)\sim\mathcal{D}}\left[\frac{1}{2}(Q_\phi(\mathrm{x}_i,\ \mathrm{u}_i)-Q_{soft}(\mathrm{x}_i,\ \mathrm{u}_i)|\mathrm{x}_i,\ \mathrm{u}_i)^2\right] \tag{8.32}$$

그런데 여기서 소프트 행동가치의 참값 $Q_{soft}(\mathrm{x}_i,\ \mathrm{u}_i)$를 알지 못하므로, 식 (8.21)을 이용하여 다음과 같은 근사화 타깃을 설정한다.

$$\begin{aligned}Q_{soft}(\mathrm{x}_i,\ \mathrm{u}_i)\approx q_i=&\ r(\mathrm{x}_i,\ \mathrm{u}_i)\\&+\gamma\mathbb{E}_{(\mathrm{x}_i,\ \mathrm{u}_i,\ \mathrm{x}_{i+1})\sim\mathcal{D}}[Q_{\phi'}(\mathrm{x}_{i+1},\ \mathrm{u}_{i+1})-\alpha\log\pi_\theta(\mathrm{u}_{i+1}|\mathrm{x}_{i+1})|\mathrm{x}_i,\ \mathrm{u}_i,\ \mathrm{x}_{i+1}]\end{aligned} \tag{8.33}$$

여기서 ϕ'은 DQN과 DDPG에서 제기되었던 문제를 해결하고자 도입한 타깃 Q 신경망 파라미터다. 그러면 Q 신경망의 손실함수는 다음과 같이 된다.

$$L_Q(\phi)=\mathbb{E}_{(\mathrm{x}_i,\ \mathrm{u}_i,\ \mathrm{x}_{i+1})\sim\mathcal{D}}\left[\frac{1}{2}(Q_\phi(\mathrm{x}_i,\ \mathrm{u}_i)-q_i|\mathrm{x}_i,\ \mathrm{u}_i,\ \mathrm{x}_{i+1})^2\right] \tag{8.34}$$

여기서 바깥쪽에 있는 기댓값은 리플레이 버퍼 $\mathcal{D}$에서 샘플링한 N개의 데이터 $(\mathrm{x}_i,\ \mathrm{u}_i,\ \mathrm{x}_{i+1})$를 추출하여 계산할 수 있지만, 안쪽에 있는 q_i는 $\pi_\theta(\mathrm{u}_{i+1}|\mathrm{x}_{i+1})$에 기반한 기댓값으로서 온-폴리시(on-policy)이므로 해당 계산에 쓰이는 u_{i+1}는 현재의 정책 π_θ에서 샘플링되어야 한다. 즉 x_{i+1}에 대한 행동인 u_{i+1}는 정책 π_θ를 따르도록 해야 한다. 손실함수 $L_Q(\phi)$를 최소화하는 파라미터 ϕ는 다음과 같이 경사하강법으로 구할 수 있다.

$$\phi\leftarrow\phi-\alpha_\phi\nabla_\phi L_Q(\phi) \tag{8.35}$$

액터 신경망의 손실함수도 정책을 추정할 수 있는 파라미터 θ를 갖도록 정해져야 한다. 식 (8.30)에 의하면 최소화해야 할 손실함수를 다음과 같이 정하면 된다.

$$L_\pi(\theta)=\mathbb{E}_{\mathrm{x}_i\sim\mathcal{D}}[\mathbb{E}_{\mathrm{u}_i\sim\pi_\theta(\mathrm{u}_i|\mathrm{x}_i)}[\alpha\log\pi_\theta(\mathrm{u}_i|\mathrm{x}_i)-Q_\phi(\mathrm{x}_i,\ \mathrm{u}_i)]\,|\,\mathrm{x}_i] \tag{8.36}$$

마찬가지로 여기서 바깥쪽에 있는 기댓값은 리플레이 버퍼 $\mathcal{D}$에서 샘플링한 N개의 데이터 x_i를 추출하여 계산할 수 있지만, 안쪽에 있는 $\pi_\theta(\mathrm{u}_i|\mathrm{x}_i)$에 기반한 기댓값은 현재의 정책 π_θ에서 샘플링해야 한다. 손실함수 $L_\pi(\theta)$의 그래디언트는 다음과 같이 계산한다.

$$\nabla_\theta L_\pi(\theta)=\sum_i \nabla_\theta \mathbb{E}_{\mathrm{u}_i\sim\pi_\theta(\mathrm{u}_i|\mathrm{x}_i)}[\alpha\log\pi_\theta(\mathrm{u}_i|\mathrm{x}_i)-Q_\phi(\mathrm{x}_i,\ \mathrm{u}_i)] \tag{8.37}$$

그런데 여기서 한가지 문제가 있다. 바로 안쪽에 있는 기댓값의 미분을 샘플링 평균으로 계산할 수 없는 것이다. 다음 수식을 보면 이유가 명확해진다.

$$\begin{aligned}&\nabla_\theta \mathbb{E}_{\mathrm{u}_i\sim\pi_\theta(\mathrm{u}_i|\mathrm{x}_i)}[\log\pi_\theta(\mathrm{u}_i|\mathrm{x}_i)]\\&\quad=\nabla_\theta\int_{\mathrm{u}_i}\log\pi_\theta(\mathrm{u}_i|\mathrm{x}_i)\pi_\theta(\mathrm{u}_i|\mathrm{x}_i)d\mathrm{u}_i\\&\quad=\int_{\mathrm{u}_i}(1+\log\pi_\theta(\mathrm{u}_i|\mathrm{x}_i))\ \nabla_\theta\pi_\theta(\mathrm{u}_i|\mathrm{x}_i)d\mathrm{u}_i\end{aligned} \tag{8.38}$$

이에 대한 해결책으로서 재파라미터화 트릭(reparameterization trick)이라는 방법을 사용한다. 이 방법에 의하면 정책을 다음과 같은 함수로 만든다.

$$\mathrm{u}_i^j=\mathrm{f}_\theta(\mathrm{x}_i,\ \eta_j) \tag{8.39}$$

여기서 η_j는 노이즈 벡터로서 보통 가우시안 분포로 가정한다. 예를 들면 정책 $\pi_\theta(\mathrm{u}_i|\mathrm{x}_i)$를 평균 $\mu_\theta(\mathrm{x}_i)$와 공분산 $\sigma_\theta^2(\mathrm{x}_i)$를 갖는 가우시안 분포라고 가정하면, 행동을 다음과 같이 표현할 수 있다.

$$\begin{aligned}\mathrm{u}_i^j&\sim\mathcal{N}(\mu_\theta(\mathrm{x}_i),\ \sigma_\theta^2(\mathrm{x}_i))\\&=\mu_\theta(\mathrm{x}_i)+\sigma_\theta(\mathrm{x}_i)\eta_j,\ \ \eta_j\sim\mathcal{N}(0,\ I)\end{aligned} \tag{8.40}$$

그러면 손실함수 식 (8.36)은 다음과 같이 쓸 수 있다.

$$L_\pi(\theta)=\mathbb{E}_{\mathrm{x}_i\sim\mathcal{D}}[\mathbb{E}_{\eta\sim\mathcal{N}}[\alpha\log\pi_\theta(\mathrm{u}_i|\mathrm{x}_i)-Q_\phi(\mathrm{x}_i,\ \mathrm{u}_i)]\,|\,\mathrm{x}_i] \tag{8.41}$$

미분의 연속법칙을 이용하면 손실함수 $L_\pi(\theta)$의 그래디언트는 다음과 같이 계산할 수 있다.

$$\nabla_\theta L_\pi(\theta)=\sum_i[\alpha\nabla_\theta\log\pi_\theta(\mathrm{u}_i|\mathrm{x}_i)+\nabla_\theta f_\theta(\mathrm{x}_i,\ \eta_i)(\alpha\nabla_{\mathrm{u}_i}\log\pi_\theta(\mathrm{u}_i|\mathrm{x}_i)-\nabla_{\mathrm{u}_i}Q_\phi(\mathrm{x}_i,\ \mathrm{u}_i))] \tag{8.42}$$

이제 손실함수 $L_\pi(\theta)$를 최소화하는 파라미터 θ는 다음과 같이 경사하강법으로 구할 수 있다.

$$\theta\leftarrow\theta-\alpha_\theta\nabla_\theta L_\pi(\theta) \tag{8.43}$$

타깃 신경망의 파라미터는 DDPG에서와 마찬가지로 다음 식과 같이 본래 신경망의 파라미터를 느린 속도로 따라가도록 한다.

$$\phi'\leftarrow\tau\phi+(1-\tau)\phi' \tag{8.44}$$

여기서 τ는 아주 작은 값으로 설정한다.

SAC 알고리즘을 정리하면 다음과 같다.

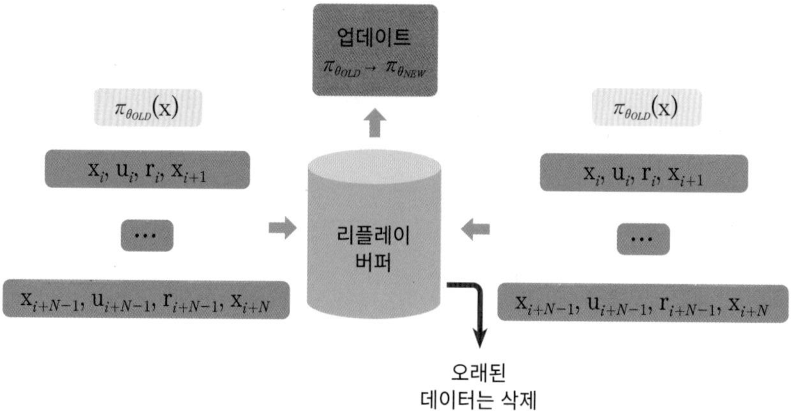

그림 8.3 SAC 프로세스

1. Q 신경망과 액터 신경망의 파라미터 ϕ와 θ를 초기화한다.

2. Q 신경망의 파라미터를 타깃 Q 신경망의 파라미터 ϕ'에 복사한다.

3. 리플레이 버퍼를 초기화 한다.

4. **Repeat {**

   [1] 정책을 실행하여 발생된 천이샘플(transition sample) $\{\mathrm{x}_i, \mathrm{u}_i, r_i, \mathrm{x}_{i+1}\}$를 리플레이 버퍼에 저장한다.

   [2] 리플레이 버퍼에서 N개의 천이샘플 $\{\mathrm{x}_i, \mathrm{u}_i, r_i, \mathrm{x}_{i+1}\}$를 무작위로 추출한다.

   [3] $q_i = r(\mathrm{x}_i, \mathrm{u}_i) + \gamma[Q_{\phi'}(\mathrm{x}_{i+1}, \bar{\mathrm{u}}_{i+1}) - \alpha \log \pi_\theta(\bar{\mathrm{u}}_{i+1} | \mathrm{x}_{i+1})]$를 계산한다.

   여기서 $\bar{\mathrm{u}}_{i+1}$는 리플레이 버퍼에서 추출한 x_{i+1}를 이용하여 현재 정책 π_θ로 샘플링한 행동이다.

   [4] $L_Q(\phi) = \frac{1}{2}\sum_i \| Q_\phi(\mathrm{x}_i, \mathrm{u}_i) - q_i \|^2$로 Q 신경망을 업데이트 한다.

   [5] $L_\pi(\theta) = \sum_i (\alpha \log \pi_\theta(\bar{\mathrm{u}}_i | \mathrm{x}_i) - Q_\phi(\mathrm{x}_i, \bar{\mathrm{u}}_i))$로 액터 신경망을 업데이트 한다.

   여기서 $\bar{\mathrm{u}}_i$는 리플레이 버퍼에서 추출한 x_i를 이용하여 현재 정책 π_θ로 샘플링한 행동이다.

   [6] 타깃 Q 신경망을 업데이트 한다.

$$\phi' \leftarrow \tau\phi + (1-\tau)\phi'$$

알고리즘을 비교해 보면 알겠지만 $\alpha = 0$이면 SAC 알고리즘은 DDPG 알고리즘과 매우 유사해진다.

SAC를 처음 제안한 논문[26]에서는 Q 함수의 과대추정 오차를 감소시키기 위해서 두 개의 독립적인 Q 신경망을 사용했다. 각각의 Q 신경망은 별도로 타깃 Q 신경망을 가지고 있으므로 총 5개의 신경망을 사용한 것이다. 복잡한 문제에서는 한 개의 Q 신경망을 사용할 때 보다 두 개의 Q 신경망을 사용할 때가 학습 속도가 훨씬 빨랐다고 한다. 두 개의 Q 신경망을 사용할 때는 알고리즘 [3]번과 [5]번에서 두 개의 Q값 중 작은 값을 사용한다.

1. Q1, Q2 신경망과 액터 신경망의 파라미터 ϕ_1, ϕ_2와 θ를 초기화한다.

2. Q1, Q2 신경망의 파라미터를 타깃 Q1, Q2 신경망의 파라미터 ϕ_1'와 ϕ_2'에 복사한다.

3. 리플레이 버퍼를 초기화 한다.

4. Repeat {

[1] 정책을 실행하여 발생된 천이샘플(transition sample) $\{x_i, u_i, r_i, x_{i+1}\}$를 리플레이 버퍼에 저장한다.

[2] 리플레이 버퍼에서 N개의 천이샘플 $\{x_i, u_i, r_i, x_{i+1}\}$를 무작위로 추출한다.

[3] $q_i = r(x_i, u_i) + \gamma[Q_{\phi'}(x_{i+1}, \bar{u}_{i+1}) - \alpha \log \pi_\theta(\bar{u}_{i+1}|x_{i+1})]$를 계산한다.

여기서 $Q_{\phi'}(x_{i+1}, \bar{u}_{i+1}) = \min[Q_{\phi_1'}(x_{i+1}, \bar{u}_{i+1}), Q_{\phi_2'}(x_{i+1}, \bar{u}_{i+1})]$이고, $\bar{u}_{i+1}$는 리플레이 버퍼에서 추출한 x_{i+1}를 이용하여 현재 정책 π_θ로 샘플링한 행동이다.

[4] $L_Q(\phi_{1,2}) = \frac{1}{2}\sum_i \|Q_{\phi_{1,2}}(x_i, u_i) - q_i\|^2$로 Q1, Q2 신경망을 업데이트 한다.

[5] $L_\pi(\theta) = \sum_i (\alpha \log \pi_\theta(\bar{u}_i|x_i) - Q_\phi(x_i, \bar{u}_i))$로 액터 신경망을 업데이트 한다.
여기서 $Q_\phi(x_i, \bar{u}_i) = \min[Q_{\phi_1}(x_i, \bar{u}_i), Q_{\phi_2}(x_i, \bar{u}_i)]$이고, $\bar{u}_i$는 리플레이 버퍼에서 추출한 x_i를 이용하여 현재 정책 π_θ로 샘플링한 행동이다.

[6] 타깃 Q1, Q2 신경망을 업데이트 한다.

$$\phi_1' \leftarrow \tau\phi_1 + (1-\tau)\phi_1'$$
$$\phi_2' \leftarrow \tau\phi_2 + (1-\tau)\phi_2'$$

SAC 논문의 후속편[27]에서는 엔트로피의 가중치인 α를 고정값으로 설정하는 대신에 학습을 통해 찾는 방법도 제안하였다. 이 경우에는 α 대신에 최소 엔트로피 $\mathcal{H}_0$를 설정해야 하므로 $\mathcal{H}_0$가 하이퍼파라미터가 된다.

8.5 SAC 알고리즘 구현

8.5.1 테스트 환경

테스트 환경은 OpenAI Gym에서 제공하는 'Pendulum-v0'이다.

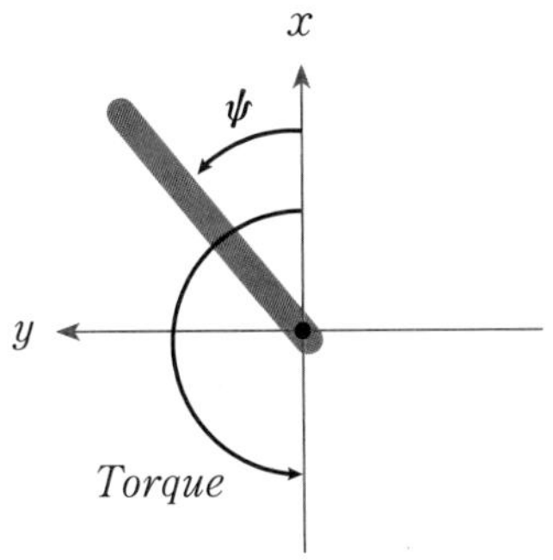

그림 8.4 Pendulum-v0

에이전트의 목표는 진자를 위로 수직으로 세워서 오래 유지시키는 것이다. 일정 시간스텝이 경과하면 에피소드가 자동으로 종결된다.

8.5.2 코드 개요

SAC 코드는 2개의 Q 신경망과 타깃 Q 신경망을 사용한 것으로 액터-크리틱 신경망을 구현하고 학습시키기 위한 `sac_learn.py`, 이를 실행시키기 위한 `sac_main.py`, 학습을 마친 신경망 파라미터를 읽어와 에이전트를 구동하기 위한 `sac_load_play.py`, 그리고 리플레이 버퍼를 구현한 `replaybuffer.py`로 구성되어 있다. 전체 코드는 8.5.7절에 있으니 참고하기 바란다.

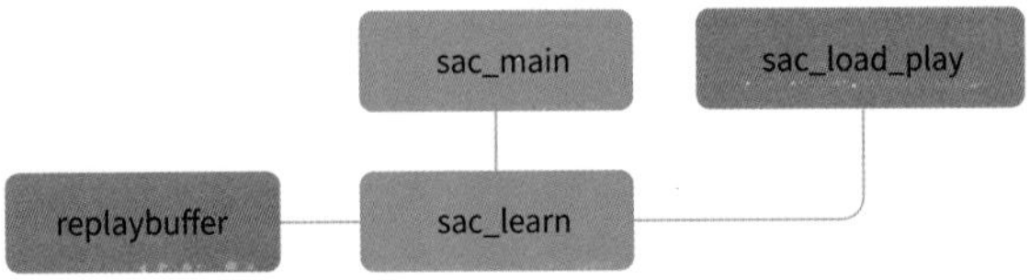

그림 8.5 SAC 코드 구조

전체적인 학습 프로세스는 `sac_learn.py` 파일에 있는 `SACagent` 클래스의 멤버함수인 `train`에 있다. 구체적으로 살펴보면 다음과 같다.

1. 액터 신경망과 Q1, Q2 신경망을 초기화한다. 그리고 초기화된 신경망 파라미터를 각각 타깃 액터 신경망과 타깃 크리틱 신경망에 복사한다.

```
self.update_target_network(1.0)
```

2. 환경을 초기화하고 환경으로부터 첫 번째 상태변수 x_0를 측정한다.

```
time, episode_reward, done = 0, 0, False
state = self.env.reset()
```

3. 액터 신경망을 이용해 행동을 계산한다.

```
action = self.get_action(tf.convert_to_tensor([state], dtype=tf.float32))
```

4. 행동이 범위 [−2, 2]를 벗어나지 않도록 제한한다.

```
action = np.clip(action, -self.action_bound, self.action_bound)
```

5. 행동 u_0를 실행해 보상 $r(\mathrm{x}_0, \mathrm{u}_0)$와 다음 상태변수 x_1를 얻는다. 여기서 done=1이면 에피소드가 종료되는 조건에 도달했음을 의미한다.

```
next_state, reward, done, _ = self.env.step(action)
```

6. 학습용으로 사용할 보상의 범위를 식 $r_{\text{train}}=\frac{r+8}{8}$을 이용해 [−16, 0]에서 [−1, 1]로 조정한다.

```
train_reward = (reward + 8) / 8
```

7. 상태, 행동, 보상, 다음 상태 등 기본 샘플 단위를 리플레이 버퍼에 저장한다.

```
self.buffer.add_buffer(state, action, train_reward, next_state, done)
```

8. 리플레이 버퍼에 기본 샘플 단위가 일정한 개수 이상(여기서는 1000개)이 채워지면 학습을 시작한다.

```
if self.buffer.buffer_count() > 1000
```

9. 리플레이 버퍼에서 배치 크기 N개의 기본 샘플 단위를 무작위로 추출한다.

```
states, actions, rewards, next_states, dones = self.buffer.sample_batch(self.BATCH_SIZE)
```

10. x_{i+1}에서 행동을 샘플링하고 타깃 Q1, Q2 신경망에서 행동가치 $Q_{\phi_1'}(\mathrm{x}_{i+1}, \pi_\theta(\mathrm{x}_{i+1}))$, $Q_{\phi_2'}(\mathrm{x}_{i+1}, \pi_\theta(\mathrm{x}_{i+1}))$를 계산한다.

```
next_mu, next_std = self.actor(tf.convert_to_tensor(next_states, dtype=tf.float32))
next_actions, next_log_pdf = self.actor.sample_normal(next_mu, next_std)
target_qs_1 = self.target_critic_1([next_states, next_actions])
target_qs_2 = self.target_critic_2([next_states, next_actions])
```

11. $Q_{\phi'}(\mathrm{x}_{i+1}, \bar{\mathrm{u}}_{i+1}) = \min[Q_{\phi_1'}(\mathrm{x}_{i+1}, \bar{\mathrm{u}}_{i+1}), Q_{\phi_2'}(\mathrm{x}_{i+1}, \bar{\mathrm{u}}_{i+1})]$로 타깃 행동가치를 계산한다.

```
target_qs = tf.math.minimum(target_qs_1, target_qs_2)
```

12. 시간차 타깃 $q_i = r(\mathrm{x}_i, \mathrm{u}_i) + \gamma[Q_{\phi'}(\mathrm{x}_{i+1}, \bar{\mathrm{u}}_{i+1}) - \alpha \log \pi_\theta(\bar{\mathrm{u}}_{i+1}|\mathrm{x}_{i+1})]$을 계산한다.

```
target_qi = target_qs - self.ALPHA * next_log_pdf
y_i = self.q_target(rewards, target_qi.numpy(), dones)
```

13. Q1, Q2 신경망을 학습한다.

```
self.critic_learn(tf.convert_to_tensor(states, dtype=tf.float32),
tf.convert_to_tensor(actions, dtype=tf.float32),
tf.convert_to_tensor(y_i, dtype=tf.float32))
```

14. 액터 신경망을 학습한다.

```
self.actor_learn(tf.convert_to_tensor(states, dtype=tf.float32))
```

15. 타깃 Q1, Q2 신경망을 업데이트한다.

```
self.update_target_network(self.TAU)
```

16. 다시 상태변수 x_i를 이용해 행동 u_i를 계산하는 과정을 되풀이한다.

```
state = next_state
episode_reward += reward
time += 1
```

8.5.3 액터 클래스

액터 신경망 구조는 A2C와 동일하게 설정했으며 액터 클래스의 멤버함수인 call에 신경망 구조를 기술했다. 3개의 은닉층으로 구성되어 있으며 입력은 상태변수, 출력은 행동 값이다.

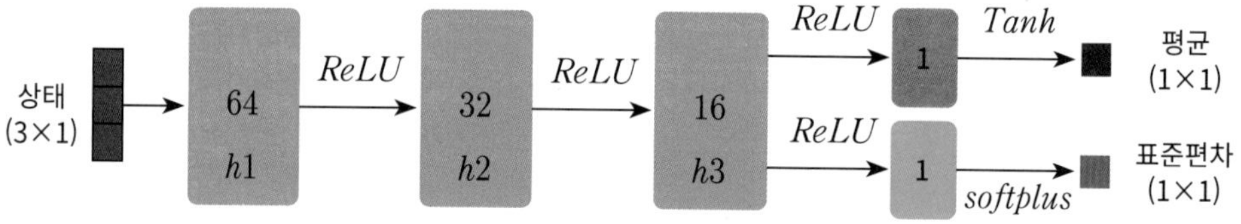

그림 8.6 액터 신경망 구조

```
class Actor(Model):

    def __init__(self, action_dim, action_bound):
        super(Actor, self).__init__()
        self.action_dim = action_dim
        self.action_bound = action_bound
        self.std_bound = [1e-2, 1.0]  # std bound
        self.h1 = Dense(64, activation='relu')
        self.h2 = Dense(32, activation='relu')
        self.h3 = Dense(16, activation='relu')
        self.mu = Dense(action_dim, activation='tanh')
        self.std = Dense(action_dim, activation='softplus')

    def call(self, state):
        x = self.h1(state)
        x = self.h2(x)
        x = self.h3(x)
        mu = self.mu(x)
        std = self.std(x)
        # 평균값을 [-action_bound, action_bound] 범위로 조정
        mu = Lambda(lambda x: x*self.action_bound)(mu)
        # 표준편차 클리핑
        std = tf.clip_by_value(std, self.std_bound[0], self.std_bound[1])
        return mu, std
```

액터 신경망을 학습하는 부분은 에이전트 클래스 멤버함수인 actor_learn에 구현되어 있다.

```
def actor_learn(self, states):
    with tf.GradientTape() as tape:
        mu, std = self.actor(states, training=True)
        actions, log_pdfs = self.actor.sample_normal(mu, std)
        log_pdfs = tf.squeeze(log_pdfs, 1)
        soft_q_1 = self.critic_1([states, actions])
        soft_q_2 = self.critic_2([states, actions])
        soft_q = tf.math.minimum(soft_q_1, soft_q_2)
        loss = tf.reduce_mean(self.ALPHA * log_pdfs - soft_q)
    grads = tape.gradient(loss, self.actor.trainable_variables)
    self.actor_opt.apply_gradients(zip(grads, self.actor.trainable_variables))
```

먼저 액터 신경망으로부터 평균과 표준편차를 계산한다.

```
mu, std = self.actor(states, training=True)
```

그리고 가우시안 정책 확률밀도함수로부터 행동을 샘플링하고 로그-정책 확률밀도함수를 계산한다.

```
actions, log_pdfs = self.actor.sample_normal(mu, std)
```

이를 위해서 다음 액터 클래스의 멤버함수 sample_normal을 이용한다.

```
def sample_normal(self, mu, std):
    normal_prob = tfp.distributions.Normal(mu, std)
    action = normal_prob.sample()
    action = tf.clip_by_value(action, -self.action_bound, self.action_bound)
    log_pdf = normal_prob.log_prob(action)
    log_pdf = tf.reduce_sum(log_pdf, 1, keepdims=True)
    return action, log_pdf
```

두 개의 독립적인 Q 신경망으로부터 상태변수와 행동에 대한 행동 가치함수 Q_{ϕ_1}, Q_{ϕ_2}를 계산하고 둘 중 최솟값을 구한다.

```
soft_q_1 = self.critic_1([states, actions])
soft_q_2 = self.critic_2([states, actions])
soft_q = tf.math.minimum(soft_q_1, soft_q_2)
```

손실함수 $L_\pi(\theta)$의 그래디언트를 계산한다.

```
loss = tf.reduce_mean(self.ALPHA * log_pdfs - soft_q)
grads = tape.gradient(loss, self.actor.trainable_variables)
```

그리고 텐서플로의 아담 옵티마이저(Adam optimizer)를 이용해 액터 신경망을 학습한다.

```
self.actor_opt.apply_gradients(zip(grads, self.actor.trainable_variables))
```

8.5.4 크리티 클래스

Q 신경망 구조는 DDPG와 동일하게 설정했으며 크리티 클래스의 멤버함수 `call`에 기술되어 있다. 입력으로 상태변수와 행동을 받는데, 상태변수를 첫 번째 은닉층으로 처리한 후 두 번째 은닉층에서 행동과 병합(concatenate)하는 구조다. 신경망의 출력은 행동가치 값이다.

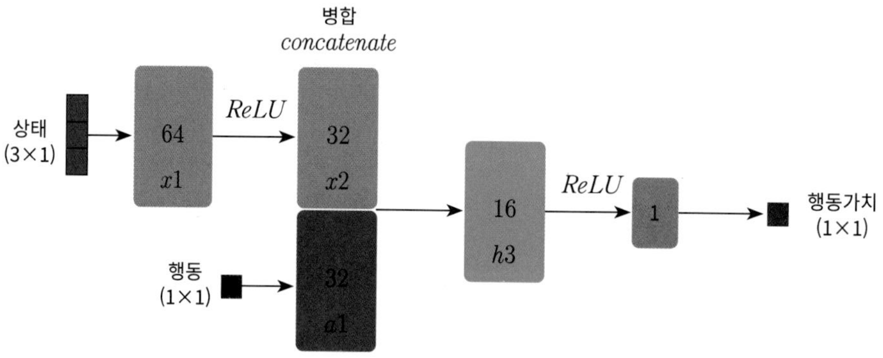

그림 8.7 Q 신경망 구조

```
class Critic(Model):

    def __init__(self):
        super(Critic, self).__init__()
        self.x1 = Dense(32, activation='relu')
        self.a1 = Dense(32, activation='relu')
        self.h2 = Dense(32, activation='relu')
        self.h3 = Dense(16, activation='relu')
        self.q = Dense(1, activation='linear')

    def call(self, state_action):
        state = state_action[0]
        action = state_action[1]
        x = self.x1(state)
        a = self.a1(action)
        h = concatenate([x, a], axis=-1)
        x = self.h2(h)
        x = self.h3(x)
        q = self.q(x)
        return q
```

Q1, Q2 신경망을 학습하는 부분은 에이전트 클래스 멤버함수인 critic_learn에 구현되어 있다. 크리틱 신경망은 손실함수 $L_Q(\phi)=\frac{1}{2}\sum_i (Q_\phi(\mathrm{x}_i,\ \mathrm{u}_i)-q_i)^2$과 아담 옵티마이저를 이용해 두 신경망을 독립적으로 학습한다.

```
def critic_learn(self, states, actions, q_targets):
    with tf.GradientTape() as tape:
        q_1 = self.critic_1([states, actions], training=True)
        loss_1 = tf.reduce_mean(tf.square(q_1-q_targets))
    grads_1 = tape.gradient(loss_1, self.critic_1.trainable_variables)
    self.critic_1_opt.apply_gradients(zip(grads_1, self.critic_1.trainable_variables))

    with tf.GradientTape() as tape:
        q_2 = self.critic_2([states, actions], training=True)
        loss_2 = tf.reduce_mean(tf.square(q_2-q_targets))
    grads_2 = tape.gradient(loss_2, self.critic_2.trainable_variables)
    self.critic_2_opt.apply_gradients(zip(grads_2, self.critic_2.trainable_variables))
```

8.5.5 에이전트 클래스

에이전트 클래스에는 하이퍼파라미터를 설정하는 부분, 액터와 크리틱으로 구성된 에이전트를 생성하는 부분, 그리고 에이전트의 학습을 진행하는 부분이 포함되어 있다. 학습은 멤버함수 train에 구현되어 있으며 내용은 8.5.2절의 코드 개요에서 설명했다. 하이퍼파라미터는 다음과 같이 설정했다. 총 배치 사이즈는 32이고, 타깃 신경망 업데이트 시간 파라미터 τ는 0.001, α는 0.5이다.

```
self.GAMMA = 0.95
self.BATCH_SIZE = 32
self.BUFFER_SIZE = 20000
self.ACTOR_LEARNING_RATE = 0.0001
self.CRITIC_LEARNING_RATE = 0.001
self.TAU = 0.001
self.ALPHA = 0.5
```

멤버함수 q_target은 시간차 타깃 q_i을 구현한 것이다. 타깃 신경망의 업데이트 식은 멤버함수 update_target_network에 구현되어 있다. 그리고 리플레이 버퍼는 replaybuffer.py에 구현되어 있다.

8.5.6 학습 결과

sac_main.py 파일을 실행시키면 학습이 진행된다. 학습은 200번의 에피소드로 실행됐으며 학습 결과는 다음 그림과 같다. 학습된 신경망의 파라미터는 save_weights 폴더에 각각 pendulum_actor_2q.h5와 pendulum_critic_12q.h5, pendulum_critic_22q.h5 파일로 저장된다. sac_load_play.py를 실행하면 저장된 파라미터를 읽어와 에이전트가 실행된다. 그림 8.8은 학습 결과다. 약 140번의 에피소드만에 일정 수준의 학습 성과를 달성한 것을 볼 수 있다. 그림 8.9는 서로 다른 초기 조건에 대해서 진자의 각도의 시간 궤적을 도시한 실행 결과다. 서로 다른 초기 각도에 대해서 각도가 약 0도로 모두 수렴하므로 진자가 성공적으로 기립함을 알 수 있다. 그림 8.10은 이때의 토크 시간 궤적을 도시한 것이다.

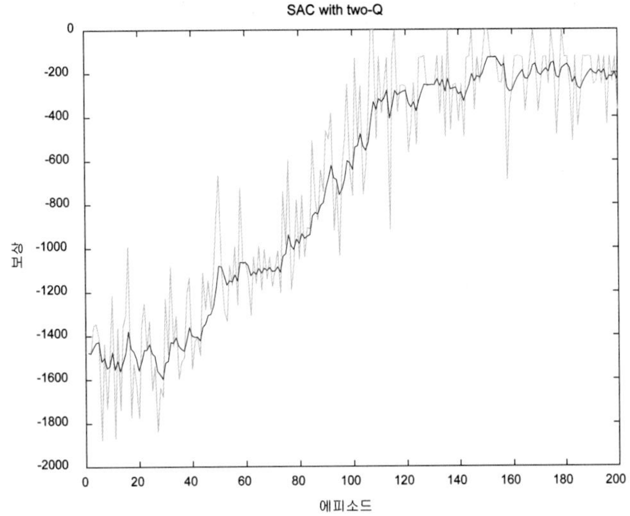

그림 8.8 학습 결과

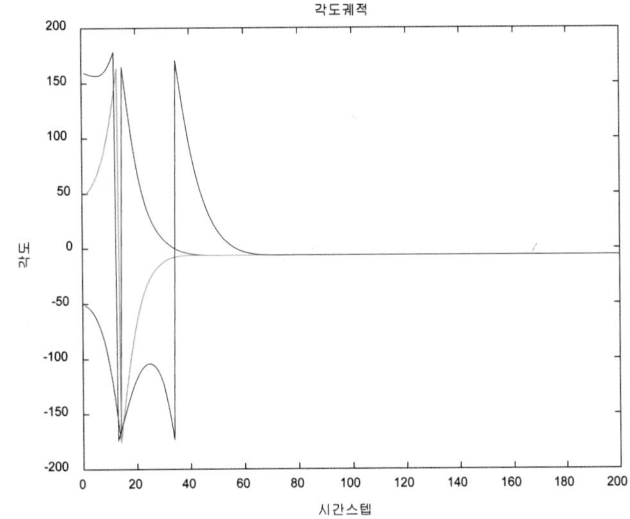

그림 8.9 실행 결과: 각도의 시간 궤적

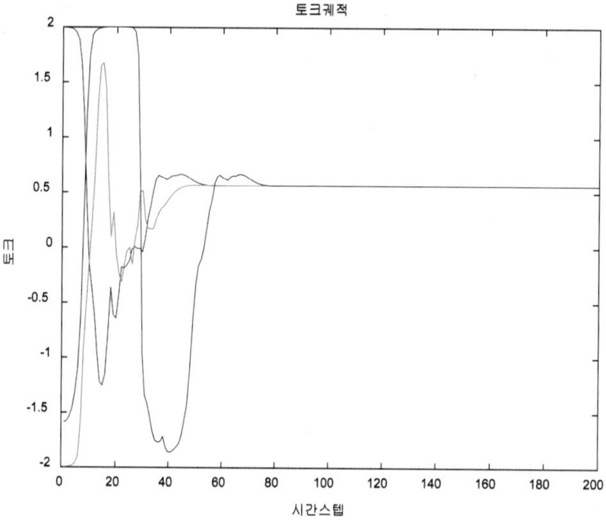

그림 8.10 실행 결과: 토크의 시간 궤적

8.5.7 전체 코드

sac_learn.py

```
# SAC learn: Two Q nets (tf2 subclassing version)
# coded by St.Watermelon

# 필요한 패키지 임포트
import numpy as np
import matplotlib.pyplot as plt

from tensorflow.keras.models import Model
from tensorflow.keras.layers import Input, Dense, Lambda, concatenate
from tensorflow.keras.optimizers import Adam
import tensorflow as tf
import tensorflow_probability as tfp

from replaybuffer import ReplayBuffer


## 액터 신경망
class Actor(Model):
```

```
    def __init__(self, action_dim, action_bound):
        super(Actor, self).__init__()

        self.action_dim = action_dim
        self.action_bound = action_bound
        self.std_bound = [1e-2, 1.0]

        self.h1 = Dense(64, activation='relu')
        self.h2 = Dense(32, activation='relu')
        self.h3 = Dense(16, activation='relu')
        self.mu = Dense(action_dim, activation='tanh')
        self.std = Dense(action_dim, activation='softplus')


    def call(self, state):
        x = self.h1(state)
        x = self.h2(x)
        x = self.h3(x)
        mu = self.mu(x)
        std = self.std(x)

        # 평균값을 [-action_bound, action_bound] 범위로 조정
        mu = Lambda(lambda x: x*self.action_bound)(mu)
        # 표준편차 클래핑
        std = tf.clip_by_value(std, self.std_bound[0], self.std_bound[1])

        return mu, std

    ## 행동을 샘플링하고 log-pdf 계산
    def sample_normal(self, mu, std):
        normal_prob = tfp.distributions.Normal(mu, std)
        action = normal_prob.sample()
        action = tf.clip_by_value(action, -self.action_bound, self.action_bound)
        log_pdf = normal_prob.log_prob(action)
        log_pdf = tf.reduce_sum(log_pdf, 1, keepdims=True)

        return action, log_pdf

## 크리틱 신경망
class Critic(Model):
```

```
    def __init__(self):
        super(Critic, self).__init__()

        self.x1 = Dense(32, activation='relu')
        self.a1 = Dense(32, activation='relu')
        self.h2 = Dense(32, activation='relu')
        self.h3 = Dense(16, activation='relu')
        self.q = Dense(1, activation='linear')


    def call(self, state_action):
        state = state_action[0]
        action = state_action[1]
        x = self.x1(state)
        a = self.a1(action)
        h = concatenate([x, a], axis=-1)
        x = self.h2(h)
        x = self.h3(x)
        q = self.q(x)
        return q


## SAC 에이전트
class SACagent(object):

    def __init__(self, env):

        # 하이퍼파라미터
        self.GAMMA = 0.95
        self.BATCH_SIZE = 32
        self.BUFFER_SIZE = 20000
        self.ACTOR_LEARNING_RATE = 0.0001
        self.CRITIC_LEARNING_RATE = 0.001
        self.TAU = 0.001
        self.ALPHA = 0.5
        # 환경
        self.env = env
        # 상태변수 차원
        self.state_dim = env.observation_space.shape[0]
        # 행동 차원
        self.action_dim = env.action_space.shape[0]
```

```
        # 행동의 최대 크기
        self.action_bound = env.action_space.high[0]

        # 액터 신경망 및 Q1, Q2 타깃 Q1, Q2 신경망 생성
        self.actor = Actor(self.action_dim, self.action_bound)
        self.actor.build(input_shape=(None, self.state_dim))

        self.critic_1 = Critic()
        self.target_critic_1 = Critic()

        self.critic_2 = Critic()
        self.target_critic_2 = Critic()

        state_in = Input((self.state_dim,))
        action_in = Input((self.action_dim,))
        self.critic_1([state_in, action_in])
        self.target_critic_1([state_in, action_in])
        self.critic_2([state_in, action_in])
        self.target_critic_2([state_in, action_in])

        self.actor.summary()
        self.critic_1.summary()
        self.critic_2.summary()

        # 옵티마이저
        self.actor_opt = Adam(self.ACTOR_LEARNING_RATE)
        self.critic_1_opt = Adam(self.CRITIC_LEARNING_RATE)
        self.critic_2_opt = Adam(self.CRITIC_LEARNING_RATE)

        # 리플레이 버퍼 초기화
        self.buffer = ReplayBuffer(self.BUFFER_SIZE)

        # 에피소드에서 얻은 총 보상값을 저장하기 위한 변수
        self.save_epi_reward = []

    ## 행동 샘플링
    def get_action(self, state):
        mu, std = self.actor(state)
        action, _ = self.actor.sample_normal(mu, std)
        return action.numpy()[0]
```

```
    ## 신경망의 파라미터값을 타깃 신경망으로 복사
    def update_target_network(self, TAU):
        phi_1 = self.critic_1.get_weights()
        phi_2 = self.critic_2.get_weights()
        target_phi_1 = self.target_critic_1.get_weights()
        target_phi_2 = self.target_critic_2.get_weights()
        for i in range(len(phi_1)):
            target_phi_1[i] = TAU * phi_1[i] + (1 - TAU) * target_phi_1[i]
            target_phi_2[i] = TAU * phi_2[i] + (1 - TAU) * target_phi_2[i]
        self.target_critic_1.set_weights(target_phi_1)
        self.target_critic_2.set_weights(target_phi_2)


    ## Q1, Q2 신경망 학습
    def critic_learn(self, states, actions, q_targets):
        with tf.GradientTape() as tape:
            q_1 = self.critic_1([states, actions], training=True)
            loss_1 = tf.reduce_mean(tf.square(q_1-q_targets))

        grads_1 = tape.gradient(loss_1, self.critic_1.trainable_variables)
        self.critic_1_opt.apply_gradients(zip(grads_1, self.critic_1.trainable_variables))

        with tf.GradientTape() as tape:
            q_2 = self.critic_2([states, actions], training=True)
            loss_2 = tf.reduce_mean(tf.square(q_2-q_targets))

        grads_2 = tape.gradient(loss_2, self.critic_2.trainable_variables)
        self.critic_2_opt.apply_gradients(zip(grads_2, self.critic_2.trainable_variables))


    ## 액터 신경망 학습
    def actor_learn(self, states):
        with tf.GradientTape() as tape:
            mu, std = self.actor(states, training=True)
            actions, log_pdfs = self.actor.sample_normal(mu, std)
            log_pdfs = tf.squeeze(log_pdfs, 1)
            soft_q_1 = self.critic_1([states, actions])
            soft_q_2 = self.critic_2([states, actions])
            soft_q = tf.math.minimum(soft_q_1, soft_q_2)

            loss = tf.reduce_mean(self.ALPHA * log_pdfs - soft_q)
```

```
        grads = tape.gradient(loss, self.actor.trainable_variables)
        self.actor_opt.apply_gradients(zip(grads, self.actor.trainable_variables))


    ## 시간차 타깃 계산
    def q_target(self, rewards, q_values, dones):
        y_k = np.asarray(q_values)
        for i in range(q_values.shape[0]): # number of batch
            if dones[i]:
                y_k[i] = rewards[i]
            else:
                y_k[i] = rewards[i] + self.GAMMA * q_values[i]
        return y_k


    ## 신경망 파라미터 로드
    def load_weights(self, path):
        self.actor.load_weights(path + 'pendulum_actor_2q.h5')
        self.critic_1.load_weights(path + 'pendulum_critic_12q.h5')
        self.critic_2.load_weights(path + 'pendulum_critic_22q.h5')


    ## 에이전트 학습
    def train(self, max_episode_num):

        # 타깃 신경망 초기화
        self.update_target_network(1.0)

        # 에피소드마다 다음을 반복
        for ep in range(int(max_episode_num)):

            # 에피소드 초기화
            time, episode_reward, done = 0, 0, False
            # 환경 초기화 및 초기 상태 관측
            state = self.env.reset()

            while not done:
                # 환경 가시화
                #self.env.render()
                # 행동 샘플링
                action = self.get_action(tf.convert_to_tensor([state], dtype=tf.float32))
                # 행동 범위 클리핑
                action = np.clip(action, -self.action_bound, self.action_bound)
```

```
        # 다음 상태, 보상 관측
        next_state, reward, done, _ = self.env.step(action)
        # 학습용 보상 설정
        train_reward = (reward + 8) / 8
        # 리플레이 버퍼에 저장
        self.buffer.add_buffer(state, action, train_reward, next_state, done)

        # 리플레이 버퍼가 일정 부분 채워지면 학습 진행
        if self.buffer.buffer_count() > 1000:

            # 리플레이 버퍼에서 샘플 무작위 추출
            states, actions, rewards, next_states, dones = self.buffer.sample_batch(self.BATCH_SIZE)

            # Q 타깃 계산
            next_mu, next_std = self.actor(tf.convert_to_tensor(next_states, dtype=tf.float32))
            next_actions, next_log_pdf = self.actor.sample_normal(next_mu, next_std)

            target_qs_1 = self.target_critic_1([next_states, next_actions])
            target_qs_2 = self.target_critic_2([next_states, next_actions])
            target_qs = tf.math.minimum(target_qs_1, target_qs_2)

            target_qi = target_qs - self.ALPHA * next_log_pdf

            # TD 타깃 계산
            y_i = self.q_target(rewards, target_qi.numpy(), dones)

            # Q1, Q2 신경망 업데이트
            self.critic_learn(tf.convert_to_tensor(states, dtype=tf.float32),
                              tf.convert_to_tensor(actions, dtype=tf.float32),
                              tf.convert_to_tensor(y_i, dtype=tf.float32))

            # 액터 신경망 업데이트
            self.actor_learn(tf.convert_to_tensor(states, dtype=tf.float32))

            # 타깃 신경망 업데이트
            self.update_target_network(self.TAU)

        # 다음 스텝 준비
        state = next_state
        episode_reward += reward
        time += 1
```

```
            # 에피소드마다 결과 보상값 출력
            print('Episode: ', ep+1, 'Time: ', time, 'Reward: ', episode_reward)
            self.save_epi_reward.append(episode_reward)


            # 에피소드마다 신경망 파라미터를 파일에 저장
            self.actor.save_weights("./save_weights/pendulum_actor_2q.h5")
            self.critic_1.save_weights("./save_weights/pendulum_critic_12q.h5")
            self.critic_2.save_weights("./save_weights/pendulum_critic_22q.h5")

        # 학습이 끝난 후, 누적 보상값 저장
        np.savetxt('./save_weights/pendulum_epi_reward_2q.txt', self.save_epi_reward)
        print(self.save_epi_reward)


    ## 에피소드와 누적 보상값을 그려주는 함수
    def plot_result(self):
        plt.plot(self.save_epi_reward)
        plt.show()
```

sac_main.py

```
# SAC main (tf2 subclassing API version)
# coded by St.Watermelon
## SAC 에이전트를 학습하고 결과를 도시하는 파일

# 필요한 패키지 임포트
import gym
from sac_learn import SACagent

def main():

    max_episode_num = 200  # 최대 에피소드 설정
    env = gym.make("Pendulum-v0")
    agent = SACagent(env)  # SAC 에이전트 객체

    # 학습 진행
    agent.train(max_episode_num)

    # 학습 결과 도시
    agent.plot_result()
```

```
if __name__=="__main__":
    main()
```

sac_load_play.py

```
# SAC load and play (tf2 subclassing API version)
# coded by St.Watermelon
## 학습된 신경망 파라미터를 가져와서 에이전트를 실행시키는 파일

# 필요한 패키지 임포트
import gym
from sac_learn import SACagent
import tensorflow as tf

def main():

    env = gym.make("Pendulum-v0")
    agent = SACagent(env)  # SAC 에이전트 객체

    agent.load_weights('./save_weights/')  # 신경망 파라미터 가져옴

    time = 0
    state = env.reset()  # 환경을 초기화하고, 초기 상태 관측

    while True:
        env.render()
        # 행동 계산
        action = agent.actor(tf.convert_to_tensor([state], dtype=tf.float32))[0][0]
        # 환경으로부터 다음 상태, 보상을 받음
        state, reward, done, _ = env.step(action)
        time += 1

        print('Time: ', time, 'Reward: ', reward)

        if done:
            break

    env.close()

if __name__=="__main__":
    main()
```

replaybuffer.py

```
## 리플레이 버퍼 클래스 파일

# 필요한 패키지 임포트
import numpy as np
from collections import deque
import random

class ReplayBuffer(object):
    """
    Reply Buffer
    """
    def __init__(self, buffer_size):
        self.buffer_size = buffer_size
        self.buffer = deque()
        self.count = 0

    ## 버퍼에 저장
    def add_buffer(self, state, action, reward, next_state, done):
        transition = (state, action, reward, next_state, done)

        # 버퍼가 꽉 찼는지 확인
        if self.count < self.buffer_size:
            self.buffer.append(transition)
            self.count += 1
        else: # 찼으면 가장 오래된 데이터 삭제하고 저장
            self.buffer.popleft()
            self.buffer.append(transition)

    ## 버퍼에서 데이터 무작위로 추출 (배치 샘플링)
    def sample_batch(self, batch_size):
        if self.count < batch_size:
            batch = random.sample(self.buffer, self.count)
        else:
            batch = random.sample(self.buffer, batch_size)
        # 상태, 행동, 보상, 다음 상태별로 정리
        states = np.asarray([i[0] for i in batch])
        actions = np.asarray([i[1] for i in batch])
        rewards = np.asarray([i[2] for i in batch])
```

```
        next_states = np.asarray([i[3] for i in batch])
        dones = np.asarray([i[4] for i in batch])
        return states, actions, rewards, next_states, dones


    ## 버퍼 사이즈 계산
    def buffer_count(self):
        return self.count


    ## 버퍼 비움
    def clear_buffer(self):
        self.buffer = deque()
        self.count = 0
```

09장

모델 기반 강화학습 기초

9.1 배경

강화학습의 목적은 최대의 보상을 받도록, 또는 최소의 비용이 들도록 에이전트의 행동을 결정하는 것이다. 강화학습의 목적함수를 다시 써보자.

$$J(\theta)=\mathbb{E}_{\tau\sim p_\theta(\tau)}\left[\sum_{t=0}^{T}\gamma^t r(\mathrm{x}_t,\ \mathrm{u}_t)\right] \tag{9.1}$$

여기서 $p_\theta(\tau)$는 정책 π_θ로 생성되는 궤적 $\tau=(\mathrm{x}_0,\ \mathrm{u}_0,\ \mathrm{x}_1,\ \mathrm{u}_1,\ \mathrm{x}_2,\ \mathrm{u}_2,\ \ldots,\ \mathrm{x}_T,\ \mathrm{u}_T)$의 확률밀도함수를 나타낸다. $p_\theta(\tau)$를 마르코프 가정하에서 다음과 같이 전개할 수 있다.

$$p_\theta(\tau)=p(\mathrm{x}_0)\prod_{t=0}^{T}\pi_\theta(\mathrm{u}_t|\mathrm{x}_t)p(\mathrm{x}_{t+1}|\mathrm{x}_t,\ \mathrm{u}_t) \tag{9.2}$$

위 식에서 $p(\mathrm{x}_{t+1}|\mathrm{x}_t,\ \mathrm{u}_t)$는 시스템의 동역학(system dynamics)을 나타내므로 에이전트가 받는 보상은 정책뿐만 아니라 시스템의 동역학에도 영향을 받음을 알 수 있다.

노트

상태천이 확률밀도함수 $p(\mathrm{x}_{t+1}|\mathrm{x}_t, \mathrm{u}_t)$는 에이전트가 어떤 행동을 선택했을 때 상태의 변화를 나타내는, 즉 시스템(환경)의 변화를 기술하는 함수이기 때문에 시스템의 동역학 모델이라고도 한다.

강화학습은 크게 모델 프리 강화학습과 모델 기반 강화학습으로 분류된다. 모델 프리 강화학습은 시스템의 동역학이 어떻게 작동하는지에 대한 지식 없이, 즉 $p(\mathrm{x}_{t+1}|\mathrm{x}_t, \mathrm{u}_t)$에 대한 지식 없이, 에이전트가 직접 환경과 상호작용하면서 얻는 많은 수의 샘플을 이용해 정책 π_θ를 학습한다. 앞에서 살펴본 바와 같이 정책 그래디언트 방법에서는 목적함수의 그래디언트 $\nabla_\theta J(\theta)$를 계산해 정책 π_θ를 개선했다. 에이전트와 환경과의 상호작용에 큰 비용이 들지 않거나 다량의 데이터를 손쉽게 얻을 수 있다면 이러한 방법이 유용할 수 있으나, 데이터를 모으는 데 큰 비용과 긴 시간이 필요하다면 모델 프리 강화학습 방법은 적당한 방법이 아닐 수 있다.

모델 기반 강화학습은 에이전트가 환경과 상호작용하면서 얻은 샘플로 정책을 직접 학습하지 않고 시스템의 동역학 모델 $p(\mathrm{x}_{t+1}|\mathrm{x}_t, \mathrm{u}_t)$를 먼저 학습하는 접근 방법을 취한다. 시스템의 동역학 모델(또는 환경 모델)을 알 수 있다면 환경과의 직접적인 상호작용 없이 정책을 수학적으로 계산해 낼 수 있기 때문이다. 이와 같이 동역학 모델을 먼저 학습하는 접근 방법이 정책을 직접 학습하는 방법보다 데이터 효율성이 훨씬 뛰어나며, 모델을 학습할 때 시스템에 대한 사전 지식을 활용할 수도 있기 때문에 실제 세계 문제에 강화학습을 적용하는 데 있어서도 유리하다. 왜냐하면 많은 물리 시스템, 예를 들면 드론, 로봇 등의 수학적 동역학 모델은 이미 알고 있거나 뉴턴(Newton)의 운동 법칙으로 유도해 낼 수 있기 때문이다.

전통적인 자동 제어 기법 중에서 최적제어 방법은 제어 대상 시스템의 정확한 동역학 모델을 이용해 최적제어 또는 행동을 수학적으로 계산해 내는 제어 기법이다. 모델 기반 강화학습은 이러한 최적제어 방법을 이용한다. 다음 절에서는 최적제어 방법과 모델기반 강화학습에서 사용되는 동역학 모델, 그리고 최적제어와 모델 피팅을 결합한 강화학습 방법론에 대해서 알아본다.

9.2 최적제어

최적제어(optimal control) 문제는 여러 가지 물리적인 제약조건을 만족하면서 어떤 목적함수를 최적화하도록 동적 시스템의 제어변수를 결정하는 문제다. 목적함수는 설계자가 의도한 대로 시스템을 움직이면서 의도한 성능을 발휘할 수 있도록 상태변수와 제어변수에 관한 비용함수로 주어지는 것이 일반적이다. 비용함수를 최소화하는 것이 목적함수를 최적화하는 것이다.

최적제어 문제는 강화학습에서 다루는 문제와 유사하다. 사용하는 용어에서는 몇 가지 차이가 있다. 최적제어에서의 제어법칙을 강화학습에서는 정책이라고 하며, 제어기를 에이전트, 제어변수를 행동, 시스템의 동역학을 환경이라고 한다. 최적제어에서는 목적함수를 비용의 누적합으로 설정하고 강화학습에서는 보상의 누적합으로 설정한다. 따라서 최적제어에서는 목적함수를 최소화하려고 하며, 강화학습에서는 최대화하려고 한다. 최적제어와 강화학습의 결정적인 차이점은 정확한 시스템 동역학 모델의 유무에 있다.

노트

최적제어와 강화학습의 용어 비교

최적제어	강화학습
상태(state)	상태(state)
제어법칙(control law)	정책(policy)
제어기(controller)	에이전트(agent)
제어(control)	행동(action)
시스템(system)	환경(environment)
비용(cost)	보상(reward)

최적제어 문제를 수학식으로 표현하면 다음과 같다. 우선 시스템의 동역학 모델은 다음과 같이 상태공간 차분 방정식(state-space difference equation)으로 표현된다.

$$\mathrm{x}_{t+1}=\mathrm{f}(\mathrm{x}_t,\ \mathrm{u}_t) \tag{9.3}$$

여기서 동역학 모델은 상태변수 x_t에서 제어 또는 행동 u_t를 취했을 때 다음 상태변수 x_{t+1}로 어떻게 이동하는가를 나타내는 함수다. 위 모델은 주어진 상태변수와 행동에서 다음 상태변수를 확정적으로 표현한 것이므로 확정적 모델이다. 제어변수가 최소화해야 할 목적함수는 다음과 같이 주어진다.

$$
\begin{aligned}
J_0 &= \sum_{t=0}^{T} c(\mathrm{x}_t,\ \mathrm{u}_t) \\
&= c_T(\mathrm{x}_T) + \sum_{t=0}^{T-1} c_t(\mathrm{x}_t,\ \mathrm{u}_t)
\end{aligned}
\tag{9.4}
$$

여기서 $c(\mathrm{x}_t,\ \mathrm{u}_t)$는 비용함수로서 강화학습의 보상함수 $r(\mathrm{x}_t,\ \mathrm{u}_t)$에 대응하는 함수다. $c(\mathrm{x}_t,\ \mathrm{u}_t) = -r(\mathrm{x}_t,\ \mathrm{u}_t)$로 놓으면 두 함수는 동일하다. 최적제어에서는 보통 비용함수를 최종 상태변수에 관한 비용함수 $c_T(\mathrm{x}_T)$와 운행 비용함수 $c_t(\mathrm{x}_t,\ \mathrm{u}_t)$로 나누어 표시한다. 왜냐하면 보통 최종 상태변수에서는 제어변수를 특정하지 않기 때문이다. 반면에 종료시간 관점에서 보면 최종 시간에서도 제어변수를 특정할 수 있으므로 비용함수를 굳이 나눌 필요는 없다. 이는 별로 중요하지 않은 문제이고 상황에 따라 판단하면 될 일이므로 여기서는 편의상 비용함수를 명시적으로 나누어 표시하지는 않겠다. 최적제어 문제는 시스템의 동역학 모델을 만족하면서 목적함수를 최소화하는 제어변수의 시퀀스 $(\mathrm{u}_0,\ \mathrm{u}_1,\ \ldots,\ \mathrm{u}_T)$와 이에 따른 최적 궤적의 시퀀스 $(\mathrm{x}_0,\ \mathrm{x}_1,\ \ldots,\ \mathrm{x}_T)$를 계산하는 것이다.

이와 같은 최적제어 문제를 풀기 위해 벨만의 최적성 원리를 이용한다. 최적성 원리는 자명해 보이는 사실에 바탕을 두고 있다. 상태변수와 그 상태변수에서 내린 어떤 결정(또는 제어)들의 시퀀스가 최적이라면, 맨 첫 번째 상태변수와 결정을 해당 시퀀스에서 제거해도 나머지 시퀀스는 여전히 최적 시퀀스라는 것이다. 물론 나머지 시퀀스는 두 번째 상태변수와 결정을 초기 조건으로 하는 시퀀스다.

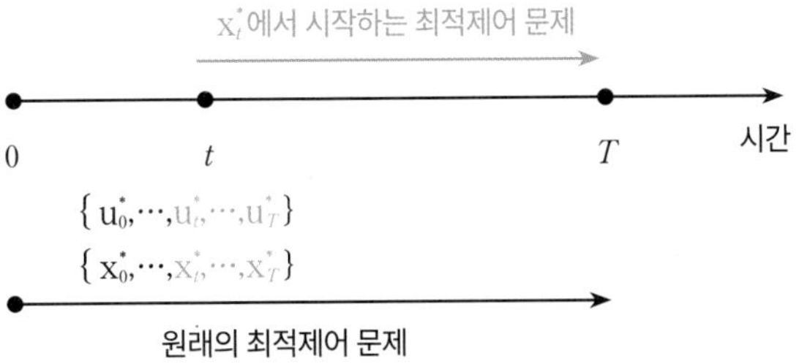

그림 9.1 최적성 원리

최적성 원리를 정리하면 다음과 같다.

> "최적 정책(optimal policy)은 이전의 결정(decision)에 관계없이, 그 이후의 결정은 이전 결정으로 초래된 상태에 대해서 최적 정책이어야 한다."

벨만의 최적성 원리를 이용한 최적화 방법을 다이내믹 프로그래밍(dynamic programming)이라고 한다. 벨만의 최적성 원리는 최종 상태에서 초기 상태로 거슬러 올라가며 최적제어 전략을 결정해야 한다는 것을 의미한다. 따라서 최적제어 문제는 역방향-시간(backward-in-time) 문제가 된다. 이제 최적성의 원리를 적용해 위 비용함수를 최소로 하는 제어 시퀀스 (u_0, u_1, ..., u_T)를 구해보자. 우선 비용함수를 시간스텝 t를 기준으로 다음과 같이 분리한다.

$$\begin{aligned} J_t &= \sum_{k=t}^{T} c(x_k, u_k) \\ &= c(x_t, u_t) + \sum_{k=t+1}^{T} c(x_k, u_k) \\ &= c(x_t, u_t) + J_{t+1} \end{aligned} \tag{9.5}$$

여기서 J_t는 시간스텝 t에서의 잔여 비용(cost-to-go)을 나타낸다. 위 식에서 현재 시간스텝 t의 비용함수가 미래 시간스텝 $t+1$의 비용함수의 관계식으로 나타나는 반복성(recurrency)을 가지고 있으며, 역방향-시간의 관점에서는 비용함수가 재귀적으로 표현됨을 알 수 있다. 위 식을 벨만 방정식이라고 한다. 이제 최적제어 u_{t+1}^*, u_{t+2}^*, ..., u_T^*를 적용해 미래 시간스텝 $t+1$부터 최종 시간스텝 T까지 최소의 비용함수를 실현했다고 가정한다. 그러면 현재 시간스텝 t의 비용함수는 다음과 같다.

$$J_t = c(\mathbf{x}_t,\ \mathbf{u}_t) + J^*_{t+1} \tag{9.6}$$

벨만의 최적성 원리에 의하면 현재 시간스텝 t에서 최종 시간스텝 T까지 최소의 비용함수를 실현하는 현재 시간스텝 t의 최적제어는 다음 식을 만족해야 한다.

$$J^*_t = \min_{\mathbf{u}_t} \left(c(\mathbf{x}_t,\ \mathbf{u}_t) + J^*_{t+1} \right) \tag{9.7}$$

위 식을 벨만 최적 방정식이라고 한다. 위 식에 의하면 시간스텝 $t+1$의 J^*_{t+1}을 알아야 시간스텝 t의 J^*_t를 계산할 수 있다. 즉, 벨만 최적 방정식에 의하면 최종 시간스텝 T에서부터 시간적으로 역방향으로 거슬러 올라가며 시간스텝마다 비용함수를 최소화하는 최적 제어변수를 계산해 나가야 한다.

9.2.1 LQR

대부분 최적제어 문제는 너무 복잡해서 수치적으로만 해를 구할 수 있다. 해석적인 해를 구할 수 있는 경우가 몇 가지 있는데, 그중 대표적인 것이 LQR(Linear Quadratic Regulator) 문제다. LQR 문제에서 동역학 모델은 다음과 같이 선형 시스템으로 주어진다.

$$\begin{aligned} \mathbf{x}_{t+1} &= \mathbf{A}_t \mathbf{x}_t + \mathbf{B}_t \mathbf{u}_t + \mathbf{f}_{ct},\ t=0,\ \dots,\ T \\ &= \mathbf{F}_t \begin{bmatrix} \mathbf{x}_t \\ \mathbf{u}_t \end{bmatrix} + \mathbf{f}_{ct} \end{aligned} \tag{9.8}$$

여기서 $\mathbf{F}_t = [\mathbf{A}_t\ \mathbf{B}_t]$다. 비용함수는 다음과 같이 2차 함수로 주어진다.

$$\begin{aligned} J_0 &= \sum_{t=0}^{T} c(\mathbf{x}_t,\ \mathbf{u}_t) \\ &= \sum_{t=0}^{T} \left(\frac{1}{2} \begin{bmatrix} \mathbf{x}_t \\ \mathbf{u}_t \end{bmatrix}^T \mathbf{C}_t \begin{bmatrix} \mathbf{x}_t \\ \mathbf{u}_t \end{bmatrix} + \begin{bmatrix} \mathbf{x}_t \\ \mathbf{u}_t \end{bmatrix}^T \mathbf{c}_t \right) \end{aligned} \tag{9.9}$$

여기서 $C_t = \begin{bmatrix} C_{xxt} & C_{uxt}^T \\ C_{uxt} & C_{uut} \end{bmatrix} > 0$와 $c_t = \begin{bmatrix} c_{xt} \\ c_{ut} \end{bmatrix}$는 상태변수와 제어변수에 가해지는 가중 행렬이라고 한다. 가중값이 클수록 해당 상태변수와 제어변수는 그 크기에 더 큰 제약이 가해진다. 표준 LQR에서는 $f_{ct}=0$, $c_t=0$이다. 표준 LQR에서 목적함수 식이 의도하는 바는 최소의 제어 크기로 상태변수를 모두 0으로 수렴시키겠다는 것이다. 이와 같은 제어기 형태를 레귤레이터(regulator)라고 한다. LQR이라는 이름에서 Linear는 시스템이 선형 시스템이라는 뜻이고, Quadratic은 비용함수가 2차함수라는 뜻이며, Regulator는 제어 목적이 상태변수를 0으로 수렴시키는 것이라는 뜻이다. $c_t \neq 0$인 경우는 LQR을 추종제어(tracking control)로 확장시킨 것으로 LQ 추종기(LQ tracker)라고도 한다.

LQR 문제를 풀기 위해 다이내믹 프로그래밍을 이용한다. 다이내믹 프로그래밍에 의하면 최종 상태에서 초기 상태로 거슬러 올라가며 최적제어 전략을 결정해야 한다. 최종 시간인 $t=T$에서는 목적함수가 다음과 같다.

$$\begin{aligned} J_T &= \frac{1}{2}\begin{bmatrix} x_T \\ u_T \end{bmatrix}^T C_T \begin{bmatrix} x_T \\ u_T \end{bmatrix} + \begin{bmatrix} x_T \\ u_T \end{bmatrix}^T c_T \\ &= \frac{1}{2}\begin{bmatrix} x_T \\ u_T \end{bmatrix}^T Q_T \begin{bmatrix} x_T \\ u_T \end{bmatrix} + \begin{bmatrix} x_T \\ u_T \end{bmatrix}^T q_T \\ &= Q(x_T,\ u_T) \end{aligned} \tag{9.10}$$

여기서 $Q_T=C_T$, $q_T=c_T$로 놓았다. 위 목적함수를 최소로 만드는 최적제어 $u_T^* = \underset{u_T}{\operatorname{argmin}} J_T$를 구하기 위해 다음과 같이 미분을 수행한다(스칼라 함수의 벡터 미분에 관한 1.12.1절 내용 참고).

$$\begin{aligned} 0 &= \frac{\partial J_T}{\partial u_T} = \frac{\partial Q(x_T,\ u_T)}{\partial u_T} \\ &= Q_{uxT} x_T + Q_{uuT} u_T + Q_{uT} \end{aligned} \tag{9.11}$$

여기서,

$$\mathrm{Q}_T=\begin{bmatrix} Q_{\mathrm{xx}T} & Q_{\mathrm{xu}T} \\ Q_{\mathrm{ux}T} & Q_{\mathrm{uu}T} \end{bmatrix},\ \mathrm{q}_T=\begin{bmatrix} Q_{\mathrm{x}T} \\ Q_{\mathrm{u}T} \end{bmatrix} \tag{9.12}$$

이다. 그러면 u_T^*는 다음과 같이 구해진다.

$$\mathrm{u}_T^*=-Q_{\mathrm{uu}T}^{-1}Q_{\mathrm{ux}T}\mathrm{x}_T-Q_{\mathrm{uu}T}^{-1}Q_{\mathrm{u}T} \tag{9.13}$$

칼만 게인(Kalman gain)을 다음과 같이 정의하면

$$\begin{aligned} \mathrm{K}_T&=-Q_{\mathrm{uu}T}^{-1}Q_{\mathrm{ux}T} \\ \mathrm{k}_T&=-Q_{\mathrm{uu}T}^{-1}Q_{\mathrm{u}T} \end{aligned} \tag{9.14}$$

$t=T$에서의 최적제어는 다음과 같이 쓸 수 있다.

$$\mathrm{u}_T^*=\mathrm{K}_T\mathrm{x}_T+\mathrm{k}_T \tag{9.15}$$

용어 설명 여기서 칼만 게인은 상태변수의 크기와 비례하는 제어입력을 산출하는 비례 제어의 이득값이다. 피드백 게인(feedback gain)이라고도 하며, LQR 게인이라고도 한다. LQR과 칼만 필터가 서로 듀얼 관계에 있기 때문에 칼만 게인이라고 한다.

식 (9.15)를 이용해 $t=T$에서의 최소 목적함수 값을 구하면 다음과 같다.

$$\begin{aligned} J_T^*&=\frac{1}{2}\begin{bmatrix} \mathrm{x}_T \\ \mathrm{K}_T\mathrm{x}_T+\mathrm{k}_T \end{bmatrix}^T \mathrm{Q}_T \begin{bmatrix} \mathrm{x}_T \\ \mathrm{K}_T\mathrm{x}_T+\mathrm{k}_T \end{bmatrix}+\begin{bmatrix} \mathrm{x}_T \\ \mathrm{K}_T\mathrm{x}_T+\mathrm{k}_T \end{bmatrix}^T \mathrm{q}_T \\ &=\frac{1}{2}\mathrm{x}_T^T\mathrm{V}_T\mathrm{x}_T+\mathrm{x}_T^T\mathrm{v}_T+const \end{aligned} \tag{9.16}$$

여기서 $const$는 상수항을 의미하고,

$$\begin{aligned} \mathrm{V}_T &= Q_{\mathrm{xx}T} + Q_{\mathrm{xu}T}\mathrm{K}_T + \mathrm{K}_T^T Q_{\mathrm{ux}T} + \mathrm{K}_T^T Q_{\mathrm{uu}T}\mathrm{K}_T \\ &= Q_{\mathrm{xx}T} - Q_{\mathrm{xu}T} Q_{\mathrm{uu}T}^{-1} Q_{\mathrm{ux}T} \\ \mathrm{v}_T &= Q_{\mathrm{x}T} + \mathrm{K}_T^T Q_{\mathrm{u}T} + Q_{\mathrm{xu}T}\mathrm{k}_T + \mathrm{K}_T^T Q_{\mathrm{uu}T}\mathrm{k}_T \\ &= Q_{\mathrm{x}T} - Q_{\mathrm{xu}T} Q_{\mathrm{uu}T}^{-1} Q_{\mathrm{u}T} \end{aligned} \tag{9.17}$$

이다. 다음으로 시간스텝 $t=T-1$에서의 목적함수는 다음과 같다.

$$\begin{aligned} J_{T-1} &= \frac{1}{2}\mathrm{x}_T^T \mathrm{V}_T \mathrm{x}_T + \mathrm{x}_T^T \mathrm{v}_T + \frac{1}{2}\begin{bmatrix}\mathrm{x}_{T-1}\\ \mathrm{u}_{T-1}\end{bmatrix}^T \mathrm{C}_{T-1}\begin{bmatrix}\mathrm{x}_{T-1}\\ \mathrm{u}_{T-1}\end{bmatrix} + \begin{bmatrix}\mathrm{x}_{T-1}\\ \mathrm{u}_{T-1}\end{bmatrix}^T \mathrm{c}_{T-1} + const \\ &= \frac{1}{2}\begin{bmatrix}\mathrm{x}_{T-1}\\ \mathrm{u}_{T-1}\end{bmatrix}^T (\mathrm{C}_{T-1} + \mathrm{F}_{T-1}^T \mathrm{V}_T \mathrm{F}_{T-1})\begin{bmatrix}\mathrm{x}_{T-1}\\ \mathrm{u}_{T-1}\end{bmatrix} \\ &\quad + \begin{bmatrix}\mathrm{x}_{T-1}\\ \mathrm{u}_{T-1}\end{bmatrix}^T (\mathrm{c}_{T-1} + \mathrm{F}_{T-1}^T \mathrm{V}_T \mathrm{f}_{\mathrm{c}T-1} + \mathrm{F}_{T-1}^T \mathrm{v}_T) + const \\ &= \frac{1}{2}\begin{bmatrix}\mathrm{x}_{T-1}\\ \mathrm{u}_{T-1}\end{bmatrix}^T \mathrm{Q}_{T-1}\begin{bmatrix}\mathrm{x}_{T-1}\\ \mathrm{u}_{T-1}\end{bmatrix} + \begin{bmatrix}\mathrm{x}_{T-1}\\ \mathrm{u}_{T-1}\end{bmatrix}^T \mathrm{q}_{T-1} + const \\ &= Q(\mathrm{x}_{T-1},\ \mathrm{u}_{T-1}) \end{aligned} \tag{9.18}$$

여기서 $const$는 상수항 자체를 의미하는 것이지, 각 줄에 있는 $const$의 값이 모두 똑같다는 뜻은 아니다. 위 식에서

$$\begin{aligned} \mathrm{Q}_{T-1} &= \mathrm{C}_{T-1} + \mathrm{F}_{T-1}^T \mathrm{V}_T \mathrm{F}_{T-1} \\ \mathrm{q}_{T-1} &= \mathrm{c}_{T-1} + \mathrm{F}_{T-1}^T \mathrm{V}_T \mathrm{f}_{\mathrm{c}T-1} + \mathrm{F}_{T-1}^T \mathrm{v}_T \end{aligned} \tag{9.19}$$

이다. 위 식은 시간스텝 $T-1$에서 상태변수 x_{T-1}일 때 행동 u_{T-1}을 선택할 때의 잔여 비용을 나타내므로 행동가치 함수 $Q(\mathrm{x}_{T-1},\ \mathrm{u}_{T-1})$이기도 하다. 위 목적함수를 최소로 만드는 최적제어 $\mathrm{u}_{T-1}^* = \underset{\mathrm{u}_{T-1}}{\operatorname{argmin}}\, Q(\mathrm{x}_{T-1},\ \mathrm{u}_{T-1})$을 구하기 위해 다음과 같이 미분을 수행한다.

$$0=\frac{\partial J_{T-1}}{\partial \mathrm{u}_{T-1}}=\frac{\partial Q(\mathrm{x}_{T-1},\ \mathrm{u}_{T-1})}{\partial \mathrm{u}_{T-1}} \tag{9.20}$$
$$=Q_{\mathrm{ux}T-1}\mathrm{x}_{T-1}+Q_{\mathrm{uu}T-1}\mathrm{u}_{T-1}+Q_{\mathrm{u}T-1}$$

여기서

$$\mathrm{Q}_{T-1}=\begin{bmatrix} Q_{\mathrm{xx}T-1} & Q_{\mathrm{xu}T-1} \\ Q_{\mathrm{ux}T-1} & Q_{\mathrm{uu}T-1} \end{bmatrix},\ \mathrm{q}_{T-1}=\begin{bmatrix} Q_{\mathrm{x}T-1} \\ Q_{\mathrm{u}T-1} \end{bmatrix} \tag{9.21}$$

이다. 그러면 u^*_{T-1}은 다음과 같이 구해진다.

$$\mathrm{u}^*_{T-1}=-Q^{-1}_{\mathrm{uu}T-1}Q_{\mathrm{ux}T-1}\mathrm{x}_{T-1}-Q^{-1}_{\mathrm{uu}T-1}Q_{\mathrm{u}T-1} \tag{9.22}$$

칼만 게인을 다음과 같이 정의하면

$$\mathrm{K}_{T-1}=-Q^{-1}_{\mathrm{uu}T-1}Q_{\mathrm{ux}T-1} \tag{9.23}$$
$$\mathrm{k}_{T-1}=-Q^{-1}_{\mathrm{uu}T-1}Q_{\mathrm{u}T-1}$$

$t=T-1$에서의 최적제어는 다음과 같이 쓸 수 있다.

$$\mathrm{u}^*_{T-1}=\mathrm{K}_{T-1}\mathrm{x}_{T-1}+\mathrm{k}_{T-1} \tag{9.24}$$

위 식을 이용해 $t=T-1$에서의 최소 목적함수 값을 구하면 다음과 같다.

$$J^*_{T-1}=\frac{1}{2}\begin{bmatrix} \mathrm{x}_{T-1} \\ \mathrm{K}_{T-1}\mathrm{x}_{T-1}+\mathrm{k}_{T-1} \end{bmatrix}^T \mathrm{Q}_{T-1}\begin{bmatrix} \mathrm{x}_{T-1} \\ \mathrm{K}_{T-1}\mathrm{x}_{T-1}+\mathrm{k}_{T-1} \end{bmatrix} \tag{9.25}$$
$$+\begin{bmatrix} \mathrm{x}_{T-1} \\ \mathrm{K}_{T-1}\mathrm{x}_{T-1}+\mathrm{k}_{T-1} \end{bmatrix}^T \mathrm{q}_{T-1}+const$$
$$=\frac{1}{2}\mathrm{x}^T_{T-1}\mathrm{V}_{T-1}\mathrm{x}_{T-1}+\mathrm{x}^T_{T-1}\mathrm{v}_{T-1}+const$$

여기서

$$\begin{aligned} \mathrm{V}_{T-1} &= Q_{\mathrm{xx}T-1} + Q_{\mathrm{xu}T-1}\mathrm{K}_{T-1} + \mathrm{K}_{T-1}^{T} Q_{\mathrm{ux}T-1} + \mathrm{K}_{T-1}^{T} Q_{\mathrm{uu}T-1}\mathrm{K}_{T-1} \\ &= Q_{\mathrm{xx}T-1} - Q_{\mathrm{xu}T-1} Q_{\mathrm{uu}T-1}^{-1} Q_{\mathrm{ux}T-1} \\ \mathrm{v}_{T-1} &= Q_{\mathrm{x}T-1} + \mathrm{K}_{T-1}^{T} Q_{\mathrm{u}T-1} + Q_{\mathrm{xu}T-1}\mathrm{k}_{T-1} + \mathrm{K}_{T-1}^{T} Q_{\mathrm{uu}T-1}\mathrm{k}_{T-1} \\ &= Q_{\mathrm{x}T-1} - Q_{\mathrm{xu}T-1} Q_{\mathrm{uu}T-1}^{-1} Q_{\mathrm{u}T-1} \end{aligned} \tag{9.26}$$

이다. 여기서 주목할 점은 $t=T-1$의 최소 비용 J_{T-1}^{*}의 식 (9.25)가 $t=T$의 최소 비용 J_T^{*}의 식 (9.16)과 똑같은 형태라는 점이다. 이것은 다음 역방향 단계인 $t=T-2$에서의 결과도 그 형태가 똑같을 것이라는 것을 말해준다. 따라서 역방향 시간스텝 $t=T,\ T-1,\ ...,\ 1,\ 0$에서의 결과는 다음과 같이 정리할 수 있다.

$$\begin{aligned} \mathrm{Q}_t &= \mathrm{C}_t + \mathrm{F}_t^{T}\mathrm{V}_{t+1}\mathrm{F}_t \\ \mathrm{q}_t &= \mathrm{c}_t + \mathrm{F}_t^{T}\mathrm{V}_{t+1}\mathrm{f}_{ct} + \mathrm{F}_t^{T}\mathrm{v}_{t+1} \end{aligned} \tag{9.27}$$

$$Q(\mathrm{x}_t,\ \mathrm{u}_t) = \frac{1}{2}\begin{bmatrix}\mathrm{x}_t \\ \mathrm{u}_t\end{bmatrix}^{T} \mathrm{Q}_t \begin{bmatrix}\mathrm{x}_t \\ \mathrm{u}_t\end{bmatrix} + \begin{bmatrix}\mathrm{x}_t \\ \mathrm{u}_t\end{bmatrix}^{T} \mathrm{q}_t + const \tag{9.28}$$

$$\begin{aligned} \mathrm{K}_t &= -Q_{\mathrm{uu}t}^{-1} Q_{\mathrm{ux}t} \\ \mathrm{k}_t &= -Q_{\mathrm{uu}t}^{-1} Q_{\mathrm{u}t} \end{aligned} \tag{9.29}$$

$$\begin{aligned} \mathrm{V}_t &= Q_{\mathrm{xx}t} + Q_{\mathrm{xu}t}\mathrm{K}_t + \mathrm{K}_t^{T} Q_{\mathrm{ux}t} + \mathrm{K}_t^{T} Q_{\mathrm{uu}t}\mathrm{K}_t \\ &= Q_{\mathrm{xx}t} - Q_{\mathrm{xu}t} Q_{\mathrm{uu}t}^{-1} Q_{\mathrm{ux}t} \\ \mathrm{v}_t &= Q_{\mathrm{x}t} + \mathrm{K}_t^{T} Q_{\mathrm{u}t} + Q_{\mathrm{xu}t}\mathrm{k}_t + \mathrm{K}_t^{T} Q_{\mathrm{uu}t}\mathrm{k}_t \\ &= Q_{\mathrm{x}t} - Q_{\mathrm{xu}t} Q_{\mathrm{uu}t}^{-1} Q_{\mathrm{u}t} \end{aligned} \tag{9.30}$$

여기서 최종 조건(final condition)은 다음과 같다.

$$Q_T = C_T, \ q_T = c_T \tag{9.31}$$

최적제어 $(u_0^*, u_1^*, \dots, u_T^*)$ 시퀀스를 구하기 위해서는 최종 시간스텝 T에서부터 초기 시간스텝 0까지 시간적으로 역방향으로 거슬러 올라가며 칼만 게인을 계산해 저장해둔 후, 다시 순방향 시간(forward-in-time)으로 계산하면 된다. LQR의 최적제어 법칙은 다음과 같이 상태변수 피드백으로 표현된다.

$$u_t^* = K_t x_t + k_t \tag{9.32}$$

최적제어를 시스템에 차례로 인가하면 최적 궤적 $(x_0^*, x_1^*, \dots, x_T^*)$ 시퀀스를 계산할 수 있다.

요약하면, LQR은 최종 시간에서부터 역방향 시간으로 칼만 게인을 계산하는 역방향 패스와 순방향 시간으로 최적제어를 시스템에 적용하여 궤적을 계산하는 순방향 패스로 구성된다.

LQR 알고리즘은 다음과 같다.

0. 시스템 동역학: $x_{t+1} = F_t \begin{bmatrix} x_t \\ u_t \end{bmatrix} + f_{ct}$

비용함수: $J_0 = \sum_{t=0}^{T} \left(\frac{1}{2} \begin{bmatrix} x_t \\ u_t \end{bmatrix}^T C_t \begin{bmatrix} x_t \\ u_t \end{bmatrix} + \begin{bmatrix} x_t \\ u_t \end{bmatrix}^T c_t \right)$

1. 역방향 패스 (칼만 게인 계산)

[1] $V_{T+1} = 0, \ v_{T+1} = 0$

[2] **for t = T : -1: 0 {**

(1) $Q_t = C_t + F_t^T V_{t+1} F_t$
$q_t = c_t + F_t^T V_{t+1} f_{ct} + F_t^T v_{t+1}$ 계산

(2) $Q_t = \begin{bmatrix} Q_{xxt} & Q_{xut} \\ Q_{uxt} & Q_{uut} \end{bmatrix}, \ q_t = \begin{bmatrix} Q_{xt} \\ Q_{ut} \end{bmatrix}$

(3) $K_t = -Q_{uut}^{-1} Q_{uxt}$
$k_t = -Q_{uut}^{-1} Q_{ut}$ 계산

(4) $V_t = Q_{xxt} + Q_{xut} K_t + K_t^T Q_{uxt} + K_t^T Q_{uut} K_t$
$= Q_{xxt} - Q_{xut} Q_{uut}^{-1} Q_{uxt}$
$v_t = Q_{xt} + K_t^T Q_{ut} + Q_{xut} k_t + K_t^T Q_{uut} k_t$ 계산
$= Q_{xt} - Q_{xut} Q_{uut}^{-1} Q_{ut}$

} end

2. 순방향 패스 (최적 궤적 계산)

[1] 초깃값 x_0

[2] `for t = 0 : T {`

(1) $u_t = K_t x_t + k_t$ 계산

(2) $x_{t+1} = F_t \begin{bmatrix} x_t \\ u_t \end{bmatrix} + f_{ct}$ 계산

`} end`

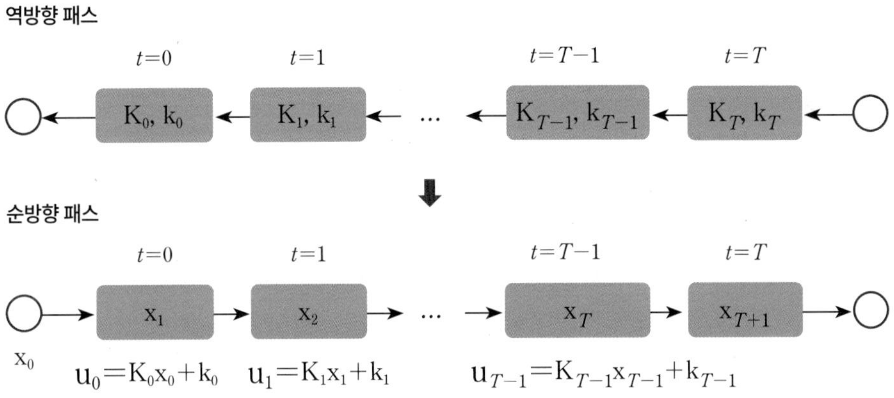

그림 9.2 LQR의 역방향/순방향 패스

9.2.2 확률적 LQR

확률적 LQR(stochastic LQR) 문제에서는 동역학 모델이 다음과 같이 선형 확률 동적 시스템으로 주어진다.

$$
\begin{aligned}
x_{t+1} &= A_t x_t + B_t u_t + f_{ct} + n_t, \ t=0, \ \dots, \ T \\
&= F_t \begin{bmatrix} x_t \\ u_t \end{bmatrix} + f_{ct} + n_t
\end{aligned} \tag{9.33}
$$

여기서 $F_t = [A_t \ B_t]$이고 A_t, B_t는 확정된 행렬이며 n_t는 프로세스 노이즈로서 평균이 0이고 공분산이 Σ_t인 가우시안 분포를 갖는 화이트 시퀀스다. 즉,

$$
p(n_t) = N(0, \ \Sigma_t), \ \mathbb{E}[n_i n_j^T] = \Sigma_i \delta_{ij} \tag{9.34}
$$

이다. 여기서 δ_{ij}는 크로넥커 델타(Kronecker delta) 함수로서 다음과 같이 정의된다.

$$\delta_{ij} = \begin{cases} 1, & i = j \\ 0, & i \neq j \end{cases} \tag{9.35}$$

프로세스 노이즈는 동역학 모델이 갖는 오차(modeling error)를 표현한 것일 수도 있고, 시스템에 가해지는 실제 외란(disturbance)이나 노이즈를 표현한 것일 수도 있다. 프로세스 노이즈가 랜덤 시퀀스이기 때문에 상태변수 x_t는 랜덤 시퀀스가 된다. 초깃값 x_0도 n_t와 독립이며 가우시안 분포를 갖는 것으로 가정한다. 즉,

$$p(\mathrm{x}_0) = N(\bar{\mathrm{x}}_0,\ \mathrm{X}_0),\ \mathbb{E}[(\mathrm{x}_0 - \bar{\mathrm{x}}_0)\mathrm{n}_t^T] = 0 \tag{9.36}$$

이다. 이와 같은 선형 확률 동적 시스템의 상태천이 확률밀도함수는 다음과 같이 전파된다.

$$p(\mathrm{x}_{t+1}|\mathrm{x}_t,\ \mathrm{u}_t) = N(\mathrm{A}_t\mathrm{x}_t + \mathrm{B}_t\mathrm{u}_t + \mathrm{f}_{ct},\ \Sigma_t) \tag{9.37}$$

확률적 시스템에서는 무작위적 특성 때문에 비용함수의 값도 랜덤 변수이므로 목적함수를 항상 최소화할 수 있는 제어 또는 행동 시퀀스를 구할 수 없다. 대신에 다음과 같이 비용함수의 기댓값을 최소로 만드는 제어 시퀀스 $(\mathrm{u}_0,\ \mathrm{u}_1,\ \ldots,\ \mathrm{u}_T)$를 구하는 것을 목적으로 한다.

$$J_0 = \mathbb{E}_{\tau \sim p(\tau)}\left[\sum_{t=0}^{T} c(\mathrm{x}_t,\ \mathrm{u}_t)\right] \tag{9.38}$$

여기서 $\tau = (\mathrm{x}_0,\ \mathrm{u}_0,\ \mathrm{x}_1,\ \mathrm{u}_1,\ \ldots,\ \mathrm{x}_T,\ \mathrm{u}_T)$는 제어 시퀀스에 의한 궤적을 타나낸다. 하지만 확률적 시스템에서는 상태변수가 랜덤 변수이므로 시간스텝 t에서의 제어는 상태변수 x_t를 조건으로 구해야 한다는 추가적인 조건이 필요하다. 즉, 확정적 시스템에서는 최적제어의 시퀀스를 구했다면 확률적 시스템에서는 현재 상태변수가 주어진 조건에서 최적정책 $\pi_t(\mathrm{u}_t|\mathrm{x}_t)$의 시퀀스 $(\pi_0,\ \pi_1,\ \ldots,\ \pi_T)$를 구하는 것이 목적이다. 유한 구간의 목적함수이므로 정책은 시변 함수다. 따라서 목적함수는 다음과 같이 시변 상태가치 함수가 된다.

$$V(\mathrm{x}_0)=\mathbb{E}_{\tau_{\mathrm{u}_0}\sim p(\tau_{\mathrm{u}_0}|\mathrm{x}_0)}\left[\sum_{t=0}^{T}c(\mathrm{x}_t,\ \mathrm{u}_t)\right] \tag{9.39}$$

즉, 새로운 목적함수인 상태가치 함수는 초기 상태변수 x_0에서 시작하여 그로부터 정책 π로 기대할 수 있는 미래 비용의 기댓값이다. 여기서 기댓값은 조건부 확률밀도함수 $p(\tau_{\mathrm{u}_0}|\mathrm{x}_0)$를 사용한다. $\tau_{\mathrm{u}_0}=(\mathrm{u}_0,\ \mathrm{x}_1,\ \mathrm{u}_1,\ \ldots,\ \mathrm{x}_T,\ \mathrm{u}_T)$는 초기 상태변수 x_0에서 시작해 그로부터 정책 π로 생성되는 궤적이다. 원래 목적함수와 상태가치 함수와의 관계는 다음과 같다.

$$J_0=\mathbb{E}_{\mathrm{x}_0\sim p(\mathrm{x}_0)}[V(\mathrm{x}_0)] \tag{9.40}$$

즉, 원래의 목적함수는 초기 상태변수 x_0에 대한 상태가치의 평균값이다. 다이내믹 프로그래밍을 적용하기 위해 상태가치 함수를 시간스텝 t를 기준으로 전개해 보자.

$$\begin{aligned}V(\mathrm{x}_t)&=\mathbb{E}_{\tau_{\mathrm{u}_t}\sim p(\tau_{\mathrm{u}_t}|\mathrm{x}_t)}\left[\sum_{k=t}^{T}c(\mathrm{x}_k,\ \mathrm{u}_k)\right]\\&=\int_{\tau_{\mathrm{u}_t}}\left(\sum_{k=t}^{T}c(\mathrm{x}_k,\ \mathrm{u}_k)\right)p(\tau_{\mathrm{u}_t}|\mathrm{x}_t)d\tau_{\mathrm{u}_t}\\&=\int_{\mathrm{u}_t}\left[\int_{\tau_{\mathrm{x}_{t+1}}}\left(\sum_{k=t}^{T}c(\mathrm{x}_k,\ \mathrm{u}_k)\right)p(\tau_{\mathrm{x}_{t+1}}|\mathrm{x}_t,\ \mathrm{u}_t)d\tau_{\mathrm{x}_{t+1}}\right]\pi(\mathrm{u}_t|\mathrm{x}_t)d\mathrm{u}_t\\&=\mathbb{E}_{\mathrm{u}_t\sim\pi(\mathrm{u}_t|\mathrm{x}_t)}[Q(\mathrm{x}_t,\ \mathrm{u}_t)]\end{aligned} \tag{9.41}$$

여기서 $\tau_{\mathrm{u}_t}=(\mathrm{u}_t,\ \mathrm{x}_{t+1},\ \mathrm{u}_{t+1},\ \ldots,\ \mathrm{x}_T,\ \mathrm{u}_T)$, $\tau_{\mathrm{x}_{t+1}}=(\mathrm{x}_{t+1},\ \mathrm{u}_{t+1},\ \ldots,\ \mathrm{x}_T,\ \mathrm{u}_T)$다. 위 식에서 대괄호 항은 어떤 상태변수 x_t에서 제어 u_t를 선택하고 그로부터 정책 π로 기대할 수 있는 미래 비용의 기댓값이므로 시변 행동가치 함수 $Q(\mathrm{x}_t,\ \mathrm{u}_t)$가 된다. 행동가치 함수 $Q(\mathrm{x}_t,\ \mathrm{u}_t)$를 한 스텝 더 전개해 본다.

$$\begin{aligned}Q(\mathrm{x}_t,\ \mathrm{u}_t)&=\int_{\tau_{\mathrm{x}_{t+1}}}c(\mathrm{x}_t,\ \mathrm{u}_t)p(\tau_{\mathrm{x}_{t+1}}|\mathrm{x}_t,\ \mathrm{u}_t)d\tau_{\mathrm{x}_{t+1}}\\&\quad+\int_{\tau_{\mathrm{x}_{t+1}}}\left(\sum_{k=t+1}^{T}c(\mathrm{x}_k,\ \mathrm{u}_k)\right)p(\tau_{\mathrm{x}_{t+1}}|\mathrm{x}_t,\ \mathrm{u}_t)d\tau_{\mathrm{x}_{t+1}}\\&=c(\mathrm{x}_t,\ \mathrm{u}_t)+Q_1\end{aligned} \tag{9.42}$$

Q_1을 정리해 보면,

$$\begin{aligned} Q_1 &= \int_{\mathrm{x}_{t+1}} \int_{\tau_{\mathrm{u}_{t+1}}} \left(\sum_{k=t+1}^{T} c(\mathrm{x}_k, \mathrm{u}_k) \right) p(\tau_{\mathrm{u}_{t+1}} | \mathrm{x}_t, \mathrm{u}_t, \mathrm{x}_{t+1}) p(\mathrm{x}_{t+1} | \mathrm{x}_t, \mathrm{u}_t) d\tau_{\mathrm{u}_{t+1}} d\mathrm{x}_{t+1} \\ &= \int_{\mathrm{x}_{t+1}} \left[\int_{\tau_{\mathrm{u}_{t+1}}} \left(\sum_{k=t+1}^{T} c(\mathrm{x}_k, \mathrm{u}_k) \right) p(\tau_{\mathrm{u}_{t+1}} | \mathrm{x}_{t+1}) d\tau_{\mathrm{u}_{t+1}} \right] p(\mathrm{x}_{t+1} | \mathrm{x}_t, \mathrm{u}_t) d\mathrm{x}_{t+1} \end{aligned} \tag{9.43}$$

이 된다. 여기서 $\tau_{\mathrm{u}_{t+1}} = (\mathrm{u}_{t+1}, \mathrm{x}_{t+2}, \ldots, \mathrm{x}_T, \mathrm{u}_T)$이다. 위 식에서 대괄호는 $V(\mathrm{x}_{t+1})$이므로

$$Q_1 = \int_{\mathrm{x}_{t+1}} V(\mathrm{x}_{t+1}) p(\mathrm{x}_{t+1} | \mathrm{x}_t, \mathrm{u}_t) d\mathrm{x}_{t+1} \tag{9.44}$$

이다. 따라서 행동가치 함수 $Q(\mathrm{x}_t, \mathrm{u}_t)$는 다음과 같이 된다.

$$\begin{aligned} Q(\mathrm{x}_t, \mathrm{u}_t) &= c(\mathrm{x}_t, \mathrm{u}_t) + \int_{\mathrm{x}_{t+1}} V(\mathrm{x}_{t+1}) p(\mathrm{x}_{t+1} | \mathrm{x}_t, \mathrm{u}_t) d\mathrm{x}_{t+1} \\ &= c(\mathrm{x}_t, \mathrm{u}_t) + \mathbb{E}_{\mathrm{x}_{t+1} \sim p(\mathrm{x}_{t+1} | \mathrm{x}_t, \mathrm{u}_t)} [V(\mathrm{x}_{t+1})] \end{aligned} \tag{9.45}$$

위 식을 상태가치 식 (9.41)에 대입하면 다음과 같다.

$$V(\mathrm{x}_t) = \mathbb{E}_{\mathrm{u}_t \sim \pi_t(\mathrm{u}_t | \mathrm{x}_t)} [c(\mathrm{x}_t, \mathrm{u}_t) + \mathbb{E}_{\mathrm{x}_{t+1} \sim p(\mathrm{x}_{t+1} | \mathrm{x}_t, \mathrm{u}_t)} [V(\mathrm{x}_{t+1})]] \tag{9.46}$$

확정적 정책 $\mathrm{u}_t = \pi(\mathrm{x}_t)$을 가정한다면 위 식은 다음과 같이 된다.

$$V(\mathrm{x}_t) = c(\mathrm{x}_t, \mathrm{u}_t) + \mathbb{E}_{\mathrm{x}_{t+1} \sim p(\mathrm{x}_{t+1} | \mathrm{x}_t, \mathrm{u}_t)} [V(\mathrm{x}_{t+1})] \tag{9.47}$$

여기서 '확정적'의 의미는 x_t에 대해서 확정된 제어 u_t가 계산된다는 뜻이다.

벨만의 최적성 원리에 의하면 현재 시간스텝 t에서 최종 시간스텝 T까지 최소의 비용함수를 실현하는 현재 시간스텝 t의 최적제어는 다음 식을 만족해야 한다.

$$V^*(\mathrm{x}_t) = \min_{\mathrm{u}_t} \left(c(\mathrm{x}_t, \mathrm{u}_t) + \mathbb{E}_{\mathrm{x}_{t+1} \sim p(\mathrm{x}_{t+1} | \mathrm{x}_t, \mathrm{u}_t)} [V^*(\mathrm{x}_{t+1})] \right) \tag{9.48}$$

확률적 LQR 문제에서는 비용함수가 다음과 같이 2차 함수로 주어진다.

$$c(\mathrm{x}_t,\ \mathrm{u}_t)=\frac{1}{2}\begin{bmatrix}\mathrm{x}_t\\ \mathrm{u}_t\end{bmatrix}^T \mathrm{C}_t\begin{bmatrix}\mathrm{x}_t\\ \mathrm{u}_t\end{bmatrix}+\begin{bmatrix}\mathrm{x}_t\\ \mathrm{u}_t\end{bmatrix}^T \mathrm{c}_t \tag{9.49}$$

확정적 LQR 문제와 마찬가지로 최종 상태에서 초기 상태로 거슬러 올라가며 최적제어 전략을 결정한다. 최종 시간인 $t=T$에서는 목적함수가 다음과 같다.

$$\begin{aligned} V(\mathrm{x}_T) &=\frac{1}{2}\begin{bmatrix}\mathrm{x}_T\\ \mathrm{u}_T\end{bmatrix}^T \mathrm{C}_T\begin{bmatrix}\mathrm{x}_T\\ \mathrm{u}_T\end{bmatrix}+\begin{bmatrix}\mathrm{x}_T\\ \mathrm{u}_T\end{bmatrix}^T \mathrm{c}_T \\ &=\frac{1}{2}\begin{bmatrix}\mathrm{x}_T\\ \mathrm{u}_T\end{bmatrix}^T \mathrm{Q}_T\begin{bmatrix}\mathrm{x}_T\\ \mathrm{u}_T\end{bmatrix}+\begin{bmatrix}\mathrm{x}_T\\ \mathrm{u}_T\end{bmatrix}^T \mathrm{q}_T \\ &=Q(\mathrm{x}_T,\ \mathrm{u}_T) \end{aligned} \tag{9.50}$$

여기서 $\mathrm{Q}_T=\mathrm{C}_T$, $\mathrm{q}_T=\mathrm{c}_T$로 놓았다. 위 목적함수를 최소로 만드는 최적제어를 구하기 위해 다음과 같이 미분을 수행한다.

$$\begin{aligned} 0 &=\frac{\partial\ V(\mathrm{x}_T)}{\partial\ \mathrm{u}_T}=\frac{\partial\ Q(\mathrm{x}_T,\ \mathrm{u}_T)}{\partial\ \mathrm{u}_T} \\ &=Q_{\mathrm{ux}T}\mathrm{x}_T+Q_{\mathrm{uu}T}\mathrm{u}_T+Q_{\mathrm{u}T} \end{aligned} \tag{9.51}$$

여기서,

$$\mathrm{Q}_T=\begin{bmatrix}Q_{\mathrm{xx}T} & Q_{\mathrm{xu}T}\\ Q_{\mathrm{ux}T} & Q_{\mathrm{uu}T}\end{bmatrix},\ \mathrm{q}_T=\begin{bmatrix}Q_{\mathrm{x}T}\\ Q_{\mathrm{u}T}\end{bmatrix} \tag{9.52}$$

이다. 그러면 u_T^*는 다음과 같이 구해진다.

$$\mathrm{u}_T^*=-Q_{\mathrm{uu}T}^{-1}Q_{\mathrm{ux}T}\mathrm{x}_T-Q_{\mathrm{uu}T}^{-1}Q_{\mathrm{u}T} \tag{9.53}$$

칼만 게인을 다음과 같이 정의하면

$$\begin{aligned} \mathrm{K}_T &= -Q_{\mathrm{uu}T}^{-1} Q_{\mathrm{ux}T} \\ \mathrm{k}_T &= -Q_{\mathrm{uu}T}^{-1} Q_{\mathrm{u}T} \end{aligned} \tag{9.54}$$

$t=T$에서의 최적제어는 다음과 같이 쓸 수 있다.

$$\mathrm{u}_T^* = \mathrm{K}_T \mathrm{x}_T + \mathrm{k}_T \tag{9.55}$$

위 식을 이용해 $t=T$에서의 최소 목적함수 값을 구하면 다음과 같다.

$$\begin{aligned} V^*(\mathrm{x}_T) &= \frac{1}{2} \begin{bmatrix} \mathrm{x}_T \\ \mathrm{K}_T \mathrm{x}_T + \mathrm{k}_T \end{bmatrix}^T \mathrm{Q}_T \begin{bmatrix} \mathrm{x}_T \\ \mathrm{K}_T \mathrm{x}_T + \mathrm{k}_T \end{bmatrix} + \begin{bmatrix} \mathrm{x}_T \\ \mathrm{K}_T \mathrm{x}_T + \mathrm{k}_T \end{bmatrix}^T \mathrm{q}_T \\ &= \frac{1}{2} \mathrm{x}_T^T \mathrm{V}_T \mathrm{x}_T + \mathrm{x}_T^T \mathrm{v}_T + const \end{aligned} \tag{9.56}$$

여기서 $const$는 상수항을 의미하고,

$$\begin{aligned} \mathrm{V}_T &= Q_{\mathrm{xx}T} + Q_{\mathrm{xu}T} \mathrm{K}_T + \mathrm{K}_T^T Q_{\mathrm{ux}T} + \mathrm{K}_T^T Q_{\mathrm{uu}T} \mathrm{K}_T \\ \mathrm{v}_T &= Q_{\mathrm{x}T} + \mathrm{K}_T^T Q_{\mathrm{u}T} + Q_{\mathrm{xu}T} \mathrm{k}_T + \mathrm{K}_T^T Q_{\mathrm{uu}T} \mathrm{k}_T \end{aligned} \tag{9.57}$$

이다. 다음으로 역방향 시간스텝 $t=T-1$에서의 목적함수는 다음과 같다.

$$\begin{aligned} V(\mathrm{x}_{T-1}) &= \frac{1}{2} \begin{bmatrix} \mathrm{x}_{T-1} \\ \mathrm{u}_{T-1} \end{bmatrix}^T \mathrm{C}_{T-1} \begin{bmatrix} \mathrm{x}_{T-1} \\ \mathrm{u}_{T-1} \end{bmatrix} + \begin{bmatrix} \mathrm{x}_{T-1} \\ \mathrm{u}_{T-1} \end{bmatrix}^T \mathrm{c}_{T-1} \\ &\quad + \mathbb{E}_{\mathrm{x}_T \sim p(\mathrm{x}_T | \mathrm{x}_{T-1}, \mathrm{u}_{T-1})} \left[\frac{1}{2} \mathrm{x}_T^T \mathrm{V}_T \mathrm{x}_T + \mathrm{x}_T^T \mathrm{v}_T + const \right] \\ &= \frac{1}{2} \begin{bmatrix} \mathrm{x}_{T-1} \\ \mathrm{u}_{T-1} \end{bmatrix}^T (\mathrm{C}_{T-1} + \mathrm{F}_{T-1}^T \mathrm{V}_T \mathrm{F}_{T-1}) \begin{bmatrix} \mathrm{x}_{T-1} \\ \mathrm{u}_{T-1} \end{bmatrix} \\ &\quad + \begin{bmatrix} \mathrm{x}_{T-1} \\ \mathrm{u}_{T-1} \end{bmatrix}^T (\mathrm{c}_{T-1} + \mathrm{F}_{T-1}^T \mathrm{V}_T \mathrm{f}_{cT-1} + \mathrm{F}_{T-1}^T \mathrm{v}_T) + const \\ &\quad + \mathbb{E}_{\mathrm{x}_T \sim p(\mathrm{x}_T | \mathrm{x}_{T-1}, \mathrm{u}_{T-1})} \left[\frac{1}{2} \mathrm{n}_{T-1}^T \mathrm{V}_T \mathrm{n}_{T-1} \right] \end{aligned} \tag{9.58}$$

여기서

$$\begin{aligned}
&\mathbb{E}_{\mathrm{x}_T \sim p(\mathrm{x}_T|\mathrm{x}_{T-1},\, \mathrm{u}_{T-1})}\left[\frac{1}{2}\mathrm{n}_{T-1}^T \mathrm{V}_T \mathrm{n}_{T-1}\right] \\
&\quad = \mathbb{E}_{\mathrm{x}_T \sim p(\mathrm{x}_T|\mathrm{x}_{T-1},\, \mathrm{u}_{T-1})}\left[\frac{1}{2} tr(\mathrm{V}_T \mathrm{n}_{T-1} \mathrm{n}_{T-1}^T)\right] \\
&\quad = \frac{1}{2} tr(\mathrm{V}_T \mathbb{E}_{\mathrm{x}_T \sim p(\mathrm{x}_T|\mathrm{x}_{T-1},\, \mathrm{u}_{T-1})}[\mathrm{n}_{T-1} \mathrm{n}_{T-1}^T]) \\
&\quad = \frac{1}{2} tr(\mathrm{V}_T \Sigma_{T-1})
\end{aligned} \tag{9.59}$$

이다. $tr(\cdot)$은 행렬의 대각합을 나타낸다.

노트

행렬의 대각합은 다음 성질을 갖는다.

$$tr(\mathrm{AB}) = tr(\mathrm{BA})$$

따라서 식 (9.59)에 의하면 또 다른 상수항을 추가한 것에 불과하므로 목적함수는 다음과 같이 된다.

$$\begin{aligned}
V(\mathrm{x}_{T-1}) &= \frac{1}{2}\begin{bmatrix}\mathrm{x}_{T-1} \\ \mathrm{u}_{T-1}\end{bmatrix}^T (\mathrm{C}_{T-1} + \mathrm{F}_{T-1}^T \mathrm{V}_T \mathrm{F}_{T-1})\begin{bmatrix}\mathrm{x}_{T-1} \\ \mathrm{u}_{T-1}\end{bmatrix} \\
&\quad + \begin{bmatrix}\mathrm{x}_{T-1} \\ \mathrm{u}_{T-1}\end{bmatrix}^T (\mathrm{c}_{T-1} + \mathrm{F}_{T-1}^T \mathrm{V}_T \mathrm{f}_{cT-1} + \mathrm{F}_{T-1}^T \mathrm{v}_T) + const \\
&= \frac{1}{2}\begin{bmatrix}\mathrm{x}_{T-1} \\ \mathrm{u}_{T-1}\end{bmatrix}^T \mathrm{Q}_{T-1} \begin{bmatrix}\mathrm{x}_{T-1} \\ \mathrm{u}_{T-1}\end{bmatrix} + \begin{bmatrix}\mathrm{x}_{T-1} \\ \mathrm{u}_{T-1}\end{bmatrix}^T \mathrm{q}_{T-1} + const \\
&= Q(\mathrm{x}_{T-1},\ \mathrm{u}_{T-1})
\end{aligned} \tag{9.60}$$

여기서

$$\begin{aligned}
\mathrm{Q}_{T-1} &= \mathrm{C}_{T-1} + \mathrm{F}_{T-1}^T \mathrm{V}_T \mathrm{F}_{T-1} \\
\mathrm{q}_{T-1} &= \mathrm{c}_{T-1} + \mathrm{F}_{T-1}^T \mathrm{V}_T \mathrm{f}_{cT-1} + \mathrm{F}_{T-1}^T \mathrm{v}_T
\end{aligned} \tag{9.61}$$

이다. 목적함수를 최소로 만드는 최적제어를 구하기 위해 다음과 같이 미분을 수행한다.

$$\begin{aligned} 0 &= \frac{\partial V(\mathrm{x}_{T-1})}{\partial \mathrm{u}_{T-1}} \\ &= Q_{\mathrm{ux}T-1}\mathrm{x}_{T-1} + Q_{\mathrm{uu}T-1}\mathrm{u}_{T-1} + Q_{\mathrm{u}T-1} \end{aligned} \tag{9.62}$$

여기서

$$\mathrm{Q}_{T-1} = \begin{bmatrix} Q_{\mathrm{xx}T-1} & Q_{\mathrm{xu}T-1} \\ Q_{\mathrm{ux}T-1} & Q_{\mathrm{uu}T-1} \end{bmatrix}, \ \mathrm{q}_{T-1} = \begin{bmatrix} Q_{\mathrm{x}T-1} \\ Q_{\mathrm{u}T-1} \end{bmatrix} \tag{9.63}$$

이다. 그러면 u^*_{T-1}은 다음과 같이 구해진다.

$$\mathrm{u}^*_{T-1} = -Q^{-1}_{\mathrm{uu}T-1} Q_{\mathrm{ux}T-1}\mathrm{x}_{T-1} - Q^{-1}_{\mathrm{uu}T-1} Q_{\mathrm{u}T-1} \tag{9.64}$$

칼만 게인을 다음과 같이 정의하면

$$\begin{aligned} \mathrm{K}_{T-1} &= -Q^{-1}_{\mathrm{uu}T-1} Q_{\mathrm{ux}T-1} \\ \mathrm{k}_{T-1} &= -Q^{-1}_{\mathrm{uu}T-1} Q_{\mathrm{u}T-1} \end{aligned} \tag{9.65}$$

$t=T-1$에서의 최적제어는 다음과 같이 쓸 수 있다.

$$\mathrm{u}^*_{T-1} = \mathrm{K}_{T-1}\mathrm{x}_{T-1} + \mathrm{k}_{T-1} \tag{9.66}$$

위 식을 이용해 $t=T-1$에서의 최소 목적함수 값을 구하면 다음과 같다.

$$\begin{aligned} V^*(\mathrm{x}_{T-1}) &= \frac{1}{2} \begin{bmatrix} \mathrm{x}_{T-1} \\ \mathrm{K}_{T-1}\mathrm{x}_{T-1} + \mathrm{k}_{T-1} \end{bmatrix}^T \mathrm{Q}_{T-1} \begin{bmatrix} \mathrm{x}_{T-1} \\ \mathrm{K}_{T-1}\mathrm{x}_{T-1} + \mathrm{k}_{T-1} \end{bmatrix} \\ &\quad + \begin{bmatrix} \mathrm{x}_{T-1} \\ \mathrm{K}_{T-1}\mathrm{x}_{T-1} + \mathrm{k}_{T-1} \end{bmatrix}^T \mathrm{q}_{T-1} + const \\ &= \frac{1}{2} \mathrm{x}^T_{T-1} \mathrm{V}_{T-1} \mathrm{x}_{T-1} + \mathrm{x}^T_{T-1} \mathrm{v}_{T-1} + const \end{aligned} \tag{9.67}$$

여기서

$$\mathrm{V}_{T-1}=Q_{\mathrm{xx}T-1}+Q_{\mathrm{xu}T-1}\mathrm{K}_{T-1}+\mathrm{K}_{T-1}^{T}Q_{\mathrm{ux}T-1}+\mathrm{K}_{T-1}^{T}Q_{\mathrm{uu}T-1}\mathrm{K}_{T-1} \tag{9.68}$$
$$\mathrm{v}_{T-1}=Q_{\mathrm{x}T-1}+\mathrm{K}_{T-1}^{T}Q_{\mathrm{u}T-1}+Q_{\mathrm{xu}T-1}\mathrm{k}_{T-1}+\mathrm{K}_{T-1}^{T}Q_{\mathrm{uu}T-1}\mathrm{k}_{T-1}$$

이다. 위 전개식을 확정적 LQR과 비교해 보면 상수항에 또 다른 상수항 $\frac{1}{2}tr(\mathrm{V}_T\Sigma_{T-1})$만 추가됐고, 다른 항은 모두 동일하다는 것을 알 수 있다. 결론적으로, 확률적 LQR 업데이트 식은 프로세스 노이즈의 공분산 Σ_t와 초기 상태변수의 공분산 X_0와는 무관하며, 확정적 LQR 식과 동일하다는 것을 알 수 있다.

9.2.3 가우시안 LQR

가우시안 LQR은 확률적 LQR의 확정적 정책을 다음과 같이 가우시안 확률밀도함수를 갖는 확률적 정책으로 확장시킨 것이다.

$$\pi(\mathrm{u}_t|\mathrm{x}_t)=N(\mathrm{x}_t|\mu_t,\ \mathrm{S}_t) \tag{9.69}$$

확률적 정책에서는 무작위성이 도입되므로 동일한 x_t에 대해서 다른 제어 u_t가 선택될 수 있다. 가우시안 LQR에서는 다음과 같은 목적함수를 사용한다.

$$J_0=\mathbb{E}_{\tau\sim p(\tau)}\left[\sum_{t=0}^{T}(c(\mathrm{x}_t,\ \mathrm{u}_t)+\log\pi(\mathrm{u}_t|\mathrm{x}_t))\right] \tag{9.70}$$

위 식에서 $\log\pi(\mathrm{u}_t|\mathrm{x}_t)$의 부호가 SAC의 목적함수와 반대임에 주의해야 한다. 이는 SAC의 목적함수는 최대화해야 하는 반면 가우시안 LQR의 목적함수는 최소화해야 하는 차이에서 기인한다. 식 (9.70)을 전개해 보면,

$$\begin{aligned}J_0&=\mathbb{E}_{\tau\sim p(\tau)}\left[\sum_{t=0}^{T}c(\mathrm{x}_t,\ \mathrm{u}_t)\right]+\sum_{t=0}^{T}\mathbb{E}_{\mathrm{x}_t\sim p(\mathrm{x}_t),\,\mathrm{u}_t\sim\pi_t(\mathrm{u}_t|\mathrm{x}_t)}[\log\pi(\mathrm{u}_t|\mathrm{x}_t)]\\&=\mathbb{E}_{\tau\sim p(\tau)}\left[\sum_{t=0}^{T}c(\mathrm{x}_t,\ \mathrm{u}_t)\right]-\sum_{t=0}^{T}\mathbb{E}_{\mathrm{x}_t\sim p(\mathrm{x}_t)}[\mathcal{H}(\pi(\mathrm{u}_t|\mathrm{x}_t))]\end{aligned} \tag{9.71}$$

가 되어서 확률적 LQR의 목적함수에 한계확률밀도함수 $p(\mathrm{x}_t)$에 대한 정책의 엔트로피 기댓값을 도입했음을 알 수 있다. 여기서 $\mathcal{H}(\pi(\mathrm{u}_t|\mathrm{x}_t))$는 확률적 정책의 엔트로피로서 다음과 같이 주어진다.

$$\mathcal{H}(\pi(\mathrm{u}_t|\mathrm{x}_t))=-\int \pi(\mathrm{u}_t|\mathrm{x}_t)\log\pi(\mathrm{u}_t|\mathrm{x}_t)d\mathrm{u}_t \tag{9.72}$$

기존 목적함수에 확률적 정책의 엔트로피를 추가함으로써 가우시안 LQR 제어기는 비용을 최소화함과 동시에 확률적 정책의 무작위성을 최대화하는 특징을 갖는다.

확률적 시스템에서는 상태변수가 랜덤 변수이므로 시간스텝 t에서의 제어는 상태변수 x_t를 기반으로 구해야 한다는 추가 조건이 필요하므로, 목적함수를 다음과 같이 초기 상태변수 x_0에 대한 조건부 함수로 바꾼다.

$$V(\mathrm{x}_0)=\mathbb{E}_{\tau_{\mathrm{u}_0}\sim p(\tau_{\mathrm{u}_0}|\mathrm{x}_0)}\left[\sum_{t=0}^{T}(c(\mathrm{x}_t,\ \mathrm{u}_t)+\log\pi(\mathrm{u}_t|\mathrm{x}_t))\right] \tag{9.73}$$

여기서 기댓값은 조건부 확률밀도함수 $p(\tau_{\mathrm{u}_0}|\mathrm{x}_0)$를 사용한다. 위 새로운 목적함수는 상태가치 함수에 엔트로피를 추가한 것이므로 소프트 상태가치 함수(soft state-value function)라고 부른다. 원래 목적함수와 소프트 상태가치 함수와의 관계는 다음과 같다.

$$J_0=\mathbb{E}_{\mathrm{x}_0\sim p(\mathrm{x}_0)}[V(\mathrm{x}_0)] \tag{9.74}$$

다이내믹 프로그래밍을 적용하기 위해 소프트 상태가치 함수를 시간스텝 t를 기준으로 전개해 보자.

$$\begin{aligned} V(\mathrm{x}_t) &= \mathbb{E}_{\tau_{\mathrm{u}_t} \sim p(\tau_{\mathrm{u}_t}|\mathrm{x}_t)}\left[\sum_{k=t}^{T}(c(\mathrm{x}_k, \mathrm{u}_k) + \log\pi(\mathrm{u}_k|\mathrm{x}_k))\right] \\ &= \mathbb{E}_{\tau_{\mathrm{u}_t} \sim p(\tau_{\mathrm{u}_t}|\mathrm{x}_t)}\left[\log\pi(\mathrm{u}_t|\mathrm{x}_t) + \sum_{k=t}^{T}(c(\mathrm{x}_k, \mathrm{u}_k) + \log\pi(\mathrm{u}_{k+1}|\mathrm{x}_{k+1}))\right] \\ &= \int_{\tau_{\mathrm{u}_t}} \log\pi(\mathrm{u}_t|\mathrm{x}_t) p(\tau_{\mathrm{u}_t}|\mathrm{x}_t) d\tau_{\mathrm{u}_t} \\ &\qquad + \int_{\tau_{\mathrm{u}_t}} \left(\sum_{k=t}^{T}(c(\mathrm{x}_k, \mathrm{u}_k) + \log\pi(\mathrm{u}_{k+1}|\mathrm{x}_{k+1}))\right) p(\tau_{\mathrm{u}_t}|\mathrm{x}_t) d\tau_{\mathrm{u}_t} \\ &= \int_{\mathrm{u}_t}\int_{\tau_{\mathrm{x}_{t+1}}} \log\pi(\mathrm{u}_t|\mathrm{x}_t) p(\tau_{\mathrm{x}_{t+1}}|\mathrm{x}_t, \mathrm{u}_t)\pi(\mathrm{u}_t|\mathrm{x}_t) d\tau_{\mathrm{x}_{t+1}} d\mathrm{u}_t \\ &\qquad + \int_{\mathrm{u}_t}\left[\int_{\tau_{\mathrm{x}_{t+1}}} \left(\sum_{k=t}^{T}(c(\mathrm{x}_k, \mathrm{u}_k) + \log\pi(\mathrm{u}_{k+1}|\mathrm{x}_{k+1}))\right) p(\tau_{\mathrm{x}_{t+1}}|\mathrm{x}_t, \mathrm{u}_t) d\tau_{\mathrm{u}_{t+1}}\right]\pi(\mathrm{u}_t|\mathrm{x}_t) d\mathrm{u}_t \\ &= \mathbb{E}_{\mathrm{u}_t \sim \pi(\mathrm{u}_t|\mathrm{x}_t)}[\log\pi(\mathrm{u}_t|\mathrm{x}_t) + Q(\mathrm{x}_t, \mathrm{u}_t)] \end{aligned} \tag{9.75}$$

여기서 $\tau_{\mathrm{u}_t} = (\mathrm{u}_t, \mathrm{x}_{t+1}, \mathrm{u}_{t+1}, \dots, \mathrm{x}_T, \mathrm{u}_T)$, $\tau_{\mathrm{x}_{t+1}} = (\mathrm{x}_{t+1}, \mathrm{u}_{t+1}, \dots, \mathrm{x}_T, \mathrm{u}_T)$다. 정리하면,

$$V(\mathrm{x}_t) = \mathbb{E}_{\mathrm{u}_t \sim \pi(\mathrm{u}_t|\mathrm{x}_t)}[\log\pi(\mathrm{u}_t|\mathrm{x}_t) + Q(\mathrm{x}_t, \mathrm{u}_t)] \tag{9.76}$$

이다. 함수 $Q(\mathrm{x}_t, \mathrm{u}_t)$를 소프트 행동가치 함수라고 한다. 소프트 행동가치 함수 $Q(\mathrm{x}_t, \mathrm{u}_t)$를 더 전개해 본다.

$$\begin{aligned} Q(\mathrm{x}_t, \mathrm{u}_t) &= \int_{\tau_{\mathrm{x}_{t+1}}} \left(c(\mathrm{x}_t, \mathrm{u}_t) + \sum_{k=t+1}^{T}(c(\mathrm{x}_k, \mathrm{u}_k) + \log\pi(\mathrm{u}_k|\mathrm{x}_k))\right) p(\tau_{\mathrm{x}_{t+1}}|\mathrm{x}_t, \mathrm{u}_t) d\tau_{\mathrm{x}_{t+1}} \\ &= c(\mathrm{x}_t, \mathrm{u}_t) + \int_{\tau_{\mathrm{x}_{t+1}}} \left(\sum_{k=t+1}^{T}(c(\mathrm{x}_k, \mathrm{u}_k) + \log\pi(\mathrm{u}_k|\mathrm{x}_k))\right) p(\tau_{\mathrm{x}_{t+1}}|\mathrm{x}_t, \mathrm{u}_t) d\tau_{\mathrm{x}_{t+1}} \\ &= c(\mathrm{x}_t, \mathrm{u}_t) + Q_1 \end{aligned} \tag{9.77}$$

Q_1을 정리해 보면,

$$\begin{aligned} Q_1 &= \int_{\mathrm{x}_{t+1}}\int_{\tau_{\mathrm{u}_{t+1}}} \left(\sum_{k=t+1}^{T}(c(\mathrm{x}_k, \mathrm{u}_k) + \log\pi(\mathrm{u}_k|\mathrm{x}_k))\right) p(\tau_{\mathrm{u}_{t+1}}|\mathrm{x}_t, \mathrm{u}_t, \mathrm{x}_{t+1}) p(\mathrm{x}_{t+1}|\mathrm{x}_t, \mathrm{u}_t) d\tau_{\mathrm{u}_{t+1}} d\mathrm{x}_{t+1} \\ &= \int_{\mathrm{x}_{t+1}}\left[\int_{\tau_{\mathrm{u}_{t+1}}} \left(\sum_{k=t+1}^{T}(c(\mathrm{x}_k, \mathrm{u}_k) + \log\pi(\mathrm{u}_k|\mathrm{x}_k))\right) p(\tau_{\mathrm{u}_{t+1}}|\mathrm{x}_{t+1}) d\tau_{\mathrm{u}_{t+1}}\right] p(\mathrm{x}_{t+1}|\mathrm{x}_t, \mathrm{u}_t) d\mathrm{x}_{t+1} \end{aligned} \tag{9.78}$$

이 된다. 여기서 $\tau_{u_{t+1}}=(u_{t+1}, x_{t+2}, ..., x_T, u_T)$다. 위 식에서 대괄호는 $V(x_{t+1})$이므로

$$Q_1=\int_{x_{t+1}} V(x_{t+1})p(x_{t+1}|x_t, u_t)dx_{t+1} \tag{9.79}$$

이다. 따라서 소프트 행동가치 함수 $Q(x_t, u_t)$는 다음과 같이 된다.

$$\begin{aligned} Q(x_t, u_t) &= c(x_t, u_t)+\int_{x_{t+1}} V(x_{t+1})p(x_{t+1}|x_t, u_t)dx_{t+1} \\ &= c(x_t, u_t)+\mathbb{E}_{x_{t+1}\sim p(x_{t+1}|x_t, u_t)}[V(x_{t+1})] \end{aligned} \tag{9.80}$$

위 식을 소프트 상태가치 식 (9.75)에 대입하면 다음과 같다.

$$V(x_t)=\mathbb{E}_{u_t\sim\pi(u_t|x_t)}[\log\pi(u_t|x_t)+c(x_t, u_t)+\mathbb{E}_{x_{t+1}\sim p(x_{t+1}|x_t, u_t)}[V(x_{t+1})]] \tag{9.81}$$

벨만의 최적성 원리에 의하면 현재 시간스텝 t에서 최종 시간스텝 T까지 최소의 비용함수를 실현하는 현재 시간스텝 t의 최적제어는 다음 식을 만족해야 한다.

$$V^*(x_t)=\min_{\pi}\mathbb{E}_{u_t\sim\pi(u_t|x_t)}[\log\pi(u_t|x_t)+c(x_t, u_t)+\mathbb{E}_{x_{t+1}\sim p(x_{t+1}|x_t, u_t)}[V^*(x_{t+1})]] \tag{9.82}$$

최종 시간인 $t=T$에서는 소프트 상태가치 함수는 다음과 같다.

$$\begin{aligned} V(x_T) &= \mathbb{E}_{u_T\sim p(u_T|x_T)}\left[\log\pi(u_T|x_T)+\frac{1}{2}\begin{bmatrix} x_T \\ u_T \end{bmatrix}^T C_T \begin{bmatrix} x_T \\ u_T \end{bmatrix}+\begin{bmatrix} x_T \\ u_T \end{bmatrix}^T c_T\right] \\ &= \mathbb{E}_{u_T\sim p(u_T|x_T)}\left[\log\pi(u_T|x_T)+\frac{1}{2}\begin{bmatrix} x_T \\ u_T \end{bmatrix}^T Q_T \begin{bmatrix} x_T \\ u_T \end{bmatrix}+\begin{bmatrix} x_T \\ u_T \end{bmatrix}^T q_T\right] \\ &= \mathbb{E}_{u_T\sim p(u_T|x_T)}[\log\pi(u_T|x_T)+Q(x_T, u_T)] \end{aligned} \tag{9.83}$$

여기서 $Q_T=C_T$, $q_T=c_T$로 놓았다. 최적정책을 가우시안 확률밀도함수로 가정했으므로 소프트 상태가치 함수는 다음과 같이 전개된다.

$$V(\mathrm{x}_T)=\mathbb{E}_{\mathrm{u}_T\sim\pi(\mathrm{u}_T|\mathrm{x}_T)}\left[\begin{array}{l}-\frac{m}{2}\log(2\pi)-\frac{1}{2}\log(\det \mathrm{S}_T)\\ -\frac{1}{2}(\mathrm{u}_T-\mu_T)^T\mathrm{S}_T^{-1}(\mathrm{u}_T-\mu_T)\\ +\frac{1}{2}\mathrm{x}_T^TQ_{\mathrm{xx}T}\mathrm{x}_T+\mathrm{x}_T^TQ_{\mathrm{xu}T}\mathrm{u}_T+\frac{1}{2}\mathrm{u}_T^TQ_{\mathrm{uu}T}\mathrm{u}_T\\ +\mathrm{x}_T^TQ_{\mathrm{x}T}+\mathrm{u}_T^TQ_{\mathrm{u}T}\end{array}\right] \tag{9.84}$$

$$\begin{aligned}&=-\frac{m}{2}\log(2\pi)-\frac{1}{2}\log(\det \mathrm{S}_T)-\frac{1}{2}tr(\mathrm{I})\\ &\quad+\frac{1}{2}\mathrm{x}_T^TQ_{\mathrm{xx}T}\mathrm{x}_T+\mathrm{x}_T^TQ_{\mathrm{xu}T}\mu_T\\ &\quad+\frac{1}{2}\mu_T^TQ_{\mathrm{uu}T}\mu_T+\frac{1}{2}tr(Q_{\mathrm{uu}T}\mathrm{S}_T)\\ &\quad+\mathrm{x}_T^TQ_{\mathrm{x}T}+\mu_T^TQ_{\mathrm{u}T}\end{aligned}$$

여기서 m은 u_T의 차원이고 I는 단위행렬이며,

$$Q_T=\begin{bmatrix}Q_{\mathrm{xx}T} & Q_{\mathrm{xu}T}\\ Q_{\mathrm{ux}T} & Q_{\mathrm{uu}T}\end{bmatrix},\ \mathrm{q}_T=\begin{bmatrix}Q_{\mathrm{x}T}\\ Q_{\mathrm{u}T}\end{bmatrix} \tag{9.85}$$

이다.

노트

식 (9.83)에서 $\pi(\mathrm{u}_T|\mathrm{x}_T)=N(\mathrm{u}_T|\mu_T,\ \mathrm{S}_T)$이므로 다음과 같이 전개된다.

$$\begin{aligned}\log\pi(\mathrm{u}_T|\mathrm{x}_T)&=\log N(\mathrm{u}_T|\mu_T,\ \mathrm{S}_T)\\ &=\log\frac{1}{\sqrt{(2\pi)^m\det \mathrm{S}_T}}\exp\left\{-\frac{1}{2}(\mathrm{u}_T-\mu_T)^T\mathrm{S}_T^{-1}(\mathrm{u}_T-\mu_T)\right\}\\ &=-\frac{m}{2}\log(2\pi)-\frac{1}{2}\log(\det \mathrm{S}_T)-\frac{1}{2}(\mathrm{u}_T-\mu_T)^T\mathrm{S}_T^{-1}(\mathrm{u}_T-\mu_T)\end{aligned}$$

한편, 식 (9.84)의 두 번째 줄에 있는 항은 다음과 같이 전개된다(1.4절의 식 (1.89) 참고).

$$
\begin{aligned}
&\mathbb{E}_{\mathrm{u}_T \sim \pi(\mathrm{u}_T|\mathrm{x}_T)}\left[-\frac{1}{2}(\mathrm{u}_T-\mu_T)^T \mathrm{S}_T^{-1}(\mathrm{u}_T-\mu_T)\right] \\
&\quad =\mathbb{E}_{\mathrm{u}_T \sim \pi(\mathrm{u}_T|\mathrm{x}_T)}\left[tr\left(-\frac{1}{2}(\mathrm{u}_T-\mu_T)^T \mathrm{S}_T^{-1}(\mathrm{u}_T-\mu_T)\right)\right] \\
&\quad =\mathbb{E}_{\mathrm{u}_T \sim \pi(\mathrm{u}_T|\mathrm{x}_T)}\left[tr\left(-\frac{1}{2}\mathrm{S}_T^{-1}(\mathrm{u}_T-\mu_T)(\mathrm{u}_T-\mu_T)^T\right)\right] \\
&\quad =tr\left(-\frac{1}{2}\mathrm{S}_T^{-1}\mathbb{E}_{\mathrm{u}_T \sim \pi(\mathrm{u}_T|\mathrm{x}_T)}[(\mathrm{u}_T-\mu_T)(\mathrm{u}_T-\mu_T)^T]\right) \\
&\quad =tr\left(-\frac{1}{2}\mathrm{S}_T^{-1}\mathrm{S}_T\right) \\
&\quad =-\frac{1}{2}tr(\mathrm{I})
\end{aligned}
$$

또한 식 (9.84)의 세 번째 줄에 있는 항은 다음과 같이 전개된다.

$$
\begin{aligned}
&\mathbb{E}_{\mathrm{u}_T \sim \pi(\mathrm{u}_T|\mathrm{x}_T)}\left[\frac{1}{2}\mathrm{u}_T^T Q_{\mathrm{uu}T}\mathrm{u}_T\right] \\
&\quad =\mathbb{E}_{\mathrm{u}_T \sim \pi(\mathrm{u}_T|\mathrm{x}_T)}\left[tr\left(\frac{1}{2}\mathrm{u}_T^T Q_{\mathrm{uu}T}\mathrm{u}_T\right)\right] \\
&\quad =tr\left(\frac{1}{2}Q_{\mathrm{uu}T}\mathbb{E}_{\mathrm{u}_T \sim \pi(\mathrm{u}_T|\mathrm{x}_T)}[\mathrm{u}_T\mathrm{u}_T^T]\right) \\
&\quad =tr\left(\frac{1}{2}Q_{\mathrm{uu}T}\mathbb{E}_{\mathrm{u}_T \sim \pi(\mathrm{u}_T|\mathrm{x}_T)}[(\mathrm{u}_T-\mu_T)(\mathrm{u}_T-\mu_T)^T+\mathrm{u}_T\mu_T^T+\mu_T\mathrm{u}^T-\mu_T\mu_T^T]\right) \\
&\quad =tr\left(\frac{1}{2}Q_{\mathrm{uu}T}[\mathrm{S}_T+\mu_T\mu_T^T]\right) \\
&\quad =\frac{1}{2}\mu_T^T Q_{\mathrm{uu}T}\mu_T+tr\left(\frac{1}{2}Q_{\mathrm{uu}T}\mathrm{S}_T\right)
\end{aligned}
$$

소프트 상태가치 함수를 최소로 만드는 최적 정책은 다음과 같이 가우시안 분포의 평균과 공분산에 대해서 각각 미분하여 계산할 수 있다.

$$
\frac{\partial V(\mathrm{x}_T)}{\partial \mu_T}=Q_{\mathrm{uu}T}\mu_T+Q_{\mathrm{ux}T}\mathrm{x}_T+Q_{\mathrm{u}T}=0 \tag{9.86}
$$

$$
\frac{\partial V(\mathrm{x}_T)}{\partial \mathrm{S}_T}=-\frac{1}{2}\mathrm{S}_T^{-1}+\frac{1}{2}Q_{\mathrm{uu}T}=0
$$

그러면 μ_T^*와 S_T^*는 각각 다음과 같이 구해진다.

$$\mu_T^* = -Q_{uuT}^{-1} Q_{uxT} x_T - Q_{uuT}^{-1} Q_{uT} \qquad (9.87)$$
$$S_T^* = Q_{uuT}^{-1}$$

칼만 게인을 다음과 같이 정의하면

$$K_T = -Q_{uuT}^{-1} Q_{uxT} \qquad (9.88)$$
$$k_T = -Q_{uuT}^{-1} Q_{uT}$$

$t=T$에서의 최적 가우시안 LQR의 평균 제어는 다음과 같이 쓸 수 있다.

$$\mu_T^* = K_T x_T + k_T \qquad (9.89)$$

위 식을 이용해 $t=T$에서의 최소 소프트 상태가치 값을 구하면 다음과 같다.

$$\begin{aligned} V^*(x_T) &= \frac{1}{2} x_T^T Q_{xxT} x_T + x_T^T Q_{xuT} K_T x_T + x_T^T Q_{xuT} k_T \\ &\quad + \frac{1}{2} x_T^T K_T^T Q_{uuT} K_T x_T + x_T^T K_T^T Q_{uuT} k_T \\ &\quad + x_T^T Q_{xT} + x_T^T K_T^T Q_{uT} + const \\ &= \frac{1}{2} x_T^T V_T x_T + x_T^T v_T + const \end{aligned} \qquad (9.90)$$

여기서

$$V_T = Q_{xxT} + Q_{xuT} K_T + K_T^T Q_{uxT} + K_T^T Q_{uuT} K_T \qquad (9.91)$$
$$v_T = Q_{xT} + K_T^T Q_{uT} + Q_{xuT} k_T + K_T^T Q_{uuT} k_T$$

이다. 다음으로 시간의 다음 역방향 단계인 $t=T-1$에서는 소프트 상태가치 함수가 다음과 같다.

$$
\begin{aligned}
V(\mathrm{x}_{T-1}) &= \mathbb{E}_{\mathrm{u}_{T-1} \sim \pi(\mathrm{x}_{T-1}|\mathrm{x}_{T-1})} \left[\begin{array}{l} \log\pi(\mathrm{u}_{T-1}|\mathrm{x}_{T-1}) + \\ + \frac{1}{2} \begin{bmatrix} \mathrm{x}_{T-1} \\ \mathrm{u}_{T-1} \end{bmatrix}^T \mathrm{C}_{T-1} \begin{bmatrix} \mathrm{x}_{T-1} \\ \mathrm{u}_{T-1} \end{bmatrix} + \begin{bmatrix} \mathrm{x}_{T-1} \\ \mathrm{u}_{T-1} \end{bmatrix}^T \mathrm{c}_T \\ + \frac{1}{2} \mathrm{x}_T^T \mathrm{V}_T \mathrm{x}_T + \mathrm{x}_T^T \mathrm{v}_T + const \end{array} \right] \\
&= \mathbb{E}_{\mathrm{u}_{T-1} \sim \pi(\mathrm{x}_{T-1}|\mathrm{x}_{T-1})} \left[\begin{array}{l} \log\pi(\mathrm{u}_{T-1}|\mathrm{x}_{T-1}) + \\ + \frac{1}{2} \begin{bmatrix} \mathrm{x}_{T-1} \\ \mathrm{u}_{T-1} \end{bmatrix}^T \mathrm{Q}_{T-1} \begin{bmatrix} \mathrm{x}_{T-1} \\ \mathrm{u}_{T-1} \end{bmatrix} + \begin{bmatrix} \mathrm{x}_{T-1} \\ \mathrm{u}_{T-1} \end{bmatrix}^T \mathrm{q}_{T-1} + const \end{array} \right] \\
&= \mathbb{E}_{\mathrm{u}_{T-1} \sim \pi(\mathrm{x}_{T-1}|\mathrm{x}_{T-1})} \left[\log\pi(\mathrm{u}_{T-1}|\mathrm{x}_{T-1}) + Q(\mathrm{x}_{T-1}, \mathrm{u}_{T-1}) \right]
\end{aligned} \tag{9.92}
$$

여기서

$$
\begin{aligned}
\mathrm{Q}_{T-1} &= \mathrm{C}_{T-1} + \mathrm{F}_{T-1}^T \mathrm{V}_T \mathrm{F}_{T-1} \\
\mathrm{q}_{T-1} &= \mathrm{c}_{T-1} + \mathrm{F}_{T-1}^T \mathrm{V}_T \mathrm{f}_{\mathrm{c}T-1} + \mathrm{F}_{T-1}^T \mathrm{v}_T
\end{aligned} \tag{9.93}
$$

이다. 최적정책이 가우시안 확률밀도함수이므로 소프트 상태가치 함수는 다음과 같이 전개된다.

$$
\begin{aligned}
V(\mathrm{x}_{T-1}) &= \mathbb{E}_{u_{T-1} \sim \pi(\mathrm{u}_T|\mathrm{x}_T)} \left[\begin{array}{l} -\frac{1}{2} \log(\det \mathrm{S}_{T-1}) - \frac{1}{2} (\mathrm{u}_{T-1} - \mu_{T-1})^T \mathrm{S}_T^{-1} (\mathrm{u}_{T-1} - \mu_{T-1}) \\ + \frac{1}{2} \mathrm{x}_{T-1}^T Q_{\mathrm{xx}T-1} \mathrm{x}_{T-1} + \mathrm{x}_{T-1}^T Q_{\mathrm{xu}T-1} \mathrm{u}_{T-1} + \frac{1}{2} \mathrm{u}_{T-1}^T Q_{\mathrm{uu}T-1} \mathrm{u}_{T-1} \\ + \mathrm{x}_{T-1}^T Q_{\mathrm{x}T-1} + \mathrm{u}_{T-1}^T Q_{\mathrm{u}T-1} + const \end{array} \right] \\
&= -\frac{1}{2} \log(\det \mathrm{S}_{T-1}) - \frac{1}{2} tr(\mathrm{I}) + \frac{1}{2} \mathrm{x}_{T-1}^T Q_{\mathrm{xx}T-1} \mathrm{x}_{T-1} + \mathrm{x}_{T-1}^T Q_{\mathrm{xu}T-1} \mu_{T-1} \\
&\quad + \frac{1}{2} \mu_{T-1}^T Q_{\mathrm{uu}T-1} \mu_{T-1} + \frac{1}{2} tr(Q_{\mathrm{uu}T-1} \mathrm{S}_{T-1}) \\
&\quad + \mathrm{x}_{T-1}^T Q_{\mathrm{x}T-1} + \mu_{T-1}^T Q_{\mathrm{u}T-1} + const
\end{aligned} \tag{9.94}
$$

여기서

$$Q_{T-1}=\begin{bmatrix} Q_{\mathrm{xx}T-1} & Q_{\mathrm{xu}T-1} \\ Q_{\mathrm{ux}T-1} & Q_{\mathrm{uu}T-1} \end{bmatrix},\ \mathrm{q}_{T-1}=\begin{bmatrix} Q_{\mathrm{x}T-1} \\ Q_{\mathrm{u}T-1} \end{bmatrix} \tag{9.95}$$

이다. 소프트 상태가치 함수를 최소로 만드는 최적 정책은 다음과 같이 가우시안 분포의 평균과 공분산에 대해서 각각 미분하여 계산할 수 있다.

$$\begin{aligned} \frac{\partial V(\mathrm{x}_{T-1})}{\partial \mu_{T-1}} &= Q_{\mathrm{uu}T-1}\mu_{T-1}+Q_{\mathrm{ux}T-1}\mathrm{x}_{T-1}+Q_{\mathrm{u}T-1}=0 \\ \frac{\partial V(\mathrm{x}_{T-1})}{\partial \mathrm{S}_{T-1}} &= -\frac{1}{2}\mathrm{S}_{T-1}^{-1}+\frac{1}{2}Q_{\mathrm{uu}T-1}=0 \end{aligned} \tag{9.96}$$

그러면 μ^*_{T-1}와 S^*_{T-1}는 각각 다음과 같이 구해진다.

$$\begin{aligned} \mu^*_{T-1} &= -Q_{\mathrm{uu}T-1}^{-1}Q_{\mathrm{ux}T-1}\mathrm{x}_{T-1}-Q_{\mathrm{uu}T-1}^{-1}Q_{\mathrm{u}T-1} \\ \mathrm{S}^*_{T-1} &= Q_{\mathrm{uu}T-1}^{-1} \end{aligned} \tag{9.97}$$

칼만 게인을 다음과 같이 정의하면

$$\begin{aligned} \mathrm{K}_{T-1} &= -Q_{\mathrm{uu}T-1}^{-1}Q_{\mathrm{ux}T-1} \\ \mathrm{k}_{T-1} &= -Q_{\mathrm{uu}T-1}^{-1}Q_{\mathrm{u}T-1} \end{aligned} \tag{9.98}$$

$t=T-1$에서의 최적 가우시안 LQR의 평균 제어는 다음과 같이 쓸 수 있다.

$$\mu^*_{T-1}=\mathrm{K}_{T-1}\mathrm{x}_{T-1}+\mathrm{k}_{T-1} \tag{9.99}$$

위 식을 이용해 $t=T-1$에서의 최소 소프트 상태가치 값을 구하면 다음과 같다.

$$\begin{aligned} V^*(\mathrm{x}_{T-1}) &= \frac{1}{2}\mathrm{x}_{T-1}^T Q_{\mathrm{xx}T-1}\mathrm{x}_{T-1} + \mathrm{x}_{T-1}^T Q_{\mathrm{xu}T-1}\mathrm{K}_{T-1}\mathrm{x}_{T-1} + \mathrm{x}_{T-1}^T Q_{\mathrm{xu}T-1}\mathrm{k}_{T-1} \\ &\quad + \frac{1}{2}\mathrm{x}_{T-1}^T\mathrm{K}_{T-1}^T Q_{\mathrm{uu}T-1}\mathrm{K}_{T-1}\mathrm{x}_{T-1} + \mathrm{x}_{T-1}^T\mathrm{K}_{T-1}^T Q_{\mathrm{uu}T-1}\mathrm{k}_{T-1} \\ &\quad + \mathrm{x}_{T-1}^T Q_{\mathrm{x}T-1} + \mathrm{x}_{T-1}^T\mathrm{K}_{T-1}^T Q_{\mathrm{u}T-1} + const \\ &= \frac{1}{2}\mathrm{x}_{T-1}^T\mathrm{V}_{T-1}\mathrm{x}_{T-1} + \mathrm{x}_{T-1}^T\mathrm{v}_{T-1} + const \end{aligned} \tag{9.100}$$

여기서

$$\begin{aligned} \mathrm{V}_{T-1} &= Q_{\mathrm{xx}T-1} + Q_{\mathrm{xu}T-1}\mathrm{K}_{T-1} + \mathrm{K}_{T-1}^T Q_{\mathrm{ux}T-1} + \mathrm{K}_{T-1}^T Q_{\mathrm{uu}T-1}\mathrm{K}_{T-1} \\ \mathrm{v}_{T-1} &= Q_{\mathrm{x}T-1} + \mathrm{K}_{T-1}^T Q_{\mathrm{u}T-1} + Q_{\mathrm{xu}T-1}\mathrm{k}_{T-1} + \mathrm{K}_{T-1}^T Q_{\mathrm{uu}T-1}\mathrm{k}_{T-1} \end{aligned} \tag{9.101}$$

이다. 위 전개식을 확정적 LQR과 비교해 보면 가우시안 정책이 산출하는 평균은 확정적 LQR의 제어값과 동일하고, 공분산은 $\mathrm{S}_t = Q_{\mathrm{uu}t}^{-1}$임을 알 수 있다. 결론적으로 가우시안 LQR의 확률적 정책은 다음과 같다.

$$\pi(\mathrm{u}_t|\mathrm{x}_t) = N(\mathrm{K}_t\mathrm{x}_t + \mathrm{k}_t,\ Q_{\mathrm{uu}t}^{-1}) \tag{9.102}$$

9.2.4 반복적 LQR

반복적 LQR(iterative LQR) 또는 iLQR은 비선형 시스템에 LQR을 적용한 것이다. LQR은 선형 시스템과 2차 함수로 된 비용함수에만 적용할 수 있다. iLQR은 현재의 궤적을 기준으로 비선형 시스템을 1차 시스템으로 근사하고 비용함수를 2차 함수로 근사한 후에 LQR을 적용하는 방법이다. 새롭게 산출된 궤적을 기준으로 또 다시 비선형 시스템을 다시 1차 시스템으로 근사하고 비용함수를 2차 함수로 근사한 후에 LQR을 적용하는 작업을 궤적이 수렴할 때까지 반복한다.

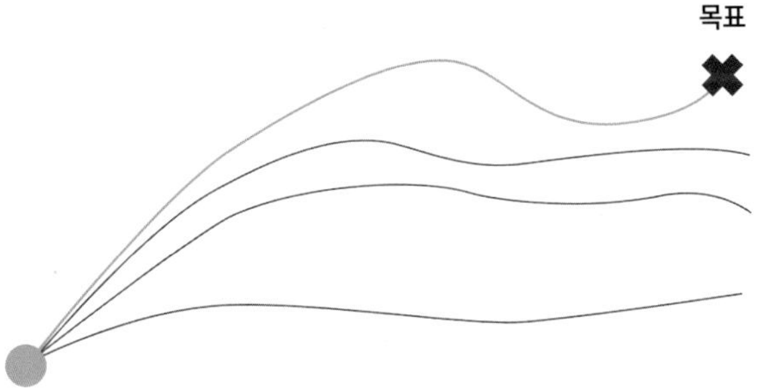

그림 9.3 반복적 LQR의 아이디어

다음과 같은 비선형 이산시간 시스템을 생각해 보자.

$$x_{t+1} = f(x_t,\ u_t) \tag{9.103}$$

그리고 다음과 같은 목적함수를 가정한다.

$$J_0 = \sum_{t=0}^{T} c(x_t,\ u_t) \tag{9.104}$$

이제 테일러 시리즈(Taylor series)를 이용해 명목(nominal) 궤적 $(\hat{x}_t,\ \hat{u}_t)$를 기준으로 비선형 시스템을 선형화해 보자.

$$\begin{aligned} x_{t+1} &= f(x_t,\ u_t) \\ &\approx f(\hat{x}_t,\ \hat{u}_t) + f_{xt}(x_t - \hat{x}_t) + f_{ut}(u_t - \hat{u}_t) \\ &= f_{xt}x_t + f_{ut}u_t + f(\hat{x}_t,\ \hat{u}_t) - f_{xt}\hat{x}_t - f_{ut}\hat{u}_t \\ &= f_{xt}x_t + f_{ut}u_t + f_{ct} \end{aligned} \tag{9.105}$$

여기서 $f_{xt} = \nabla_{x_t} f(\hat{x}_t,\ \hat{u}_t)$, $f_{ut} = \nabla_{u_t} f(\hat{x}_t,\ \hat{u}_t)$, $f_{ct} = f(\hat{x}_t,\ \hat{u}_t) - f_{xt}\hat{x}_t - f_{ut}\hat{u}_t$다. 비용함수도 2차함수로 근사해 보자.

$$J_0 \approx \sum_{t=0}^{T}\left(c_t(\hat{\mathrm{x}}_t,\ \hat{\mathrm{u}}_t)+\mathrm{b}_t^T\begin{bmatrix}\mathrm{x}_t-\hat{\mathrm{x}}_t\\ \mathrm{u}_t-\hat{\mathrm{u}}_t\end{bmatrix}+\frac{1}{2}\begin{bmatrix}\mathrm{x}_t-\hat{\mathrm{x}}_t\\ \mathrm{u}_t-\hat{\mathrm{u}}_t\end{bmatrix}^T \mathrm{C}_t\begin{bmatrix}\mathrm{x}_t-\hat{\mathrm{x}}_t\\ \mathrm{u}_t-\hat{\mathrm{u}}_t\end{bmatrix}\right) \tag{9.106}$$

$$=\sum_{t=0}^{T}\left(\begin{bmatrix}\mathrm{x}_t\\ \mathrm{u}_t\end{bmatrix}^T\mathrm{b}_t+\frac{1}{2}\begin{bmatrix}\mathrm{x}_t\\ \mathrm{u}_t\end{bmatrix}^T\mathrm{C}_t\begin{bmatrix}\mathrm{x}_t\\ \mathrm{u}_t\end{bmatrix}-\begin{bmatrix}\mathrm{x}_t\\ \mathrm{u}_t\end{bmatrix}^T\mathrm{C}_t\begin{bmatrix}\hat{\mathrm{x}}_t\\ \hat{\mathrm{u}}_t\end{bmatrix}\right)$$

$$+\sum_{t=0}^{T}\left(c_t(\hat{\mathrm{x}}_t,\ \hat{\mathrm{u}}_t)+\frac{1}{2}\begin{bmatrix}\hat{\mathrm{x}}_t\\ \hat{\mathrm{u}}_t\end{bmatrix}^T\mathrm{C}_t\begin{bmatrix}\hat{\mathrm{x}}_t\\ \hat{\mathrm{u}}_t\end{bmatrix}-\begin{bmatrix}\hat{\mathrm{x}}_t\\ \hat{\mathrm{u}}_t\end{bmatrix}^T\mathrm{b}_t\right)$$

$$=\sum_{t=0}^{T}\left(\frac{1}{2}\begin{bmatrix}\mathrm{x}_t\\ \mathrm{u}_t\end{bmatrix}^T\mathrm{C}_t\begin{bmatrix}\mathrm{x}_t\\ \mathrm{u}_t\end{bmatrix}+\begin{bmatrix}\mathrm{x}_t\\ \mathrm{u}_t\end{bmatrix}^T\mathrm{c}_t+\mathrm{d}_t\right)$$

여기서

$$\mathrm{C}_t=\nabla^2_{\mathrm{x}_t,\mathrm{u}_t}c_t(\hat{\mathrm{x}}_t,\ \hat{\mathrm{u}}_t),\ \mathrm{b}_t=\nabla_{\mathrm{x}_t,\mathrm{u}_t}c_t(\hat{\mathrm{x}}_t,\ \hat{\mathrm{u}}_t) \tag{9.107}$$

$$\mathrm{c}_t=\mathrm{b}_t-\mathrm{C}_t\begin{bmatrix}\hat{\mathrm{x}}_t\\ \hat{\mathrm{u}}_t\end{bmatrix},$$

$$\mathrm{d}_t=c_t(\hat{\mathrm{x}}_t,\ \hat{\mathrm{u}}_t)+\frac{1}{2}\begin{bmatrix}\hat{\mathrm{x}}_t\\ \hat{\mathrm{u}}_t\end{bmatrix}^T\mathrm{C}_t\begin{bmatrix}\hat{\mathrm{x}}_t\\ \hat{\mathrm{u}}_t\end{bmatrix}-\begin{bmatrix}\hat{\mathrm{x}}_t\\ \hat{\mathrm{u}}_t\end{bmatrix}^T\mathrm{b}_t$$

$$=c_t(\hat{\mathrm{x}}_t,\ \hat{\mathrm{u}}_t)-\frac{1}{2}\begin{bmatrix}\hat{\mathrm{x}}_t\\ \hat{\mathrm{u}}_t\end{bmatrix}^T\mathrm{C}_t\begin{bmatrix}\hat{\mathrm{x}}_t\\ \hat{\mathrm{u}}_t\end{bmatrix}-\begin{bmatrix}\hat{\mathrm{x}}_t\\ \hat{\mathrm{u}}_t\end{bmatrix}^T\mathrm{c}_t$$

이다. d_t는 상수항으로서 2차함수로 근사된 목적함수의 최적화에 영향을 미치지 않는다.

용어 설명 비선형 시스템을 테일러 시리즈를 이용해 선형화할 때 기준이 되는 궤적을 명목궤적이라고 한다. 실제 궤적은 명목궤적과 큰 차이가 나지 않는 주변에 있다고 가정해 실제 궤적 x_t를 명목궤적 $\overline{\mathrm{x}}_t$와 섭동(perturbation) $\triangle\mathrm{x}_t$의 합으로 표현한다. 즉, 비선형 동적 시스템을 $\mathrm{y}_t=\mathrm{h}(\mathrm{x}_t)$라고 할 때 명목궤적 $\overline{\mathrm{x}}_t$를 기준으로 전개하면 다음과 같다.

$$\mathrm{y}_t=\mathrm{h}(\mathrm{x}_t)=\mathrm{h}(\overline{\mathrm{x}}_t+\triangle\mathrm{x}_t)$$

$$=\mathrm{h}(\overline{\mathrm{x}}_t)+\left.\frac{d\mathrm{h}}{d\mathrm{x}}\right|_{\mathrm{x}_t=\overline{\mathrm{x}}_t}\triangle\mathrm{x}_t+H.O.T.$$

$$\approx\mathrm{h}(\overline{\mathrm{x}}_t)+\left.\frac{d\mathrm{h}}{d\mathrm{x}}\right|_{\mathrm{x}_t=\overline{\mathrm{x}}_t}\triangle\mathrm{x}_t$$

여기서 $H.O.T.$는 $\triangle\mathrm{x}_t$의 고차항을 나타내며, $\triangle\mathrm{x}_t$가 작다고 가정하고 무시한다. 또한 $\left.\frac{d\mathrm{h}}{d\mathrm{x}}\right|_{\mathrm{x}_t=\overline{\mathrm{x}}_t}=\nabla_{\mathrm{x}_t}\mathrm{h}(\overline{\mathrm{x}}_t)$를 자코비안(Jacobian) 행렬이라고 한다.

이제 선형화된 시스템과 2차 함수로 근사된 목적함수에 LQR 알고리즘을 적용할 수 있다. LQR의 역방향 패스를 적용하면 칼만 게인 시퀀스 $(K_0, K_1, \ldots, K_T)$와 $(k_0, k_1, \ldots, k_T)$를 계산할 수 있다. 그런 다음, 제어입력

$$u_t = K_t x_t + k_t \tag{9.108}$$

를 이용해 순방향 패스를 계산하면 새로운 최적제어 $(u_0, u_1, \ldots, u_T)$와 상태 시퀀스 $(x_0, x_1, \ldots, x_T)$를 얻을 수 있다. 그리고 명목 제어 시퀀스와 상태 시퀀스를 다음과 같이 업데이트한 후, 위 과정을 수렴할 때까지 반복하면 된다.

$$\begin{aligned}(\hat{u}_0, \hat{u}_1, \ldots, \hat{u}_T) &\leftarrow (u_0, u_1, \ldots, u_T)\\ (\hat{x}_0, \hat{x}_1, \ldots, \hat{x}_T) &\leftarrow (x_0, x_1, \ldots, x_T)\end{aligned} \tag{9.109}$$

iLQR 알고리즘은 다음과 같다.

1. 초기 상태 x_0에 대해서 명목 제어 $(\hat{u}_0, \hat{u}_1, \ldots, \hat{u}_T)$와 명목 상태 $(\hat{x}_0, \hat{x}_1, \ldots, \hat{x}_T)$ 초기화
2. **Repeat {**

   [1] $\hat{J}_0 = \sum_{t=0}^{T} c(\hat{x}_t, \hat{u}_t)$ 계산

   [2] $f_{xt} = \nabla_{x_t} f(\hat{x}_t, \hat{u}_t)$, $f_{ut} = \nabla_{u_t} f(\hat{x}_t, \hat{u}_t)$, $f_{ct} = f(\hat{x}_t, \hat{u}_t) - f_{xt}\hat{x}_t - f_{ut}\hat{u}_t$ 계산

   [3] $C_t = \nabla^2_{x_t, u_t} c_t(\hat{x}_t, \hat{u}_t)$, $b_t = \nabla_{x_t, u_t} c_t(\hat{x}_t, \hat{u}_t)$ 계산

   [4] $c_t = b_t - C_t \begin{bmatrix} \hat{x}_t \\ \hat{u}_t \end{bmatrix}$ 계산

   [5] LQR 역방향 패스

   [6] LQR 순방향 패스

   for t = 0 : T {

   (1) $u_t = K_t x_t + k_t$ 계산

   (2) $x_{t+1} = f(x_t, u_t)$ 계산

   } end

[7] 명목 궤적과 제어 업데이트

$$(\hat{u}_0,\ \hat{u}_1,\ \dots,\ \hat{u}_T) \leftarrow (u_0,\ u_1,\ \dots,\ u_T)$$
$$(\hat{x}_0,\ \hat{x}_1,\ \dots,\ \hat{x}_T) \leftarrow (x_0,\ x_1,\ \dots,\ x_T)$$

[8] 목적함수를 계산한다.

$$J_0 = \sum_{t=0}^{T} c_t(x_t,\ u_t)$$

} 수렴할 때($|\hat{J}_0 - J_0| \le \epsilon$)까지 반복

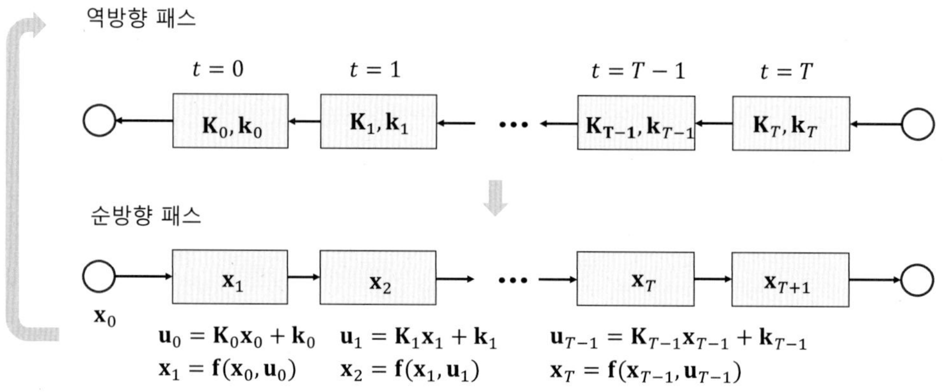

그림 9.4 반복적 LQR

동역학 모델이 다음과 같이 비선형 확률적 시스템인 경우에도

$$x_{t+1} = f(x_t,\ u_t) + n_t,\ t=0,\ \dots,\ T \tag{9.110}$$

동일한 방법을 사용해 명목궤적에서 다음과 같이 선형화가 가능하다.

$$x_{t+1} \approx f_{xt}x_t + f_{ut}u_t + f_{ct} + n_t \tag{9.111}$$

목적함수도 마찬가지로 동일한 방법을 사용해 2차함수로의 근사가 가능하므로 비선형 확률 동적 시스템인 경우에도 iLQR 알고리즘을 적용할 수 있다.

9.3 모델 학습 방법

모델 기반 강화학습에서는 에이전트가 환경과 상호작용하면서 얻은 샘플로 시스템의 동역학 모델을 지도학습(supervised learning)한다. 이와 관련해 여러 가지 방법이 있는데, 가장 간단한 알고리즘은 다음과 같다.

1. 랜덤 정책이나 기본 정책을 실행해 상태천이 데이터세트 $D=\{(\mathbf{x}_t, \mathbf{u}_t, \mathbf{x}_{t+1})_i\}$를 수집한다.
2. $\mathbf{x}_{t+1} \approx \mathbf{f}(\mathbf{x}_t, \mathbf{u}_t)$가 되도록 함수 $\mathbf{f}(\mathbf{x}_t, \mathbf{u}_t)$를 학습한다.
3. 동역학 모델을 이용해 정책을 계산한다.

이 방법은 시스템의 동역학 구조는 알지만 일부 파라미터값이 불확실한 경우에 매우 유용한 방법으로서, 전통적인 제어 분야에서 사용하는 모델 식별 기법과 유사하다. 하지만 데이터를 수집하는 데 사용한 정책과 추정된 모델을 이용해 계산한 정책이 다르므로 동역학 모델이 모든 상태공간에서 정확하지 않을 수 있다. 모델 식별 기법에서도 모든 상태공간에서 상태변수를 충분히 여기(excitation)할 수 있는 특별한 정책을 필요로 한다.

이 책에서 사용할 모델 학습 방법은 다음과 같다.

1. 랜덤 정책이나 기본 정책을 실행해 상태천이 데이터세트 $D=\{(\mathbf{x}_t, \mathbf{u}_t, \mathbf{x}_{t+1})_i\}$를 수집한다.
2. $\mathbf{x}_{t+1} \approx \mathbf{f}(\mathbf{x}_t, \mathbf{u}_t)$가 되도록 함수 $\mathbf{f}(\mathbf{x}_t, \mathbf{u}_t)$를 학습한다.
3. 동역학 모델을 이용해 정책을 계산한다.
4. 계산된 정책을 실행해 새로운 궤적을 발생시키고 상태천이 데이터세트 D에 추가한다.
5. 2번으로 돌아가 절차를 반복한다.

이 방법에서는 계산한 정책으로 발생시킨 데이터세트를 이용해 동역학 모델을 업데이트한다. 업데이트된 모델로 다시 정책을 계산하고 이 정책으로 다시 모델을 업데이트하는 절차를 계속 반복하게 된다.

시스템의 동역학 모델로서 위의 알고리즘에서 제시된 바와 같이 정형적인 방정식

$$x_{t+1} \approx f(x_t,\ u_t) \tag{9.112}$$

를 사용할 수도 있지만, 가우시안 프로세스, 가우시안 혼합 모델(GMM), 신경망과 같은 일반적인 모델로도 표현할 수 있다.

시스템의 동역학 모델로서 글로벌 모델과 로컬 모델을 고려할 수 있다. 글로벌 모델은 모든 상태공간에서 작동하는 단일 모델을 뜻한다. 글로벌 모델은 상태공간 전체에서 연속성을 갖고 있다는 장점이 있다. 하지만 원래 시스템의 운동이 매우 복잡하다면 전체 상태공간에서 매우 복잡한 운동 모델을 고려해야 하고, 이 모델을 학습하기 위해서는 많은 데이터가 필요할 것이다. 학습 데이터가 불충분한 상태공간에서는 학습된 모델에 오류가 있을 것이고 이는 곧 제어법칙의 오류로 이어져 학습 과정이 매우 불안정해질 수 있다. 또한 시스템 자체가 한 개의 모델만 가지고 표현할 수 없는 경우도 있을 수 있다. 경우에 따라서는 직접 정책을 학습하는 것보다 동역학 모델을 학습하는 과정이 더 어려울 수도 있다. 글로벌 모델은 보통 가우시안 프로세스나 신경망 등으로 모델링한다. 글로벌 모델을 가우시안 프로세스로 모델링하면 적은 데이터세트로도 학습이 가능하지만, 데이터세트가 많을 경우에는 학습 속도가 저하되는 단점이 있다. 신경망을 이용한 모델링은 가장 보편적인 기법이다. 많은 수의 데이터세트를 효율적으로 다룰 수 있고 복잡한 동역학을 묘사할 수 있다. 하지만 데이터세트가 적을 경우에는 적절하지 않은 방법이다. 이 밖에 가우시안 혼합 모델 등이 사용된다.

로컬 모델은 상태공간의 일부에서만 작동하는 모델이다. iLQR 알고리즘에서 봤듯이 iLQR은 전체 상태공간에서 작동하는 모델이 필요한 것이 아니라, 명목 궤적 근처에서만 정확한 모델이면 충분하다. 로컬 모델은 단순하기 때문에 적은 수의 데이터세트만으로도 피팅(또는 추정)하기가 쉽다는 장점이 있는 반면, 로컬 모델을 기반으로 계산한 정책이 업데이트되면 해당 모델이 부정확해진다는 단점이 있다. 로컬 모델은 이름 그대로 명목 궤적 근처에서만 국지적으로 유효하기 때문이다. 이 문제를 해결할 수 있는 대책이 있다면 로컬 모델은 모델 기반 강화학습 기법을 실제 문제에 적용하는 데 있어서 매우 유용한 수단이 될 수 있다.

10장

로컬 모델 기반 강화학습

10.1 배경

이전 장에서 살펴본 반복적 LQR(iLQR, iterative LQR)은 시스템의 동역학 모델을 명목 궤적(nominal trajectory)에서 선형화하고 LQR을 적용하는 반복적인 과정을 통해 목적함수를 최소화하는 최적제어를 계산했다. 그렇다면 시스템의 동역학 모델을 모른다면 어떻게 해야 할까? 앞선 논의에서 피팅(fitting)된 로컬 모델과 LQR을 결합하면 매우 강력한 모델 기반 강화학습 기법이 될 수 있음을 알았다.

이 장에서는 시스템의 동역학 모델이 주어지지 않은 조건에서도 LQR을 적용해 최적정책을 학습하는 방법을 알아본다. 이 과정에서 제기되는 로컬 정책 설계에 관련한 문제점 및 해결책과 로컬 모델 피팅 방법 등에 대해서도 알아본다.

10.2 로컬 모델 피팅 기반 LQR

모델 피팅 방법과 LQR을 결합하는 강화학습 알고리즘은 다음과 같은 단계로 구성할 수 있다.

1. 로컬 제어법칙(LQR)을 실행해 N개의 샘플 궤적을 생성한다.
2. 샘플을 수집해 시간스텝마다 로컬 동역학 모델을 피팅한다.
3. 로컬 동역학 모델을 이용해 로컬 제어 법칙을 업데이트한다.
4. 1번으로 돌아가 반복한다.

이와 같은 모델 기반 강화학습 기법은 iLQR과 매우 유사함을 알 수 있다. 차이점은 iLQR은 동역학 모델을 알고 있기 때문에 시뮬레이션을 이용해 궤적을 계산(planning)하고 강화학습에서는 정책을 직접 실행해 궤적을 생성한다는 데 있다. 다음 절에서는 모델 피팅 기반 LQR 알고리즘을 단계별로 자세하게 설명한다.

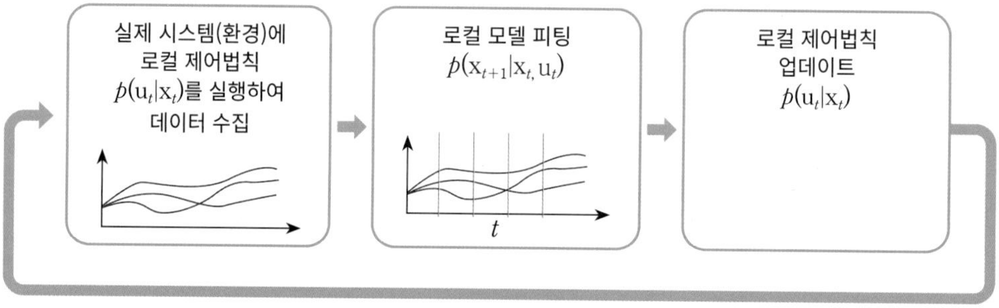

그림 10.1 로컬 모델 피팅 기반 LQR 프로세스

10.3 로컬 모델 피팅

수학적인 동역학 모델을 이용해 계산되는 정책을 제어 법칙이라고 한다. 동역학 모델을 이용해 계산된다는 점에서 강화학습에서 사용되는 정책과 구별된다. 그리고 특정 명목 궤적 근방에서 선형화한 모델을 로컬 동역학 모델이라고 한다. 로컬 동역학 모델은 상태공간의 일부에서만 작동하는 모델이다. 또한 로컬 동역학 모델을 이용해 계산하는 정책을 로컬 제어 법칙이라고 부른다. 여기서는 로컬 제어 법칙의 표기에 대해 강화학습에서 사용하는 정책의 표기인 $\pi(u_t|x_t)$와 구별해 $p(u_t|x_t)$를 사용하기로 한다.

로컬 모델에 로컬 제어법칙인 LQR을 적용하기 위해서는 우선 로컬 동역학 모델을 추정 또는 피팅하는 단계가 필요하다.

로컬 모델은 다음과 같은 가우시안 확률밀도함수로 주어지는 글로벌 모델 $p(\mathbf{x}_{t+1}|\mathbf{x}_t, \mathbf{u}_t) = N(\mathbf{f}(\mathbf{x}_t, \mathbf{u}_t), \Sigma_t)$를 명목 궤적에서 선형화한 것으로서 다음과 같다.

$$p(\mathbf{x}_{t+1}|\mathbf{x}_t, \mathbf{u}_t) \approx N(\mathbf{f}_{xt}\mathbf{x}_t + \mathbf{f}_{ut}\mathbf{u}_t + \mathbf{f}_{ct}, \Sigma_t) \tag{10.1}$$

또는 확률 차분방정식을 이용해 상태변수의 전파식으로 표현하면 다음과 같다.

$$\begin{aligned} \mathbf{x}_{t+1} &\approx \mathbf{f}_{xt}\mathbf{x}_t + \mathbf{f}_{ut}, \mathbf{u}_t + \mathbf{f}_{ct} + \mathbf{n}_t \\ &= \mathbf{f}_{xut}\begin{bmatrix} \mathbf{x}_t \\ \mathbf{u}_t \end{bmatrix} + \mathbf{f}_{ct} + \mathbf{n}_t \end{aligned} \tag{10.2}$$

여기서 프로세스 노이즈 $\mathbf{n}_t$는 평균이 0이고 공분산이 Σ_t인 가우시안 분포를 갖는 화이트 노이즈다.

10.3.1 조건부 가우시안 방법

로컬 동역학 모델은 1.4절에서 설명한 조건부 가우시안 방법을 이용해 학습할 수 있다. 조건부 가우시안 방법은 두 랜덤벡터가 결합 가우시안 분포를 가지면 그중 한 랜덤벡터를 조건으로 하는 다른 랜덤벡터의 조건부 확률밀도함수도 가우시안이라는 사실을 이용하는 방법이다. 조건부 가우시안 방법은 결과적으로 선형 회귀(linear regression) 방법과 동일한 결과를 산출한다.

랜덤벡터 $\mathbf{xu} = \begin{bmatrix} \mathbf{x} \\ \mathbf{u} \end{bmatrix}$와 $\mathbf{x}'$으로 이루어진 랜덤벡터 $\mathbf{z} = \begin{bmatrix} \mathbf{xu} \\ \mathbf{x}' \end{bmatrix}$의 확률밀도함수가 다음과 같이 결합 가우시안 분포로 주어졌다고 가정하자.

$$p(\mathbf{xu}, \mathbf{x}') = p(\mathbf{z}) = N(\mathbf{z}|\mu_z, P_{zz}) \tag{10.3}$$

여기서,

$$\mu_{\mathrm{z}} = \begin{bmatrix} \mu_{\mathrm{xu}} \\ \mu_{\mathrm{x'}} \end{bmatrix}, \ P_{\mathrm{zz}} = \begin{bmatrix} P_{\mathrm{xuxu}} & P_{\mathrm{xux'}} \\ P_{\mathrm{x'xu}} & P_{\mathrm{x'x'}} \end{bmatrix}$$

이다. 그러면 xu와 x′도 각각 가우시안 랜덤벡터가 된다. 즉,

$$p(\mathrm{xu}) = N(\mathrm{xu}|\mu_{\mathrm{xu}}, P_{\mathrm{xuxu}}), \ \ p(\mathrm{x'}) = N(\mathrm{x'}|\mu_{\mathrm{x'}}, P_{\mathrm{x'x'}}) \tag{10.4}$$

이다. 또한 랜덤벡터 xu를 조건으로 하는 랜덤벡터 x′의 조건부 확률밀도함수도 다음과 같이 가우시안으로 주어진다.

$$p(\mathrm{x'}|\mathrm{xu}) = N(\mathrm{x'}|\overline{\mu}, \overline{P}) \tag{10.5}$$

여기서

$$\begin{aligned} \overline{\mu} &= \mu_{\mathrm{x'}} + P_{\mathrm{x'xu}} P_{\mathrm{xuxu}}^{-1} (\mathrm{xu} - \mu_{\mathrm{xu}}) \\ \overline{P} &= P_{\mathrm{x'x'}} - P_{\mathrm{x'xu}} P_{\mathrm{xuxu}}^{-1} P_{\mathrm{xux'}} \end{aligned}$$

이다. 한편, 확률 차분방정식 (10.2)에 의해 x_{t+1}의 평균과 공분산은 다음과 같이 전파된다.

$$\begin{aligned} \mu_{\mathrm{x}_{t+1}} &= \mathrm{f}_{\mathrm{xu}t} \begin{bmatrix} \mu_{\mathrm{x}t} \\ \mu_{\mathrm{u}t} \end{bmatrix} + \mathrm{f}_{\mathrm{c}t} \\ P_{\mathrm{x}_{t+1}\mathrm{x}_{t+1}} &= \mathrm{f}_{\mathrm{xu}t} P_{\mathrm{xuxu}t} \mathrm{f}_{\mathrm{xu}t}^{T} + \Sigma_t \end{aligned} \tag{10.6}$$

이제, $\mathrm{xu} = \begin{bmatrix} \mathrm{x}_t \\ \mathrm{u}_t \end{bmatrix}$, $\mathrm{x'} = \mathrm{x}_{t+1}$로 놓고 위 식과 $p(\mathrm{x}_{t+1}|\mathrm{x}_t, \mathrm{u}_t) = N(\mathrm{f}_{\mathrm{x}t}\mathrm{x}_t + \mathrm{f}_{\mathrm{u}t}\mathrm{u}_t + \mathrm{f}_{\mathrm{c}t}, \Sigma_t)$을 비교하면 다음과 같다.

$$\begin{aligned}\overline{\mu} &= \mathrm{f}_{\mathrm{xu}t}\begin{bmatrix}\mathrm{x}_t \\ \mathrm{u}_t\end{bmatrix} + \mathrm{f}_{ct} \\ &= \mathrm{f}_{\mathrm{xu}t}\begin{bmatrix}\mu_{\mathrm{x}t} \\ \mu_{\mathrm{u}t}\end{bmatrix} + \mathrm{f}_{ct} + P_{\mathrm{x}_{t+1}\mathrm{xu}t}P_{\mathrm{xuxu}t}^{-1}\left(\begin{bmatrix}\mathrm{x}_t \\ \mathrm{u}_t\end{bmatrix} - \begin{bmatrix}\mu_{\mathrm{x}t} \\ \mu_{\mathrm{u}t}\end{bmatrix}\right)\end{aligned} \tag{10.7}$$

$$\begin{aligned}\overline{P} &= \Sigma_t \\ &= \mathrm{f}_{\mathrm{xu}t}P_{\mathrm{xuxu}t}\mathrm{f}_{\mathrm{xu}t}^T + \Sigma_t - P_{\mathrm{x}_{t+1}\mathrm{xu}t}P_{\mathrm{xuxu}t}^{-1}P_{\mathrm{xu}t\mathrm{x}_{t+1}}\end{aligned} \tag{10.8}$$

따라서

$$\mathrm{f}_{\mathrm{xu}t} = P_{\mathrm{x}_{t+1}\mathrm{xu}t}P_{\mathrm{xuxu}t}^{-1} \tag{10.9}$$

임을 알 수 있다.

조건부 가우시안 방법을 이용해 로컬 동역학 모델을 학습하기 위해서는 우선 로컬 제어 법칙 $p(\mathrm{u}_t|\mathrm{x}_t)$를 실행해 N개의 궤적 τ를 발생시키고, 시간스텝별로 상태천이 데이터 $\mathrm{z}_j = [\mathrm{x}_t; \mathrm{u}_t; \mathrm{x}_{t+1}]_{j=1,\cdots,N}$을 모으면 된다. 그리고 이 샘플로부터 z의 평균과 공분산을 계산한다.

$$\mu_{\mathrm{z}} = \begin{bmatrix}\mu_{\mathrm{xu}t} \\ \mu_{\mathrm{x}_{t+1}}\end{bmatrix},\ P_{\mathrm{zz}} = \begin{bmatrix}P_{\mathrm{xuxu}t} & P_{\mathrm{xu}t\mathrm{x}_{t+1}} \\ P_{\mathrm{x}_{t+1}\mathrm{xu}t} & P_{\mathrm{x}_{t+1}\mathrm{x}_{t+1}}\end{bmatrix} \tag{10.10}$$

그리고 다음 식으로 시간스텝마다 $\mathrm{f}_{xt,i}$, $\mathrm{f}_{ut,i}$, $\mathrm{f}_{ct,i}$ 그리고 노이즈의 공분산 Σ_t을 계산하면 된다.

$$\begin{aligned}[\mathrm{f}_{\mathrm{x}t}\ \ \mathrm{f}_{\mathrm{u}t}] &= \mathrm{f}_{\mathrm{xu}t} \\ &= P_{\mathrm{x}_{t+1}\mathrm{xu}t}P_{\mathrm{xuxu}t}^{-1}\end{aligned} \tag{10.11}$$

$$\begin{aligned}\mathrm{f}_{ct} &= \mu_{\mathrm{x}_{t+1}} - \mathrm{f}_{\mathrm{xu}t}\mu_{\mathrm{xu}t} \\ \Sigma_t &= P_{\mathrm{x}_{t+1}\mathrm{x}_{t+1}} - \mathrm{f}_{\mathrm{xu}t}P_{\mathrm{xuxu}t}\mathrm{f}_{\mathrm{xu}t}^T\end{aligned} \tag{10.12}$$

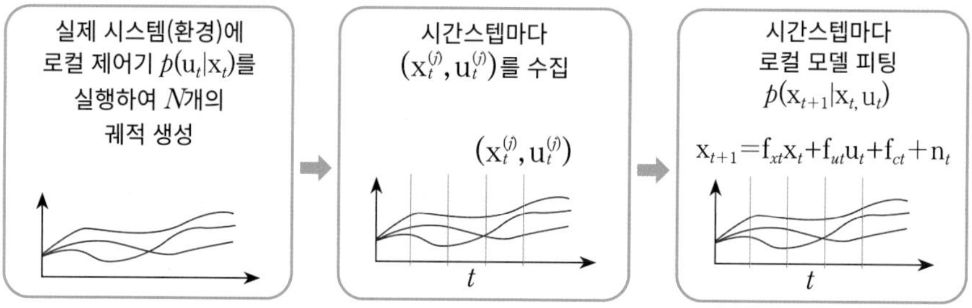

그림 10.2 로컬 모델 피팅

10.3.2 GMM 사전분포를 이용한 로컬 모델 업데이트

로컬 모델을 피팅할 때 모델에 대한 사전 정보(prior)를 활용한다면 좀 더 정교한 모델 피팅이 가능할 것이다. 모델에 대한 사전 정보로서 보통 신경망 모델이나 가우시안 혼합 모델(GMM, Gaussian mixture model)과 같은 글로벌 모델을 이용한다. 이 중 가우시안 혼합 모델은 선형화된 여러 개의 모델을 합성하는 방법과 비슷한 개념이므로 보통 선형화된 로컬 모델을 지역적으로 정교화하기 위한 사전 정보로 많이 사용된다.

가우시안 확률밀도함수는 수학적으로 다루기 쉬운 반면, 1개의 모드만 있고 대칭이라는 한계가 있다. 따라서 모드가 2개 이상인 확률밀도함수나 비대칭의 확률밀도함수를 표현하기 위해 여러 개의 가우시안 확률밀도함수를 혼합하는 방법을 사용한다.

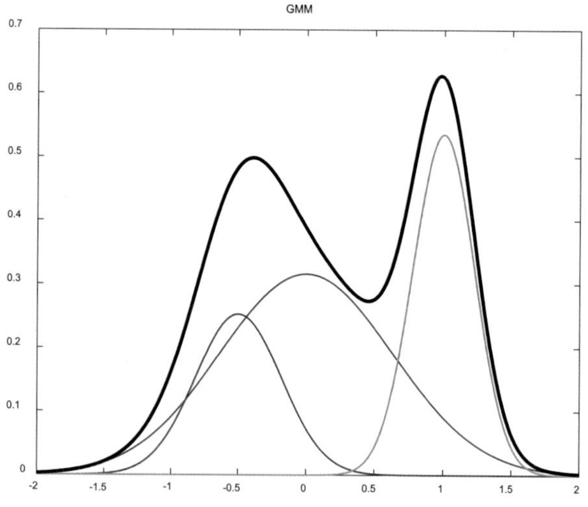

그림 10.3 가우시안 혼합 모델(GMM)

가우시안 혼합 모델은 다음과 같이 여러 개의 가우시안 확률밀도함수를 서로 다른 가중치를 곱해서 모두 합한 것이다.

$$p(\mathrm{z}) = \sum_{k=1}^{K} w_k N_k(\mathrm{z}|\mu_k, \mathrm{P}_k) \tag{10.13}$$

여기서 N_k는 평균이 μ_k, 공분산이 P_k인 가우시안 확률밀도함수로서, 가우시안 혼합 모델을 구성하는 클러스터라고 하고, w_k는 클러스터 가중치로서 다음 식을 만족한다.

$$\sum_{k=1}^{K} w_k = 1, \quad 0 \le w_k \le 1 \tag{10.14}$$

여러 개의 서로 다른 평균과 공분산을 갖는 가우시안 확률밀도함수를 혼합하면 이론적으로는 어떤 형태의 확률밀도함수라도 표현 가능하다. 하지만 사용하는 클러스터 숫자가 많아질수록 추정해야 하는 파라미터가 늘어날 뿐만 아니라 과적합(overfitting) 문제가 생길 수 있다.

여러 개의 측정 데이터 $\{\mathrm{z}_l\}$을 가지고 K개 클러스터의 μ_k, P_k, w_k를 추정해 보자. 여기서 클러스터 개수 K는 주어졌다고 가정한다. 그러면 추정 문제는 다음과 같이 제약조건 있는 최적화 문제로 정의할 수 있다.

$$\max_{\mu_k,\, \mathrm{P}_k,\, w_k} p(\{\mathrm{z}_i\}), \ \text{제약조건:} \sum_{k=1}^{K} w_k = 1 \tag{10.15}$$

측정이 독립 사건이라고 가정하면 위 식은 다음과 같이 된다.

$$\max_{\mu_k,\, \mathrm{P}_k,\, w_k} \prod_{l=1}^{D} p(\mathrm{z}_l), \ \text{제약조건:} \sum_{k=1}^{K} w_k = 1 \tag{10.16}$$

위 식의 오른쪽 항에 로그를 취해도 추정값에는 변함이 없으므로

$$\max_{\mu_k,\ \mathrm{P}_k,\ w_k} \prod_{l=1}^{D} \log p(\mathrm{z}_l),\ \ \text{제약조건: } \sum_{k=1}^{K} w_k = 1 \tag{10.17}$$

이 된다. 따라서 위 식에 가우시안 확률밀도함수를 대입하고, 라그랑지 곱수(Lagrange multiplier) λ를 도입하면 추정문제는 다음과 같이 제약조건 없는 최적화 문제가 된다.

$$\max L(\mathrm{z}; \mu_k, \mathrm{P}_k, w_k, \lambda) \tag{10.18}$$

$$L(\mathrm{z}; \mu_k, \mathrm{P}_k, w_k, \lambda) = \sum_{l=1}^{D} \log\left\{\sum_{k=1}^{K} w_k N_k(\mathrm{z}_l | \mu_k, \mathrm{P}_k)\right\} + \lambda\left(1 - \sum_{k=1}^{K} w_k\right)$$

여기서 D는 데이터 $\{\mathrm{z}_l\}$의 개수이며,

$$N_k(\mathrm{z}_l | \mu_k, \mathrm{P}_k) = \frac{1}{\sqrt{(2\pi)^d \det \mathrm{P}_k}} \exp\left\{-\frac{1}{2}(\mathrm{z}_l - \mu_k)^T \mathrm{P}_k^{-1} (\mathrm{z}_l - \mu_k)\right\} \tag{10.19}$$

이다. d는 데이터 $\{\mathrm{z}_l\}$의 차원이다.

용어 설명 라그랑지 곱수법은 제약조건이 있는 최적화(최대화 또는 최소화) 문제를 제약조건이 없는 문제로 바꾸기 위해 최적화하려는 함수에 제약조건에 대한 미지수를 추가하는 기법이다. 예를 들면, 다음과 같이 벡터변수 x에 관한 어떤 함수 $g(\mathrm{x})$가 상수 c와 같아야 한다는 제약조건을 만족하면서 x에 관한 또 다른 함수 $f(\mathrm{x})$를 최대화하고자 하는 문제의 경우,

$$\max_{\mathrm{x}} f(\mathrm{x})$$

$$\text{제약조건: } g(\mathrm{x}) = c$$

어떤 새로운 미지수 λ를 도입해 새로운 함수 $L(\mathrm{x}, \lambda)$를 다음과 같이 만든 후,

$$L(\mathrm{x}, \lambda) = f(\mathrm{x}) + \lambda(c - g(\mathrm{x}))$$

이 함수에 대해서 제약조건이 없는 최대화 문제로 바꿀 수 있다.

$$\max_{x,\lambda} L(x,\lambda)$$

여기서 λ를 라그랑지 곱수, $L(x,\lambda)$를 라그랑지안(Lagrangian)이라고 한다.

위 추정 문제는 닫힌 해가 존재하지 않으므로 수치적으로 풀어야만 한다. 우선, L을 최대화하기 위한 μ_k를 구하기 위해 L을 미분한다. 그러면,

$$\frac{\partial L}{\partial \mu_k} = \sum_{l=1}^{D}\left(\frac{w_k N_k(z_l|\mu_k, P_k)}{\sum_{k=1}^{K} w_k N_k(z_l|\mu_k, P_k)}\right) P_k^{-1}(z_l - \mu_k) = 0 \tag{10.20}$$

이 된다. 여기서 잠재변수를 다음과 같이 정의한다.

$$\gamma_k^l = \frac{w_k N_k(z_l|\mu_k, P_k)}{\sum_{k=1}^{K} w_k N_k(z_l|\mu_k, P_k)} \tag{10.21}$$

잠재변수는 특정 데이터 z_l에서 가우시안 혼합 모델(GMM)을 구성하는 가우시안 함숫값의 비율이다. 그러면 μ_k는 다음과 같이 계산된다.

$$\mu_k = \frac{\sum_{l=1}^{D} \gamma_k^l z_l}{\sum_{l=1}^{D} \gamma_k^l} \tag{10.22}$$

같은 방법으로 P_k를 구하기 위해 미분하면 다음과 같다.

$$\begin{aligned}\frac{\partial L}{\partial P_k} &= \sum_{l=1}^{D}\left(\frac{w_k N_k(z_l|\mu_k, P_k)}{\sum_{k=1}^{K} w_k N_k(z_l|\mu_k, P_k)}\right)\left(\frac{1}{2}P_k^{-1}(z_l - \mu_k)(z_l - \mu_k)^T P_k^{-1} - \frac{1}{2}P_k^{-1}\right) \\ &= 0\end{aligned} \tag{10.23}$$

그러면 P_k는 다음과 같이 계산된다.

$$\mathrm{P}_k = \frac{\sum_{l=1}^{D} \gamma_k^l (\mathrm{z}_l - \mu_k)(\mathrm{z}_l - \mu_k)^T}{\sum_{l=1}^{D} \gamma_k^l} \tag{10.24}$$

한편, L을 w_k로 미분하면 다음과 같다.

$$\frac{\partial L}{\partial w_k} = \sum_{l=1}^{D} \left(\frac{N_k(\mathrm{z}_l | \mu_k, \mathrm{P}_k)}{\sum_{k=1}^{K} w_k N_k(\mathrm{z}_l | \mu_k, \mathrm{P}_k)} \right) - \lambda = 0 \tag{10.25}$$

위 식의 양변에 $\sum_{k=1}^{K} w_k$를 곱하면,

$$\begin{aligned} \sum_{k=1}^{K} \sum_{l=1}^{D} \left(\frac{w_k N_k(\mathrm{z}_l | \mu_k, \mathrm{P}_k)}{\sum_{k=1}^{K} w_k N_k(\mathrm{z}_l | \mu_k, \mathrm{P}_k)} \right) &= \sum_{k=1}^{K} \sum_{l=1}^{D} \gamma_k^l \\ &= \lambda \sum_{k=1}^{K} w_k \\ &= \lambda \end{aligned} \tag{10.26}$$

이 된다. $\sum_{k=1}^{K} \gamma_k^l = 1$이므로 $\lambda = D$가 된다. 다시 식 (10.25)에 w_k를 곱하면,

$$\sum_{l=1}^{D} \left(\frac{w_k N_k(\mathrm{z}_l | \mu_k, \mathrm{P}_k)}{\sum_{k=1}^{K} w_k N_k(\mathrm{z}_l | \mu_k, \mathrm{P}_k)} \right) = D w_k \tag{10.27}$$

가 되어서 w_k를 다음과 같이 계산할 수 있다.

$$w_k = \frac{1}{D} \sum_{l=1}^{D} \gamma_k^l \tag{10.28}$$

가우시안 혼합 모델 파라미터는 EM(Expectation−Maximization) 방법을 사용해 풀 수 있다. EM 알고리즘은 E−스텝과 M−스텝으로 나누어진다. E−스텝에서는 μ_k, P_k, w_k를 고정시키고, 식 (10.21)로 잠재변수 γ_k^l를 업데이트한다. M−스텝에서는 잠재변수 γ_k^l를 고정시키고 식 (10.22), (10.24), (10.28)로 μ_k, P_k, w_k를 업데이트한다. 이러한 E−스텝과 M−스텝을 수렴할 때까지 반복한다. EM 알고리즘을 정리하면 다음과 같다.

1. K개의 μ_k, P_k, w_k를 초기화 한다.
2. `for t = 0 : T {`

   [1] E−스텝

   `for l = 1 : D {`

   `for k = 1 : K {`

   $$\gamma_k^l = \frac{w_k N_k(\mathrm{z}_l | \mu_k, \mathrm{P}_k)}{\sum_{k=1}^{K} w_k N_k(\mathrm{z}_l | \mu_k, \mathrm{P}_k)} \text{ 계산}$$

   `}`

   `}`

   [2] M−스텝

   `for k = 1 : K {`

   $$\mu_k = \frac{\sum_{l=1}^{D} \gamma_k^l \mathrm{z}_l}{\sum_{l=1}^{D} \gamma_k^l} \text{ 계산}$$

   $$\mathrm{P}_k = \frac{\sum_{l=1}^{D} \gamma_k^l (\mathrm{z}_l - \mu_k)(\mathrm{z}_l - \mu_k)^T}{\sum_{l=1}^{D} \gamma_k^l} \text{ 계산}$$

   $$w_k = \frac{1}{D} \sum_{l=1}^{D} \gamma_k^l \text{ 계산}$$

   `}`

   `}`

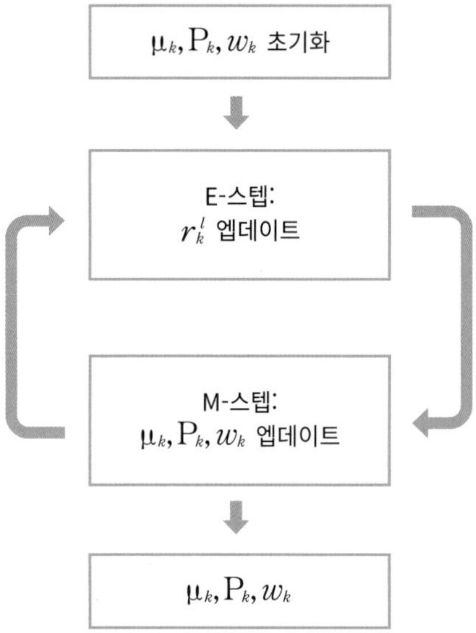

그림 10.4 EM 알고리즘

클러스터 평균이 μ_k, 공분산이 P_k인 가우시안 확률밀도함수와 가중치 w_k로 표현되는 가우시안 혼합 모델의 확률밀도함수 $p(\mathrm{x})$의 전체 평균 μ^{GMM}과 공분산 P^{GMM}은 다음과 같이 계산한다.

$$\mu^{GMM} = \sum_{k=1}^{K} w_k \mu_k \tag{10.29}$$
$$P^{GMM} = \sum_{k=1}^{K} w_k \{P_k + (\mu_k - \mu)(\mu_k - \mu)^T\}$$

10.3.1절에서 설명한 로컬 모델 피팅 방법에서는 로컬 제어법칙 $p(\mathrm{u}_t|\mathrm{x}_t)$를 실행해 N개의 궤적 τ를 발생시키고, 시간스텝별로 N개의 상태천이 데이터 $\mathrm{z} = [\mathrm{x}_t; \mathrm{u}_t; \mathrm{x}_{t+1}]$을 모아서 시간스텝마다 로컬 모델을 피팅(추정)했다. 하지만 글로벌 모델로서의 가우시안 혼합 모델은 시간스텝과 학습 이터레이션에 관계없이 상태천이 데이터 $\mathrm{z} = [\mathrm{x}_t; \mathrm{u}_t; \mathrm{x}_{t+1}]$을 모두 모아서 μ_k, P_k, w_k를 학습한다.

가우시안 혼합 모델을 학습한 후에는 가우시안 혼합 모델을 사전정보로 간주하고 최대사후(MAP, maximum a posteriori) 추정 방법을 이용해 상태천이 데이터 $\mathrm{z} = [\mathrm{x}_t; \mathrm{u}_t; \mathrm{x}_{t+1}]$의 평균과 공분산을 업데이트한다. 이때, 측정정보인 빈도함수 $p(Z|\mathrm{z})$를 가우시안 확률밀도함수로 가

정하므로 사전(a priori) 확률분포 $p(z)$로서 가우시안의 켤레 사전분포(conjugate prior)인 표준 역-위샤트(normal inverse-Wishart) 분포를 사용한다. 여기서 $Z=\{z_1, z_2, \cdots . z_N\}$이다.

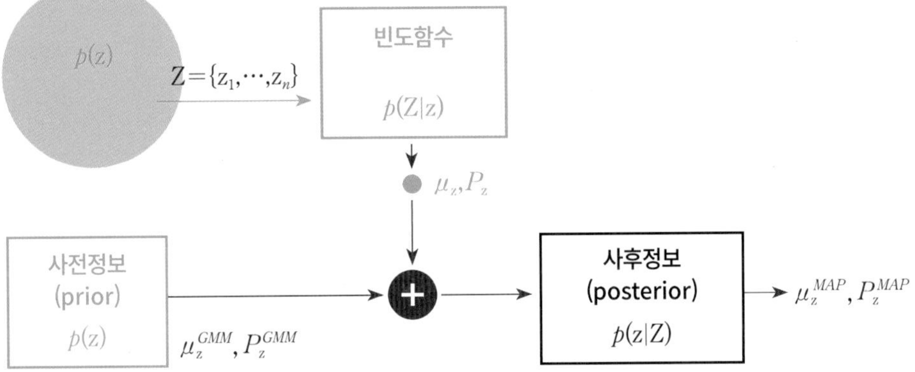

그림 10.5 GMM 사전분포를 이용한 최대사후(MAP) 추정

로컬 동역학 모델 업데이트는 다음과 같은 단계로 진행한다.

1. 시간스텝마다 N개의 상태천이 데이터 $z_j=[x_t; u_t; x_{t+1}]_{j=1,\cdots,N}$을 사용해 가우시안 혼합 모델의 전체 평균 μ_z^{GMM}과 공분산 P_{zz}^{GMM}을 업데이트한다.
2. 시간스텝마다 N개의 상태천이 데이터 $z_j=[x_t; u_t; x_{t+1}]_{j=1,\cdots,N}$을 사용해 상태천이 데이터의 평균 μ_z와 공분산 P_{zz}를 계산한다.
3. 시간스텝마다 μ_z^{GMM}과 공분산 P_{zz}^{GMM}을 사전정보로 간주하고 평균 μ_z와 공분산 P_{zz}를 μ_z^{MAP}와 P_{zz}^{MAP}로 업데이트한다.
4. 식 (10.10)의 μ_z 대신에 μ_z^{MAP}를, 그리고 P_{zz} 대신에 P_{zz}^{MAP}를 이용해 식 (10.11)과 식 (10.12)로 로컬 동역학 모델을 계산한다.

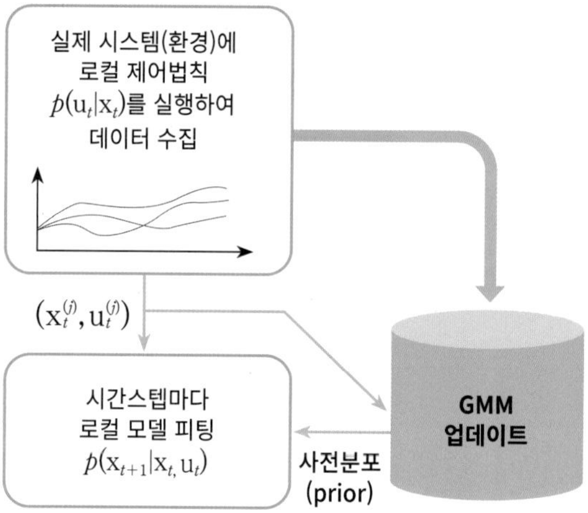

그림 10.6 GMM을 이용한 로컬 모델 업데이트

세 번째 단계에서의 업데이트는 다음 식을 이용한다.

$$\mu_z^{MAP} = \frac{m\mu_0 + n_0\mu_z}{m + n_0} \tag{10.30}$$

$$P_{zz}^{MAP} = \frac{\Phi + NP_{zz} + \frac{Nm}{N+m}(\mu_z - \mu_0)(\mu_z - \mu_0)^T}{N + n_0}$$

여기서 μ_0, Φ, m, n_0는 표준 역-위샤트 프라이어 값이다. n_0, m은 데이터의 개수에 관련된 값으로서 보통 1로 설정하며 $\Phi = P_{zz}^{GMM}$, $\mu_0 = \mu_z^{GMM}$로 둔다.

용어 설명 베이즈 정리에 의하면 사후정보는 다음과 같이 표현할 수 있다.

$$p(\theta|y) = \frac{p(y|\theta)p(\theta)}{\int p(y|\theta)p(\theta)d\theta}$$

여기서 $p(\theta)$를 사전정보, $p(y|\theta)$를 빈도함수라고 하는데, 각 항목이 일반적인 분포를 따르지 않으면 사후 확률밀도 함수를 계산하는 것이 매우 복잡해진다. 하지만 빈도함수가 특정 분포를 따른다고 가정할 때 사전정보와 사후정보가 동일한 형식의 분포를 따른다면 계산은 매우 편리해진다. 이와 같이 사전정보가 사후정보와 짝을 이루도록 맞춘 것을 켤레 사전분포라고 한다. 예를 들면 빈도함수가 가우시안 분포일 때 사전정보가 표준 역-위샤트 분포이면 사후정보도 표준 역-위샤트 분포를 따른다. 표준 역-위샤트 분포는 μ_0, Φ, m, n_0 등 4개의 파라미터로 정의되는 분포다. 자세한 사항은 참고문헌 [36]과 [37]을 참고하기 바란다.

10.4 로컬 제어 법칙 업데이트

로컬 제어법칙을 업데이트할 때의 문제점은 학습 이터레이션 단계마다 로컬 제어 법칙이 생성한 궤적이 이전 궤적에서 크게 이탈되지 않도록 해야 한다는 점이다. 왜냐하면 로컬 모델은 명목 궤적(또는 상태공간의 일부분) 근방에서만 유효한 모델이기 때문이다. 이 문제를 해결하기 위해 이전 로컬 제어 법칙과 업데이트될 로컬 제어 법칙이 생성하는 궤적에 큰 차이가 나지 않도록 제한을 가할 필요가 있다.

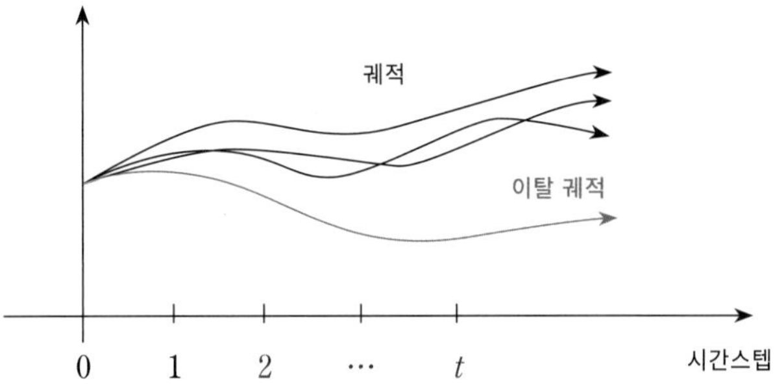

그림 10.7 학습 이터레이션 단계마다 로컬 제어법칙이 생성한 궤적

이러한 제한은 새로운 궤적과 이전 궤적의 KL 발산을 이용해 가할 수 있다. 따라서 로컬 제어법칙이 해결해야 할 최적화 문제는 다음과 같이 제약조건 있는 최적화 문제로 변경돼야 한다.

$$\min \mathbb{E}_{\tau\sim p(\tau)}\left[\sum_{t=0}^{T} c(\mathrm{x}_t, \mathrm{u}_t)\right] \tag{10.31}$$

$$\text{제약조건: } D_{KL}\left(p(\tau) \| \bar{p}(\tau)\right) \le \epsilon$$

여기서 $\bar{p}(\tau)$는 이전 제어법칙 $\bar{p}(\mathrm{u}_t|\mathrm{x}_t)$로 생성한 궤적의 확률밀도함수를, $p(\tau)$는 업데이트된 제어법칙 $p(\mathrm{u}_t|\mathrm{x}_t)$가 생성하는 궤적의 확률밀도함수를 뜻하며, 각각 다음과 같이 주어진다.

$$\begin{aligned} p(\tau) &= p(\mathrm{x}_0)\prod_{t=0}^{T} p(\mathrm{x}_{t+1}|\mathrm{x}_t, \mathrm{u}_t)p(\mathrm{u}_t|\mathrm{x}_t) \\ \bar{p}(\tau) &= p(\mathrm{x}_0)\prod_{t=0}^{T} p(\mathrm{x}_{t+1}|\mathrm{x}_t, \mathrm{u}_t)\bar{p}(\mathrm{u}_t|\mathrm{x}_t) \end{aligned} \tag{10.32}$$

두 개의 궤적 분포에 대한 KL 발산은 다음과 같이 계산할 수 있다.

$$\begin{aligned} D_{KL}(p(\tau) \| \bar{p}(\tau)) &= \mathbb{E}_{\tau \sim p(\tau)}[\log p(\tau) - \log \bar{p}(\tau)] \\ &= \mathbb{E}_{\tau \sim p(\tau)}\left[\sum_{t=0}^{T} \log p(\mathrm{u}_t|\mathrm{x}_t) - \log \bar{p}(\mathrm{u}_t|\mathrm{x}_t)\right] \\ &= \sum_{t=0}^{T} \mathbb{E}_{(\mathrm{x}_t,\mathrm{u}_t) \sim p(\mathrm{x}_t,\mathrm{u}_t)}[\log p(\mathrm{u}_t|\mathrm{x}_t) - \log \bar{p}(\mathrm{u}_t|\mathrm{x}_t)] \end{aligned} \tag{10.33}$$

위 식에 의하면, 새로운 궤적 $p(\tau)$와 이전 궤적 $\bar{p}(\tau)$의 KL 발산을 새로운 제어법칙 $p(\mathrm{u}_t|\mathrm{x}_t)$와 이전 제어법칙 $\bar{p}(\mathrm{u}_t|\mathrm{x}_t)$의 KL 발산으로 바꿔 표현할 수도 있음을 알 수 있다.

$$D_{KL}(p(\tau) \| \bar{p}(\tau)) = \sum_{t=0}^{T} \mathbb{E}_{(\mathrm{x}_t,\mathrm{u}_t) \sim p(\mathrm{x}_t,\mathrm{u}_t)}[D_{KL}(p(\mathrm{u}_t|\mathrm{x}_t) \| \bar{p}(\mathrm{u}_t|\mathrm{x}_t))] \tag{10.34}$$

식 (10.33)의 마지막 줄에서 첫 번째 항을 전개하면,

$$\begin{aligned} &\mathbb{E}_{(\mathrm{x}_t,\mathrm{u}_t) \sim p(\mathrm{x}_t,\mathrm{u}_t)}[\log p(\mathrm{u}_t|\mathrm{x}_t)] \\ &= \int_{(\mathrm{x}_t,\mathrm{u}_t)} \log p(\mathrm{u}_t|\mathrm{x}_t) p(\mathrm{x}_t,\mathrm{u}_t) d\mathrm{u}_t d\mathrm{x}_t \\ &= \int_{\mathrm{x}_t}\int_{\mathrm{u}_t} \log p(\mathrm{u}_t|\mathrm{x}_t) p(\mathrm{u}_t|\mathrm{x}_t) p(\mathrm{x}_t) d\mathrm{u}_t d\mathrm{x}_t \\ &= \int_{\mathrm{x}_t} [\mathbb{E}_{\mathrm{u}_t \sim p(\mathrm{u}_t|\mathrm{x}_t)}[\log p(\mathrm{u}_t|\mathrm{x}_t)]] p(\mathrm{x}_t) d\mathrm{x}_t \end{aligned} \tag{10.35}$$

가 되는데, 위 식의 마지막 줄에서 대괄호 항은 제어기의 엔트로피이므로 다음과 같이 쓸 수 있다.

$$\begin{aligned} &= \int_{\mathrm{x}_t} [-\mathcal{H}(p(\mathrm{u}_t|\mathrm{x}_t))] p(\mathrm{x}_t) d\mathrm{x}_t \\ &= \mathbb{E}_{\mathrm{x}_t \sim p(\mathrm{x}_t)}[-\mathcal{H}(p(\mathrm{u}_t|\mathrm{x}_t))] \end{aligned}$$

이를 KL 발산 식 (10.33)에 대입하면 다음과 같이 된다.

$$D_{KL}(p(\tau)\|\bar{p}(\tau)) = \sum_{t=0}^{T} \mathbb{E}_{(\mathrm{x}_t,\mathrm{u}_t)\sim p(\mathrm{x}_t,\mathrm{u}_t)}[-\log\bar{p}(\mathrm{u}_t|\mathrm{x}_t)] - \mathbb{E}_{\mathrm{x}_t\sim p(\mathrm{x}_t)}[\mathcal{H}(p(\mathrm{u}_t|\mathrm{x}_t))] \tag{10.36}$$

따라서 로컬 제어법칙이 해결해야 할 최적화 문제는 다음과 같이 바꿔 표현할 수 있다.

$$\begin{aligned} &\min \mathbb{E}_{\tau\sim p(\tau)}\left[\sum_{t=0}^{T} c(\mathrm{x}_t,\mathrm{u}_t)\right] \\ &\text{제약조건: } \sum_{t=0}^{T} \mathbb{E}_{(\mathrm{x}_t,\mathrm{u}_t)\sim p(\mathrm{x}_t,\mathrm{u}_t)}[-\log\bar{p}(\mathrm{u}_t|\mathrm{x}_t)] - \mathbb{E}_{\mathrm{x}_t\sim p(\mathrm{x}_t)}[\mathcal{H}(p(\mathrm{u}_t|\mathrm{x}_t))] \le \epsilon \end{aligned} \tag{10.37}$$

제약조건에 있는 ϵ은 이전 궤적과 업데이트된 궤적의 확률밀도함수 사이의 KL 발산에 대한 한계 값이다. 이 최적화 문제를 풀기 위하여 라그랑지 곱수(η)를 도입해 제약조건이 없는 최적화 문제로 바꾼다.

$$\begin{aligned} &\min_{p} \max_{\eta} L(p,\eta) \\ &L(p,\eta) = \sum_{t=0}^{T}\left\{ \begin{matrix} \mathbb{E}_{(\mathrm{x}_t,\mathrm{u}_t)\sim p(\mathrm{x}_t,\mathrm{u}_t)}[c(\mathrm{x}_t,\mathrm{u}_t) - \eta\log\bar{p}(\mathrm{u}_t|\mathrm{x}_t)] \\ -\eta\mathbb{E}_{\mathrm{x}_t\sim p(\mathrm{x}_t)}\mathcal{H}(p(\mathrm{u}_t|\mathrm{x}_t)) - \eta\epsilon \end{matrix} \right\} \end{aligned} \tag{10.38}$$

위 최적화 문제는 $L(p,\eta)$를 최대화하는 η와 $L(p,\eta)$를 최소화하는 $p(\mathrm{u}_t|\mathrm{x}_t)$를 구하는 문제다. 이와 같은 최적화 문제는 듀얼경사하강법(dual gradient descent)을 이용해 풀 수 있다. 듀얼경사하강법 알고리즘은 다음과 같다.

Repeat {

[1] η를 고정하고, $p^* \leftarrow \underset{p}{\operatorname{argmin}} L(p,\eta)$를 계산한다.

[2] $\dfrac{dg}{d\eta} = \dfrac{dL}{d\eta}(p^*,\eta)$를 계산한다.

[3] $\eta \leftarrow \eta + \alpha\dfrac{dg}{d\eta}$를 계산한다.

}

여기서 라그랑지 곱수 η를 듀얼변수(dual variable)라고도 한다. 알고리즘의 1번 항은 η를 고정하고 다음 최적화 문제를 푸는 것이다.

$$\begin{aligned} p^* &= \underset{p}{\operatorname{argmin}} L(p,\eta) \\ &= \underset{p}{\operatorname{argmin}} \sum_{t=0}^{T} \left\{ \begin{array}{c} \mathbb{E}_{(\mathrm{x}_t,\mathrm{u}_t)\sim p(\mathrm{x}_t,\mathrm{u}_t)}[c(\mathrm{x}_t,\mathrm{u}_t) - \eta \log \overline{p}(\mathrm{u}_t|\mathrm{x}_t)] \\ -\eta \mathbb{E}_{\mathrm{x}_t\sim p(\mathrm{x}_t)} \mathcal{H}(p(\mathrm{u}_t|\mathrm{x}_t)) - \eta\epsilon \end{array} \right\} \\ &= \underset{p}{\operatorname{argmin}} \sum_{t=0}^{T} \left\{ \begin{array}{c} \mathbb{E}_{(\mathrm{x}_t,\mathrm{u}_t)\sim p(\mathrm{x}_t,\mathrm{u}_t)}\left[\frac{1}{\eta} c(\mathrm{x}_t,\mathrm{u}_t) - \log \overline{p}(\mathrm{u}_t|\mathrm{x}_t)\right] \\ -\mathbb{E}_{\mathrm{x}_t\sim p(\mathrm{x}_t)} \mathcal{H}(p(\mathrm{u}_t|\mathrm{x}_t)) \end{array} \right\} \end{aligned} \tag{10.39}$$

여기서 대체 비용함수 $\tilde{c}(\mathrm{x}_t,\mathrm{u}_t)$를 다음과 같이 정의하면

$$\tilde{c}(\mathrm{x}_t,\mathrm{u}_t) = \frac{1}{\eta} c(\mathrm{x}_t,\mathrm{u}_t) - \log \overline{p}(\mathrm{u}_t|\mathrm{x}_t) \tag{10.40}$$

위 최적화 문제는 다음과 같이 된다.

$$p^*(\mathrm{u}_t|\mathrm{x}_t) = \underset{p}{\operatorname{argmin}} \sum_{t=0}^{T} \mathbb{E}_{(\mathrm{x}_t,\mathrm{u}_t)\sim p(\mathrm{x}_t,\mathrm{u}_t)}[\tilde{c}(\mathrm{x}_t,\mathrm{u}_t)] - \mathbb{E}_{\mathrm{x}_t\sim p(\mathrm{x}_t)}[\mathcal{H}(p(\mathrm{u}_t|\mathrm{x}_t))] \tag{10.41}$$

위 식을 살펴보면 원래의 비용함수 $c(\mathrm{x}_t,\mathrm{u}_t)$ 대신에 대체 비용함수 $\tilde{c}(\mathrm{x}_t,\mathrm{u}_t)$가 사용된 것을 제외하고는 가우시안 LQR이 최소화하고자 하는 목적함수 식 (9.71)과 똑같은 형태임을 알 수 있다.

따라서 듀얼 경사하강법의 1번 항은 가우시안 LQR의 제어법칙을 계산해서 풀 수 있으므로, 결국 로컬 제어법칙으로 가우시안 LQR을 사용해야 한다. 그런데 여기서 가우시안 LQR 제어법칙을 사용할 때 시간스텝 t에서의 제어는 상태변수 x_t를 조건으로 구해야 한다는 추가 조건이 필요하기 때문에 식 (10.41)에서 사용되는 기댓값은 초기 상태변수 x_0에서 시작해 그로부터 제어법칙 $p(\mathrm{u}_t|\mathrm{x}_t)$로 생성되는 궤적의 확률밀도함수로 계산돼야 한다.

가우시안 LQR 제어법칙은 다음과 같다.

$$p(\mathrm{u}_t|\mathrm{x}_t) = N(\mathrm{K}_t\mathrm{x}_t + \mathrm{k}_t, Q_{\mathrm{uu}t}^{-1}) \tag{10.42}$$

가우시안 LQR은 확정적 LQR이 산출하는 제어 값과 평균이 동일하고 공분산은 $Q_{\mathrm{uu}t}^{-1}$이다. 여기서 $Q_{\mathrm{uu}t}$는 소프트 행동가치 함수 $Q(\mathrm{x}_t, \mathrm{u}_t)$에서 제어변수 u_t에 부과되는 가중치 행렬이다.

$$Q(\mathrm{x}_t, \mathrm{u}_t) = \frac{1}{2}\begin{bmatrix}\mathrm{x}_t \\ \mathrm{u}_t\end{bmatrix}^T \begin{bmatrix} Q_{\mathrm{xx}t} & Q_{\mathrm{xu}t} \\ Q_{\mathrm{ux}t} & Q_{\mathrm{uu}t}\end{bmatrix}\begin{bmatrix}\mathrm{x}_t \\ \mathrm{u}_t\end{bmatrix} + \begin{bmatrix}\mathrm{x}_t \\ \mathrm{u}_t\end{bmatrix}^T \mathrm{q}_t \tag{10.43}$$

이 값이 크다면 제어변수의 조그마한 크기 변화에도 행동가치에 큰 영향을 미치기 때문에 제어의 크기를 제약하는 역할을 한다. 가우시안 LQR의 공분산 $Q_{\mathrm{uu}t}^{-1}$가 큰 값일 때는 반대로 $Q_{\mathrm{uu}t}$는 작아지므로 해당 제어변수가 크기에 제약을 덜 받기 때문에 좀 더 적극적으로 주변 상태공간을 탐색할 수 있게 된다. 따라서 가우시안 LQR은 비용함수에 최소의 영향을 미치면서 에이전트의 행동에 최대한 무작위성을 부여하는 제어법칙이다. 때에 따라서 $Q_{\mathrm{uu}t}$의 역행렬 $Q_{\mathrm{uu}t}^{-1}$가 존재하지 않을 수도 있는데, 이 경우에는 $Q_{\mathrm{uu}t}$가 정정 행렬(positive-definite matrix)이 될 때까지 η를 증가시키면 된다.

알고리즘의 2번 항은 로컬 제어법칙을 고정하고 $\frac{dg}{d\eta} = \frac{dL}{d\eta}(p^*, \eta)$를 계산하는 것이다.

$$\begin{aligned}\frac{dg(\eta)}{d\eta} &= \frac{dL(p^*, \eta)}{d\eta} \\ &= \sum_{t=0}^{T}\mathbb{E}_{(\mathrm{x}_t,\mathrm{u}_t)\sim p(\mathrm{x}_t,\mathrm{u}_t)}[-\log\bar{p}(\mathrm{u}_t|\mathrm{x}_t)] - \mathbb{E}_{\mathrm{x}_t\sim p(\mathrm{x}_t)}[\mathcal{H}(p(\mathrm{u}_t|\mathrm{x}_t))] - \epsilon \\ &= D_{KL}(p(\tau)\|\bar{p}(\tau)) - \epsilon\end{aligned} \tag{10.44}$$

따라서 알고리즘의 3번 항은 간단히 다음과 같이 된다.

$$\eta \leftarrow \eta + \alpha(D_{KL}(p(\tau)\|\bar{p}(\tau)) - \epsilon) \tag{10.45}$$

정리하면, 로컬 제어기는 다음과 같은 제약조건 있는 최적화 문제를 풀기 위해

$$\min \mathbb{E}_{\tau \sim p(\tau)}\left[\sum_{t=0}^{T} c(\mathrm{x}_t, \mathrm{u}_t)\right]$$

$$\text{제약조건: } D_{KL}(p(\tau) \| \bar{p}(\tau)) \leq \epsilon$$

다음 알고리즘을 이용한다.

Repeat {

[1] η값에 대해 $\tilde{c}(\mathrm{x}_t, \mathrm{u}_t) = \frac{1}{\eta} c(\mathrm{x}_t, \mathrm{u}_t) - \log \bar{p}(\mathrm{u}_t | \mathrm{x}_t)$를 계산한다.

[2] 가우시안 LQR 알고리즘으로 $p(\mathrm{u}_t | \mathrm{x}_t)$를 계산한다.

[3] $\eta \leftarrow \eta + \alpha(D_{KL}(p(\tau) \| \bar{p}(\tau)) - \epsilon)$를 계산한다.

}

그런데 여기서 제약조건은 이전 제어법칙과 업데이트된 제어법칙이 생성하는 궤적의 KL 발산을 제한하자는 데 그 목적이 있으므로 제약조건을 엄격하게 만족시킬 필요는 없을 것이다. 정책탐색교범(GPS, guided policy search)의 한 갈래인 MDGPS(Mirror Descent GPS)에서는 위와 같이 엄격하지 않은 제약조건이 있는 최적화 문제를 빠르게 풀기 위해 미러하강법(mirror descent method)을 사용할 것을 제안했다. 알고리즘 3번 항의 듀얼변수 η를 업데이트하는 부분을 미러하강법을 이용해 다음과 같이 바꿀 수 있다.

Repeat {

[1] η값에 대해 $\tilde{c}(\mathrm{x}_t, \mathrm{u}_t) = \frac{1}{\eta} c(\mathrm{x}_t, \mathrm{u}_t) - \log \bar{p}(\mathrm{u}_t | \mathrm{x}_t)$를 계산한다.

[2] 가우시안 LQR 알고리즘으로 $p(\mathrm{u}_t | \mathrm{x}_t)$를 계산한다.

[3] $\sum_{t=0}^{T} \mathbb{E}_{(\mathrm{x}_t, \mathrm{u}_t) \sim p(\mathrm{x}_t, \mathrm{u}_t)}[D_{KL}(p(\mathrm{u}_t | \mathrm{x}_t) \| \bar{p}(\mathrm{u}_t | \mathrm{x}_t))]$를 계산해 값이 크면 η를 키우고, 반대로 값이 작으면 η를 줄인다.

}

위 알고리즘을 이용하기 위해서는 이전 로컬 제어법칙 $\bar{p}(\mathrm{u}_t | \mathrm{x}_t)$, 대체 비용함수 $\tilde{c}(\mathrm{x}_t, \mathrm{u}_t)$ 및 $D_{KL}(p(\mathrm{u}_t | \mathrm{x}_t) \| \bar{p}(\mathrm{u}_t | \mathrm{x}_t))$를 계산하는 방법을 알아야 한다. 또한 η를 적절히 조절하는 방법이 필요하다. 다음 절에서는 이에 대해서 알아보자.

10.4.1 대체 비용함수 계산

로컬 가우시안 LQR이 풀어야 할 최적화 문제에서 대체 비용함수 $\tilde{c}(\mathrm{x}_t, \mathrm{u}_t)$는 다음과 같다.

$$\tilde{c}(\mathrm{x}_t, \mathrm{u}_t) = \frac{1}{\eta} c(\mathrm{x}_t, \mathrm{u}_t) - \log \bar{p}(\mathrm{u}_t | \mathrm{x}_t) \tag{10.46}$$

여기서 로컬 제어법칙 $\bar{p}(\mathrm{u}_t|\mathrm{x}_t) = N(\bar{\mathrm{K}}_t \mathrm{x}_t + \bar{\mathrm{k}}_t, \bar{\mathrm{S}}_t)$의 로그함수는 다음과 같이 계산된다.

$$\begin{aligned} \log \bar{p}(\mathrm{u}_t|\mathrm{x}_t) &= -\frac{1}{2}(\mathrm{u}_t - \bar{\mathrm{K}}_t \mathrm{x}_t - \bar{\mathrm{k}}_t)^T \bar{\mathrm{S}}_t^{-1} (\mathrm{u}_t - \bar{\mathrm{K}}_t \mathrm{x}_t - \bar{\mathrm{k}}_t) + \overline{const} \\ &= -\frac{1}{2} \mathrm{u}_t^T \bar{\mathrm{S}}_t^{-1} \mathrm{u}_t + \frac{1}{2} \mathrm{u}_t^T \bar{\mathrm{S}}_t^{-1} \bar{\mathrm{K}}_t \mathrm{x}_t + \mathrm{u}_t^T \bar{\mathrm{S}}_t^{-1} \bar{\mathrm{k}}_t + \frac{1}{2} \mathrm{x}_t^T \bar{\mathrm{K}}_t^T \bar{\mathrm{S}}_t^{-1} \mathrm{u}_t \\ &\quad - \frac{1}{2} \mathrm{x}_t^T \bar{\mathrm{K}}_t^T \bar{\mathrm{S}}_t^{-1} \bar{\mathrm{K}}_t \mathrm{x}_t - \mathrm{x}_t^T \bar{\mathrm{K}}_t^T \bar{\mathrm{S}}_t^{-1} \bar{\mathrm{k}}_t + const \end{aligned} \tag{10.47}$$

따라서 본래 비용함수가 다음과 같이 2차 함수로 주어졌다면(또는 2차함수로 근사됐다면),

$$c(\mathrm{x}_t, \mathrm{u}_t) = \frac{1}{2} \begin{bmatrix} \mathrm{x}_t \\ \mathrm{u}_t \end{bmatrix}^T \mathrm{C}_t \begin{bmatrix} \mathrm{x}_t \\ \mathrm{u}_t \end{bmatrix} + \begin{bmatrix} \mathrm{x}_t \\ \mathrm{u}_t \end{bmatrix}^T \mathrm{c}_t \tag{10.48}$$

대체 비용함수는 다음과 같이 된다.

$$\tilde{c}(\mathrm{x}_t, \mathrm{u}_t) = \frac{1}{2} \begin{bmatrix} \mathrm{x}_t \\ \mathrm{u}_t \end{bmatrix}^T \mathrm{D}_t \begin{bmatrix} \mathrm{x}_t \\ \mathrm{u}_t \end{bmatrix} + \begin{bmatrix} \mathrm{x}_t \\ \mathrm{u}_t \end{bmatrix}^T \mathrm{d}_t + const \tag{10.49}$$

여기서

$$\begin{aligned} \mathrm{D}_t &= \frac{1}{\eta} \mathrm{C}_t + \begin{bmatrix} \bar{\mathrm{K}}_t^T \bar{\mathrm{S}}_t^{-1} \bar{\mathrm{K}}_t & -\bar{\mathrm{K}}_t^T \bar{\mathrm{S}}_t^{-1} \\ -\bar{\mathrm{S}}_t^{-1} \bar{\mathrm{K}}_t & \bar{\mathrm{S}}_t^{-1} \end{bmatrix} \\ \mathrm{d}_t &= \frac{1}{\eta} \mathrm{c}_t + [\bar{\mathrm{K}}_t^T \bar{\mathrm{S}}_t^{-1} \bar{\mathrm{k}}_t \;\; -\bar{\mathrm{S}}_t^{-1} \bar{\mathrm{k}}_t] \end{aligned}$$

이다.

10.4.2 KL 발산 계산

가우시안 제어법칙 $p(\mathrm{u}_t|\mathrm{x}_t)=N(\mu_t, Q_{\mathrm{uu}t}^{-1})$와 이전 가우시안 제어법칙 $\bar{p}(\mathrm{u}_t|\mathrm{x}_t)=N(\bar{\mu}_t, \bar{\mathrm{S}}_t)$의 KL 발산은 다음과 같이 계산된다.

$$\begin{aligned}&\mathbb{E}_{(\mathrm{x}_t,\mathrm{u}_t)\sim p(\mathrm{x}_t,\mathrm{u}_t)}\left[D_{KL}\left(p(\mathrm{u}_t|\mathrm{x}_t)\|\bar{p}(\mathrm{u}_t|\mathrm{x}_t)\right)\right] \\ &=\frac{1}{2}\mathbb{E}_{(\mathrm{x}_t,\mathrm{u}_t)\sim p(\mathrm{x}_t,\mathrm{u}_t)}\left(tr(\bar{\mathrm{S}}_t^{-1}Q_{\mathrm{uu}t}^{-1})+(\mu_t-\bar{\mu}_t)^T\bar{\mathrm{S}}_t^{-1}(\mu_t-\bar{\mu}_t)-\dim(\mathrm{u}_t)+\log\frac{\det\bar{\mathrm{S}}_t}{\det Q_{\mathrm{uu}t}^{-1}}\right)\end{aligned} \tag{10.50}$$

여기서 $\mu_t=\mathrm{K}_t\mathrm{x}_t+\mathrm{k}_t$, $\bar{\mu}_t=\bar{\mathrm{K}}_t\mathrm{x}_t+\bar{\mathrm{k}}_t$이고, $\dim(\mathrm{u}_t)$는 행동의 차원이다. 이를 식 (10.50)에 대입하면,

$$\begin{aligned}&=\frac{1}{2}\mathbb{E}_{(\mathrm{x}_t,\mathrm{u}_t)\sim p(\mathrm{x}_t,\mathrm{u}_t)}\begin{pmatrix}tr(\bar{\mathrm{S}}_t^{-1}Q_{\mathrm{uu}t}^{-1}) \\ +((\mathrm{K}_t-\bar{\mathrm{K}}_t)\mathrm{x}_t+(\mathrm{k}_t-\bar{\mathrm{k}}_t))^T\bar{\mathrm{S}}_t^{-1}((\mathrm{K}_t-\bar{\mathrm{K}}_t)\mathrm{x}_t+(\mathrm{k}_t-\bar{\mathrm{k}}_t)) \\ -\dim(\mathrm{u}_t)+\log\dfrac{\det\bar{\mathrm{S}}_t}{\det Q_{\mathrm{uu}t}^{-1}}\end{pmatrix} \\ &=\frac{1}{2}\left(tr(\bar{\mathrm{S}}_t^{-1}Q_{\mathrm{uu}t}^{-1})+(\mathrm{k}_t-\bar{\mathrm{k}}_t)^T\bar{\mathrm{S}}_t^{-1}(\mathrm{k}_t-\bar{\mathrm{k}}_t)-\dim(\mathrm{u}_t)+\log\frac{\det\bar{\mathrm{S}}_t}{\det Q_{\mathrm{uu}t}^{-1}}\right) \\ &\quad+\frac{1}{2}\mathbb{E}_{(\mathrm{x}_t,\mathrm{u}_t)\sim p(\mathrm{x}_t,\mathrm{u}_t)}\begin{pmatrix}\mathrm{x}_t^T(\mathrm{K}_t-\bar{\mathrm{K}}_t)^T\bar{\mathrm{S}}_t^{-1}(\mathrm{K}_t-\bar{\mathrm{K}}_t)\mathrm{x}_t \\ +(\mathrm{k}_t-\bar{\mathrm{k}}_t))^T\bar{\mathrm{S}}_t^{-1}(\mathrm{K}_t-\bar{\mathrm{K}}_t)\mathrm{x}_t \\ +\mathrm{x}_t^T(\mathrm{K}_t-\bar{\mathrm{K}}_t)^T\bar{\mathrm{S}}_t^{-1}(\mathrm{k}_t-\bar{\mathrm{k}}_t)\end{pmatrix}\end{aligned} \tag{10.51}$$

이 된다. 기댓값 항을 계산하면 KL 발산은 다음과 같이 정리된다.

$$\begin{aligned}&\mathbb{E}_{(\mathrm{x}_t,\mathrm{u}_t)\sim p(\mathrm{x}_t,\mathrm{u}_t)}\left[D_{KL}\left(p(\mathrm{u}_t|\mathrm{x}_t)\|\bar{p}(\mathrm{u}_t|\mathrm{x}_t)\right)\right] \\ &=\frac{1}{2}\left(tr(\bar{\mathrm{S}}_t^{-1}Q_{\mathrm{uu}t}^{-1})+(\mathrm{k}_t-\bar{\mathrm{k}}_t)^T\bar{\mathrm{S}}_t^{-1}(\mathrm{k}_t-\bar{\mathrm{k}}_t)-\dim(\mathrm{u}_t)+\log\frac{\det\bar{\mathrm{S}}_t}{\det Q_{\mathrm{uu}t}^{-1}}\right) \\ &\quad+(\mathrm{k}_t-\bar{\mathrm{k}}_t)^T\bar{\mathrm{S}}_t^{-1}(\mathrm{K}_t-\bar{\mathrm{K}}_t)\mu_{\mathrm{x}t} \\ &\quad+\frac{1}{2}tr((\mathrm{K}_t-\bar{\mathrm{K}}_t)^T\bar{\mathrm{S}}_t^{-1}(\mathrm{K}_t-\bar{\mathrm{K}}_t)\mathrm{P}_{\mathrm{xx}t}) \\ &\quad+\frac{1}{2}\mu_{\mathrm{x}t}^T(\mathrm{K}_t-\bar{\mathrm{K}}_t)^T\bar{\mathrm{S}}_t^{-1}(\mathrm{K}_t-\bar{\mathrm{K}}_t)\mu_{\mathrm{x}t}\end{aligned} \tag{10.52}$$

여기서 $\mu_{\mathrm{x}t}$와 $\mathrm{P}_{\mathrm{xx}t}$는 각각 x_t의 평균과 공분산이다.

10.4.3 η 조정

듀얼변수 η는 제약조건 $\sum_{t=0}^{T} \mathbb{E}_{(\mathrm{x}_t,\mathrm{u}_t)\sim p(\mathrm{x}_t,\mathrm{u}_t)}[D_{KL}(p(\mathrm{u}_t|\mathrm{x}_t)\| \bar{p}(\mathrm{u}_t|\mathrm{x}_t))] \backsimeq \epsilon$이 만족되는 정도에 따라서 크기를 조정한다. 목표는

$$\sum_{t=0}^{T} \mathbb{E}_{(\mathrm{x}_t,\mathrm{u}_t)\sim p(\mathrm{x}_t,\mathrm{u}_t)}[D_{KL}(p(\mathrm{u}_t|\mathrm{x}_t)\| \bar{p}(\mathrm{u}_t|\mathrm{x}_t))] \backsimeq \epsilon \tag{10.53}$$

가 될 때까지 η를 최대화하는 것이다. η가 작으면 대체 비용함수 $\tilde{c}(\mathrm{x}_t,\mathrm{u}_t)$에서 원래 비용함수 $c(\mathrm{x}_t,\mathrm{u}_t)$의 비중이 커져서 KL 발산이 커지고, 반대로 η가 크면 KL 발산이 작아진다. 따라서 KL 발산 값이 작으면 η를 줄이고, 이 값이 크면 η를 키운다. 보통 KL 발산의 크기가 ϵ의 $\pm 10\%$ 범위 안에 들 때까지 η를 조정한다. η를 조정하는 알고리즘은 다음과 같다.

1. 만약 $\sum_{t=0}^{T} \mathbb{E}_{(\mathbf{x}_t,\mathbf{u}_t)\sim p(\mathbf{x}_t,\mathbf{u}_t)}[D_{KL}(p(\mathbf{u}_t|\mathbf{x}_t)\| \bar{p}(\mathbf{u}_t|\mathbf{x}_t))] > \epsilon$이면(또는 η가 크면),
   [1] $\eta_{\max} \leftarrow \eta$
   [2] $\eta \leftarrow \max(0.1\eta_{\max}, \sqrt{\eta_{\min}\eta_{\max}})$
2. 만약 $\sum_{t=0}^{T} \mathbb{E}_{(\mathbf{x}_t,\mathbf{u}_t)\sim p(\mathbf{x}_t,\mathbf{u}_t)}[D_{KL}(p(\mathbf{u}_t|\mathbf{x}_t)\| \bar{p}(\mathbf{u}_t|\mathbf{x}_t))] > \epsilon$이면(또는 η가 작으면),
   [1] $\eta_{\min} \leftarrow \eta$
   [2] $\eta \leftarrow \min(10\eta_{\min}, \sqrt{\eta_{\min}\eta_{\max}})$

10.4.4 ϵ 조정

식 (10.31)의 제약조건에 있는 ϵ은 이전 궤적과 업데이트된 궤적의 확률밀도함수 사이의 KL 발산에 대한 한곗값이다. 이 값이 크면 학습 속도를 높일 수 있지만, 너무 크면 학습이 잘 되지 않는다. 보통 학습이 잘 안 될 때 경험적으로 ϵ 값을 감소시키는 방법을 사용하는데, 참고논문 [40]에서는 이전 로컬 제어법칙과 현재의 로컬 제어법칙을 실행해서 얻은 비용함수의 값을 비교해 값을 조절하는 방법을 제안했다.

$$\epsilon' = \epsilon \frac{l_{k-1}^{k-1} - l_{k-1}^{k}}{2(l_k^k - l_{k-1}^k)} \tag{10.54}$$

여기서 l_k^k는 현재의 로컬 제어법칙 $p(\mathrm{u}_t|\mathrm{x}_t)$로 생성한 궤적의 비용이고, l_{k-1}^{k-1}은 이전 로컬 제어법칙 $\bar{p}(\mathrm{u}_t|\mathrm{x}_t)$로 생성한 궤적의 비용이며, l_{k-1}^k는 이전 로컬 제어법칙으로 생성한 데이터로 피팅한 모델과 현재의 로컬 제어법칙으로 예측한 비용이다. ϵ'은 조정된 한곗값으로 다음 이터레이션에서 사용되는 값이다. 식 (10.54)의 분자에 있는 $(l_{k-1}^{k-1} - l_{k-1}^k)$는 예상되는 비용의 감소량이며, 분모에 있는 $(l_k^k - l_{k-1}^k)$는 $(l_{k-1}^{k-1} - l_{k-1}^k) - (l_{k-1}^{k-1} - l_k^k)$와 같으므로 예상되는 비용의 감소량과 실제 비용의 감소량의 차이라고 해석할 수 있다. 이 차이는 모델 피팅이 완벽하지 않기 때문에 생긴 것으로 간주한다. 이 차이가 크면 클수록 모델 피팅이 불완전한 것이므로 ϵ 값을 작은 값으로 유지해 현재 로컬 제어법칙이 이전 로컬 제어법칙과 크게 차이 나지 않도록 한다. 이 차이가 0이라면 모델 피팅은 완벽한 것이므로 ϵ이 무한대가 되어서 현재의 로컬 제어법칙이 이전과 비슷해야 한다는 제약조건을 완전히 버릴 수 있다.

10.5 가우시안 LQR을 이용한 강화학습 알고리즘

가우시안 LQR을 이용한 강화학습의 핵심 아이디어는 피팅된 로컬 모델은 명목 궤적 주변에서만 유효한 모델이므로 가우시안 LQR 문제를 푸는 과정에서 새로운 궤적과 이전 궤적의 확률밀도함수에 KL 발산 제한을 둔 것이다. 가우시안 LQR을 이용한 강화학습의 알고리즘을 정리하면 다음과 같다.

1. 가우시안 LQR $\bar{p}(\mathrm{u}_t|\mathrm{x}_t)$를 초기화한다.
2. **Repeat {**

   [1] 가우시안 LQR $\bar{p}(\mathrm{u}_t|\mathrm{x}_t)$를 실행해 N개의 궤적 $D = \{\tau_j\}$를 생성한다.

   [2] $D = \{\tau_j\}$를 이용해 로컬 모델 $p(\mathrm{x}_{t+1}|\mathrm{x}_t, \mathrm{u}_t)$를 피팅한다.

   [3] 가우시안 LQR 알고리즘으로 $p(\mathrm{u}_t|\mathrm{x}_t)$를 계산한다.

[4] $\sum_{t=0}^{T} \mathbb{E}_{(\mathrm{x}_t,\mathrm{u}_t)\sim p(\mathrm{x}_t,\mathrm{u}_t)}[D_{KL}(p(\mathrm{u}_t|\mathrm{x}_t) \| \bar{p}(\mathrm{u}_t|\mathrm{x}_t))]$를 계산해서 값이 크면 η를 키우고, 반대로 값이 작으면 η를 줄인다.

[5] ϵ을 조정한다.

[6] $\bar{p}(\mathrm{u}_t|\mathrm{x}_t) \leftarrow p(\mathrm{u}_t|\mathrm{x}_t)$

}

10.6 가우시안 LQR을 이용한 강화학습 알고리즘 구현

10.6.1 테스트 환경

테스트 환경은 OpenAI Gym에서 제공하는 'Pendulum−v0'다.

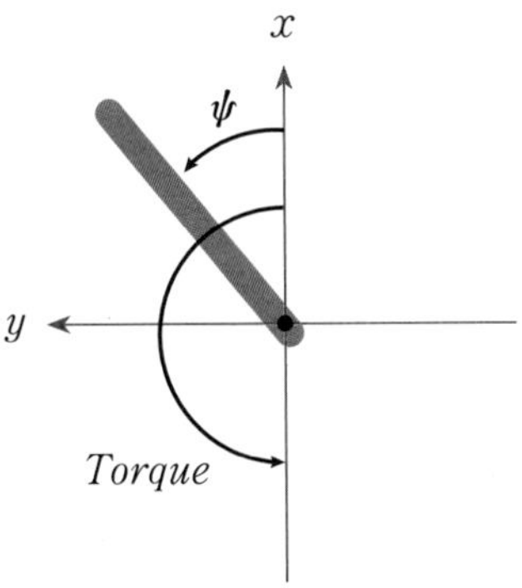

그림 10.8 Pendulum−v0

에이전트의 목표는 진자를 위로 수직으로 세워서 오래 유지시키는 것이다. 일정 시간스텝이 경과하면 에피소드가 자동으로 종결된다.

에이전트가 측정할 수 있는 파라미터는 수직축 좌표인 $\cos(\psi)$, 수평축 좌표인 $\sin(\psi)$, 각속도인 $\dot{\psi}$ 등 3개이므로, 비용함수는 다음과 같이 설정한다.

$$J(\mathrm{x}_0) = \mathbb{E}_{\tau_{\mathrm{u}_0}\sim p(\tau_{\mathrm{u}_0}|\mathrm{x}_0)}\left[\sum_{t=0}^{T} w_1(1-\cos\psi)^2 + w_2\sin^2\psi + w_3\dot{\psi}^2 + w_u a^2\right] \tag{10.55}$$

여기서 ψ는 진자와 수직축이 이루는 각도이며 a는 토크로서 행동이다. 그리고 진자의 초기 상태는 각도 ψ_0로 정지해 있다고 설정한다. 그러면 상태변수의 초깃값은 $\mathrm{x}_0 = [\cos\psi_0 \ \sin\psi_0 \ 0]^T$가 된다.

10.6.2 코드 개요

가우시안 LQR을 이용한 강화학습 알고리즘을 구현한 코드는 궤적 생성을 구현한 `sample_trajectory.py`, 로컬 모델을 피팅하는 `linear_dynamics.py`, 가우시안 LQR을 구현한 `gaussian_control.py`, GMM 사전분포를 구현한 `dynamics_prior_gmm.py`, GMM을 구현한 `gmm.py`, 그리고 LQR을 학습시키기 위한 `lqrflm_agent.py`와 이를 작동시키기 위한 `lqrflm_main.py` 및 저장된 칼만 게인을 읽어와 에이전트를 구동하기 위한 `lqrflm_load_play.py`로 구성돼 있다. 이 밖에 하이퍼파라미터를 저장해 놓은 `config.py`가 있다. 전체 코드는 10.6.9절에 있으니 참고하기 바란다.

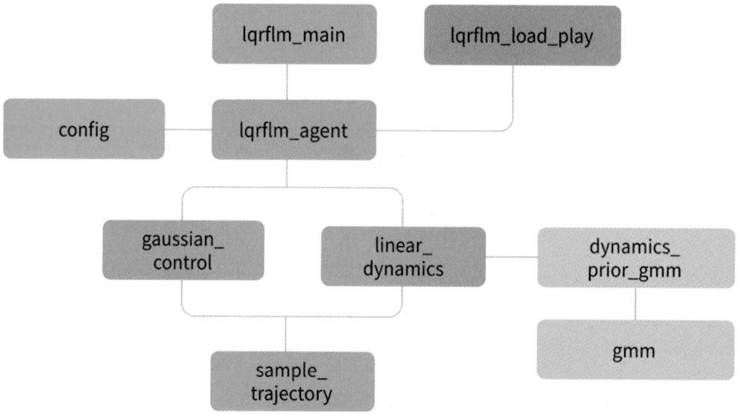

그림 10.9 가우시안 LQR을 이용한 강화학습 코드 구조

전체적인 학습 프로세스는 `lqrflm_agent.py` 파일에 있는 클래스 `LQRFLMagent`의 멤버함수인 `update`에 있다. 구체적으로 살펴보면 다음과 같다.

1. 로컬 제어법칙을 초기화하고 이를 이용해 상태변수 초깃값 x_0에서 시작되는 궤적을 N개 생성한다. 그 후에는 이전 로컬 제어법칙(가우시안 LQR)으로 궤적을 생성한다.

```
x0 = self.init_state
    if iter == 0:
        self.control_data = self.local_controller.init()
        self.training_data = self.sampler.generate(x0, self.control_data,
                                        self.cost_param, self.goal_state)
    else:
        self.training_data = self.sampler.generate(x0, self.prev_control_data,
                                        self.cost_param, self.goal_state)
```

2. 생성된 궤적을 이용해 GMM 사전분포를 업데이트하고 로컬 모델을 피팅한다.

```
self.dynamics_data = self.local_dynamics.update(self.training_data)
```

3. 로컬 제어법칙과 η를 계산한다.

```
if iter > 0:
    eta = self.prev_control_data.eta
    self.control_data = self.local_controller.update(self.prev_control_data,
        self.dynamics_data, self.cost_param, self.goal_state, eta, self.kl_step_mult)
```

4. ϵ을 조정한다.

```
if iter > 0:
    self._epsilon_adjust()
```

5. 다음 이터레이션을 준비한다.

```
self._update_iteration_variables()
```

10.6.3 궤적 생성

sample_trajectory.py에는 학습에 사용할 궤적의 구조를 정의한 TrainingData 클래스와 로컬 제어 법칙을 실행해 궤적을 생성하는 역할을 담당하는 Sampler 클래스가 있다.

TrainingData 클래스는 궤적의 구조를 정의한다. 궤적은 N개의 상태와 행동 궤적 및 비용으로 구성된다.

```
def __init__(self, X=None, U=None, cost=None):
    self.X = X              # (N, T+2, state_dim)
    self.U = U              # (N, T+1, action_dim)
    self.cost = cost
```

Sampler 클래스는 로컬 제어법칙을 이용해 실질적으로 궤적을 생성한다. 멤버함수 generate는 상태변수 초깃값, 제어법칙, 비용함수 및 최종 상태변수를 입력받아서 설정된 시간구간 동안 궤적을 생성한다.

```
def generate(self, x0, local_controller, cost_param, goal_state):
```

먼저 제어법칙으로부터 칼만 게인과 공분산을 추출한다.

```
        Kt = local_controller.Kt
        kt = local_controller.kt
        St = local_controller.St
```

그런 다음, 설정된 초깃값으로부터 평균이 $K_t x_t + k$이고 공분산이 $w_t \sim N(0, S_t)$인 행동 $u_t = K_t x_t + k_t + w_t$를 환경(시스템)에 가해 궤적을 생성한다.

```
mean_action = Kt[t, :, :].dot(state) + kt[t, :]
action = np.random.multivariate_normal(mean=mean_action, cov=St[t, :, :])
# 행동 범위 클리핑
action = np.clip(action, -self.action_bound, self.action_bound)
# 다음 상태 관측
state, _, _, _ = self.env.step(action)
```

OpenAI Gym에서 제공하는 'Pendulum-v0'는 초깃값이 무작위로 정해지고 따로 초깃값을 임의로 설정할 수 있는 방법에 없기 때문에 원하는 초깃값이 나올 때까지 환경을 계속 리셋하며 기다리는 트릭을 사용했다.

```
# 원하는 초깃값이 생성될 때까지 환경 초기화 계속
bad_init = True
while bad_init:
    state = self.env.reset()
    x0err = state - x0
    if np.sqrt(x0err.T.dot(x0err)) < 0.1:
        bad_init = False
```

멤버함수 actual_cost는 생성한 N개 궤적의 평균 비용을 계산하는 함수다.

$$J(\mathrm{x}_0) = \mathbb{E}_{\tau_{\mathrm{u}_0} \sim p(\tau_{\mathrm{u}_0}|\mathrm{x}_0)}\left[\sum_{t=0}^{T} w_1(1-\cos\psi)^2 + w_2 \sin^2\psi + w_3\dot{\psi}^2 + w_u a^2\right]$$

```
def actual_cost(self, X, U, cost_param, goal_state):
    cost = 0
    for traj_no in range(self.N):
        for t in range(self.T+1):
            x = X[traj_no, t, :]
            u = U[traj_no, t, :]
            cost = cost
                  + (x-goal_state).T.dot(cost_param['wx']).dot(x-goal_state)
                  + u.T.dot(cost_param['wu']).dot(u)
    cost = cost / self.N
    return cost
```

10.6.4 로컬 모델 피팅

linear_dynamics.py에는 로컬 모델의 구조를 정의한 DynamicsData 클래스와 로컬 모델의 피팅을 담당하는 LocalDynamics 클래스가 있다.

DynamicsData 클래스는 다음과 같이 로컬 모델의 구조를 정의한다.

$$\mathrm{x}_{t+1} = \mathrm{f}_{\mathrm{xu}t}\begin{bmatrix}\mathrm{x}_t \\ \mathrm{u}_t\end{bmatrix} + \mathrm{f}_{ct} + \mathrm{n}_t, \quad \mathrm{n}_t \sim N(0, \Sigma_t)$$

$$\mathrm{x}_0 \sim N(\bar{\mathrm{x}}_0, \mathrm{X}_0)$$

```
def __init__(self, fxu=None, fc=None, dyn_cov=None, x0mu=None, x0cov=None):
    self.fxu = fxu              # (T+1, state_dim, state_dim + action_dim)
    self.fc = fc                # (T+1, state_dim)
    self.dyn_cov = dyn_cov      # (T+1, state_dim, state_dim)
    self.x0mu = x0mu
    self.x0cov = x0cov
```

LocalDynamics 클래스의 멤버함수 update는 생성된 궤적을 입력으로 받아서 GMM 사전분포를 업데이트하고

```
self.prior.update(training_data)
```

로컬 동역학 모델을 피팅한다.

```
fxu, fc, dyn_cov = self.fit(X, U)
```

그리고 초기 상태변수의 평균과 공분산도 추정한다.

```
x0 = X[:, 0, :]
x0mu = np.mean(x0, axis=0)
x0cov = np.diag(np.maximum(np.var(x0, axis=0), 1e-6))
mu00, Phi0, priorm, n0 = self.prior.initial_state()
x0cov += Phi0 + (N*priorm) / (N+priorm)
             * np.outer(x0mu-mu00, x0mu-mu00) / (N+n0)
```

LocalDynamics 클래스의 멤버함수 fit는 실질적으로 로컬 모델을 피팅하는 역할을 수행한다. 먼저 시간스텝마다 N개의 상태천이 데이터 $\mathbf{z}_j = [\mathbf{x}_t; \mathbf{u}_t; \mathbf{x}_{t+1}]_{j=1,\cdots,N}$을 이용해 표준 역-위샤트 프라이어 값 μ_0, Φ, m, n_0를 계산한다.

```
xux = np.c_[X[:, t, :], U[:, t, :], X[:, t+1, :]]
mu0, Phi, mm, n0 = self.prior.eval(self.state_dim, self.action_dim, xux)
```

그리고 상태변환 데이터의 평균 μ_z와 공분산 P_{zz}를 계산한다.

```
dwts = (1.0 / N) * np.ones(N)
# 가중행렬
D = np.diag(dwts)
# 평균과 공분산 계산
xux_mean = np.mean((xux.T * dwts).T, axis=0)
diff = xux - xux_mean
xux_cov = diff.T.dot(D).dot(diff)
xux_cov = 0.5 * (xux_cov + xux_cov.T)
```

그다음, GMM 사전정보를 이용해 다음 식으로 μ_{z}^{MAP}와 $\mathrm{P}_{\mathrm{zz}}^{MAP}$를 계산한다.

$$\mu_{\mathrm{z}}^{MAP} = \frac{m\mu_0 + n_0\mu_{\mathrm{z}}}{m + n_0}$$

$$\mathrm{P}_{\mathrm{zz}}^{MAP} = \frac{\Phi + N\mathbf{P}_{\mathrm{zz}} + \frac{Nm}{N+m}(\mu_{\mathrm{z}} - \mu_0)(\mu_{\mathrm{z}} - \mu_0)^T}{N + n_0}$$

```
# MAP 추정
map_cov = (Phi + N * xux_cov + (N * mm) / (N + mm) *
          np.outer(xux_mean-mu0, xux_mean-mu0)) / (N + n0)
map_cov = 0.5 * (map_cov + map_cov.T)
map_cov[slice_xu, slice_xu] += cov_reg * np.eye(self.state_dim+self.action_dim)
map_mean = (mm * mu0 + n0 * xux_mean) / (mm + n0)
```

그러고 나서 다음 식으로 로컬 모델을 피팅한다.

$$\mathrm{f}_{\mathrm{xu}t} = \mathrm{P}_{\mathrm{x}_{t+1}\mathrm{xu}t}^{MAP}(\mathrm{P}_{\mathrm{xuxu}t}^{MAP})^{-1}$$

$$\mathrm{f}_{\mathrm{c}t} = \mu_{\mathrm{x}_{t+1}}^{MAP} - \mathrm{f}_{\mathrm{xu}t}\mu_{\mathrm{xu}t}^{MAP}$$

$$\Sigma_t = \mathrm{P}_{\mathrm{x}_{t+1}\mathrm{x}_{t+1}}^{MAP} - \mathrm{f}_{\mathrm{xu}t}\mathrm{P}_{\mathrm{xuxu}t}^{MAP}\mathrm{f}_{\mathrm{xu}t}^T$$

```
# 모델 파라미터 추정
fxut = np.linalg.solve(map_cov[slice_xu, slice_xu], map_cov[slice_xu, slice_xux]).T
fct = map_mean[slice_xux] - fxut.dot(map_mean[slice_xu]) # (state_dim,)
proc_cov = map_cov[slice_xux, slice_xux]
        - fxut.dot(map_cov[slice_xu, slice_xu]).dot(fxut.T)
fxu[t, :, :] = fxut
fc[t, :] = fct
dyn_cov[t, :, :] = 0.5 * (proc_cov + proc_cov.T)
```

10.6.5 가우시안 LQR

gaussian_control.py에는 가우시안 LQR의 구조를 정의한 ControlData 클래스와 LQR의 제어법칙을 계산하는 LocalControl 클래스가 있다.

ControlData 클래스는 다음과 같이 LQR의 구조를 정의한다.

$$u_t = K_t x_t + k_t + w_t, \quad w_t \sim \mathcal{N}(0, S_t)$$

```
def __init__(self, Kt=None, kt=None, St=None, chol_St=None, inv_St=None, eta=None):
    self.Kt = Kt                # (T+1, action_dim, state_dim)
    self.kt = kt                # (T+1, action_dim)
    self.St = St                # (T+1, action_dim, action_dim)
    # St의 촐레스키 분해
    self.chol_St = chol_St
    # St의 역행렬
    self.inv_St = inv_St
    self.eta = eta
```

LocalControl 클래스의 멤버함수 init는 로컬 제어법칙(LQR)을 초기화한다. 특별한 제어법칙에 대한 정보가 없으므로 모든 칼만 게인 값은 0으로 하고, 공분산은 1로 초기화했다.

```
Kt = np.zeros([self.T+1, self.action_dim, self.state_dim])
kt = np.zeros([self.T+1, self.action_dim])
St = np.zeros([self.T+1, self.action_dim, self.action_dim])
chol_St = np.zeros([self.T+1, self.action_dim, self.action_dim])
inv_St = np.zeros([self.T+1, self.action_dim, self.action_dim])
for t in range(T+1):
    St[t, :, :] = 1.0 * np.eye(self.action_dim)
    inv_St[t,:, :] = 1.0 / St[t, :, :]
    chol_St[t, :, :] = sp.linalg.cholesky(St[t, :, :])
eta = configuration['init_eta']
```

LocalControl 클래스의 멤버함수 update는 가우시안 LQR 알고리즘을 구현한 것이다. 크게 LQR의 역방향 패스(backward pass), 순방향 패스(forward pass), η를 조정하는 부분 등 세 부분으로 나뉘어 있다.

LQR의 역방향 패스는 멤버함수 backward에 구현돼 있다. 역방향 패스에서는 LQR의 칼만 게인을 계산하는데, 먼저 대체 비용함수를 계산해야 한다. 대체 비용함수는 멤버함수 augment_cost에 구현돼 있으며 다음과 같이 계산된다.

$$\widetilde{c}(\mathrm{x}_t, \mathrm{u}_t) = \frac{1}{2}\begin{bmatrix}\mathrm{x}_t \\ \mathrm{u}_t\end{bmatrix}^T \mathrm{D}_t \begin{bmatrix}\mathrm{x}_t \\ \mathrm{u}_t\end{bmatrix} + \begin{bmatrix}\mathrm{x}_t \\ \mathrm{u}_t\end{bmatrix}^T \mathrm{d}_t + const$$

$$\mathrm{D}_t = \frac{1}{\eta}\mathrm{C}_t + \begin{bmatrix}\overline{\mathrm{K}}_t^T \overline{\mathrm{S}}_t^{-1} \overline{\mathrm{K}}_t & -\overline{\mathrm{K}}_t^T \overline{\mathrm{S}}_t^{-1} \\ -\overline{\mathrm{S}}_t^{-1} \overline{\mathrm{K}}_t & \overline{\mathrm{S}}_t^{-1}\end{bmatrix}$$

$$\mathrm{d}_t = \frac{1}{\eta}\mathrm{c}_t + [\overline{\mathrm{K}}_t^T \overline{\mathrm{S}}_t^{-1} \overline{\mathrm{k}}_t \;\; -\overline{\mathrm{S}}_t^{-1} \overline{\mathrm{k}}_t]$$

```
Hessian[t, :, :] = np.vstack([
    np.hstack([KBar.T.dot(inv_Sbar).dot(KBar), -KBar.T.dot(inv_Sbar)]),
    np.hstack([-inv_Sbar.dot(KBar), inv_Sbar])
    ])
Jacobian[t, :] = np.concatenate([
    KBar.T.dot(inv_Sbar).dot(kbar), -inv_Sbar.dot(kbar)
    ])
Dtt[t,:,:] = Ctt / eta + Hessian[t, :, :]
dt[t,:] = ct / eta + Jacobian[t, :]
```

역방향 패스에서는 먼저 소프트 행동가치 함수 $Q(\mathrm{x}_t, \mathrm{u}_t)$의 가중치 행렬 Q_t, q_t를 계산한다.

$$\mathrm{Q}_t = \mathrm{C}_t + \mathrm{F}_t^T \mathrm{V}_{t+1} \mathrm{F}_t$$

$$\mathrm{q}_t = \mathrm{c}_t + \mathrm{F}_t^T \mathrm{V}_{t+1} \mathrm{F}_{ct} + \mathrm{F}_t^T \mathrm{V}_{t+1}$$

$$\mathrm{Q}_t = \begin{bmatrix} Q_{\mathrm{xx}t} & Q_{\mathrm{xu}t} \\ Q_{\mathrm{ux}t} & Q_{\mathrm{uu}t}\end{bmatrix}, \;\; \mathrm{q}_t = \begin{bmatrix} Q_{\mathrm{x}t} \\ Q_{\mathrm{u}t}\end{bmatrix}$$

```
# 대체 비용 계산
Ctt, ct = self.augment_cost(control_data, eta, cost_param, goal_state)
    for t in range(T, -1, -1):
        if t == T:
            Qtt[t] = Ctt[t, :, :]
            qt[t] = ct[t, :]
        else:
            Qtt[t] = Ctt[t, :, :] + fxu[t, :, :].T.dot(Vtt[t+1, :, :]).dot(fxu[t, :, :])
            qt[t] = ct[t, :] + fxu[t, :, :].T.dot(vt[t+1, :]
```

```
                                + Vtt[t+1, :, :].dot(fc[t, :]))
        Qtt[t] = 0.5 * (Qtt[t] + Qtt[t].T)
        Quu = Qtt[t, slice_u, slice_u]
        Qux = Qtt[t, slice_u, slice_x]
        Qu = qt[t, slice_u]
```

역방향 패스에서는 Q_{uut}의 역행렬 Q_{uut}^{-1}의 존재 유무가 중요하다. 역행렬이 존재하지 않는다면 Q_{uut}가 정정 행렬이 될 때까지 η를 증가시킨다. 다음 코드는 역행렬이 존재하는지 확인하는 부분이다.

```
try:
    # Quu의 촐레스키 분해를 계산
    U = sp.linalg.cholesky(Quu)
    L = U.T
except:
    # 계산이 안 되면 Quu는 역행렬이 존재하지 않으므로 루프를 빠져나옴
    Quupd_err = True
    break
```

다음 코드는 η를 증가시키는 부분이다.

```
# Quut의 역행렬이 존재하지 않는다면 eta를 증가
if Quupd_err:
    eta = eta0 + inc_eta
    inc_eta *= 2.0
    if eta >= 1e16:
        ValueError('Failed to find PD solution even for very large eta')
```

다음으로 칼만 게인을 계산한다.

$$\mathrm{K}_t = -\, Q_{uut}^{-1} Q_{uxt}$$
$$\mathrm{k}_t = -\, Q_{uut}^{-1} Q_{ut}$$

```
Quut[t, :, :] = Quu
# Quut의 역행렬 계산
Quu_inv = sp.linalg.solve_triangular(
            U, sp.linalg.solve_triangular(L, np.eye(action_dim), lower=True)
```

```
            )
    St[t, :, :] = Quu_inv
    chol_St[t, :, :] = sp.linalg.cholesky(Quu_inv)
    # Kt[t] 계산
    Kt[t, :, :] = -sp.linalg.solve_triangular(
                    U, sp.linalg.solve_triangular(L, Qux, lower=True)
                )
    # kt[t] 계산
    kt[t, :] = -sp.linalg.solve_triangular(
                  U, sp.linalg.solve_triangular(L, Qu, lower=True)
              )
```

마지막으로 소프트 상태가치 함수 $V(\mathrm{x}_t)$의 가중치 행렬 V_t, v_t를 계산한다.

$$\mathrm{V}_t = Q_{\mathrm{xx}t} - Q_{\mathrm{xu}t} Q_{\mathrm{uu}t}^{-1} Q_{\mathrm{ux}t}$$
$$\mathrm{v}_t = Q_{\mathrm{x}t} - Q_{\mathrm{xu}t} Q_{\mathrm{uu}t}^{-1} Q_{\mathrm{u}t}$$

```
    Vtt[t, :, :] = Qtt[t, slice_x, slice_x] - Qux.T.dot(Quu_inv).dot(Qux)
    Vtt[t, :, :] = 0.5 * (Vtt[t, :, :] + Vtt[t, :, :].T)
    vt[t, :] = qt[t, slice_x] - Qux.T.dot(Quu_inv).dot(Qu)
```

LQR의 순방향 패스는 멤버함수 forward에 구현돼 있다. 순방향 패스에서는 확률 차분방정식에 의해 전파되는 상태변수의 평균과 공분산을 계산한다.

$$\mu_{\mathrm{x}_{t+1}} = \mathrm{f}_{\mathrm{xu}t}\begin{bmatrix}\mu_{\mathrm{x}t} \\ \mu_{\mathrm{u}t}\end{bmatrix} + \mathrm{f}_{\mathrm{c}t} = \mathrm{f}_{\mathrm{xu}t}\begin{bmatrix}\mu_{\mathrm{x}t} \\ \mathrm{K}_t\mu_{\mathrm{u}t} + \mathrm{k}_t\end{bmatrix} + \mathrm{f}_{\mathrm{c}t}$$
$$\begin{aligned}\mathrm{P}_{\mathrm{x}_{t+1}\mathrm{x}_{t+1}} &= \mathrm{f}_{\mathrm{xu}t}\mathrm{P}_{\mathrm{xuxu}t}\mathrm{f}_{\mathrm{xu}t}^T + \Sigma_t \\ &= \mathrm{f}_{\mathrm{xu}t}\begin{bmatrix}\mathrm{P}_{\mathrm{xx}t} & \mathrm{P}_{\mathrm{xx}t}\mathrm{K}_t^T \\ \mathrm{K}_t\mathrm{P}_{\mathrm{xx}t} & \mathrm{K}_t\mathrm{P}_{\mathrm{xx}t}\mathrm{K}_t^T\end{bmatrix}\mathrm{f}_{\mathrm{xu}t}^T + \Sigma_t\end{aligned}$$

```
for t in range(T+1):
    xu_mu[t,:] = np.hstack([
                    xu_mu[t, slice_x],
                    Kt[t,:,:].dot(xu_mu[t, slice_x]) + kt[t, :]
                ])
    xu_cov[t,:,:] = np.vstack([
                    np.hstack([
                    xu_cov[t, slice_x, slice_x],
```

```
                    xu_cov[t, slice_x, slice_x].dot(Kt[t,:,:].T)
                ]),
                    np.hstack([
                    Kt[t,:,:].dot(xu_cov[t, slice_x, slice_x]),
                    Kt[t,:,:].dot(xu_cov[t, slice_x, slice_x]).dot(Kt[t,:,:].T) + St[t,:,:]
                ])
            ])
    if t < T:
        xu_mu[t+1, slice_x] = fxu[t, :, :].dot(xu_mu[t, :]) + fc[t, :]
        xu_cov[t+1, slice_x, slice_x] = fxu[t,:,:].dot(xu_cov[t,:,:]).dot(fxu[t,:,:].T)
                                        + dyn_cov[t,:,:]
```

η는 KL 발산의 크기가 ϵ의 $\pm 10\%$ 범위 안에 들 때까지 조정한다. η가 크면 다음과 같이 조정한다.

[1] $\eta_{\max} \leftarrow \eta$

[2] $\eta \leftarrow \max(0.1\eta_{\max}, \sqrt{\eta_{\min}\eta_{\max}})$

η가 작으면 다음과 같이 조정한다.

[1] $\eta_{\min} \leftarrow \eta$

[2] $\eta \leftarrow \min(10\eta_{\min}, \sqrt{\eta_{\min}\eta_{\max}})$

```
kl_div = self.trajectory_kl(xu_mu, xu_cov, backward_pass, control_data)
constraint = kl_div - kl_bound
# eta가 kl_bound (epsilon)의 10% 범위 내에 들면 조정을 끝냄
if abs(constraint) < 0.1 * kl_bound:
    print("KL converged iteration: ", itr)
    break
# eta 조정
if constraint < 0: # eta가 크면
    max_eta = backward_pass.eta
    geo_mean = np.sqrt(min_eta*max_eta) # geometric mean
    new_eta = max(geo_mean, 0.1*max_eta)
else: # eta가 작으면
    min_eta = backward_pass.eta
    geo_mean = np.sqrt(min_eta*max_eta)
```

```
    new_eta = min(10*min_eta, geo_mean)
eta = new_eta
```

KL 발산은 멤버함수 trajectory_kl에서 다음과 같이 계산한다.

$$
\begin{aligned}
&\mathbb{E}_{(\mathrm{x}_t,\mathrm{u}_t)\sim p(\mathrm{x}_t,\mathrm{u}_t)}[D_{KL}(p(\mathrm{u}_t|\mathrm{x}_t)\|\bar{p}(\mathrm{u}_t|\mathrm{x}_t))] \\
&= \frac{1}{2}\left(tr(\bar{\mathrm{S}}_t^{-1}Q_{\mathrm{uu}t}^{-1}) + (\mathrm{k}_t - \bar{\mathrm{k}}_t)^T\bar{\mathrm{S}}_t^{-1}(\mathrm{k}_t - \bar{\mathrm{k}}_t) - \dim(\mathrm{u}_t) + \log\frac{\det\bar{\mathrm{S}}_t}{\det Q_{\mathrm{uu}t}^{-1}}\right) \\
&+ (\mathrm{k}_t - \bar{\mathrm{k}}_t)^T\bar{\mathrm{S}}_t^{-1}(\mathrm{K}_t - \bar{\mathrm{K}}_t)\mu_{\mathrm{x}t} \\
&+ \frac{1}{2}tr((\mathrm{K}_t - \bar{\mathrm{K}}_t)^T\bar{\mathrm{S}}_t^{-1}(\mathrm{K}_t - \bar{\mathrm{K}}_t)\mathrm{P}_{\mathrm{xx}t}) \\
&+ \frac{1}{2}\mu_{\mathrm{x}t}^T(\mathrm{K}_t - \bar{\mathrm{K}}_t)^T\bar{\mathrm{S}}_t^{-1}(\mathrm{K}_t - \bar{\mathrm{K}}_t)\mu_{\mathrm{x}t}
\end{aligned}
$$

```
K_diff = KBar - Kt_new
k_diff = kbar - kt_new
state_mu = xu_mu[t, slice_x]
state_cov = xu_cov[t, slice_x, slice_x]
logdet_Sbar = 2 * sum(np.log(np.diag(chol_Sbar)))
logdet_St_new = 2 * sum(np.log(np.diag(chol_St_new)))
kl_div_t[t] = max(
    0,
    0.5 * (
        np.sum(np.diag(inv_Sbar.dot(St_new))) + \
        logdet_Sbar - logdet_St_new - action_dim + \
        k_diff.T.dot(inv_Sbar).dot(k_diff) + \
        2 * k_diff.T.dot(inv_Sbar).dot(K_diff).dot(state_mu) + \
        np.sum(np.diag(K_diff.T.dot(inv_Sbar).dot(K_diff).dot(state_cov))) + \
        state_mu.T.dot(K_diff.T).dot(inv_Sbar).dot(K_diff).dot(state_mu)
    )
)
```

10.6.6 가우시안 혼합 모델

gmm 폴더에는 gmm.py와 dynamics_prior_gmm.py 등 2개의 파일이 있다. 2개 파일 모두 UC버클리의 "Guided Policy Search" 깃허브 사이트(https://github.com/cbfinn/gps)에서 그대로 가져온 파일임을 밝혀둔다. 단, 표준 역-위샤트 프라이어 값 중에서 n_0, m은 1로 설정했다.

먼저 gmm.py에는 가우시안 혼합 모델을 구현한 GMM 클래스가 있다.

멤버함수 inference는 표준 역-위샤트 프라이어 값 μ_0, Φ, m, n_0를 계산하는 함수다.

멤버함수 estep은 EM 알고리즘에서 E-스텝에 있는 잠재변수의 분자의 로그 값 $\log\bar{\gamma}_k^l$를 계산한다.

$$\bar{\gamma}_k^l = w_k N_k(\mathrm{z}_l|\mu_k, \mathrm{P}_k)$$
$$\gamma_k^l = \frac{\bar{\gamma}_k^l}{\sum_{k=1}^{K}\bar{\gamma}_k^l} = \frac{w_k N_k(\mathrm{z}_l|\mu_k, \mathrm{P}_k)}{\sum_{k=1}^{K} w_k N_k(\mathrm{z}_l|\mu_k, \mathrm{P}_k)}$$

멤버함수 moments는 클러스터 평균이 μ_k, 공분산이 P_k, 가중치가 w_k인 가우시안 혼합 모델(GMM)의 전체 평균 μ^{GMM}과 공분산 P^{GMM}을 계산한다.

$$\mu^{GMM} = \sum_{k=1}^{K} w_k \mu_k$$
$$\mathrm{P}^{GMM} = \sum_{k=1}^{K} w_k \{\mathrm{P}_k + (\mu_k - \mu)(\mu_k - \mu)^T\}$$

멤버함수 clusterwts는 클러스터 가중치의 로그 값 $\log w_k$를 계산한다.

$$w_k = \frac{1}{D}\sum_{l=1}^{D}\gamma_k^l$$

멤버함수 update는 정해진 이터레이션만큼 EM 알고리즘을 수행한다.

E-스텝: $$\gamma_k^l = \frac{w_k N_k(\mathrm{z}_l|\mu_k, \mathrm{P}_k)}{\sum_{k=1}^{K} w_k N_k(\mathrm{z}_l|\mu_k, \mathrm{P}_k)}$$

M-스텝: $$\mu_k = \frac{\sum_{l=1}^{D}\gamma_k^l \mathrm{z}_l}{\sum_{l=1}^{D}\gamma_k^l}, \mathrm{P}_k = \frac{\sum_{l=1}^{D}\gamma_k^l(\mathrm{z}_l - \mu_k)(\mathrm{z}_l - \mu_k)^T}{\sum_{l=1}^{D}\gamma_k^l}, w_k = \frac{1}{D}\sum_{l=1}^{D}\gamma_k^l$$

dynamics_prior_gmm.py에는 생성된 궤적을 입력으로 받아서 GMM 사전분포를 업데이트하고, 특정 시간스텝의 상태천이 데이터를 이용해 표준 역-위샤트 프라이어 값 μ_0, Φ, m, n_0를 계산하기 위한 DynamicsPriorGMM 클래스가 있다.

멤버함수 initial_state는 초기 상태변수의 역-위샤트 프라이어 μ_0, Φ, m, n_0를 계산한다.

멤버함수 update는 시간스텝과 학습 이터레이션에 관계없이 상태변환 데이터 $z = [x_t; u_t; x_{t+1}]$을 모두 모아서 K개 클러스터의 μ_k, P_k, w_k를 학습한다.

멤버함수 eval은 특정 시간스텝에서 상태변환 데이터 $z_j = [x_t; u_t; x_{t+1}]_{j=1,\cdots,N}$을 입력받아 표준 역-위샤트 프라이어 μ_0, Φ, m, n_0를 계산한다.

10.6.7 LQR-FLM 에이전트 클래스

LQR-FLM(LQR with Fitted Linear Model) 에이전트 클래스에는 궤적 생성, 로컬 모델, 가우시안 LQR로 구성된 에이전트를 생성하는 부분, 그리고 에이전트의 학습을 진행하는 부분이 포함돼 있다. 학습은 멤버함수 update에 구현돼 있으며 10.6.2절의 코드 개요에서 설명했다. 학습에 필요한 하이퍼파라미터는 config.py에 설정돼 있다. 비용함수의 시간구간, 발생시키는 궤적의 개수, η와 ϵ은 각각 T=150, n=20, η=1.0, ϵ=0.01로 설정했다.

```
configuration = {
    'T': 150,
    'num_trajectory': 20,
    'init_eta': 1.0,
    'base_kl_step': 0.01,
}
```

비용함수 식 (10.55)의 가중치는 $w_1=10$, $w_2=0.01$, $w_3=0.1$, $w_4=0.001$로 설정했다.

```
self.cost_param = {
    'wx': np.diag([10.0, 0.01, 0.1]),
    'wu': np.diag([0.001]),
}
```

초기 각도는 $\psi_0 = -45°$로 설정했다. 따라서 초기 상태변수는 $\mathrm{x}_0 = [\cos\psi_0 \ \ \sin\psi_0 \ \ 0]^T$다.

```
i_ang = -45.0 * np.pi / 180.0
self.init_state = np.array([math.cos(i_ang), math.sin(i_ang), 0])
```

멤버함수 _epsilon_adjust는 식 (10.54)의 ϵ 조정 알고리즘을 구현한 것이다. 멤버함수 _update_iteration_variables는 다음 이터레이션을 위해 현재 이터레이션에서 계산된 모든 파라미터를 이전 파라미터로 복사하는 기능을 수행한다. 멤버함수 estimate_cost는 추정된 로컬 선형 동역학 모델과 가우시안 LQR을 이용해 비용을 예측하는 식을 구현한 것이다.

10.6.8 학습 결과

lqrflm_main.py 파일을 실행시키면 학습이 진행된다. 학습된 가우시안 LQR의 칼만 게인은 save_weights 폴더에 kalman_gain.txt 파일로 저장된다. lqrflm_load_play.py를 실행시키면 저장된 파라미터를 읽어 들여 에이전트를 실행시킨다. 그림 10.10은 학습 결과다. 약 60번의 이터레이션만에 일정 수준의 학습 성과를 달성한 것을 볼 수 있다. 그림 10.11은 서로 다른 초기 조건에 대해서 진자의 각도(ψ)의 시간 궤적을 도시한 실행 결과다. 서로 다른 초기 각도에 대해서 각도가 모두 0도로 수렴하므로 진자가 성공적으로 기립함을 알 수 있다. 초기 각도 $\psi_0 = -45°$에서 학습했음에도 불구하고 전체 각도 영역에서 안정적으로 작동하는데, 이는 진자를 수직으로 세우는 비교적 단순한 문제라서 그런 것이지 다른 문제에서도 항상 그런 것은 아니다. 그림 10.12는 이때의 토크 시간 궤적을 도시한 것이다.

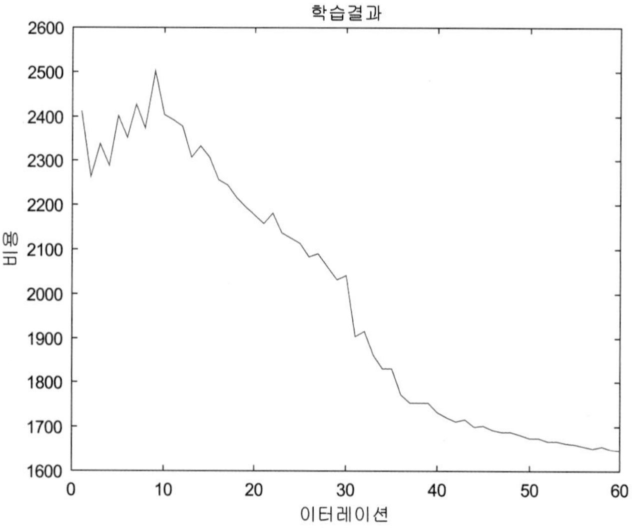

그림 10.10 학습 결과

가우시안 LQR은 선형 모델에 대한 선형 제어정책이므로 초기 제어법칙, 초기 각도, 비용함수의 가중치 등에 매우 민감하다. 이들 설정에 따라서 결과가 달리 나오며, 목푯값에 수렴하지 않고 로컬 최소 점에 빠질 수도 있다.

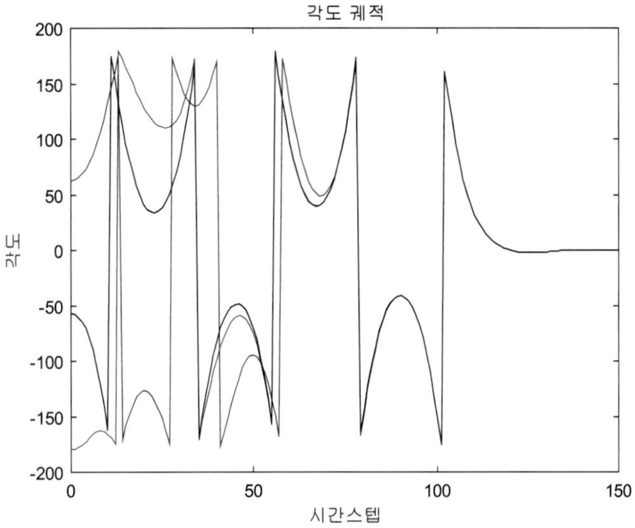

그림 10.11 실행 결과: 각도(ψ)의 시간 궤적

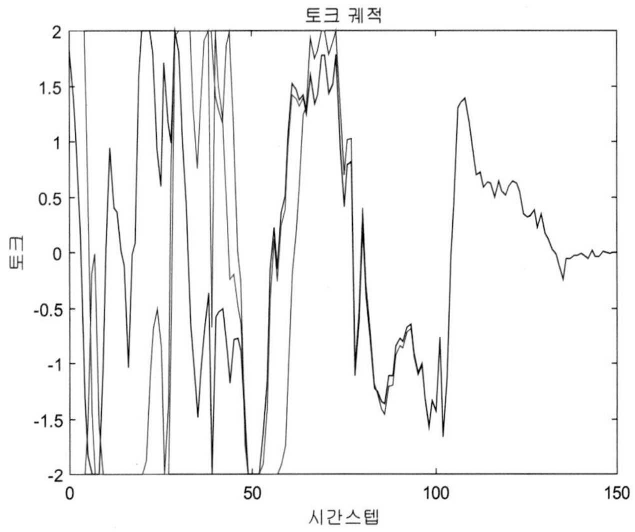

그림 10.12 실행 결과: 토크의 시간 궤적

10.6.9 전체 코드

sample_trajectory.py

```
## 궤적 생성
# 필요한 패키지 임포트
import numpy as np
from config import configuration

class TrainingData(object):
    """
        궤적 데이터 구조 정의
    """
    def __init__(self, X=None, U=None, cost=None):
        self.X = X              # (N, T+2, state_dim)
        self.U = U              # (N, T+1, action_dim)
        self.cost = cost

class Sampler(object):
    """
        로컬 제어법칙으로 궤적 생성
    """
    def __init__(self, env, N, T, state_dim, action_dim):
        self.env = env
        self.N = N
        self.T = T  # t=0, 1, ..., T
        self.state_dim = state_dim
        self.action_dim = action_dim

        # 행동의 한계 설정
        self.action_bound = env.action_space.high[0]

    ## 궤적 생성
    def generate(self, x0, local_controller, cost_param, goal_state):
        # 상태 및 행동 궤적 초기화
        X = np.zeros((self.N, self.T+2, self.state_dim))   # X=(x0, x1, ..., xT, xT+1)
        U = np.zeros((self.N, self.T+1, self.action_dim))  # U = (u0, u1, ..., uT)
```

```
# 칼만 게인 및 공분산 추출
Kt = local_controller.Kt
kt = local_controller.kt
St = local_controller.St

state = np.zeros(self.state_dim)

# N개의 궤적 생성
for traj_no in range(self.N):
    # 원하는 초깃값이 생성될 때까지 환경 초기화 계속
    bad_init = True
    while bad_init:
        state = self.env.reset()  # shape of observation from gym (3,)
        x0err = state - x0
        if np.sqrt(x0err.T.dot(x0err)) < 0.1:  # x0=(state_dim,)
            bad_init = False
    # 시간스텝마다 궤적 발생
    for t in range(self.T+1):
        # 렌더링 여부
        if configuration['render_ok']:
            self.env.render()

        # 행동 계산
        mean_action = Kt[t, :, :].dot(state) + kt[t, :]
        action =np.random.multivariate_normal(mean=mean_action, cov=St[t, :, :])
        # 행동 범위 클리핑
        action = np.clip(action, -self.action_bound, self.action_bound)

        # 상태 및 행동 궤적 모음
        X[traj_no, t, :] = state
        U[traj_no, t, :] = action

        # 행동을 환경에 가하고 다음 상태 관측
        state, _, _, _ = self.env.step(action)
        # 마지막 시간스텝 처리
        if t == self.T:
            X[traj_no, t+1, :] = state
```

```
        # 궤적의 비용 계산
        cost = self.actual_cost(X, U, cost_param, goal_state)
        return TrainingData(X, U, cost)


    ## 생성한 궤적의 실제 비용 계산
    def actual_cost(self, X, U, cost_param, goal_state):
        cost = 0
        for traj_no in range(self.N):
            for t in range(self.T+1):
                x = X[traj_no, t, :]
                u = U[traj_no, t, :]
                u = U[traj_no, t, :]
                cost =cost + (x-goal_state).T.dot(cost_param['wx']).dot(x-goal_state) + \
                      u.T.dot(cost_param['wu']).dot(u)
        # N개 궤적의 평균 비용 계산
        cost = cost / self.N
        return cost
```

linear_dynamics.py

```
## 로컬 선형 동역학 모델
# 필요한 패키지 임포트
import numpy as np

class DynamicsData(object):
    """
        로컬 선형 동역학 모델 구조 정의
    """
    def __init__(self, fxu=None, fc=None, dyn_cov=None, x0mu=None, x0cov=None):
        self.fxu = fxu               # (T+1, state_dim, state_dim + action_dim)
        self.fc = fc                 # (T+1, state_dim)
        self.dyn_cov = dyn_cov        # (T+1, state_dim, state_dim)
        self.x0mu = x0mu
        self.x0cov = x0cov
```

```
class LocalDynamics(object):
    """
        로컬 선형 동역학 모델 피팅
    """
    def __init__(self, T, state_dim, action_dim, prior):
        self.T = T
        self.state_dim = state_dim
        self.action_dim = action_dim
        self.prior = prior

    ## 선형 모델 업데이트
    def update(self, training_data):
        X = training_data.X
        U = training_data.U
        N = X.shape[0]

        # 프라이어 업데이트
        self.prior.update(training_data)

        # 모델 피팅
        fxu, fc, dyn_cov = self.fit(X, U)

        # 초기 상태변수 및 공분산 추정
        x0 = X[:, 0, :]
        x0mu = np.mean(x0, axis=0)
        x0cov = np.diag(np.maximum(np.var(x0, axis=0), 1e-6))
        mu00, Phi0, priorm, n0 = self.prior.initial_state()
        x0cov += Phi0 + (N*priorm) / (N+priorm) * np.outer(x0mu-mu00, x0mu-mu00) / (N+n0)
        return DynamicsData(fxu, fc, dyn_cov, x0mu, x0cov)

    ## 모델 피팅
    def fit(self, X, U, cov_reg=1e-6):

        # 초기화
        N = X.shape[0]
        fxu = np.zeros([self.T+1, self.state_dim, self.state_dim + self.action_dim])
        fc = np.zeros([self.T+1, self.state_dim])
        dyn_cov = np.zeros([self.T+1, self.state_dim, self.state_dim])
```

```
slice_xu = slice(self.state_dim + self.action_dim)
slice_xux = slice(self.state_dim + self.action_dim,
                  self.state_dim + self.action_dim + self.state_dim)
# 가중치
dwts = (1.0 / N) * np.ones(N)

for t in range(self.T+1):
    # xux = [xt;  ut;  x_t+1]
    xux = np.c_[X[:, t, :], U[:, t, :], X[:, t+1, :]]
    # Normal-inverse-Wishart prior 계산
    mu0, Phi, mm, n0 = self.prior.eval(self.state_dim, self.action_dim, xux)
    # 가중행렬
    D = np.diag(dwts)
    # 평균과 공분산 계산
    xux_mean = np.mean((xux.T * dwts).T, axis=0)
    diff = xux - xux_mean
    xux_cov = diff.T.dot(D).dot(diff)
    xux_cov = 0.5 * (xux_cov + xux_cov.T)

    # MAP 추정
    map_cov = (Phi + N * xux_cov + (N * mm) / (N + mm) *
               np.outer(xux_mean-mu0, xux_mean-mu0)) / (N + n0)
    map_cov = 0.5 * (map_cov + map_cov.T)
    map_cov[slice_xu, slice_xu] += cov_reg * np.eye(self.state_dim+self.action_dim)
    map_mean = (mm * mu0 + n0 * xux_mean) / (mm + n0)

    # 모델 파라미터 추정
    fxut =np.linalg.solve(map_cov[slice_xu, slice_xu], map_cov[slice_xu, slice_xux]).T
    fct = map_mean[slice_xux] - fxut.dot(map_mean[slice_xu])
    proc_cov = map_cov[slice_xux, slice_xux]
               - fxut.dot(map_cov[slice_xu, slice_xu]).dot(fxut.T)
    fxu[t, :, :] = fxut
    fc[t, :] = fct
    dyn_cov[t, :, :] = 0.5 * (proc_cov + proc_cov.T)
return fxu, fc, dyn_cov
```

gaussian_control.py

```
## 로컬 제어법칙: LQR
# 필요한 패키지 임포트
import numpy as np
import scipy as sp
from config import configuration

class ControlData(object):
    """
        로컬 제어법칙 구조 정의
    """
    def __init__(self, Kt=None, kt=None, St=None, chol_St=None, inv_St=None, eta=None):
        self.Kt = Kt                # (T+1, action_dim, state_dim)
        self.kt = kt                # (T+1, action_dim)
        self.St = St                # (T+1, action_dim, action_dim)
        # St의 촐레스키 분해
        self.chol_St = chol_St
        # St의 역행렬
        self.inv_St = inv_St
        self.eta = eta

class LocalControl(object):
    """
        로컬 제어법칙(LQR) 설계
    """
    def __init__(self, T, state_dim, action_dim):
        self.T = T  # t=0, 1, ..., T
        self.state_dim = state_dim
        self.action_dim = action_dim

    ## 제어법칙 초기화
    def init(self):
        Kt = np.zeros([self.T+1, self.action_dim, self.state_dim])
        kt = np.zeros([self.T+1, self.action_dim])
        St = np.zeros([self.T+1, self.action_dim, self.action_dim])
        chol_St = np.zeros([self.T+1, self.action_dim, self.action_dim])
        inv_St = np.zeros([self.T+1, self.action_dim, self.action_dim])
        T = self.T
```

```
    # 칼만 게인은 모두 0으로 초기화, St는 1로 설정
    for t in range(T+1):
        St[t, :, :] = 1.0 * np.eye(self.action_dim)
        inv_St[t,:, :] = 1.0 / St[t, :, :]
        chol_St[t, :, :] = sp.linalg.cholesky(St[t, :, :])
    eta = configuration['init_eta']
    return ControlData(Kt, kt, St, chol_St, inv_St, eta)


## 로컬 제어법칙(LQR) 업데이트
def update(self, control_data, dynamics_data, cost_param, goal state, eta,
           kl_step_mult, MAX_iLQR_ITER=20):
    T = self.T
    max_eta = configuration['max_eta']
    min_eta = configuration['min_eta']

    # KL 한계(epsilon) 설정
    kl_bound = kl_step_mult * configuration['base_kl_step'] * (T+1)

    for itr in range(MAX_iLQR_ITER):
        # LQR 역방향 패스
        backward_pass = self.backward(control_data, dynamics_data,
                                      eta, cost_param, goal_state)
        # LQR 순방향 패스
        xu_mu, xu_cov = self.forward(backward_pass, dynamics_data)
        # KL발산 계산
        kl_div = self.trajectory_kl(xu_mu, xu_cov, backward_pass, control_data)
        constraint = kl_div - kl_bound

        # eta가 kl_bound(epsilon)의 10% 범위 내에 들면 조정을 끝냄
        if abs(constraint) < 0.1 * kl_bound:
            print("KL converged iteration: ", itr)
            break

        # eta 조정
        if constraint < 0: # eta가 크면
            max_eta = backward_pass.eta
            geo_mean = np.sqrt(min_eta*max_eta) # geometric mean
            new_eta = max(geo_mean, 0.1*max_eta)
```

```
        else: # eta가 작으면
            min_eta = backward_pass.eta
            geo_mean = np.sqrt(min_eta*max_eta)
            new_eta = min(10*min_eta, geo_mean)
        eta = new_eta
    return backward_pass


## LQR 역방향 패스
def backward(self, control_data, dynamics_data, eta, cost_param, goal_state):
    T = self.T
    state_dim = self.state_dim
    action_dim = self.action_dim

    # 모델 파라미터 추출
    fxu = dynamics_data.fxu           # (T+1, state_dim, (state_dim+action_dim))
    fc = dynamics_data.fc             # (T+1, state_dim)

    # 초기화
    Kt = np.zeros((T+1, action_dim, state_dim))
    kt = np.zeros((T+1, action_dim))
    St = np.zeros((T+1, action_dim, action_dim)) # Quut_inv
    chol_St = np.zeros((T+1, action_dim, action_dim))
    Quut = np.zeros((T+1, action_dim, action_dim))

    slice_x = slice(state_dim)
    slice_u = slice(state_dim, state_dim + action_dim)
    eta0 = eta
    inc_eta = 1e-4  # Quu가 역행렬이 존재하지 않을 경우, eta 증가량

    Quupd_err = True  # Quu가 역행렬이 존재하지 않으면
    while Quupd_err:
        Quupd_err = False  # Quu가 역행렬이 존재하면

        # 초기화
        Vtt = np.zeros((T+1, state_dim, state_dim))
        vt = np.zeros((T+1, state_dim))
        Qtt = np.zeros((T+1, state_dim + action_dim, state_dim + action_dim))
        qt = np.zeros((T+1, state_dim + action_dim))
```

```
        # 대체 비용 계산
        Ctt, ct = self.augment_cost(control_data, eta, cost_param, goal_state)

        for t in range(T, -1, -1):

            if t == T:
                Qtt[t] = Ctt[t, :, :]
                qt[t] = ct[t, :]
            else:
                Qtt[t] = Ctt[t, :, :] + fxu[t, :, :].T.dot(Vtt[t+1, :, :]).dot(fxu[t, :, :])
                qt[t] = ct[t, :] + fxu[t, :, :].T.dot(vt[t+1, :]
                                 + Vtt[t+1, :, :].dot(fc[t, :]))

            Qtt[t] = 0.5 * (Qtt[t] + Qtt[t].T)
            Quu = Qtt[t, slice_u, slice_u]
            Qux = Qtt[t, slice_u, slice_x]
            Qu = qt[t, slice_u]

            try:
                # Quu의 촐레스키 분해를 계산
                U = sp.linalg.cholesky(Quu)
                L = U.T
            except:
                # 계산이 안 되면 Quu는 역행렬이 존재하지 않으므로 루프를 빠져나옴
                Quupd_err = True
                break

            Quut[t, :, :] = Quu
            # Quut의 역행렬 계산
            Quu_inv = sp.linalg.solve_triangular(
                U, sp.linalg.solve_triangular(L, np.eye(action_dim), lower=True)
            )
            St[t, :, :] = Quu_inv
            chol_St[t, :, :] = sp.linalg.cholesky(Quu_inv)
            # Kt[t] 계산
            Kt[t, :, :] = -sp.linalg.solve_triangular(
                U, sp.linalg.solve_triangular(L, Qux, lower=True)
            )
```

```
            # kt[t] 계산
            kt[t, :] = -sp.linalg.solve_triangular(
                U, sp.linalg.solve_triangular(L, Qu, lower=True)
            )

            # 상태가치 함수 계산
            Vtt[t, :, :] = Qtt[t, slice_x, slice_x] - Qux.T.dot(Quu_inv).dot(Qux)
            Vtt[t, :, :] = 0.5 * (Vtt[t, :, :] + Vtt[t, :, :].T)
            vt[t, :] = qt[t, slice_x] - Qux.T.dot(Quu_inv).dot(Qu)

        # Quut의 역행렬이 존재하지 않는다면 eta를 증가
        if Quupd_err:
            eta = eta0 + inc_eta
            inc_eta *= 2.0
            print('Ooops ! Quu is not PD')
            if eta >= 1e16:
                ValueError('Failed to find PD solution even for very large eta')
    return ControlData(Kt, kt, St, chol_St, Quut, eta)


## LQR 순방향 패스
def forward(self, backward_pass, dynamics_data):
    T = self.T
    state_dim = self.state_dim
    action_dim = self.action_dim

    # 칼만 게인 추출
    Kt, kt, St = backward_pass.Kt, backward_pass.kt, backward_pass.St

    # 모델 파라미터 추출
    fxu = dynamics_data.fxu            # (T+1, state_dim, (state_dim+action_dim))
    fc = dynamics_data.fc              # (T+1, state_dim)
    dyn_cov = dynamics_data.dyn_cov    # (T+1, state_dim, state_dim)

    # 초기화
    xu_mu = np.zeros((T+1, state_dim + action_dim))
    xu_cov = np.zeros((T+1, state_dim + action_dim, state_dim + action_dim))
```

```
        slice_x = slice(state_dim)
        xu_mu[0, slice_x] = dynamics_data.x0mu
        xu_cov[0, slice_x, slice_x] = dynamics_data.x0cov

        for t in range(T+1):
            # xu 평균 계산
            xu_mu[t,:] = np.hstack([
                xu_mu[t, slice_x],
                Kt[t,:,:].dot(xu_mu[t, slice_x]) + kt[t, :]
            ])
            # xu 공분산 계산
            xu_cov[t,:,:] = np.vstack([
                np.hstack([
                    xu_cov[t, slice_x, slice_x],
                    xu_cov[t, slice_x, slice_x].dot(Kt[t,:,:].T)
                ]),
                np.hstack([
                    Kt[t,:,:].dot(xu_cov[t, slice_x, slice_x]),
                        Kt[t,:,:].dot(xu_cov[t, slice_x, slice_x]).dot(Kt[t,:,:].T)
                        + St[t,:,:]
                ])
            ])
            if t < T:
                xu_mu[t+1, slice_x] = fxu[t, :, :].dot(xu_mu[t, :]) + fc[t, :]
                xu_cov[t+1, slice_x, slice_x] = fxu[t,:,:].dot(xu_cov[t,:,:]).dot(fxu[t,:,:].T)
                        + dyn_cov[t,:,:]
        return xu_mu, xu_cov


    ## 대체 비용함수 계산
    def augment_cost(self, policy_data, eta, cost_param, goal_state):
        T = self.T
        state_dim = self.state_dim
        action_dim = self.action_dim

        slice_x = slice(state_dim)
        slice_u = slice(state_dim, state_dim + action_dim)
```

```
    # 원래 비용함수
    Ctt = np.zeros((state_dim + action_dim, state_dim + action_dim))
    Ctt[slice_x, slice_x] = cost_param['wx'] * 2.0
    Ctt[slice_u, slice_u] = cost_param['wu'] * 2.0
    ct = np.zeros(state_dim + action_dim)
    ct[slice_x] = -2.0 * cost_param['wx'].dot(goal_state)

    # 초기화
    Hessian = np.zeros((T+1, state_dim + action_dim, state_dim + action_dim))
    Jacobian = np.zeros((T+1, state_dim + action_dim))
    Dtt = np.zeros((T+1, state_dim + action_dim, state_dim + action_dim))
    dt = np.zeros((T+1, state_dim + action_dim))

    for t in range(T+1):
        # 이전 제어법칙 칼만 게인 및 공분산 추출
        inv_Sbar = policy_data.inv_St[t,:,:] # (action_dim, state_dim)
        KBar = policy_data.Kt[t, :, :]       # (action_dim, state_dim)
        kbar = policy_data.kt[t, :]          # (action_dim,)
        # 헤시안 계산
        Hessian[t, :, :] = np.vstack([
            np.hstack([KBar.T.dot(inv_Sbar).dot(KBar), -KBar.T.dot(inv_Sbar)]),
            np.hstack([-inv_Sbar.dot(KBar), inv_Sbar])
        ]) # (state_dim+action_dim, state_dim+action_dim)
        # 자코비안 계산
        Jacobian[t, :] = np.concatenate([
            KBar.T.dot(inv_Sbar).dot(kbar), -inv_Sbar.dot(kbar)
        ])  # (state_dim+action_dim,)
        # 대체 비용함수 계산
        Dtt[t,:,:] = Ctt / eta + Hessian[t, :, :]
        dt[t,:] = ct / eta + Jacobian[t, :]

    return Dtt, dt


## KL 발산 계산
def trajectory_kl(self, xu_mu, xu_cov, backward_pass, policy_data):
    T = self.T
    state_dim = self.state_dim
    action_dim = self.action_dim
    slice_x = slice(state_dim)
```

```
    # 초기화
    kl_div_t = np.zeros(T+1)

    for t in range(T+1):
        # 이전 제어법칙 칼만 게인 및 공분산 추출
        inv_Sbar = policy_data.inv_St[t, :, :]
        chol_Sbar = policy_data.chol_St[t, :, :]
        KBar= policy_data.Kt[t, :, :]
        kbar = policy_data.kt[t, :]
        # 현재 제어법칙 칼만 게인 및 공분산 추출
        Kt_new = backward pass.Kt[t, :, :]
        kt_new = backward_pass.kt[t, :]
        St_new = backward_pass.St[t, :, :]
        chol_St_new = backward_pass.chol_St[t, :, :]
        # 칼만 게인 차이
        K_diff = KBar - Kt_new
        k_diff = kbar - kt_new
        # 상태변수 평균 및 공분산
        state_mu = xu_mu[t, slice_x]
        state_cov = xu_cov[t, slice_x, slice_x]
        # 로그_행렬식 (log_determinant)
        logdet_Sbar = 2 * sum(np.log(np.diag(chol_Sbar)))
        logdet_St_new = 2 * sum(np.log(np.diag(chol_St_new)))
        # KL 발산 계산
        kl_div_t[t] = max(
            0,
            0.5 * (
                np.sum(np.diag(inv_Sbar.dot(St_new))) + \
                logdet_Sbar - logdet_St_new - action_dim + \
                k_diff.T.dot(inv_Sbar).dot(k_diff) + \
                2 * k_diff.T.dot(inv_Sbar).dot(K_diff).dot(state_mu) + \
                np.sum(np.diag(K_diff.T.dot(inv_Sbar).dot(K_diff).dot(state_cov))) + \
                state_mu.T.dot(K_diff.T).dot(inv_Sbar).dot(K_diff).dot(state_mu)
            )
        )

        kl_div = np.sum(kl_div_t)
    return kl_div
```

gmm.py

```
## 가우시안 혼합 모델 (GMM)
# 필요한 패키지 임포트
import logging
import numpy as np
import scipy.linalg
LOGGER =ogging.getLogger(__name__)

def logsum(vec, axis=0, keepdims=True):
    maxv = np.max(vec, axis=axis, keepdims=keepdims)
    maxv[maxv == -float('inf')] = 0
    return np.log(np.sum(np.exp(vec-maxv), axis=axis, keepdims=keepdims)) + maxv


class GMM(object):
    ""가우시안 혼합 모델(GMM)"""
    def __init__(self, init_sequential=False, eigreg=False, warmstart=True):
        self.init_sequential = init_sequential
        self.eigreg = eigreg
        self.warmstart = warmstart
        self.sigma = None

    def inference(self, pts):
        """
        표준 역-위샤트 프라이어 값 계산
        """
        # 클러스터 가중치의 로그 값 계산
        logwts = self.clusterwts(pts)

        # GMM의 전체 평균과 공분산 계산
        mu0, Phi = self.moments(logwts)

        # 하이퍼파라미터 세팅
        m = self.N
        n0 = m - 2 - mu0.shape[0]

        # 규격화
        m = float(m) / self.N
```

```
        n0 = float(n0) / self.N
        return mu0, Phi, m, n0

    def estep(self, data):
        """
        E-스텝: 잠재변수의 로그 값 계산
        """
        # 상수
        N, D = data.shape
        K = self.sigma.shape[0]

        logobs = -0.5*np.ones((N, K))*D*np.log(2*np.pi)
        for i in range(K):
            mu, sigma = self.mu[i], self.sigma[i]
            L = scipy.linalg.cholesky(sigma, lower=True)
            logobs[:, i] -= np.sum(np.log(np.diag(L)))

            diff = (data - mu).T
            soln = scipy.linalg.solve_triangular(L, diff, lower=True)
            logobs[:, i] -= 0.5*np.sum(soln**2, axis=0)

            logobs += self.logmass.T
        return logobs

    def moments(self, logwts):
        """
        GMM의 전체 평균과 공분산 계산
        """
        # 로그 해제
        wts = np.exp(logwts)

        # 전체 평균 계산
        mu = np.sum(self.mu * wts, axis=0)

        # 전체 공분산 계산
        diff = self.mu - np.expand_dims(mu, axis=0)
        diff_expand = np.expand_dims(self.mu, axis=1) * \
               np.expand_dims(diff, axis=2)
```

```
        wts_expand = np.expand_dims(wts, axis=2)
        sigma = np.sum((self.sigma + diff_expand) * wts_expand, axis=0)
        return mu, sigma

    def clusterwts(self, data):
        """
        GMM 클러스터 가중치의 로그 값 계산
        """
        # E-스텝의 클러스터 잠재변수 계산
        logobs = self.estep(data)

        # 규격화
        logwts = logobs - logsum(logobs, axis=1)

        # 클러스터 가중치 로그 값 계산
        logwts = logsum(logwts, axis=0) - np.log(data.shape[0])
        return logwts.T

    def update(self, data, K, max_iterations=100):
        """
        EM 알고리즘 수행
        """
        # 상수
        N = data.shape[0]
        Do = data.shape[1]

        LOGGER.debug('Fitting GMM with %d clusters on %d points', K, N)

        if (not self.warmstart or self.sigma is None or
            K != self.sigma.shape[0]):
            # 초기화
            LOGGER.debug('Initializing GMM.')
            self.sigma = np.zeros((K, Do, Do))
            self.mu = np.zeros((K, Do))
            self.logmass = np.log(1.0 / K) * np.ones((K, 1))
            self.mass = (1.0 / K) * np.ones((K, 1))
            self.N = data.shape[0]
            N = self.N
```

```
# 초기 클러스터 세팅
if not self.init_sequential:
    cidx = np.random.randint(0, K, size=(1, N))
else:
    raise NotImplementedError()

# 초기화
for i in range(K):
    cluster_idx = (cidx == i)[0]
    mu = np.mean(data[cluster_idx, :], axis=0)
    diff = (data[cluster_idx, :] - mu).T
    sigma = (1.0 / K) * (diff.dot(diff.T))
    self.mu[i, :] = mu
    self.sigma[i, :, :] = sigma + np.eye(Do) * 2e-6

    prevll = -float('inf')
    for itr in range(max_iterations):
    # E-스텝
    logobs = self.estep(data)

    # 로그-빈도함수 계산
    ll = np.sum(logsum(logobs, axis=1))
    LOGGER.debug('GMM itr %d/%d. Log likelihood: %f', itr, max_iterations, ll)
    if ll < prevll:
        LOGGER.debug('Log-likelihood decreased! Ending on itr=%d/%d',
            itr, max_iterations)
    break
    if np.abs(ll-prevll) < 1e-5*prevll:
        LOGGER.debug('GMM converged on itr=%d/%d', itr, max_iterations)
        break
    prevll = ll

    # 재 규격화
    logw = logobs - logsum(logobs, axis=1)
    assert logw.shape == (N, K)

    # 다시 규격화
    logwn = logw - logsum(logw, axis=0)
    assert logwn.shape == (N, K)
    w = np.exp(logwn)
```

```
# M-스텝
# 클러스터 가중치 계산
self.logmass = logsum(logw, axis=0).T
self.logmass = self.logmass - logsum(self.logmass, axis=0)
assert self.logmass.shape == (K, 1)
self.mass = np.exp(self.logmass)
# 작은 가중치 재 세팅
w[:, (self.mass < (1.0 / K) * 1e-4)[:, 0]] = 1.0 / N
# 클러스터 평균 계산
w_expand = np.expand_dims(w, axis=2)
data_expand = np.expand_dims(data, axis=1)
self.mu = np.sum(w_expand * data_expand, axis=0)
# 클러스터 분산 계산
wdata = data_expand * np.sqrt(w_expand)
assert wdata.shape == (N, K, Do)
for i in range(K):
    XX = wdata[:, i, :].T.dot(wdata[:, i, :])
    mu = self.mu[i, :]
    self.sigma[i, :, :] = XX - np.outer(mu, mu)

    if self.eigreg:
        raise NotImplementedError()
    else:
        sigma = self.sigma[i, :, :]
        self.sigma[i, :, :] = 0.5 * (sigma + sigma.T) + \
                              1e-6 * np.eye(Do)
```

dynamics_prior_gmm.py

```
## 동역학 모델 피팅을 위한 GMM  프라이어
# 필요한 패키지 임포트
import logging
import numpy as np
from gmm.gmm import GMM
from config import configuration
LOGGER = logging.getLogger(__name__)
```

```
class DynamicsPriorGMM(object):
    """
    GMM 업데이트 및 상태천이 데이터([x_t, u_t, x_t+1])의 프라이어 값 계산
    다음 논문 참고:
        S. Levine*, C. Finn*, T. Darrell, P. Abbeel, "End-to-end
        training of Deep Visuomotor Policies", arXiv:1504.00702,
        Appendix A.3.
    """
    def __init__(self):
        """
        하이퍼파라미터:
            min_samples_per_cluster: 클러스터 당 최소 샘플 궤적 개수.
            max_clusters: 최대 클러스터 개수
            max_samples: 최대 샘플 궤적 개수
            strength: 프라이어 값 조정 인자
        """
        self.X = None
        self.U = None

        self.gmm = GMM()

        self._min_samp = configuration['gmm_min_samples_per_cluster']
        self._max_samples = configuration['gmm_max_samples']
        self._max_clusters = configuration['gmm_max_clusters']
        self._strength = configuration['gmm_prior_strength']

    def initial_state(self):
        """ 초기 상태변수의 프라이어 값 계산 """
        # 평균과 공분산 계산
        mu0 = np.mean(self.X[:, 0, :], axis=0)
        Phi = np.diag(np.var(self.X[:, 0, :], axis=0))

        # n0, m 설정
        n0 = 1.0
        m = 1.0
        # Phi 값 조정
        Phi = Phi * m
        return mu0, Phi, m, n0
```

```
def update(self, training_data):
    """
    GMM 업데이트
    """
    X = training_data.X
    U = training_data.U

    # 상수
    T = X.shape[1] - 1

    # 데이터세트에 상태천이 데이터 추가
    if self.X is None or self.U is None:
        self.X = X
        self.U = U
    else:
        self.X = np.concatenate([self.X, X], axis=0)
        self.U = np.concatenate([self.U, U], axis=0)

    # 데이터세트에서 일정 샘플 개수를 유지
    start = max(0, self.X.shape[0] - self._max_samples + 1)
    self.X = self.X[start:, :]
    self.U = self.U[start:, :]

    # 클러스터 차원 계산
    Do = X.shape[2] + U.shape[2] + X.shape[2]  #TODO: Use Xtgt.

    # 데이터세트 생성
    N = self.X.shape[0]
    xux = np.reshape(
        np.c_[self.X[:, :T, :], self.U[:, :T, :], self.X[:, 1:(T+1), :]],
        [T * N, Do]
    )

    # 클러스터 개수 선정
    K = int(max(2, min(self._max_clusters,
                   np.floor(float(N * T) / self._min_samp))))
    LOGGER.debug('Generating %d clusters for dynamics GMM.', K)
```

```
        # GMM 업데이트
        self.gmm.update(xux, K)

    def eval(self, Dx, Du, pts):
        """
        특정 시간스텝에서 프라이어 값 계산
        """
        # 상태천이 데이터 차원 확인
        assert pts.shape[1] == Dx + Du + Dx

        # 프라이어 값 계산
        mu0, Phi, m, n0 = self.gmm.inference(pts)

        # n0, m 설정
        n0 = 1.0
        m = 1.0

        # Phi 값 조정
        Phi *= m
        return mu0, Phi, m, n0
```

lqrflm_agent.py

```
## LQR-FLM (LQR with Fited Linear Model) 에이전트
# 필요한 패키지 임포트
import copy
import numpy as np
import math
from sample_trajectory import TrainingData, Sampler
from linear_dynamics import DynamicsData, LocalDynamics
from gaussian_control import ControlData, LocalControl
from gmm.dynamics_prior_gmm import DynamicsPriorGMM
from config import configuration

class LQRFLMagent(object):
    """
    로컬 모델 피팅 기반 LQR 에이전트
    """
```

```
def __init__(self, env):
    # 환경
    self.env = env
    # 상태변수 차원
    self.state_dim = env.observation_space.shape[0]
    # 행동 차원
    self.action_dim = env.action_space.shape[0]
    # 행동의 최대 크기
    self.action_bound = env.action_space.high[0]

    # GMM 초기화
    self.prior = DynamicsPriorGMM()

    # 목표 상태변수
    goal_ang = 0 * np.pi / 180.0
    self.goal_state = np.array([math.cos(goal_ang), math.sin(goal_ang), 0])
    # 초기 상태변수
    i_ang = -45.0 * np.pi / 180.0
    self.init_state = np.array([math.cos(i_ang), math.sin(i_ang), 0])
    # 생성할 궤적 개수와 시간 구간
    self.N = configuration['num_trajectory']
    self.T = configuration['T']

    # 비용함수
    self.cost_param = {
        'wx': np.diag([10.0, 0.01, 0.1]),  # (state_dim, state_dim)
        'wu': np.diag([0.001]),  # (action_dim, action_dim)
    }

    # epsilon
    self.kl_step_mult = configuration['init_kl_step_mult']

    # 궤적 구조 생성
    self.training_data = TrainingData()
    self.prev_training_data = TrainingData()
    self.sampler = Sampler(self.env, self.N, self.T, self.state_dim, self.action_dim)

    # 로컬 동역학 모델 생성 p(x_t+1¦xt,ut)
```

```
        self.dynamics_data = DynamicsData()
        self.prev_dynamics_data = DynamicsData()
        self.local_dynamics = LocalDynamics(self.T, self.state_dim, self.action_dim, self.prior)

        # 로컬 제어법칙(LQR) 생성 p(ut¦xt)
        self.control_data = ControlData()
        self.prev_control_data = ControlData()
        self.local_controller = LocalControl(self.T, self.state_dim, self.action_dim)

        # 에피소드에서 얻은 비용을 저장하기 위한 변수
        self.save_costs = []

    ## 학습
    def update(self, MAX_ITER):
        print("Now, regular iteration starts ...")
        for iter in range(int(MAX_ITER)):
            print("\niter = ", iter)

            # step 1: 이전 로컬 제어법칙으로 궤적 생성
            x0 = self.init_state
            if iter == 0:
                self.control_data = self.local_controller.init()
                self.training_data = self.sampler.generate(x0, self.control_data,
                                     self.cost_param, self.goal_state)
            else:
                self.training_data = self.sampler.generate(x0, self.prev_control_data,
                                     self.cost_param, self.goal_state)

                # 비용계산
                iter_cost = self.training_data.cost
                self.save_costs.append(iter_cost)
                print("     iter_cost  = ", iter_cost)

                # step 2: 모델 피팅
                self.dynamics_data = self.local_dynamics.update(self.training_data)

                # step 3: 로컬 제어법칙 업데이트
```

```
            if iter > 0:
                eta = self.prev_control_data.eta
                self.control_data = self.local_controller.update(self.prev_control_data,
                                                     self.dynamics_data, self.cost_param,
                                                     self.goal_state,
                                                     eta, self.kl_step_mult)

            # step 4: KL step (epsilon) 조정
            if iter > 0:
                self._epsilon_adjust()

            # step 5: 다음 이터레이션 준비
            self._update_iteration_variables()


        # 비용 저장
        np.savetxt('./save_weights/pendulum_iter_cost.txt', self.save_costs)


    ## KL step (epsilon) 조정
    def _epsilon_adjust(self):
        # 이전/현재의 실제 비용
        _last_cost = self.prev_training_data.cost
        _cur_cost = self.training_data.cost
        # 비용 추정
        _expected_cost = self.estimate_cost(self.control_data, self.dynamics_data)

        # 비용 감소량 계산
        _expected_impr = _last_cost - _expected_cost
        _actual_impr = _last_cost - _cur_cost

        print("  cost last, expected, current = ", _last_cost, _expected_cost, _cur_cost)

        # epsilon multiplier 조정
        _mult = _expected_impr / (2.0 * max(1e-4, _expected_impr - _actual_impr))
        _mult = max(0.1, min(5.0, _mult))
        new_step = max(
            min(_mult * self.kl_step_mult, configuration['max_kl_step_mult']),
            configuration['min_kl_step_mult']
        )
```

```
        self.kl_step_mult = new_step
        print(" epsilon_mult = ", new_step)


    ## 현재 이터레이션 파라미터를 이전 이터레이션 파라미터로 복사
    def _update_iteration_variables(self):
        self.prev_training_data = copy.deepcopy(self.training_data)
        self.prev_dynamics_data = copy.deepcopy(self.dynamics_data)
        self.prev_control_data = copy.deepcopy(self.control_data)

        self.training_data = TrainingData()
        self.dynamics_data = DynamicsData()
        self.control_data = ControlData()


    ## 비용 추정
    def estimate_cost(self, control_data, dynamics_data):
        T, state_dim, action_dim = self.T, self.state_dim, self.action_dim

        slice_x = slice(state_dim)
        slice_u = slice(state_dim, state_dim + action_dim)

        # 원래 비용
        Ctt = np.zeros((state_dim + action_dim, state_dim + action_dim))
        Ctt[slice_x, slice_x] = self.cost_param['wx'] * 2.0
        Ctt[slice_u, slice_u] = self.cost_param['wu'] * 2.0
        ct = np.zeros((state_dim + action_dim))
        ct[slice_x] = -2.0 * self.cost_param['wx'].dot(self.goal_state)
        cc = self.goal_state.T.dot(self.cost_param['wx']).dot(self.goal_state)

        # 모델 파라미터 추출
        fxu = dynamics_data.fxu            # (T+1, state_dim, (state_dim+action_dim))
        fc = dynamics_data.fc              # (T+1, state_dim)
        dyn_cov = dynamics_data.dyn_cov    # (T+1, state_dim, state_dim)

        # 칼만 게인 및 공분산 추출
        Kt = control_data.Kt
        kt = control_data.kt
        St = control_data.St
```

```
# 초기화
predicted_cost = np.zeros(T+1)
xu_mu = np.zeros((T+1, state_dim + action_dim))
xu_cov = np.zeros((T+1, state_dim + action_dim, state_dim + action_dim))
xu_mu[0, slice_x] = dynamics_data.x0mu
xu_cov[0, slice_x, slice_x] = dynamics_data.x0cov

for t in range(T+1):
    # xu 평균
    xu_mu[t,:] = np.hstack([
        xu_mu[t, slice_x],
        Kt[t,:,:].dot(xu_mu[t, slice_x]) + kt[t, :]
    ])
    # xu 공분산
    xu_cov[t,:,:] = np.vstack([
        np.hstack([
            xu_cov[t, slice_x, slice_x],
            xu_cov[t, slice_x, slice_x].dot(Kt[t,:,:].T)
        ]),
        np.hstack([
            Kt[t,:,:].dot(xu_cov[t, slice_x, slice_x]),
            Kt[t,:,:].dot(xu_cov[t, slice_x, slice_x]).dot(Kt[t,:,:].T) + St[t,:,:]
        ])
    ])
    if t < T:
        xu_mu[t+1, slice_x] = fxu[t, :, :].dot(xu_mu[t, :]) + fc[t, :]
        xu_cov[t+1, slice_x, slice_x] = fxu[t,:,:].dot(xu_cov[t,:,:]).dot(fxu[t,:,:].T)
                                         + dyn_cov[t,:,:]

for t in range(T+1):
    x = xu_mu[t, slice_x]
    u = xu_mu[t, slice_u]
    # 비용 추정
    predicted_cost[t] = (x  -  self.goal_state).T.dot(
        self.cost_param['wx']).dot(x - self.goal_state) +
        u.T.dot(self.cost_param['wu']).dot(u) * np.sum(xu_cov[t, :, :]*Ctt)
return predicted_cost.sum()
```

config.py

```
configuration = {
    # 궤적 관련
    'T': 150,
    'num_trajectory': 20,

    # GMM 관련
    'gmm_max_samples': 20,
    'gmm_max_clusters': 20,
    'gmm_min_samples_per_cluster': 40,
    'gmm_prior_strength': 1.0,

    # eta, epsilon 관련
    'init_eta': 1.0,
    'min_eta': 1e-8,
    'max_eta': 1e16,
    'eta_multiplier': 1e-4,
    'base_kl_step': 0.01,  # epsilon
    'init_kl_step_mult': 1.0,
    'min_kl_step_mult': 1e-1,
    'max_kl_step_mult': 1e2,

    # 가시화 여부
    'render_ok': False,
}
```

lqrflm_main.py

```
## LQR-FLM 에이전트를 학습하고 결과를 도시하는 파일
# 필요한 패키지 임포트
import gym
from lqrflm_agent import LQRFLMagent
import math
import numpy as np
from config import configuration

def main():
```

```
MAX_ITER = 60  # 학습 이터레이션 설정
env_name = 'Pendulum-v0' # 환경으로 OpenAI Gym의 pendulum-v0 설정
env = gym.make(env_name)
agent = LQRFLMagent(env) # LQR-FLM 에이전트 객체

# 학습 진행
agent.update(MAX_ITER)
T = configuration['T']
# 학습된 칼만 게인 추출
Kt = agent.prev_control_data.Kt
kt = agent.prev_control_data.kt

print("\n\n Now play ...............")
# 초기 상태변수 설정
x0 = agent.init_state

play_iter = 5
save_gain = []
# 학습 결과 플레이
for pn in range(play_iter):
    print("     play number :", pn+1)
    if pn < 2:
        bad_init = True
        while bad_init:
            state = env.reset()  # shape of observation from gym (3,)
            x0err = state - x0
            if np.sqrt(x0err.T.dot(x0err)) < 0.1:  # x0=(state_dim,)
                bad_init = False
    else:
        state = env.reset()

    for time in range(T+1):
        env.render()
        # 행동 계산
        action = Kt[time, :, :].dot(state) + kt[time, :]
        action = np.clip(action, -agent.action_bound, agent.action_bound)
        ang = math.atan2(state[1], state[0])
        print('Time: ', time, ', angle: ', ang*180.0/np.pi, 'action: ', action)
```

```
            save_gain.append([time, Kt[time, 0, 0], Kt[time, 0, 1],
                                    Kt[time, 0, 2], kt[time, 0]])

            state, reward, _, _ = env.step(action)
    # 칼만 게인 저장
    np.savetxt('./save_weights/kalman_gain.txt', save_gain)

if __name__=="__main__":
        main()
```

lqrflm_load_play.py

```
## 학습된 칼만 게인을 가져와서 에이전트를 실행시키는 파일
# 필요한 패키지 임포트
import numpy as np
import math
import gym

env_name = 'Pendulum-v0'
env = gym.make(env_name)

# 칼만 게인 읽어옴
gains = np.loadtxt('./save_weights/kalman_gain.txt', delimiter=" ")

T = gains[-1, 0]
T = np.int(T)

Kt = gains[:, 1:4]
kt = gains[:, -1]

# 실행용 초기 각도 설정
i_ang = 180.0*np.pi/180.0
x0 = np.array([math.cos(i_ang), math.sin(i_ang), 0])
# 원하는 초깃값이 생성될 때까지 환경 초기화 계속
bad_init = True
while bad_init:
    state = env.reset()  # shape of observation from gym (3,)
```

```
        x0err = state - x0
        if np.sqrt(x0err.T.dot(x0err)) < 0.1:  # x0=(state_dim,)
            bad_init = False

    for time in range(T+1):
        env.render()

        Ktt = np.reshape(Kt[time, :], [1, 3])
        action = Ktt.dot(state) + kt[time] # 행동 계산
        action = np.clip(action, -env.action_space.high[0], env.action_space.high[0])
        ang = math.atan2(state[1], state[0]) # 상태변수로부터 각도 계산

        print('Time: ', time, ', angle: ', ang * 180.0 / np.pi, 'action: ', action)

        state, reward, _, _ = env.step(action)

    env.close()
```

10.7 GPS로의 발전

가우시안 LQR을 이용한 강화학습 방법은 특정 초기 상태값이 주어졌을 때 로컬 모델과 로컬 제어법칙을 학습하는 방법을 제안한 것이다. 로컬 제어법칙은 특정 초기 상태에서 출발하는 특정 궤적에 대해서만 유효한 것이고, 일반적으로 이 궤적으로부터 크게 이탈되는 궤적에서는 잘 작동하지 않는다. 이러한 문제에 대응해서 로컬 가우시안 제어법칙을 글로벌 정책으로 일반화할 수 있는 한 가지 방법은 서로 다른 초기 상태 $\mathbf{x}_{0,i} \sim p(\mathbf{x}_0)$에 대해서 여러 개의 로컬 최적제어 법칙을 구현한 후에 로컬 제어법칙이 생성하는 행동을 교범으로 삼아 글로벌 정책 $\pi_\theta(\mathbf{u}_t|\mathbf{x}_t)$을 학습하는 것이다.

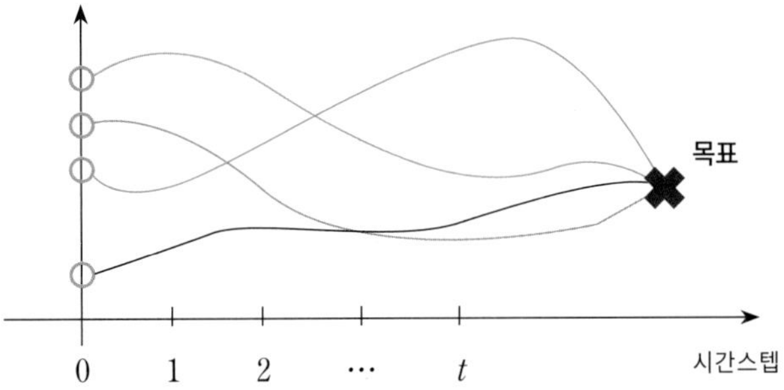

그림 10.13 다양한 초기 상태에 대한 최적 궤적

글로벌 정책은 액터 신경망으로 구성할 수 있으며, 다음 그림과 같이 지도학습 방법을 사용해 글로벌 정책이 생성하는 행동이 로컬 제어법칙이 생성하는 행동과 유사하도록 신경망의 파라미터 θ를 학습하면 된다. 신경망은 함수의 근사화 능력이 뛰어나므로 글로벌 정책은 어떤 초기 상태에 대해서도 안정적으로 작동할 수 있다. 또한 지도학습을 통해 모델 기반 제어법칙에 내재된 기본 규칙을 찾아낼 수도 있다. 이러한 아이디어를 발전시킨 알고리즘이 GPS(guided policy search, 정책탐색교범)이다.

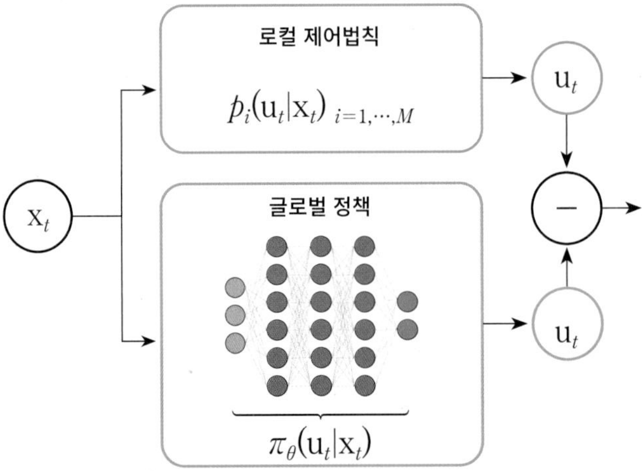

그림 10.14 로컬 제어법칙과 지도학습을 이용한 글로벌 정책 학습

GPS의 목표도 다른 강화학습 방법과 마찬가지로 비용함수를 최소화하는 글로벌 정책 $\pi_\theta(\mathrm{u}_t|\mathrm{x}_t)$를 학습하는 것이다.

$$J(\theta) = \mathbb{E}_{\tau \sim p_\theta(\tau)}\left[\sum_{t=0}^{T} c(\mathrm{x}_t, \mathrm{u}_t)\right] \tag{10.56}$$

모델 프리(model-free) 강화학습에서는 목적함수의 그래디언트 $\nabla_\theta J(\theta)$를 계산해 직접 목적함수를 최소화했지만, GPS에서는 최적화 문제를 제어 단계(control phase, C-단계)와 지도 단계(supervised phase, S-단계)로 나누어 푸는 접근 방법을 취한다. 제어 단계에서는 여러 개의 간단한 로컬 제어법칙 $p_i(\mathrm{u}_t|\mathrm{x}_t)$를 구하고, 지도 단계에서는 로컬 제어법칙을 교범으로 삼아 글로벌 정책 $\pi_\theta(\mathrm{u}_t|\mathrm{x}_t)$를 최적화한다. 글로벌 정책은 지도학습 방법을 사용해 모든 로컬 제어법칙을 아우르게 된다.

이 접근 방법의 장점은 로컬 제어법칙을 해당 전문 분야에 특화된 방법으로 별도로 설계할 수 있다는 것이다. 예를 들면, 시스템의 동역학을 정확히 알 수 있다면 궤적 최적화 방법을 사용할 수 있으며, 시스템 동역학을 모른다면 로컬 모델 기반 강화학습 방법을 사용할 수 있다. 이 경우에는 데이터가 필요하지만 로컬 제어법칙의 구조가 매우 단순하기 때문에 모델 프리 강화학습 방법보다도 훨씬 적은 수의 데이터로 학습이 가능하다. GPS의 큰 장점 중 하나는 이와 같이 샘플 효율이 뛰어나다는 것이다.

이상적인 GPS의 목적을 수식으로 표현하면 다음과 같다.

$$\min_{\theta} J(\theta) = \min_{p_i,\theta} \sum_{i=1}^{M} \mathbb{E}_{\tau \sim p_i(\tau|\mathrm{x}_{0,i})}\left[\sum_{t=0}^{T} c(\mathrm{x}_t, \mathrm{u}_t)\right] \tag{10.57}$$

$$\text{제약조건:} \quad p_i(\mathrm{u}_t|\mathrm{x}_t) = \pi_\theta(\mathrm{u}_t|\mathrm{x}_t)$$

여기서 M은 로컬 제어기 $p_i(\mathrm{u}_t|\mathrm{x}_t)$의 개수다. 로컬 제어기는 서로 다른 초기 상태 $\mathrm{x}_{0,i} \sim p(\mathrm{x}_0)$를 갖는 궤적에 대해서 최적제어를 구현한다.

GPS와 10.2절에서 설명한 로컬 모델 기반 강화학습 방법과의 차이점은 제약조건에 있다. 제약조건인 $p_i(\mathrm{u}_t|\mathrm{x}_t) = \pi_\theta(\mathrm{u}_t|\mathrm{x}_t)$가 의미하는 바는 GPS의 목적이 최적 궤적을 구하는 것이기는 하지만, 로컬 제어법칙의 확률밀도함수는 글로벌 정책의 확률밀도함수와 같아야 한다는 것이다. 확

정적 시스템의 경우에는 로컬 제어법칙이 취하는 행동은 글로벌 정책에서 나온 것과 같아야 한다는 의미다. 즉, 글로벌 정책이 전체를 아우르면서 최적제어를 모방해야 한다.

현재 다양한 GPS 알고리즘이 여러 논문에서 제안되고 모델예측제어(MPC, model predictive control)와 결합해 성능이 더욱 향상된 알고리즘도 연구되고 있다. 관심 있는 독자들은 참고문헌 [37-45]의 해당 논문을 참고하기 바란다.

참고문헌

[1] H. Stark and J. Woods, Probability, Random Processes, and Estimation Theory for Engineers, Prentice-Hall, 1994.

[2] A. Gamal, Introduction to Statistical Signal Processing, Stanford EE 278 Lecture Note.

[3] Y. Bar-Shalom, X. Li, and T. Kirubarajan, Estimation with Applications to Tracking and Navigation, John Wiley and Sons, 2001.

[4] R. Sutton, and A. Barto, Reinforcement Learning: An Introduction, MIT Press, 2016.

[5] UC Berkeley CS 294: Deep Reinforcement Learning, Lecture Note

[6] UC Berkeley CS 188: Artificial Intelligence, Lecture Note

[7] https://github.com/openai/gym/wiki/Pendulum-v0

[8] M. Lapan, Deep Reinforcement Learning Hands-On, Packt, 2018.

[9] L. Busoniu, R. Babuska, B. Schutter, and D. Ernst, Reinforcement Learning and Dynamic Programming Using Function Approximators, CRC Press, 2010.

[10] UCL: Introduction to Reinforcement Learning, Lecture Note

[11] 카를로 로벨리, 보이는 세상은 실재가 아니다, 쌤앤파커스, 2016.

[12] A. Wilson, R. Roelofs, and et. al. "Marginal Value of Adaptive Gradient Methods in Machine Learning", 31st Conference on Neural Information Processing Systems, Long Beach, CA, USA, 2017.

[13] P. Thomas, "Bias in Natural Actor-Critic Algorithms", Proc. of the 31st International Conference on Machine Learning, Beijing, China, 2014.

[14] https://medium.com/@jonathan_hui/rl-deep-reinforcement-learning-series-833319a95530

[15] 이웅원 외, 파이썬과 케라스로 배우는 강화학습, 위키북스, 2017.

[16] https://danieltakeshi.github.io/2017/03/28/going-deeper-into-reinforcement-learning-fundamentals-of-policy-gradients/

[17] https://reinforcement-learning-kr.github.io/2018/06/29/0_pg-travel-guide/

[18] https://spinningup.openai.com/en/latest/index.html

[19] V. Mnih, A. Badia, and et. al. "Asynchronous Methods for Deep Reinforcement Learning", Proc. of the 33rd International Conference on Machine Learning, New York, NY, USA. 2016.

[20] J. Schulman. S. Levine, P. Moritz, M. Jordan, and P. Abbeel. "Trust Region Policy Optimization", arXiv: 1502.05477v5, April 2017.

[21] J. Schulman. F. Wolski, and et. al. "Proximal Policy Optimization", arXiv: 1707.06347v2, August 2017.

[22] https://openai.com/blog/openai-baselines-ppo/#ppo

[23] J. Schulman. P. Moritz, and et. al. "High-Dimensional Continuous Control using Generalized Advantage Estimation", arXiv: 1506.02436v6, October 2018.

[24] T. Lillicrap, J. Hunt, and et. al. "Continuous Control with Deep Reinforcement Learning", arXiv: 1509.02971v2, November 2015.

[25] https://bair.berkeley.edu/blog/2017/10/06/soft-q-learning/

[26] T. Haarnoja, A. Zhou, P. Abbeel, and S. Levine, "Soft Actor-Critic: Off-Policy Maximum Entropy Deep Reinforcement Learning with a Stochastic Actor", arXiv:1801.01290v2, Aug. 2018.

[27] T. Haarnoja, A. Zhou, and et. al. "Soft Actor-Critic Algorithms and Applications", arXiv:1812.05905v2, Jan. 2019.

[28] https://michaelrzhang.github.io/model-based-rl

[29] D. Bertsekas. Dynamic Programming and Optimal Control, Athena Scientific, 2005.

[30] W. Li. and E. Todorov, "Iterative Linear Quadratic Regulator Design for Nonlinear Biological Movement Systems".

[31] M. Toussaint, "Robot Trajectory Optimization using Approximate Inference", Proc. of the 26th International Conference on Machine Learning, Montreal, Canada 2009.

[32] V. Kumar. E. Todorov, and S. Levine, "Optimal Control with Learned Local Models: Application to Dexterous Manipulation".

[33] F. Lewis, D. Vrabie, and V. Syrmos, Optimal Control, John Wiley and Sons, 2012.

[34] R. Lioutikov. A. Paraschos, J. Peters, and G. Neumann, "Sample–Based Information–Theoretic Stochastic Optimal Control".

[35] Y. Tassa. T. Erez, and E. Todorov, "Synthesis and Stabilization of Complex Behaviors through Online Trajectory Optimization", IEEE/RSJ International Conference on Intelligent Robot and Systems, Vilamoura, Portugal, 2012.

[36] Carnegie–Mellon University Machine Learning Lecture Note(https://www.cs.cmu.edu/~epxing/Class/10701–12f/)

[37] S. Levine, C. Finn, T. Darrell, and P. Abbeel, "End–to–End Training of Deep Visuomotor Policies", Journal of Machine Learning Research, 17, pp.1–40, 2016.

[38] W. Montgomery. and S. Levine, "Guided Policy Search as Approximate Mirror Descent", arXiv: 1607.04614v1, July 2016.

[39] https://www.slideshare.net/jaehyeonBahk/guided–policy–search

[40] S. Levine. N. Wagener, and P. Abbeel, "Learning Contact–Rich Manipulation Skills with Guided Policy Search", arXiv: 1501.05611v2, February 2015.

[41] S. Levine. and V. Koltun, "Guided Policy Search", Proc. of the 30th International Conference on Machine Learning, Atlanta, Georgia, USA 2013.

[42] S. Levine. and P. Abbeel, "Learning Neural Network Policies with Guided Policy Search under Unknown Dynamics",

[43] T. Zhang, G. Kahn, S. Levine, and P. Abbeel, "Learning Deep Control Policies for Autonomous Aerial Vehicles with MPC–Guided Policy Search",

[44] G. Kahn. T. Zhang, S. Levine, and P. Abbeel, "PLATO: Policy Learning using Adaptive Trajectory Optimization", arXiv: 1603.00622v4, February 2017.

[45] T. Wang, X. Bao, and et. al. "Benchmarking Model–Based Reinforcement Learning", arXiv: 1907.02057v1, July 2019.

참고코드

[1] https://github.com/RLOpensource/spinning_up_kr/

[2] https://github.com/PacktPublishing/Deep-Reinforcement-Learning-Hands-On

[3] https://github.com/reinforcement-learning-kr/pg_travel

[4] https://github.com/awjuliani/oreilly-rl-tutorial

[5] https://github.com/MorvanZhou/Reinforcement-learning-with-tensorflow/tree/master/contents

[6] https://github.com/inoryy/tensorflow2-deep-reinforcement-learning

[7] https://github.com/stefanbo92/A3C-Continuous

[8] https://github.com/jaromiru/AI-blog/blob/master/CartPole-A3C.py

[9] https://github.com/muupan/async-rl

[10] https://github.com/openai/universe-starter-agent

[11] https://github.com/Hyeokreal/Actor-Critic-Continuous-Keras

[12] https://github.com/FitMachineLearning/PPO-Keras

[13] https://github.com/shareeff/PPO

[14] https://github.com/LuEE-C/PPO-Keras

[15] https://github.com/frankwtm94/control-limited-iterative-lqr

[16] https://github.com/cbfinn/gps

[17] https://github.com/gekath/reacher

[18] https://github.com/WilsonWangTHU/mbbl

[19] https://github.com/marcino239/gps

F

G

H

I

J

K

L

M

T

U

V

W

ㅍ

ㅎ